D1226583

GREENPOINT

SERIA AMERYKAŃSKA

Billie Holiday William Dufty *Lady Day śpiewa bluesa*
Dan Baum *Dziewięć twarzy Nowego Orleanu*
Jill Leovy *Wszyscy wiedzą. O zabójstwach czarnych w Ameryce*
Brendan I. Koerner *Niebo jest nasze. Miłość i terror w złotym wieku piractwa powietrznego*
Hampton Sides *Ogar piekielny ściga mnie. Zamach na Martina Luthera Kinga i wielka obława na jego zabójcę*
Paul Theroux *Głębokie Południe. Cztery pory roku na głuchej prowincji*
S. C. Gwynne *Wrzask rebeliantów. Historia geniusza wojny secesyjnej*
Jon Krakauer *Missoula. Gwałty w amerykańskim miasteczku uniwersyteckim*
James McBride *Załatw publikę i spadaj. W poszukiwaniu Jamesa Browna, amerykańskiej duszy i muzyki soul*
Dan Baum *Wolność i spluwa. Podróż przez uzbrojoną Amerykę*
David McCullough *Bracia Wright*
Lawrence Wright *Wyniosłe wieże. Al-Kaida i atak na Amerykę*
Linda Polman *Laleczki skazańców. Życie z karą śmierci*
Jan Błaszczak *The Dom. Nowojorska bohema na polskim Lower East Side*
Charlie LeDuff *Detroit. Sekcja zwłok Ameryki* (wyd. 3)
Charlie LeDuff *Shitshow! Ameryka się sypie, a oglądalność szybuje*
Tom Clavin Bob Drury *Serce wszystkiego, co istnieje. Nieznana historia Czerwonej Chmury, wodza Siuksów* (wyd. 2)
Andrew Smith *Księżycowy pył. W poszukiwaniu ludzi, którzy spadli na Ziemię*
Nikki Meredith *Ludzkie potwory. Kobiety Mansona i banalność zła*
Nick Bilton *Król darknetu. Polowanie na genialnego cyberprzestępcę*
Patti Smith *Rok Małpy*
Magda Działoszyńska-Kossow *San Francisco. Dziki brzeg wolności*
David Treuer *Witajcie w rezerwacie. Indianin w podróży przez ziemie amerykańskich plemion*
Sam Quinones *Dreamland. Opiatowa epidemia w USA* (wyd. 2)
Ronan Farrow *Złap i ukręć łeb. Szpiedzy, kłamstwa i zmowa milczenia wokół gwałcicieli*
S. C. Gwynne *Imperium księżyca w pełni. Wzlot i upadek Komanczów* (wyd. 2)
Matt Taibbi *Nienawiść sp. z o.o. Jak dzisiejsze media każą nam gardzić sobą nawzajem*
Holly George-Warren *Janis. Życie i muzyka*
Jessica Bruder *Nomadland. W drodze za pracą*
Laura Jane Grace Dan Ozzi *Trans. Wyznania anarchistki, która zdradziła punk rocka*
Legs McNeil Gillian McCain *Please kill me. Punkowa historia punka* (wyd. 2)
Alex Kotlowitz *Amerykańskie lato. Depesze z ulic Chicago*
Magdalena Rittenhouse *Nowy Jork. Od Mannahatty do Ground Zero* (wyd. 2 zmienione)
Rachel Louise Snyder *Śladów pobicia brak. W pułapce przemocy domowej*
Jon Krakauer *Wszystko za życie*

EWA WINNICKA

# GREENPOINT

## Kroniki Małej Polski

Wołowiec 2021

Projekt okładki Agnieszka Pasierska
Projekt typograficzny i redakcja techniczna Robert Oleś / d2d.pl
Fotografia na okładce © by Krzysztof Miller / Agencja Gazeta

Copyright © by Ewa Winnicka, 2021

Opieka redakcyjna Przemysław Pełka
Redakcja Magdalena Błędowska
Korekta Iwona Łaskawiec, Elżbieta Krok
Mapa GeoServices (geoservices.pl)
Skład pismem Albertina MT Pro Agnieszka Frysztak / d2d.pl

Książkę wydrukowano na papierze Ecco-Book Cream 80 g/m², vol. 1,6,
dystrybuowanym przez firmę Antalis Sp. z o.o.

ISBN 978-83-8191-223-5

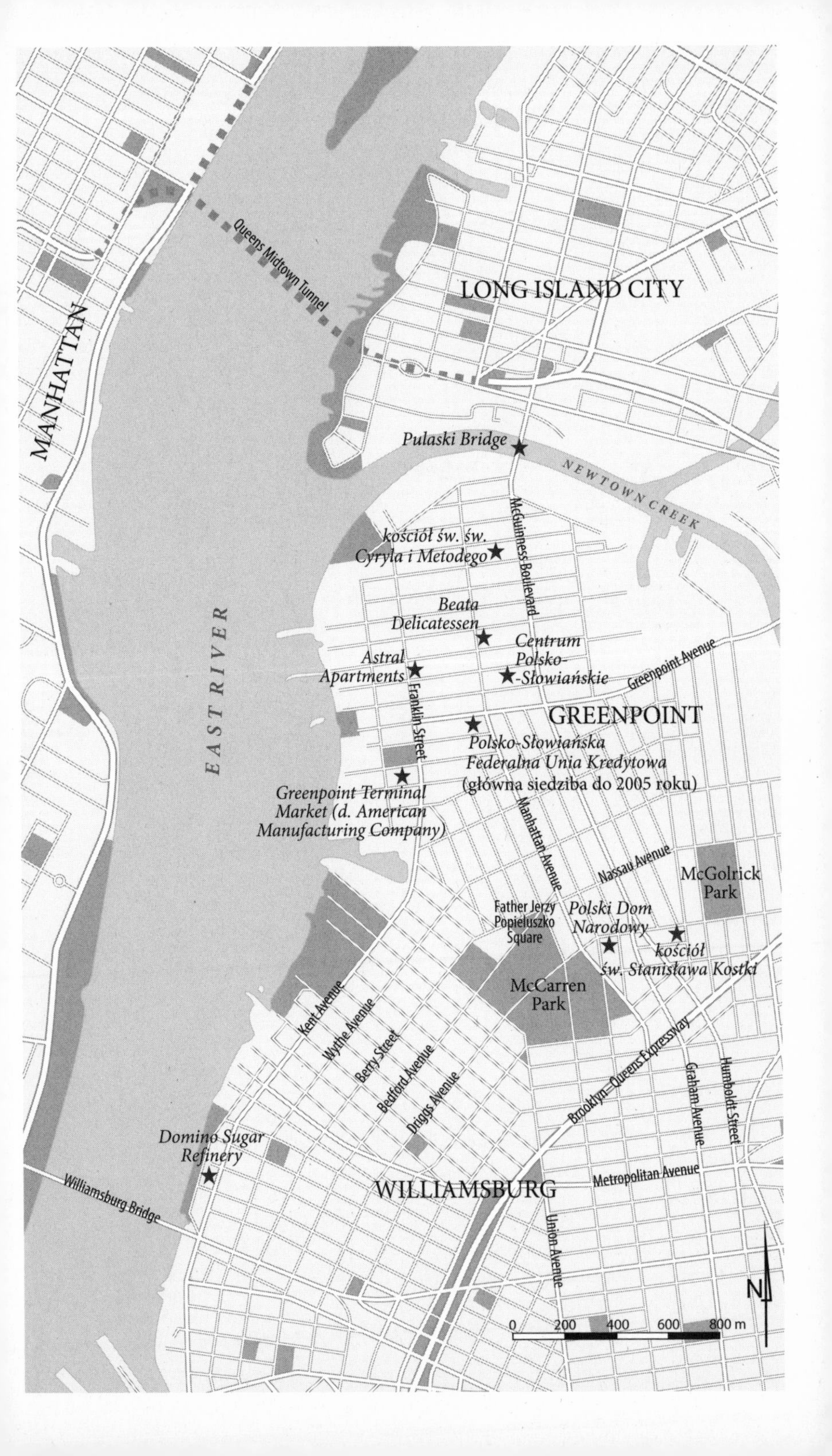

MANHATTAN
Queens Midtown Tunnel
LONG ISLAND CITY
Pulaski Bridge
NEWTOWN CREEK
McGuinness Boulevard
kościół św. św. Cyryla i Metodego
EAST RIVER
Beata Delicatessen
Centrum Polsko-Słowiańskie
Astral Apartments
Franklin Street
Greenpoint Avenue
GREENPOINT
Polsko-Słowiańska Federalna Unia Kredytowa (główna siedziba do 2005 roku)
Greenpoint Terminal Market (d. American Manufacturing Company)
Manhattan Avenue
Nassau Avenue
McGolrick Park
Father Jerzy Popieluszko Square
Polski Dom Narodowy
kościół św. Stanisława Kostki
McCarren Park
Kent Avenue
Wythe Avenue
Berry Street
Bedford Avenue
Driggs Avenue
Brooklyn–Queens Expressway
Graham Avenue
Humboldt Street
Domino Sugar Refinery
Metropolitan Avenue
WILLIAMSBURG
Williamsburg Bridge
Union Avenue
N
0
200
400
600
800 m

*Mojej Mamie*

Kiedy przemysł stawał się amerykańską religią, Neziah Bliss z Connecticut wymarzył sobie na północnym cyplu miasta Brooklyn przemysłową dzielnicę z widokiem na Manhattan. Był 1832 rok.

Bliss był wizjonerem, ale przede wszystkim człowiekiem biznesu, więc wyznaczył działki i ulice. Główną nazwano Union, a potem Manhattan Avenue, co miejscy historycy uznali za gest znaczący.

Brooklyn uchodził za brzydkie kaczątko, robotnicze zaplecze niedosiężnego Manhattanu, a Greenpoint – zaplecze Brooklynu. Nim Bliss umarł, dzielnica była już najbardziej uprzemysłowionym miejscem w Ameryce. I najbardziej zanieczyszczonym. Dla emigrantów z Europy: jednym z ważniejszych przedsionków Ameryki. Dla niektórych początkiem i końcem ich drogi.

W drugiej połowie XX wieku okolice Manhattan Avenue między wąską zatoką Newtown a drogą szybkiego ruchu łączącą Brooklyn i Queens z Manhattanem nazywano Little Poland.

Z tunelu metra przy Greenpoint Avenue wyszłam po raz pierwszy w sierpniu 2001 roku i była to fascynacja od pierwszego wejrzenia.

Wielu odwiedzających dzielnicę opisywało intensywne doświadczenie translokacji w czasie i przestrzeni. Niektórzy z sentymentem, inni z pogardą. Nie byli tylko zgodni, dokąd tę podróż odbyli. Do Łomży lat osiemdziesiątych? Pod Rzeszów, do Koluszek?

Jestem jednak przekonana, że nawet wtedy, w 2001 roku, w apogeum Małej Polski na Brooklynie – kiedy tańczyło się w klubie

Europa i Polskim Domu Narodowym, jadło i piło w dziesiątkach polskich restauracji, co tydzień szło na koncert polskiej gwiazdy – Greenpoint nie był podobny do żadnego polskiego miasteczka ani żadnej społeczności między Odrą a Bugiem. Niczego takiego w Polsce nie było.

Greenpoint był po prostu syropem z Polski. Polską zagęszczoną, ale słabo rozpuszczającą się w nowojorskim roztworze. Tym, co nas definiuje, podanym na dużej łyżce. Dla kogoś takiego jak ja, kto na progu dorosłego życia pragnął rozłożyć, usystematyzować, obejrzeć z kilku stron i odłożyć na właściwe miejsce elementy własnej tożsamości – najlepszym środowiskiem.

Od 2016 roku odwiedzałam Greenpoint ze świadomością, że powstanie książka. Rozmawiałam ze stałymi mieszkańcami i tymi, dla których dzielnica była tylko przystankiem.

Wszyscy opisani bohaterowie są prawdziwi. Żadna postać nie jest złożona z kilku innych, ale dane niektórych zostały zmienione. Z wieloma się zaprzyjaźniłam. Słuchałam opowieści o niewiarygodnie ciężkiej pracy w imię marzeń, o ambicjach, o poczuciu wyższości i niższości, o pragnieniu bycia zaakceptowanym, docenionym i podziwianym przez wielką Amerykę – albo chociaż godziwie wynagradzanym.

O życiu przyszłością i przeszłością, rzadziej tu i teraz. Słuchałam również o sobie. To jest elegia dla Małej Polski. I tej dużej.

# Beata Delicatessen, 984 Manhattan Avenue (1)

## Floryda, marzec 2020

MIESZKO: Ktoś powiedział, że dla właściciela sklepu najlepsze są dwa momenty – kiedy go kupuje i kiedy sprzedaje. Drugi był lepszy.

BEATA: Kochałam nasz sklep. Klienci opowiadali nam całe swoje życie. Byliśmy tam potrzebni. Przychodzili alkoholicy, którzy nie chcieli już pić, ofiary przemocy domowej, dziadkowie ze zdjęciami wnuków, których w życiu nie widzieli.

MIESZKO: Miałaś tam swój konfesjonał. Matka Boska Delikatesowa. Ludzie płakali nad sobą, zwierzali się z grzechów i patrzyli w oczy, czy im przebaczysz. Potraktowałbym ten sklep miotaczem ognia. To było więzienie. Odsiedziałem w tym miejscu dwudziestopięcioletni wyrok.

## 1983. Miłość

MIESZKO: Nie przyjechaliśmy tu z biedy, w żadnym wypadku.

BEATA: Tylko z powodu wielkiej miłości, której jego mama nie akceptowała.

MIESZKO: Poznałem Beatę na pierwszym roku w Opolu.

BEATA: Miała plany wobec starszego syna. Najprzystojniejszy, najmądrzejszy. Miał być prezydentem Polski, a ja się jej zdaniem nie nadawałam na pierwszą damę. Całe lata nie mieściłam się w jej wizji świata.

MIESZKO: Byłem na drugim roku, mama pyta: „Synku, gdzie w tym roku wakacje?”. Odpowiadam: „Mamo, jadę na praktyki, a potem z Beatą pod namiot”.

BEATA: Gdyby wiedziała, co się stanie, zgodziłaby się na ten namiot.

MIESZKO: Mama mi zaraz powiedziała: „Wiesz, synku, babcia za tobą tęskni, musisz ją odwiedzić w Ameryce”. Kocham mamę, ale wiem, że Ameryka to jest po to, żebym nie jechał z Beatą. Z mamą nie ma dyskusji, więc zgadzam się jechać do babci na Greenpoint, ale zaraz biegnę do Beaty, ponieważ jestem uparty tak jak mama.

BEATA: Przybiega. „Bierz dziekankę, przyjedź do mnie, zostaniemy na rok, zarobimy na mieszkanie, nikomu nic nie mów”.

MIESZKO: Zaproszenie mam od babci, paszport i wizę dostaję bez problemu, bo moja mama jest ważną osobą, działa w PZPR, ma kolegów w MSW. Kończy się stan wojenny, samoloty z Polski nie lądują w Nowym Jorku, ale ona dzięki swoim wpływom wypycha mnie przez Londyn. Znajomy babci odbiera mnie z lotniska. Jadę do niej, mieszka na ulicy Eagle. Kiedy wysiadam z auta, rozglądam się i myślę: ja pierdolę, niemożliwe.

## Babcia

MIESZKO: Rodzina pochodzi z Buczacza, znad Dniestru. Pojechali do Ameryki przed pierwszą wojną światową. Część została w Ameryce, część wróciła w latach trzydziestych, bo wybuchł kryzys. Zatrzymali się w Galicji, ale nie mieli lekko. Męża babci pobili na śmierć bandyci ukraińscy. Przed domem, na oczach żony i córek, w tym mojej mamy. Potem babcię z córkami przerzucono do Opola.

W latach siedemdziesiątych do babci przyjechali z Ameryki krewni z dziećmi i babcia ich gościła. Na odchodnym zapytali: „Co możemy dla ciebie zrobić?”. I babcia, urodzona w Ameryce, wdowa, córki wychowane, ustawione, jedna prawniczka, druga lekarka, powiedziała: „Weźcie mnie ze sobą, co ja mam tu robić?”. Pojechała do rodziny na Long Island, do Riverhead. Siedziała u nich, aż jej powiedzieli, że na Greenpoincie mieszka człowiek, któremu żona zmarła. Facet nie daje rady, więc może babcia by mu pomogła. I pojechała na Greenpoint, zaopiekowała się biednym wdowcem, a następnie wzięła z nim ślub.

Wdowiec pochodził spod Żytomierza, przeszedł przez Monte Cassino, przyjechał z Wielkiej Brytanii z zapoznaną Polką. Trzydzieści lat codziennie wychodził z domu, skręcał z prawo, szedł trzy kwartały do portu, rozładowywał statki, wracał i siedział w domu. Widziałem trzy krzyżyki w miejscu jego podpisu w amerykańskim paszporcie. Niestety zmarł, babcia znów została wdową w wynajętym mieszkaniu na ulicy Eagle.

## Ulica Eagle

MIESZKO: Wydawało mi się, że pochodzę z głębokiej prowincji, ale kiedy przyjechałem na Eagle Street, nogi się pode mną ugięły. Drewniany, pokrzywiony, obłożony sidingiem szeregowiec wyglądał na slums. Cała dzielnica tak wyglądała. Jak już wszedłem na schody, bałem się, że się zapadną. Otworzyłem drzwi do mieszkania babci, ciemnego, z przechodnimi pokojami. Na końcu wąskiego przedpokoju była kuchnia, a na środku kuchni wanna. Z kuchni wchodziło się do pokoi. Dookoła biegały karaluchy. Kiedy ktoś do babci przychodził, a ja siedziałem w tej wannie na środku kuchni, to rozkładałem drewniane klapy, żeby się zasłonić.

BEATA: Zadzwonił do mnie, był załamany. „Jak się rozpędzę, to przelecę przez wszystkie mieszkania, przez całą ulicę". Uważał, że ściany są zrobione z dykty; wiele się nie pomylił.

MIESZKO: Nie wiedziałem, że można żyć w tak strasznym mieszkaniu. W Polsce niczego takiego nie widziałem. Może dlatego, że mieszkałem w poniemieckim mieście. U nas w piwnicy było lepiej. W Polsce byliśmy uprzywilejowani również dlatego, że babcia przysyłała nam dolary. Przelicznik był niesamowity, czterysta pięćdziesiąt złotych za dolara, potem osiemdziesiąt złotych. Mieliśmy ciuchy, na widok których ludziom wychodziły oczy, a babcia w Ameryce głodowała. Miała najniższą emeryturę, płaciła minimalny czynsz, pieniądze wysyłała rodzinie. Zacząłem szukać pracy.

BEATA: Odwiedziłam w listopadzie mamę Mieszka. Powiedziałam, że Mieszko prosi o zimową kurtkę. Mama zamarła. A ja z kurtką pojechałam na lotnisko. Kiedy doleciałam do Ameryki, zamontowaliśmy nad wanną stelaż i kotarę.

MIESZKO: Babcia zaprowadziła mnie do kościoła. Na mszy siedzieli sami starsi ludzie. Przedstawiła mnie proboszczowi. Usłyszał, że mam donośny głos, i powiedział: „Będziesz czytał". Czytaliśmy z Beatą całe lata. Starsze panie były zachwycone, mogły wyłączyć aparaty słuchowe. Wszedłem w społeczność od zakrystii.

## Decyzja

BEATA: Nie chcieliśmy zostawać w Ameryce. Ale Mieszko nie dostał urlopu dziekańskiego. To znaczy: mama mu nie załatwiła, bo chciała, żeby wrócił do Polski. Nie wrócił. Po roku zgarnęliby go do wojska.

MIESZKO: Podjęliśmy decyzję – chcemy być razem, więc zostajemy. Było nam już łatwiej, wiedzieliśmy, na czym stoimy. Mogliśmy budować życie w Ameryce. Znaliśmy dziesiątki ludzi, którzy myśleli, że wrócą, więc życie na Greenpoincie traktowali jak dłuższe kolonie letnie. Niektóre trwały trzydzieści lat.

Mama się nie poddała. Dwa lata później sama do nas przyjechała. Kiedy na lotnisku zobaczyła Beatę w ciąży, walizki wypadły jej z ręki.

## Legendy

BEATA: Mieszko zamknął mnie w mieszkaniu z babcią, zakazał samej wychodzić. Mówił, że dzielnica niebezpieczna ze względu na Latynosów, głównie z Puerto Rico. Ulica Eagle była już w ich strefie wpływów, tak mówili.

MIESZKO: Manhattan Avenue miała stronę wschodnią i zachodnią. Jak szedłeś po niewłaściwej stronie, dostawałeś w trąbę.

BEATA: Zawsze uważałam, że przesadzasz.

MIESZKO: Kolega mieszkał na Huron. Płacił dolara za wejście na swoją ulicę. W południowej części Manhattan Avenue, za

Beata i Mieszko na punkcie widokowym World Trade Center, 1985 r.

autostradą, mieszkali Włosi. Była tam piekarnia, gdzie spotykali się mafiosi. Dowiedzieliśmy się o tym, gdy w gazetach przeczytaliśmy, że piętnastu klientów tej piekarni dostało dożywocie. Jeden, skruszony, miał w roleksie mikrofon, a nagrania oddawał FBI.

BEATA: W niedzielę szliśmy do kościoła, gdzie zapach kulek na mole mieszał się z zapachem nieprzetrawionego alkoholu. Po mszy babcia przedstawiała nam koleżanki. Byliśmy nowi, więc starsi stażem emigranci podchodzili do nas i zadawali pytania, co tam w Polsce. Opowiadali o sobie. W Polsce nigdy nie spotkałam ludzi, którzy zdecydowaliby się na takie życie.

MIESZKO: Mówili, że chcą zarobić i wrócić, ale to wracanie im się nie udawało. Mieli kartki ze spisem rzeczy, które mają kupić. Kombajn, traktor, telewizor, rozrzutnik, przywieźć dwa tysiące dolarów, bo córka bierze ślub. Jak uzbierali, wyciągali ze skarpety i wysyłali przekazem do Polski. Za dwa miesiące żona przysyłała zdjęcie z kombajnem, mogli odhaczyć. I pracować na rozrzutnik.

W sobotę jedni pili w domu, inni szli do Narodowego Domu Polskiego na ulicę Driggs. Była to założona po pierwszej wojnie światowej świetlica i klub dla Polaków. Działała tam dyskoteka za pięć dolarów i wyszynk. Repertuar był raczej wiejski, ale czasem na zabawach grali znani muzycy. W latach osiemdziesiątych otworzył się jeszcze klub Continental. Też tam bywaliśmy.

## Laleczki

MIESZKO: Zanim przyjechałem, babcia ściągnęła syna swojej siostry. Zalegalizował sobie pobyt, zupełnie nie wiem jak. Miał numer Social Security, który dla zdobycia jakiejkolwiek pracy jest kluczowy. I był tak miły, że mi go pożyczył, żebym sobie znalazł posadę. On tymczasem z tym samym numerem pracował na swoim etacie. To dla systemu nie jest problem, by człowiek z tym samym numerem pracował w kilku miejscach. Im więcej składek, tym lepiej. Oczywiście najlepiej by było, żeby był tą samą osobą. Na Greenpoincie nie zawsze się to sprawdzało.

BEATA: Obwiózł cię po mieście, załatwił pierwszą pracę przy laleczkach.

MIESZKO: Powiedział, że zna kogoś, kto potrzebuje człowieka do fabryki zabawek. Zbliżały się święta, fabryka dwa bloki dalej zaczęła zatrudniać wyrzynaczy lalek na świąteczne wystawy sklepowe. Szefem był Żyd i gej, który po fabryce chodził za rękę ze swoim chłopakiem. Załodze było to obojętne, ponieważ zgadzały im się czeki w sklepach.

Poszedłem, wpisałem się na listę. Przyszedł pan Jurek, który był kierownikiem działu mechanicznego, zaprowadził mnie na taśmę i pokazał, co mam rżnąć i skręcać. Obok pracowało kilkunastu chłopa, wszyscy starsi ode mnie. Byli głodni wszelkich informacji z Polski. Miałem ze sobą kasetę z nagraną listą przebojów, od razu mnie pokochali. Zwłaszcza że byli muzykami. Po wybuchu stanu wojennego przyjechali na koncerty z Jerzym Połomskim. Polska Estrada miała zarobić dolary, Połomski był eksportowym towarem, więc ich wypuścili. Amerykański kontrahent powiedział, że stan wojenny to wewnętrzna sprawa Polski, a koncerty mają się odbyć, bo są opłacone. Przyjechali, zagrali, Połomski wrócił do Polski, a oni wszyscy zostali. Obok na taśmie stał więc saksofonista Krzysztof, który występował na Jazz Jamboree. O muzyce dowiedziałem się więcej niż przez cały czas edukacji.

Posadzili mnie obok kolegi Fućka. Rano Fuciek przynosił kartonowe pudełko z pustymi laleczkami, każda wysokości czterdziestu centymetrów. Podawał mi lalkę, ja urywałem głowę i kładłem na stole. Otwieraliśmy plecki i obaj braliśmy wiertarki, bo laleczka musiała mieć dziurę w prawej nodze i otwór do wentylacji. Następnie na pile tarczowej ciąłem rączki, a on plecki, żeby się dobrze wentylowały. Wkładaliśmy do środka silniczek elektryczny z wystającym ramieniem, przez prawą nóżkę przeciągaliśmy przewód elektryczny, wkładaliśmy do kontaktu. Jeśli laleczka ruszała prawą rączką i główką, kładliśmy dwie krople kleju i lepiliśmy główkę. Sto czterdzieści cztery laleczki w cztery godziny. W sali obok panie Portorykanki ubierały je w świąteczne ubranka. Następnego dnia przychodziło nowe zamówienie: laleczki miały trzymać w ręku świece. Potem składaliśmy dwumetrowe dziadki do orzechów. Szliśmy później z żoną Madison Avenue na Manhattanie, a moja laleczka machała do mnie z wystawy.

BEATA: Muzycy w weekendy grali w Domu Polskim na Greenpoincie. Gdy powstał Continental, to w Continentalu. Na naszym weselu też zagrali, bo dołączyliśmy do ich paczki. Przyjaźnie zostały na całe życie.

MIESZKO: Żona jednego z chłopaków zajmowała się w Greenwich, Connecticut, domem milionerów pod ich nieobecność. Jeździliśmy tam, gotowaliśmy, piliśmy wino. To była piękna okolica, luksusy, jakich nie widzieliśmy na oczy.

BEATA: Zaczęliśmy się orientować, że mieszkamy w getcie i że Ameryka jest trochę większa niż Greenpoint. I że Greenpoint ma osobną historię.

# Rozdział 1. Inni Europejczycy

Europejczycy przypłynęli tu na dłużej w 1624 roku, wywracając do góry nogami dotychczasowe życie mieszkańców – rdzennych Amerykanów z plemion Canarsee oraz innych szczepów z Long Island. Kawał lądu nad cieśniną nazwaną później przez Anglików East River był pagórkowaty, pocięty strumieniami, trudno dostępny marszem, ale możliwy do opłynięcia kanoe. Zarośnięty dębami, jesionami i piołunem, stanowił ulubiony teren łowców i zbieraczy.

Wyekspediowani przez Holenderską Kompanię Zachodnioindyjską Europejczycy postawili tu swoje tymczasowe chaty, lecz główne siły osiedleńcze skierowali na położoną za East River wyspę. Uczynili ją wkrótce bramą do całego Nowego Świata. Dwa lata później holenderski gubernator kupił ją od Indian i nazwał Nowym Amsterdamem.

Potem znów spojrzeli na drugą stronę cieśniny. W 1638 roku Holenderska Kompania Zachodnioindyjska dostała od swojego gubernatora zezwolenie na zakup tu nowej ziemi. Canarsee sprzedali ją za osiem sążni płótna, osiem sążni wampum, dwanaście imbryków, osiem przynęt, osiem siekier, kilka noży, korale i szydła. Umowa opiewała na 3860 akrów, obejmowała część półwyspu, który nazwano Broklinem, później Brooklynem. Woda wdzierała się w ten ląd językami niewielkich zatok. Od północy graniczył z zatoką Newtown, a na południu dochodził do Maspeth. Od początku władania Europejczyków toczyło się na nim życie oderwane od wielkomiejskiej Mannahatty – Nowego Amsterdamu – Nowego Jorku. Ale równie dramatyczne.

Ów początkowo holenderski Wood Point (drewniany punkt), później Green Point (zielony punkt) nazwę wziął od koloru zalesionego nabrzeża widzianego z łodzi. Następne sto pięćdziesiąt lat było ostatnim etapem w jego historii, kiedy mógł się kojarzyć z zielenią i naturą.

## Ojciec założyciel

Urodzony w Norwegii Dirck Volckertszen wyemigrował najpierw do Holandii, a potem, jako cieśla okrętowy, do Nowego Amsterdamu. Ożenił się z holenderską dziewczyną z kolonii i zamieszkał w dolnej części Manhattanu.

Najlepszym sposobem na szybkie pieniądze był handel futrami z Indianami. Volckertszen wyprawiał się łodzią za East River. Nielegalnie, bo monopol na handel miała Kompania. Zawoził Indianom narzędzia rolnicze, bele płótna żeglarskiego i alkohol. Nie był jedynym przemytnikiem, ale jedynym odważnym, który na Greenpoincie spędzał także noce. Skandynawowie i Holendrzy budowali tu raczej lekkie chatki, pierwsze biura obsługi, lecz ze strachu przed miejscowymi woleli wracać na Manhattan. Dirck zaś zamieszkał na Greenpoincie – w miejscu, które dwieście lat później będzie skrzyżowaniem ulicy Calyera z ulicą Franklina, dwie przecznice na zachód od Manhattan Avenue.

W 1640 roku stał się zamożny na tyle, by sprowadzić niewolników do pracy na swojej farmie.

Pięć lat później Greenpoint był jego własnością. Osiem lat później partnerskie kontakty z miejscowymi zamieniły się w krwawą jatkę.

Dirck wzbogacił się na handlu z tubylcami, ale szybko się nimi rozczarował. Nie spieszyło im się z konwersją na chrześcijaństwo ani z uznaniem wyższości Europejczyków. Nie rozumieli też europejskiego prawa własności: wierzyli, że ziemia nie może należeć do nikogo, ponieważ jest święta. Nie wahali się przychodzić po część ciężko wypracowanych plonów. Zdarzało się, że indiańskie kobiety wychodziły za mąż za kolonistów, ale jeszcze częściej zdarzały się napaści na nich.

Volckertszen rozwiązał palące kwestie wiary i bezpieczeństwa wspólnie z Willemem Kieftem, gubernatorem Nowej Holandii, z zawodu rzeźnikiem. Wzięli przykład z Anglików z Nowej Anglii, którzy cywilizowali miejscowych za pomocą broni palnej. Kieft nie wahał się płacić za skalpy; pierwszy wydał rozkaz ataku na śpiących na nabrzeżu Manhattanu przyjaznych Indian Keskachaugue.

Spalenie w odwecie greenpoinckiej posiadłości The Normana, jak nazywano Volckertszena, było pierwszym aktem wojny między zjednoczonymi Indianami z Long Island a zjednoczonymi kolonistami z Holandii, Anglii i Szwecji. Wojna ta trwała do 1659 roku i osłabiła obie strony. W 1600 roku szacowano, że Long Island zamieszkuje dziesięć tysięcy tubylców; w 1659 roku było ich pięciuset. Na Manhattanie i za East River zostało dwustu pięćdziesięciu kolonistów.

The Norman zmarł w 1677 roku. Pozostawił po sobie prosperujące gospodarstwo, młyny, przeprawę promową przez zatoczkę Newtown i legendę ojca założyciela dzielnicy. Posiadłość odkupił Holender, kapitan Pieter Praa. Jego cztery córki wyszły za mąż za holenderskich i angielskich osadników: Calyera, Meserole'a, Provosta i Bennetta. Przez następne sto lat te cztery rodziny oraz ich niewolnicy będą jedynymi mieszkańcami Greenpointu.

Julian Ursyn Niemcewicz*, 1797:

> Miasto położone jest wyjątkowo dogodnie, jeśli chodzi o handel, jak i o zdrowy klimat. Mieszkańcy New Yorku umieli wyzyskać wszystkie te okoliczności. Mają oni rozwinięty handel, prócz kontaktów z Europą wysyłają wiele statków do Indii Wschodnich, do Chin, do Nowego Orleanu w Zatoce Meksykańskiej. Duch spekulacji owładnął mieszkańcami New Yorku, niektórzy w mgnieniu oka porobili majątki, inni takież utracili i siedzą w więzieniu.

* Julian Ursyn Niemcewicz (1758–1841) – pisarz i publicysta, członek Komisji Edukacji Narodowej. Był adiutantem Tadeusza Kościuszki, po bitwie pod Maciejowicami zostali razem osadzeni w twierdzy petersburskiej i obaj zwolnieni w 1796 roku. Wspólnie wybrali się w podróż do Ameryki.

Miasto rośnie w oczach. Przez trzy lata ludność wzrosła o dziesięć tysięcy dusz. Jest ono zbudowane mniej regularnie niż Filadelfia, ale dużo weselsze. Broadway jest wspaniały. Byliśmy razem w teatrze na Greenwich Street; sala zbudowana w pośpiechu, z desek, tak że nie słyszy się prawie nic. Poza tym jest jeszcze inny, zwany Circus, gdzie odbywa się tresura koni i pokazy pantomimy.

Nie ma jeszcze stu pięćdziesięciu lat, kiedy tu, gdzie dziś widzimy bogate miasto, lud zamożny i obyczajny, widziało się jedynie dzikusów uzbrojonych w łuki, uganiających się za zwierzyną. Taką jest potęga oświeconego i przemyślnego człowieka, wspomaganego mądrze pojętą wolnością, wyswobodzonego z więzów despotyzmu i równie niszczycielskiego nieładu, swawoli i anarchii. W mgnieniu oka zmienia on pustynię w urodzajne pola i wyciska na wszystkim, czego się dotknie, piętno przemyślności i cywilizacji.

Budowle publiczne są obszerne i zaplanowane z dużym rozmachem. Należy zaliczyć do nich uniwersytet, dom poprawczy, dom wariatów i wreszcie więzienie. Wszystkie te zakłady istniały przed rewolucją. Amerykanie zawdzięczają dużo swym dawnym panom: nauczyli ich oni pierwszych zasad wolności i porządku społecznego. Wolność, kiedy o nią walczyli i kiedy ją zdobyli, nie była dla nich pojęciem nowym i nieznanym. Dlatego nie nadużywali jej wcale*.

## Okupacja

Obywatele ponad stu narodowości mają poczucie wspólnoty oraz przekonanie, że daleki król Jerzy III nieprzesadnie dba o interesy kolonii. Co najmniej dwie greenpoinckie rodziny uważają, że arogancki rząd w Londynie prowadzi wobec Nowego Świata rabunkową politykę. Chodzi o podatki przesyłane za ocean oraz cła na towary przywiezione z Europy.

* *Ameryka w pamiętnikach Polaków. Antologia*, wybór i komentarze B. Grzeloński, Warszawa 1988, s. 34–36. Wszystkie cytaty z tego źródła zostały przytoczone w książce ze skrótami, bez oznaczania ich w tekście.

Problemy polityczne przeradzają się w końcu w konflikt zbrojny, East River jest jedną z bram, którymi wpływają brytyjskie okręty. Cel: uspokojenie buntowników.

Już po ogłoszeniu deklaracji niepodległości przez trzynaście zbuntowanych stanów, w sierpniu 1776 roku, wojska angielskie i kontyngent pomocowy z Hesji nieoczekiwanie docierają do Long Island, zajmują Nowy Jork i wypierają armię Jerzego Waszyngtona w bitwie nad Kip's Bay. Wojska królewskie okupują Greenpoint i miasto Bushwick w głębi lądu.

Brytyjczycy i żołnierze z Hesji zostają zakwaterowani blisko nabrzeża. Brytyjczycy patrolują okolice, kontrolują dostawy żywności; nie sprawiają cywilom kłopotu. Miejscowych i najeźdźców wciąż więcej łączy, niż dzieli. Natomiast obecność żołnierzy z Hesji wywołuje bunt i obrzydzenie schludnych Holendrów. Są słabo cywilizowanymi najemnikami, bez ogłady i wychowania. Wprowadzają się do porządnych domów, żądają wiktu i opierunku, odmawiają zapłaty. Nazywa się ich niebieskimi brudasami i pisze: „Byli znani z niszczenia nie swojej własności, drobnych kradzieży i głośnego zachowania w lokalu Rappelje's Tavern. Dopóki tu mieszkali, nasze obejścia nie zaznały bezpieczeństwa ani spokoju. Ich obecność wywołała w społeczeństwie złośliwą gorączkę, która wygnała porządnych mieszkańców w okolice Nowej Szkocji"*.

Wyprowadzka osiadłych mieszkańców z powodu obniżenia standardu życia w okolicy to refren powtarzający się przez kolejne dziesięciolecia. Zwykle winni będą przybysze z Europy Wschodniej.

Tomasz Kajetan Węgierski†, 1783:

> Trudną jest rzeczą wyobrazić sobie piękniejszy widok ponad ten, jaki ma się przed sobą, zbliżając się do tego miasta [Nowego Jorku].

* Tak okupację opisywał William O'Gorman, urzędnik z pobliskiego Newtown, cyt. za: B. Merlis, R. Gomes, *Brooklyn's Historic Greenpoint*, New York 2015.

† Tomasz Kajetan Węgierski (1756–1787) – poeta, podróżnik; satyryk, który złośliwymi wierszami naraził się Stanisławowi Augustowi Poniatowskiemu. Wyjechał z Polski ze strachu przed aresztowaniem na rozkaz pozbawionego poczucia humoru króla.

Wznosi się ono majestatycznie w kształcie amfiteatru, a nawet zwaliska jego dodają uroku. Ziemia po obu stronach przedstawia widok rozmaity, w pełnej doskonałości kultura i dzika w całej swej okazałości przyroda zajmują na przemiany.

Zatoka była zapełniona angielskimi okrętami wojennymi, a bandera Wielkiej Brytanii powiewała jeszcze w porcie. Ujrzeliśmy budynki przeznaczone do rozmaitych celów. Były one pełne nieszczęśliwych rojalistów, którzy mieli opuścić Nowy Jork. Nie ma bowiem wcale większego nieszczęścia, jak gdy się zmuszonym porzucić własną ojczyznę, rozłączyć się z rodzicami, przyjaciółmi, z codziennymi nawyknieniami, opuścić dom, który się zbudowało, ziemię, którą się uprawiało, rząd, z którego było się zadowolonym, by udać się do kraju nieznanego, uprawiać ziemię niewdzięczną i stać się obywatelem poddanym*.

* *Ameryka w pamiętnikach Polaków*, dz. cyt., s. 18.

# Little Poland (1)

## Andrzej, 1974*

Urodziłem się w Ulanowie koło Sandomierza w rodzinie flisaków. Ojciec i matka działali w antyniemieckiej i antysowieckiej partyzantce. Wujek nie wyszedł z lasu. Nazywał się Michał Krupa, pseudonim „Pułkownik", i zwinęli go dopiero w 1959 roku. Miał broń w ręku. W domu na okrągło były rewizje. Zawsze w nocy. UB wyłamywało drzwi, wyrywało nas z łóżek, stawiało pod ścianą, podstawiało pod nos lufy pepesz, tłukli ojca na moich oczach. Żyliśmy na marginesie. W liceum nauczyciel nazywał mnie bandyckim pomiotem.

Kiedy miałem pięć lat, młodszy o rok brat utopił się w Sanie. We Wszystkich Świętych, zaraz po jego śmierci, siedziałem przy jego małym grobie i gniotłem wosk ze świec, żeby zrobić z niego zabawki. Dla małego brata. Tak było co roku: lepiłem dla niego zabawki, i były to moje pierwsze rzeźby.

Moja rodzina jest bardzo katolicka. Raz w tygodniu obowiązkowa suma i spowiedź. Wyłamałem się z tego praktykowania, dopiero gdy poszedłem na Akademię Sztuk Pięknych. Odwiedziłem rodziców, poszedłem do spowiedzi, a nasz proboszcz kazał mi przejść na kolanach dookoła kościoła w Ulanowie. Nie przeszedłem.

* Andrzej Pityński był rzeźbiarzem, członkiem National Sculpture Society, profesorem Johnson Atelier Technical Institute of Sculpture w Merceville w New Jersey. Zmarł 18 września 2020 roku (data przy imionach bohaterów i bohaterek to rok ich przyjazdu do Ameryki)

Akademię skończyłem z wyróżnieniem. Wyrzeźbiłem popiersie Ignacego Paderewskiego, które podobało się moim profesorom, ale ważniejsza była Ameryka. W moich rejonach każdy miał kogoś w Ameryce. Roznosiło mnie, ciągnęło do wolnego świata, marzyłem o nim. I żeby zarobić dolary. Bryknąłem na wakacje do polskiej dzielnicy Greenpoint. Powiedziałem w Krakowie, że tylko na lato, ale wiedziałem, że na dłużej.

Ameryka mnie przytłoczyła, ponieważ nie potrafiłem wejść do metra. Musiałem się nauczyć, jak kupić bilet, jak przejść przez bramkę, gdzie wsiąść, gdzie wysiąść. To na Brooklynie czy Queensie nie jest proste. Kiedy pierwszy raz wsiadasz do metra na Jay Street, to nie ma możliwości, żebyś pojechała tam, gdzie chcesz, tym bardziej jak nie znasz języka angielskiego.

Spałem z dziesięcioma chłopami w trzypokojowym mieszkaniu na ulicy Nassau, Polakami i Ukraińcami. Śmierdzieliśmy, bo mieliśmy jedną łazienkę i zimną wodę, ale nikt nie narzekał. Wieczorem przynosiliśmy wódkę i kiełbasę. Każdy mówił, co w robocie, gdzie można zarobić i kto spuścił łomot czarnym lub Portorykom. Jeśli Portoryki czy czarni zaczepili któregoś z naszych, szło się ławą po Greenpoincie i szukało człowieka. Wąsaci komandosi na tyłach Ameryki.

Nauczyłem się, że jak się śpi w sabłeju*, to najważniejszą rzeczą jest wybrać pokój z oknem. Policja i służby imigracyjne urządzały w nocy naloty na mieszkania. Kilku kolegów deportowali do kraju.

Był styczeń, czwarta trzydzieści rano, śnieg, usłyszałem kroki na korytarzu, potem walenie do drzwi. Wstałem, wychyliłem się przez okno, a tam cztery radiowozy i policjanci z pałami. Wyskoczyłem przez okno i przelazłem na schody przeciwpożarowe, kiedy zaczęli wyważać drzwi. Chłopcy wyłazili po kolei, ale zaraz za mną wpakował się Iwan, chłopak z Ukrainy. Był za gruby i zablokował otwór. Za nim ośmiu próbowało go wypchnąć, klęli na Wasię, a za

* Sabłej – od ang. *subway*, wagonu kolejki podziemnej. Tu: typ mieszkania z przechodnimi pokojami. Nazwą tą posługiwali się wyłącznie migranci z Polski, Anglosasi nazwali je „railroad apartments".

nimi policja, już prawie w mieszkaniu. Wróciłem po tych schodach, żeby pomóc wyciągnąć Wasię. Wszyscyśmy wtedy uciekli.

Jakoś niedługo po tej akcji wszedłem do baru na Manhattan Avenue, żeby się napić. Zobaczyłem kolesi, jednego z drugim, jak siłowali się na rękę. Podszedłem, bo byłem bardzo silny i raczej chętny do rozróby. I za chwilę poznałem Ivana z Jugosławii. Miał żonę Polkę, coś tam mówił po polsku. Był brygadzistą na budowach, jeździł koparką z czerpakiem. Już nad ranem powiedział, żebym przyszedł następnego dnia, to mi pomoże, żebym też mógł rozwalać domy za siedemnaście dolarów na godzinę. Wszystko nielegalnie.

Jak się rozwala domy?

Wstawałem przed piątą rano, potem godzinę jazdy metrem. Wyciągałem szkicownik i rysowałem: czarnych, żółtych; wcześniej takich się nie widywało za często ani w Krakowie, ani w Ulanowie. Z tych szkiców parę lat później urządziłem całą wystawę.

Na budowie szesnastu czarnoskórych, ja byłem jeden biały. Najpierw rozbierało się dach, a potem belki, na których zawieszone są wszystkie podłogi. Tak że w końcu stawało się na krawędzi ściany na siódmym piętrze i widziało gołą piwnicę. Zasypywało się ją sukcesywnie gruzem ze ścian.

Raz się zdarzyło, że pracowaliśmy w kamienicy, w której wcześniej był pożar, konstrukcja była osłabiona. Nic o tym nie wiedzieliśmy. Gdzieś na czwartym piętrze stanęliśmy na podpalonych belkach – załamały się pod nami. Lecieliśmy w dziesięciu. Ja się zahaczyłem na trzecim piętrze, uratowały mnie wystające rury kanalizacyjne. Ale trzech moich współpracowników nie przeżyło. Nawet nie mogłem sprawdzić, bo przyjechała policja, straż i zrobiło się piekło.

A ja, nielegalny, musiałem uciekać. Poharatany, z połamanymi żebrami. Już nie wróciłem do mojego mieszkania na Greenpoincie, żeby mnie nie zgarnęli. Poszedłem spać do parku. Od razu do następnego etapu, jeśli chodzi o życie w Ameryce.

Rano poczułem, że pies mnie szarpie. Mam zawsze nóż w bucie, więc ciach – tego psa. Ale nie trafiłem i zakląłem. Za psem wyłonił się facet, z mgły, jak wampir jakiś, usłyszał polskie przekleństwo. „Co ty tutaj robisz?” – zapytał. „Łóżka szukam” – powiedziałem.

„To ja ci wynajmę". W ten mniej więcej sposób poznałem wspaniałego człowieka, który fascynował się sztuką i potrafił ją sprzedawać Polakom w Nowym Jorku. Robiłem dla niego kopie Kossaków i Mehofferów, dawał je na sprzedaż pośrednikowi. Inteligentny, inteligentny facet. Opowiadał mi o poezji Baczyńskiego, którego jeszcze nie znałem. Edukator idealista.

Może przez cztery miesiące żyłem z tych Kossaków. Potem zjawiła się kuzynka gospodarza i sytuacja zrobiła się dwuznaczna. Musiałem się wyprowadzić. Wracając do Kossaków: Polacy z Greenpointu chętnie je kupowali. Zwłaszcza że ten pośrednik sprzedawał niewyrobionym nowobogackim kopie jako oryginały. Lata potem byłem w domu takiego nowobogackiego. Chwalił się, że ma w domu Kossaka. Spojrzałem i mówię: to Pityński, żaden Kossak. Nawet podpisu z tyłu płótna nie przeczytał.

Ten pośrednik to był lepszy numer. Kupił starą książkę z wklejonymi rycinami. Jakieś krajobrazy z początku XX wieku. Chaty polskie. Książka kosztowała pięćdziesiąt dolarów. Wyciął ryciny, oprawił w ramki i sprzedawał na aukcji po dwieście pięćdziesiąt dolarów za rycinę. Wolnoamerykanka na Greenpoincie, można powiedzieć.

Nie miałem wciąż prawa pobytu, ale miałem już własny dom, ponieważ rozwalanie kamienic bardzo się opłacało, i sprzedaż Kossaków też. Pomyślałem, że teraz chcę znów być rzeźbiarzem. Zebrałem się na odwagę i poszedłem do Nathaniela Kaza, sławnego rzeźbiarza, który uczył w Arts Students League. Nie powiedziałem, że jestem po akademii, ale ukryć się nie dało. Po sześciu miesiącach Kaz mnie wzywa: „Andrew, get the fuck out of here, ja cię już niczego nie mogę nauczyć. Idź do Sculpture House na Fifth Avenue, 30th Street, do tego gościa: Alexander Ettl". Poszedłem i zaczęła się moja prawdziwa przygoda z monumentalną rzeźbą amerykańską, bo Ettl to następna legenda. Zbił majątek na dłutach, siekierach i innych narzędziach dla rzeźbiarzy. Następnie założył studio, w którym realizował ich pomysły. Artysta przychodzi z plastelinową figurką, a Ettl powiększa ten projekt do dziesięciu metrów i stawia na cokole. To jest najsłynniejsza pracownia na Wschodnim Wybrzeżu.

Nie od razu mnie przyjęli, był już komplet rzemieślników od powiększania. Ale widzę, że na dole pomagają Polacy: przynieś, podaj. Biorę jednego na piwo i proszę, by mnie zawiadomił, jeśli są widoki. Zatrudniam się tymczasem u jednego Żyda w zakładzie fotograficznym. Nędzna pensja, ale darmowa cola i spokój, więc całkiem w porządku mi się żyje.

Ciągle jeszcze dukam po angielsku. Pierwszego dnia pocę się, by odpowiedzieć, jak mam na imię i co tu w ogóle robię, w tym Nowym Jorku. Dla bezpieczeństwa mówię, że mam na imię Stanley. Ale Żyd zanosi się ze śmiechu: „Jak ty jesteś Stanley, to ja Josef Wissarionowicz Stalin – mówi czystą polszczyzną. – Przyjdź jutro". Kiedy robi się miejsce w Sculpture House u Ettla, mam wyrzuty sumienia, że odchodzę. Tłumaczę Żydowi, że to dla mnie szansa, że ja rzeźbiarz. Żyd znów się tylko śmieje: „Idź, Andrzej, swoją drogą i się nie tłumacz. Ty nie możesz w Nowym Jorku myśleć po polsku. Ty musisz po żydowsku".

Poszedłem. Zająłem w pracowni miejsce jakiegoś Włocha, który wyjechał do rodziny. Jego brat, Salvadoro, który został w pracowni, patrzył na mnie wilkiem. Któryś potrącił model głowy stojący na stole. Nos jej odpadł, zrobił się krzyk. Podbiegłem i tak się złożyło, że nadepnąłem na ten nos. Od razu rozpadł się na miazgę. Wszedł Ettl i zaczął wrzeszczeć, że mnie wyrzuci i poda do sądu. No ale dla mnie dorobić taki nos to pestka. Jak to Ettl zobaczył, to od razu wypytał, skąd jestem i co dotąd robiłem. W końcu powiedział: Polak, Węgier dwa bratanki. Bo rodzina Ettla przyjechała kiedyś z Węgier. Tak zostałem jego asystentem w drugiej pracowni w Princeton. Tam zacząłem powiększać rzeźby.

Alexander Ettl zaprosił mnie na swoją farmę, gdzie mieszkali i tworzyli zaprzyjaźnieni artyści. Zobaczyłem, jak oni żyją, ci amerykańscy rzeźbiarze. Oczy mi zbielały. Wielka farma, trzydziestu pięciu artystów, pełna wolność tworzenia. Codziennie happeningi, pędzenie stada krów, które hoduje Ettl. Wieczorem ogniska, nad którymi pieką się jego jałówki. Ale w tym wszystkim Ettl, któremu jednak od czasu do czasu odbija. Kiedy chce pracować, nie waha się budzić człowieka o trzeciej w nocy. Wali w drzwi, aż mu któryś otworzy. W końcu zacząłem się barykadować, zwłaszcza jeśli byłem z dziewczyną.

Pewnego razu wieczorem – dziewczyna właśnie była u mnie – znowu zaczął walić. Wrzeszczał, że jest w desperacji, bo za kilka godzin przyjeżdża Felix de Weldon, a on nie ma dla niego zamówionego pomnika. Felix de Weldon to największa amerykańska sława, autor Marine Corps War Memorial w Rosslyn, Wirginia, pomnika zwanego Iwo Jima, na cześć amerykańsko-japońskiej bitwy. Przez złośliwych: „sześciu pedałów", bo przedstawia sześciu żołnierzy, jakby jeden właził na drugiego. Hello, odlewali go na Greenpoincie.

No więc ten de Weldon zamówił monumentalną rzeźbę marynarza z brązu. Ettl wziął zadatek i zapomniał. Był czwartek, w niedzielę miało być odsłonięcie, w sobotę de Weldon przyjeżdża zobaczyć rzeźbę, czterometrowy odlew. A wszystko, co ma dla niego Ettl, to gliniana figurka wielkości trzydziestu centymetrów. Ettl błaga: masz dwóch ludzi i atelier, rób, co chcesz, ratuj mnie, człowieku. Wkładam kalesony i pomagam. Pierwszego dnia rzeźbimy tę czterometrową figurę w plastelinie. Ettl poprawia. Wiadomo, że prawdziwego pomnika już nie odlejemy, więc tę plastelinę zasprejowałem złotą farbą. Zupełna prowizorka. De Weldon przyjechał, obejrzał i wyglądało na to, że nic nie zauważył. Kiedy drzwi się za nim zamknęły, zrobiliśmy odlew w gipsie, bo pomnik z plasteliny nie przetrwałby transportu. I dwa dni potem staliśmy na nabrzeżu, generałowie salutowali, wręczali sobie ordery, strzelały salwy. Wszyscy gratulowali de Weldonowi, a potem się rozeszli i zapomnieli. Trzy lata później jakiś gówniarz rzucił kamieniem do rzeki i trafił w marynarza, w związku z czym odpadło mu pół twarzy. Wtedy dopiero odlaliśmy tę rzeźbę z brązu, żeby był spokój. To było moje ostatnie zadanie u mistrza Alexandra.

Przeszedłem do Johnson Atelier w New Jersey, jako kierownik wydziału powiększania. Właścicielem tej pracowni jest Seward Johnson, hiperrealista i milioner z rodziny właścicieli Johnson & Johnson. Sławny na całą Amerykę. Ośmiometrowa Marilyn Monroe z podwiniętą wiatrem sukienką to cały Seward. Johnson Atelier to także mała fabryka, która produkuje rzeźby dla innych artystów. Ponieważ jestem kierownikiem, mogę realizować swoje własne pomysły.

Pierwszym jest kompozycja *Partyzanci*. Tkwią w moim sercu, odkąd pamiętam. Tworzę ich, wiedząc, że w Polsce SB morduje księży, studentów i robotników. *Partyzanci* stoją najpierw w ogrodzie obok Atelier i jedna usposobiona patriotycznie Polka chce ich ode mnie kupić. Ale ja nie chcę, żeby oni stanęli w ozłoconej rezydencji, tylko w przestrzeni publicznej, żeby każdy mógł sobie polską historię przemyśleć. Pojawia się okazja, kiedy w Polsce wybucha stan wojenny. Atmosfera sprzyja, na *Partyzantów* decyduje się burmistrz Bostonu. Atelier pokrywa koszty transportu. Dzień, w którym *Partyzanci* zostają postawieni pod ratuszem, burmistrz nazywa dniem walczących o wolność. Pięciu siedmiometrowych, uzbrojonych jeźdźców w szyku marszowym. Bardziej przypominają leśne widma i duchy niż ludzi. Sponiewierani, śmiertelnie zmęczeni, krwawiący, w ciągłej walce i ucieczce, jadący na swych słaniających się, wychudłych rumakach, ze spuszczonymi głowami, z własnymi myślami o tragedii ojczyzny. Zdradzeni przez świat, zapomniani przez Boga, z własnego wyboru w leśnych oddziałach.

Przemawiam również w stanowym senacie.

Ten pomnik to ma być tylko sześciotygodniowa wystawa czasowa. Ale stoi i stoi. Dopiero po latach budzi mnie telefon z dziennika „The Boston Globe". „Władze wywiozły pomnik spod ratusza. *Partyzantów* nie ma!" „Jak to nie ma, kurde, szukajcie!" Znaleźli go gdzieś na przedmieściach. Stał smutno owinięty drutami, gotowy do transportu nie wiadomo gdzie. Dziennikarze napisali, co trzeba. Za „The Boston Globe" telewizje, radia, gazety, nawet moskiewska „Prawda" pisała, że polskich bojców wsadzili za kraty. Zadzwonili do mnie weterani z Kongresu Polonii Amerykańskiej, strasznie wkurzeni. Że organizują manifestację. Przyszło czterysta osób, ja z nimi. Była policja na koniach, media. Podeszliśmy pod ratusz, obrzuciliśmy go zgniłymi jabłkami. I okazało się, że miasto znalazło dla *Partyzantów* nową, lepszą lokalizację. Stoją do dziś.

Potem przyszła kolej na *Katyń*. Pieniądze, dwieście pięćdziesiąt tysięcy dolarów, zebraliśmy pod polskimi kościołami.

Żadna polonijna organizacja nie dała. Pomnik mówi sam za siebie: bagnet w plecach umierającego żołnierza. Stoi w New Jersey*.

Dlaczego w Polsce się o mnie nie mówi? Bo się moje rzeźby salonowi nie podobają. Są ideologiczne, mówią wprost o moich przekonaniach. Drugi powód to fakt, że nie interesuje mnie abstrakcja. Nie pasuję do mainstreamu, przynajmniej obecnego. Zresztą salon w Ameryce również za mną nie przepada. Obojętne, co tworzysz, to jest polityka. Sztuka, chcesz czy nie, ma swoje zadania do zrealizowania. Kierunki się zwalczają, jak w polityce. Od right to left, od lewa do prawa.

Popatrz wstecz, na szkołę paryską, tam tę walkę zobaczysz. Chagall, Kandinsky, wszyscy byli Żydami, przyjechali z Polski i Rosji. Chcieli zaistnieć w Paryżu, ale galerie ich nie chciały. Więc stworzyli własną sztukę, która wywodziła się z kultury, w której nie wolno przedstawiać Boga jako człowieka. A na tym opiera się sztuka chrześcijańska. Kandinsky, Gabo, Pevsner – wszyscy oni kłaniali się Trockiemu, który zwalczał religię.

Ci żydowscy malarze są autorami biblii abstrakcji, sztuki opartej na rebusie, zagadce, która dominuje obecnie w świecie, a na pewno w Ameryce. Ja tu nie pasuję. Jeśli pytasz, czemu nie napiszą o mnie w „New York Timesie", to ja ci odpowiem, że to jest gazeta założona przez lewicowego Żyda. Krytycy w tej gazecie hołdują sztuce abstrakcyjnej, ja ją uważam za antysztukę.

W amerykańskiej przestrzeni publicznej stoi piętnaście monumentalnych pomników mojego autorstwa. To są figuratywne, ekspresyjne rzeźby. Pokazują chwałę oręża i ducha Polski. Stoją w Nowym Jorku, Bostonie, Trenton, Hamilton, Bayonne, Doylestown. Mam na swoim koncie dziesiątki popiersi, mniejszych rzeźb i płaskorzeźby o tematyce patriotycznej. Piszą tutaj o mnie: „Wprowadził polską historię do amerykańskiej sztuki". Wystarczy.

* Rok po naszej rozmowie władze miasta New Jersey próbowały usunąć pomnik katyński. Akcja ratowania pomnika była powodem konfliktu wśród Polonii, także na Greenpoincie, zob. s. 48, 372–374.

W 1975 roku znaleźliśmy dom na Eckford. Był zrujnowany, dokoła Polacy i Ukraińcy. Ogólnie grzeczni, tylko jeden starszy sąsiad nie odkłaniał się ani mnie, ani żonie. Nie wiedziałem dlaczego, dopóki ktoś mi nie powiedział, że jest emigrantem z Ukrainy, sprzed wojny jeszcze. Jestem Polak, więc mi się nie kłania. Czy przestałem mu mówić „hi" na powitanie? Absolutnie nie przestałem. Jego pokolenie miało swoje rozrachunki, mnie to nie obchodziło.

Jeśli człowiek w Ameryce nie współżyje, to daleko nie zajdzie. Nie wszyscy oczywiście potrafią. Weźmy sąsiadkę zza ściany, Polkę. W ogrodzie ma szczury. Przychodzi do mojego syna, który w domu prowadzi swój biznes, żeby on kupował jej trutkę na szczury, bo to szczury z naszego domu. Tłumaczymy jej, że nie z naszego. Z naszego domu nie może nic wychodzić, bo jakżeśmy kupili budynek, to żona, inżynier, natychmiast uszczelniła dom po sam dach. Szczur, gdyby miał ze stali zęby, to pustaka nie przegryzie. Czyli jestem pewny, że to nie od nas, a ona swoje: kupcie trutkę. Mówię: „Proszę pani, jest dowód, proszę posłuchać. W domu z drugiej strony wybuchł pożar. Było podejrzenie, że nasz dom się zawali. Przyjechali strażacy, rozwalili mi drzwi, ścianę i zobaczyli, że ogień nie tknął naszego domu. Szczelny". Ona ciągle uważa, że mamy szczury. Mówię znów: „Niech pani sprzeda dom, to nie będzie ani szczurów, ani innych kłopotów". A ona nie chce. Jakoś w konflikcie żyje się lepiej.

Coś jest w polskiej psychice, że nie ma miejsca na dyskusję i dogadywanie. Albo będzie, jak ja chcę, albo w ogóle. Byliśmy w Polsce jednolici, biali i katoliccy i nie nauczyliśmy się współżyć z innymi. To jest nasza bieda.

Wiem, co mówię, bo sam byłem mnichem.

Nawet kiedy wylądowałem na Kennedym, miałem wciąż na imię Wacław, ogoloną głowę i małą torbę, w której mieścił się mój dobytek z klasztornej celi na Jasnej Górze.

Wylądowałem 7 grudnia 1961 roku. Na lotnisku podjął mnie ojciec Michał Zembrzuski, oczywiście też paulin. Ojciec Zembrzuski wpadł na pomysł zbudowania sanktuarium na wzór jasnogórskiego w Doylestown, Pensylwania. Amerykańska Częstochowa, każdy

Polak w USA wie, co to znaczy. Oddelegowano mnie z Jasnej Góry do pracy w nowej placówce. Kiedy tam dotarłem, było to jedynie gospodarstwo rolne. Zamieszkałem w drewnianym domku, w którym kiedyś mieszkały farmerskie dzieci.

Niech pani nie myśli, że wyjazd mój był prosty. W klasztorze, jak wszędzie, walczyły ze sobą frakcje: prawicowa i liberalna. Kiedy miałem już bilet, okazało się, że w nadchodzących wyborach na generała frakcji liberalnej brakować będzie jednego głosu. Mojego. Przełożony odwołał więc mój wyjazd. A ja już duszą byłem w Ameryce. Kochałem klasztor, bo jestem gadułą, a w klasztorze nikt nie mógł ode mnie uciec. Ale u paulinów, w zakonie pustelniczym, czułem się już jak w balonie. Zamknięty. Miałem artystyczną duszę i ambicje. Chciałem czytać coś więcej niż żywoty świętych i teksty, które nie podsycały wewnętrznie.

W każdym razie zwiałem z Jasnej Góry i ostatnie dziewięć dni do wylotu przeczekałem w mieście. Nikt nie wiedział, gdzie jestem. Liczyłem, że w Ameryce kara za niesubordynację rozejdzie się po kościach. Miałem rację.

Kiedy wieczorem jechaliśmy z lotniska do Pensylwanii, zobaczyłem światła i hajłeje, Pulaski Bridge – mój Boże, co to był za widok!

W powstającym seminarium miałem redagować miesięcznik „Jasna Góra". Miał poruszać on sprawy wiary, ale również rozpowszechniać wśród Polaków ideę zbudowania bliźniaczego sanktuarium jasnogórskiego w Ameryce. Praca księżowska nie była zbyt wymagająca. Wygłaszało się kazania po polsku, ale odbiorcami byli Polacy amerykańscy, którzy znali pół języka. Nie można było szarżować.

Greenpoint nie był mi obcy, ponieważ do Pensylwanii przyjeżdżały pielgrzymki, najczęściej pobożne panie. Jedna z nich, była zakonnica, mieszkała z mężem na Greenpoincie na Diamond Street. Kiedy przyjeżdżaliśmy do New Yorku, mieliśmy przystań.

Zacząłem pisać amerykańskie wiersze. Mogłem chodzić po pobliskich wzgórzach, dotykać drzew, czuć zapach liści lub woń rozgrzanych trocin wyrzucanych przez piły. To było cudowne paliwo dla moich wierszy. Nie miałem go, kiedy gnuśniałem w klasztornych murach. Te wiersze miały w sobie więcej radości i przestrzeni, rymy dopasowywałem do przyszłego kościoła ojców paulinów. Pierwszy tomik zatytułowałem *Madonny*, bo tak przyrzekłem sobie przed jej cudownym obrazem w Częstochowie. Drugi tomik nazywał się *Lato w Pensylwanii*. Praca nad trzecim skończyła się tragicznie w roku 1967.

Ale jeszcze zanim nastąpiła tragedia, w październiku 1966 roku arcybiskup Jan Król z Filadelfii poświęcił surowe mury świątyni. Na uroczystość przyjechał prezydent Lyndon Johnson z małżonką i córką. Pierwszy raz w historii prezydent przyjechał na polską mszę. I jeszcze sto czterdzieści tysięcy rodaków. To była szczytowa, można powiedzieć, uroczystość z okazji tysiąclecia polskiego chrześcijaństwa.

Niestety nie dane mi było długo cieszyć się z powodu sukcesu.

Cały rok 1966 pisałem wiersze do trzeciego tomiku, czułem się pełnoprawnym mnichem poetą. Potem szykowałem je do druku: rozkładałem strony na stole w mojej celi, układałem kolejność, szlifowałem. Potem przyszedł czas, bym jechał w innych parafiach wygłaszać rekolekcje. Ze sprzedaży poezji, wiadomo było, klasztor nie wyżyje. Spakowałem więc torbę, zamknąłem mój pokój w domku farmerskim i wyjechałem. Po kilku dniach wróciłem zadowolony, z czekiem dla przeora. Zdębiałem, bo moje wszystkie rzeczy osobiste zostały spakowane i wyniesione. „Co się dzieje?" – zapytałem. „Masz nową celę, weź kluczyk. Pod drzwiami jest pudło z rzeczami". Poszedłem do nowej celi, otworzyłem pudło i nie znalazłem tam moich wierszy. Było to pudło z rzeczami kolegi Bazylego, który wyjechał na delegację do Pittsburgha. Wróciłem do przeora. „Może twoje rzeczy są w pokoju Bazylego?" Były, ale wierszy nie było. „To zapytaj brata Marka – doradził przeor – bo sprzątał". Brat Marek odpowiedział, że przeor kazał mu posprzątać, a papiery spalić.

Wtenczas wyczułem celową złośliwość. Zrozumiałem, że wychyliłem głowę, a w klasztorze głowy wychylać nie wolno. Byłem zrozpaczony. Z tego żalu wyjechałem do Filadelfii i zamieszkałem u kolegi, żeby sprawę przemyśleć. Co robić?

Kolega, u którego spałem, działał w Polskim Uniwersytecie Ludowym w Domu Polskim w Filadelfii. Kiedyś, wcześniej jeszcze, zaprosił mnie na swój wykład, powiedział: przyjdź, posłuchaj, oceń, bo nie był pewien swojej terminologii. I proszę pani, ja poszedłem. W dyskusji po wykładzie wzięła udział pani inżynier. Jak ona sensownie mówiła!

Siedziałem w pierwszym rzędzie, więc się odwróciłem i zobaczyłem Zofię: po trzydziestce, przystojna, rzeczowa. Ja o takich kobietach w ogóle nie słyszałem. Przy kościele to były panie nabożne i oddane, ale o niczym nie można było z nimi porozmawiać. Przyszła z kombatantem jakimś, chyba smalił do niej cholewki. Czy wtedy właśnie zaczęło we mnie kiełkować marzenie, by zbudować dom i bliskie relacje? Tak się zastanawiam.

Z Domu Polskiego poszliśmy wszyscy na kawę. Dyskutowaliśmy aż miło.

Widziałem ją jeszcze u kolegi na urodzinach, przyjechała z nim w odwiedziny do klasztoru. Dowiedziałem się, że ma sześcioletniego syna, mieszka z mamą. Byłego męża poznała w Polsce, a gdy do niego przyjechała, okazało się, że wcześniej miał rodzinę. Matka byłego męża była zaborcza i nie chciała wypuścić syna ani do jednej, ani do drugiej.

Potem zdarzyło się spalenie, pojechałem do Filadelfii, a potem do polskiej Częstochowy, by rozmówić się z moim przełożonym w klasztorze. Pocieszył mnie: dłużej klasztora niż przeora. Odesłał jeszcze do Wiednia porozmawiać z innym księdzem o tym, jak wytrwać.

Chodziłem po pięknym Wiedniu i coś mi wpadło do głowy. Kupiłem kartkę pocztową i napisałem: „Jakby to było pięknie, gdyby pani tu była. Wiedeń, stolica walca, może bym się wreszcie nauczył". Do Zofii napisałem, spontanicznie. I dostaję telegram: „Przyjeżdżam!".

Jak pani widzi, mnichem już nie jestem. Po dwóch tygodniach byliśmy małżeństwem.

Na syna Zosi mówili Misio. Zauroczył mnie. Zacząłem być szczęśliwy: miałem żonę i sześcioletniego syna, sześć lat do przodu, jeśli chodzi o dorobek. To było prawdziwe życie, ponieważ mogłem je dzielić z Zosią i Misiem, rozmawiać, zwierzać się. W klasztorze nie można się zwierzać, bo od razu cały klasztor wie.

Zacząłem kolejne studia, znalazłem pracę w liceum u kwakrów: uczyłem religii, literatury, sportu i łaciny. Misio poszedł do szkoły, lubiłem go odwozić po drodze do mojego liceum.

Najpierw zaczęła upadać Filadelfia. Co to znaczy upadać? Ceny domów spadały. Dlaczego? Bo się zaczęli sprowadzać ludzie czarni. I, przykro to mówić, zaczęło się robić bardzo niebezpiecznie. Jak miałem pójść piechotą do University Centre, to nigdy samemu, zawsze we dwójkę lub trójkę szliśmy. Okradali nas: trzech, czterech otaczało i jak piłkę popychali od jednego do drugiego. Pani sobie nie zdaje sprawy, jakie to było nieprzyjemne i groźne.

Kiedyś szedłem sam do pracy. Trzech zaczęło mnie gonić. Nie miałbym szans, gdyby nie zatrzymał się autobus. Kierowca mnie rozpoznał, bo często tym autobusem jeździłem. Otworzył drzwi i byłem uratowany.

Potem upadliśmy my.

Moja żona dużo wtedy pracowała. Zwłaszcza kiedy kończył się projekt, to od rana do wieczora. Jeśli chodzi o mnie, to praca w liceum była na zastępstwo, skończyła się i musiałem szukać zatrudnienia. Zostałem kierownikiem stoiska mięsnego w supermarkecie prowadzonym przez polskiego Żyda. Tam zacząłem się uczyć etyki pracy i reguł zachowania. Będąc wychowanym w klasztorze, w stosunku do Żydów miałem dziwne słownictwo i podczas rozmów z pracodawcą wyszło szydło z worka. Na przykład opowiadaliśmy sobie dowcipy, w tym o Żydach. Użyłem słowa „żydek". O, panie Tadeuszu, a dlaczego „żydek"? To było dla mnie bardzo ciekawe, że tego słowa nie można używać. W klasztorze żydowskich kawałów było pełno i do głowy by mi nie przyszło, że „żydek" komuś przeszkadza.

Któregoś dnia żona poprosiła o dzień wolny, żeby się wyspać i odpocząć. Odpoczywała, ja wyszedłem do pracy, Misio szykował się do szkoły, na przystanek szkolnego autobusu odprowadzała go babcia.

Supermarket był niedaleko, jak tylko doszedłem, usłyszałem sygnał pogotowia. Zobaczyłem ambulans, który jechał w kierunku naszej ulicy. Coś mnie tknęło, bo zawróciłem. Ambulans stał pod naszym domem. Podszedłem, na noszach leżał nieprzytomny

Misio. Szli na przystanek schoolbusu, Misio nagle wyszedł na jezdnię i uderzyła w niego ciężarówka. Przekoziołkował w powietrzu i upadł na chodnik. Pojechaliśmy do szpitala. Wieczorem odłączyli go od maszyn podtrzymujących życie. Misio zmarł, to było straszne.

Żona zachowywała się obłędnie. Jak automat. Wychodziła, szła po ulicach i płakała. Jej matka żyła z poczuciem winy. W domu miałem dwie obolałe osoby. Nie byłem na to przygotowany.

Polscy sąsiedzi mówili: kara boska. Bóg ją skarał, bo wyciągnęła chłopa z klasztoru.

A Zosia była religijnie obojętna, śmieszne zarzuty.

Misio zginął niemal przed domem, przystanek był sto pięćdziesiąt metrów od naszych drzwi, tam się codziennie zbierały dzieci. Zrozumieliśmy, że musimy się wynieść, to było nie do zniesienia.

Kilka lat szukaliśmy swojego miejsca. Znaleźliśmy w końcu zrujnowany dom w tej dzielnicy. Taka była nasza droga na Greenpoint.

## Ludwik, 1979

Prowadziłem z żoną gospodarstwo średniorolne, a kiedy na świat zaczęły przychodzić dzieci, rozpoczęliśmy remont domu mieszkalnego, który zbudowali teściowie. Postawiliśmy oborę, stodołę i dwie suszarki do tytoniu, z cegły. W 1973 roku zaczęliśmy budowę nowego domu mieszkalnego z cegły. W 1974 wstawiliśmy wszystkie okna i drzwi, a także doprowadzili prąd. W 1975 roku został kupiony ciągnik używany i kilka maszyn towarzyszących, a w 1978 roku nowy żuk. Wtedy wyniknął kolejny problem, ponieważ moi dorastający synowie nie chcieli jeździć żukiem. Woleli samochodem osobowym, który im obiecałem. Już miałem im kupić, ale trafiła się okazja kupna rozrzutnika do obornika, na który od dawna czekaliśmy. Synowie z tego nie byli zadowoleni, bo na samochód już nie było gotówki. Zostało jedno wyjście – wyjazd do Stanów.

Złożyło się, że na wioskę przyjechał znajomy ze Stalowej Woli. Przyszedł w celu pożyczenia pieniędzy na kupno zaproszenia do USA. Pożyczyłem żądaną kwotę, którą oddał mi po dwóch miesiącach. Kiedy otrzymał wizę do USA, przyjechał w celu pożyczenia na kupno biletów samolotowych. Odjeżdżając do Ameryki, złożył pożegnalną wizytę znajomym. Tak był wniebowzięty, że akurat mnie nie złożył… Zapomniał.

Na szczęście miałem też innego dłużnika, którego syn wybierał się do USA. Pożyczka nie była spłacona. Pojechałem do niego, aby zapytał się syna, czy wyśle mi zaproszenie. Znajomy oznajmił, że zaproszenie będzie kosztowało trzydzieści tysięcy złotych. Zostało mi doręczone i w końcu wybrałem się z paszportem do Warszawy, gdzie konsul zapytał mnie o korespondencję z zapraszającym. Korespondencji nie miałem, ani jednego listu, i wróciłem na wioskę.

Skończyło się marzenie o Wielkiej Wodzie, więc na wiosnę posadziliśmy hektar tytoniu, aby odrobić poniesione straty. Spotkałem znów innego znajomego, który również wiedział o moich staraniach w sprawie wyjazdu. Zadał mi pytanie: „Lutek, a ty myślisz jeszcze o tej Ameryce?". Kiwnąłem twierdząco, dodając, że żona jest przeciwna. Uważała bowiem, że niepotrzebnie całą rodziną na te wizy, zaproszenia i bilety robimy. Znajomy powiedział, że jest lepszy sposób i że potrzebne jest jedynie konto dolarowe z wkładem dwa tysiące dolarów. Część miałem w domu schowane w stodole, a resztę dokupiłem po sto trzydzieści złotych za dolara.

Pojechałem do urzędu gminy, gdzie opisałem swoje gospodarstwo: ile mam hektarów, jakie posiadam budynki i maszyny rolnicze. Na tej podstawie wójt oszacował, ile co warte. Wybrałem się do ambasady, zabierając również książeczki oszczędnościowe i wyciąg z konta dolarowego, rejestracje żuka i ciągnika. Położyłem te dokumenty w okienku konsula, gdzie usłyszałem, że po godzinie szesnastej mam opłacić wizę. Konsul, cały uśmiechnięty, powiedział: „Szczęśliwego lotu!".

Następnego dnia po powrocie na wioskę udałem się do biura LOT-u w Rzeszowie w celu zarezerwowania biletów na 28 września. Termin związany był z koniecznością wykopania ziemniaków, zerwania tytoniu i obsiania oziminy. Tak się jednak złożyło, że odwiedził mnie znajomy i zapytał, kiedy odjeżdżam. Bardzo się zdziwiłem i zaniepokoiłem, że wie o zgodzie na wyjazd, więc zapytałem: „Kto ci bajek naopowiadał?". On na to, że mnie dobrze zna i wie wszystko. Powiedział, że się w kraju robi coraz gorzej i żebym zaraz wyjechał, bo potem nie wyjadę. Na do widzenia ostrzegł, żebym nikomu nie mówił o tym, że przyszedł i wyjawił tajemnicę. Że jeśli komuś powiem, to doniesie na mnie do milicji, która zabierze mi paszport. Odjechał i zostawił mnie w wielkim szoku.

Mając żonę blisko słuchawki, zadzwoniłem do Rzeszowa do biura LOT-u, gdzie powiedziano mi, że nie ma możliwości, by przyspieszyć wylot przed wykopkami, ale poradzono, by ponownie udać się do Warszawy do biura linii Pan Am, bo tam nie ma kolejek.

Kupiłem bilet na 17 sierpnia z lądowaniem w Nowym Jorku z opóźnieniem, o jedenastej w nocy. Po przylocie miałem problem z oficerem służby granicznej, ponieważ zadawał mi pytania. Nie znałem języka, w którym mówił. Z pomocą obcych ludzi udało mi się rozwiązać problem. Oficer pytał się o adres, do kogo jadę, i myślał, że ja nie wiem. Znajomy dwa razy wyjeżdżał na lotnisko. Po przyjeździe do dzielnicy Greenpoint okazało się, że wszyscy już spali. Byłem dziewiątą osobą w tym mieszkaniu.

Rano zrobił się tłum, bo wszyscy do pracy. Czterech było z mojej wioski, a pozostali z sąsiedniej, ale ich bardzo dobrze znałem. Przekazano mi tylko, żebym nie wychodził na ulicę, bo mogę być napadnięty przez Portoryków, których w okolicy dużo mieszkało. Po powrocie z pracy domowników dowiedziałem się dalszych szczegółów, na przykład takich, że zarabiają od dwustu pięćdziesięciu do czterystu dolarów na tydzień. Pracują po dwóch, trzech w jednej pracy. Zapytałem, czybym się może u nich zahaczył, ale powiedzieli, że pracy nie ma.

Chodziłem po Manhattan Avenue i pytałem o pracę przechodniów, po polsku. Nikt nic nie wiedział.

Jeden gość powiedział mi, żebym rano przyszedł na róg Manhattan Avenue i Greenpoint Avenue, to mnie zabierze do pracy. Ponieważ mi obiecywał, kupiłem mu trzy piwa. Następnego dnia czekałem dwie godziny, ale nie przyjechał. Straciłem te trzy piwa. Dzień później przypadkowo spotkałem Polaka z sąsiedniej wioski. Zapytał, gdzie robię. Odpowiedziałem zgodnie z prawdą, że nigdzie. Powiedział, że jak chcę, to mnie następnego dnia zabierze. Ten akurat przyjechał, więc go zapytałem, ile zarobię.

Dowiedziałem się, że on zarabia sto trzydzieści dolarów, a ja dostanę tylko sto. Wtedy mu odpowiedziałem, że bardzo przepraszam, ale ja nie będę za tak małe pieniądze pracował, i wróciłem do wynajmowanego mieszkania, czym naraziłem się na gniew lokatorów. Ten najważniejszy, z mojej wioski, jak nie krzyknie, że ja jestem tu każdy dzień do tyłu, jeśli nie pracuję. Odpowiedziałem, że wiem o tym, ale na życie mi wystarczy ze względu na to, że przywiozłem tysiąc trzysta piętnaście dolarów z Polski.

Minęło już trzydzieści pięć dni od przyjazdu.

Wieczorem ten, co krzyczał, zlitował się i powiedział, że rano zawiezie mnie do pracy. Nikt w niej miejsca nie zagrzał, ale to będzie na początek. Rano podjechał samochód z innymi Polakami, ten, co krzyczał, kazał mi wsiadać: „Uważaj, jak jedziemy, bo sam będziesz wracał".

Dojechaliśmy pod szapę [warsztat]. Ten, co krzyczał, wyjął notes, napisał kilka słów i dał mi kartkę. Kazał stać na chodniku i odjechał. Stałem. Po jakimś czasie nadszedł ogromny facet, sto pięćdziesiąt kilogramów żywej wagi. Nic nie powiedział. Wziął kartkę, zaprowadził na taki plac, na którym pracował duży spychacz. Wpuścił i zamknął jak psa.

Stałem i nie wiedziałem, co mam robić.

Obok spychacza była góra śmieci, bo to było wysypisko. W pewnym momencie patrzę, spychacz ładuje stratowany garbage na duże przyczepy. Podszedł do mnie kierowca ze spychacza i pokazał, że mam ze śmieci wybierać drewno, a potem odrzucać je na bok. Potem, że żelazo i wrzucać do kontenera. Pokazał na kartce, że pracuję do szesnastej, a jutro zaczynam o szóstej rano. O szesnastej byłem już bardzo zmęczony, o wiele bardziej niż na polu w czasie żniw w mojej rodzinnej wiosce.

Pracowałem cały rok na wysypisku, zarabiając sto pięćdziesiąt dolarów na tydzień. Żaden Polak nie powiedział mi, że na Manhattan Avenue są agencje, dzięki którym można znaleźć lepiej płatną i mniej męczącą pracę. Żaden.

Sytuacja zmieniła się na lepsze, gdy do USA przyjechał mój młodszy brat. Miał on więcej szczęścia, gdyż znajomi z jego wioski, którzy przebywali już w USA, zabrali go prosto z lotniska do Passaic w stanie New Jersey, gdzie dostał pracę. Pewnego dnia brat spotkał kolegę z sąsiedniej wioski. Od słowa do słowa: gdzie pracujesz, tu i tu, ja tu i tu, a ile zarabiasz, słyszałeś coś o jakiejś pracy? Wyszło, że kolega w rzeźni pracuje i że pomoże starszemu bratu, czyli mnie.

Następnego dnia stanąłem przed budynkiem tej rzeźni. Podjechał facet i zapytał, ile mam lat i czy mam dokumenty. Mówię, że amerykańskich to nie mam, a on, żebym się nie martwił, bo w Polsce jest stan wojenny i takie papiery wydaje teraz rząd amerykański. Jak będę miał papiery, dostanę pracę w rzeźni.

Jak obiecał, tak zrobił.

Po dwóch latach pracy w rzeźni wysłałem ciągnik i dwa samochody do Polski. Żona pisała do mnie, że już zarobiłem to, po co pojechałem, więc czas wracać. Zacząłem jednak lepiej zarabiać. Pomyślałem, że coś odłożę dla dzieci, bo jest ich czwórka.

Synowie zakładali rodziny. Jeden wybrał sobie wielkie miasto, Rzeszów. Razem ze swatami kupiliśmy mieszkanie w bloku. Po jakimś czasie kupiłem działkę i materiał na budowę domu. Po paru latach dzięki mojej finansowej pomocy syn ukończył budowę domu z garażem. Potem drugi syn założył rodzinę w mieście, w Stalowej Woli. I znów zarobiłem na mieszkanie, działkę, materiał na budowę, ten sam schemat. W międzyczasie kupione zostały dwa kombajny, zbożowy i ziemniaczany, dwa ciągniki: zetor i ursus 60, oraz wiele innych, nowych i nowoczesnych maszyn rolniczych.

Po otrzymaniu, już po stanie wojennym, obywatelstwa amerykańskiego wystąpiłem o przyjazd żony z córką. Nastąpiło to po jakimś czasie.

Mój wyjazd do Stanów był tylko po samochód i ciągnik. Tak się złożyło, że trwa ponad trzydzieści lat. Już na emeryturze, choć rolnik, zacząłem pisać wiersze. Dotyczą one wyjazdu z ojczyzny.

Witaj Ameryko
Witaj ziemio Ameryki
Serce moje drży i głos
Chociaż takie samo tutaj jest niebo
To serce gwałtownie kołacze
Tęsknię za Polską

Tam wspomnienia zostały
Gdzie wzrastałem i żyłem
Pod strzechą Lipin Dolnych
Pacierza się uczyłem

W przestworzach skowronki śpiewały
O wszechświecie, Bogu i gaju
Pod niebem na skrawku ziemi
Od zawsze czułem się tam jak w raju

## Janina, 1980

Chrzestna odebrała mnie z lotniska ze swoim znajomym. Nie było: „Witaj, Janeczko, dobrze, że jesteś, miło cię widzieć", tylko: „No to jedziemy do miasta, zawiozę cię na spanie". Moje mieszkanie, w którym obecnie się znajdujemy, jest perfekcyjne. Ale tamto nie było. U tej znajomej był to sabłej, i to brudny. „Tu będziesz miała łóżko" – powiedziała chrzestna. Co to było za okropne łóżko! Nie jak łóżko, takie twarde!

No ale chrzestna dała mi sto dolary i mówi, żebym sobie załatwiła za to soszial sekjury. „Pójdziesz do księdza Tołczyka do polskiego banku, on załatwi". Jakbym ja wiedziała, kto to jest ksiądz Tołczyk. „Tylko te sto dolary masz mi oddać!" – taka to była chrzestna. Zawinęła się i poszła.

O Boże, trzymałam te sto dolary i siedziałam na łóżku. Ja jestem z małej wioski, nigdzie nie wyjeżdżałam. Nigdzie, nie było kiedy.

Z Polski miałam jeszcze dziesięć. Kobieta mi ani pić, ani jeść nie dała, a ja dumna jestem, więc poprosić – nie poprosiłam. Wtedy sobie pomyślałam: to tak sobie Polacy pomagają? Jak worek ziemniaków nowego wyrzucają? W Polsce, jak nas ta chrzestna odwiedzała, to przywoziła stare lumpy, tyle że z Ameryki, a my o tym, że to stare, nie wiedzieli, tylko się do tych gratów ślinili.

Pracy mi nie załatwili, a ta kobieta w mieszkaniu bardzo złą opinię miała, ale o tym to ja się później dowiedziałam. W nocy do niej młode chłopy przychodzili, głosy słyszałam, ona chwaliła się, że ma młodą osobę. Ja na tym łóżku zwinięta i prawie nie oddycham.

Polacy to byli, niczego niewarci ludzie. Nic się nie dorobili, chorzy, pokrzywieni. Wiem, bo spotykam ich teraz na Greenpoincie.

Jeszcze pani nie powiedziałam, że ja byłam pogryziona przez pluskwy, a prześcieradło to było rano od mojej krwi czerwone. Następnego dnia robiłam w rękach pranie, no bo prześcieradło brudne. Ta, u której spałam, wydarła się, że prać nie wolno, bo jest święto kościołowe. Niedziela to nie była, u nas na Podlasiu takiego święta nie było. To musiało być małe święto.

Tydzień wytrzymałam, aż spotkałam tego pana, który mnie z lotniska przywiózł. Ja jego pamiętałam z mojej miejscowości. Powiedziałam, że strasznie się w tym mieszkaniu boję. On wziął i pojechał ze mną na Bedford, North Siódmą, tam też z naszej wioski mieszkali. Dowiedziałam się, że ta moja chrzestna to jeszcze jednego gościa ściągła, na końcu wioski mieszkał. Potem nie wyjechała po niego na lotnisko. No jak tak można. Powiedziałam jej: „Jak tak możesz?". Jakoś mogła.

Pan Janusz pracował w żydowskiej piekarni, więc mi bułki żydowskie przynosił. Pyszne. Te bułki miałam, piłam wodę i już, nic więcej.

Na North Siódmej też nie było za dobrze. Strach. O czarnych opowiadali takie cuda-niewidy, a tam czarnych na pęczki latało.

Z taką Wiesią mieszkałam w pokoju, panienka z niej była i szukała sobie męża. Przez nią spotkałam następnego znajomego z naszej wioski. On moją mamusię pamiętał. „Ryszard, musisz mi pomóc znaleźć mieszkanie" – bo Ryszard trochę znał angielski. Za tydzień, dwa zadzwonił do mnie, że jest mieszkanie na ulicy Huron, dwieście trzydzieści dolarów miesięcznie. Tylko trzeba wpłacić kaucję.

No to musiałam na tę kaucję zarobić. Wiesia poradziła: idź do sweterkowni na Driggs. Zaprowadziła mnie, bo skąd miałam wiedzieć, co to sweterkownia. To się dowiedziałam, że u Żyda przy maszynie. Długo w tej sweterkowni robiłam. Dobrze byłam traktowana. Właścicielem był Natan, polski Żyd, i jego żona Luba, Rosjanka. Miał ten Żyd wspólnika Żyda z Izraela. Ten polski Żyd nie lubił tego z Izraela, Lewkowicz miał na nazwisko. „Żydzisko" – tak mówił o tym panu Lewkowiczu. Lewkowicz miał pejsy, a Natan był taki jak my i nie miał pejsów. Tyle że kipę.

Z Żydami bywa różnie. Raz koleżanka ze sweterkowni wzięła mnie ze sobą na sprzątanie do Williamsburga. Zobacz, mówi, może ci się spodoba. Bo ona na dwa etaty robiła. „W sweterkowni – mówi – masz 3,75, a na plejsie pięć dolarów na godzinę". Inne pieniądze to były wtedy, więcej warte. Chleb kosztował pół dolara, teraz dwa. Ale mi się nie spodobało, Żydówki dzieci za dużo miały brudzących. Żydówka kazała mi na kolanach zmywać podłogę. Tylko na nią popatrzyłam: „Idź ty do diabła". Ja wtedy młoda i taka byłam bardziej ambicjonalna. Nie dałam się poniżać. Ty jesteś Żydówa i chcesz, żebym ja ci usługiwała? W życiu!

Ja mam przemyślenia dotyczące Żydów. Uczyłam się na obywatelstwo, to tam było napisane, że gdyby nie Żyd, to Ameryka by nie przetrwała. Nikt nie dał Ameryce pieniądza, tylko Żyd rzucał. Tak jak my dziś rzucamy dolara, tak oni rzucali centa, dawno temu. Żyd ma to do siebie, że on rządzi całym światem. To jest po prostu Żyd. A czy trzeba go lubić? Nie, on ma swoje państwo i niech spierdziela. Tak jak czarny na drzewo, tak on do Izraela. W ogóle rasistka jestem. Jak jestem w swoim gronie, a oni mnie denerwują, to mówię: „Małpy na drzewo".

Dopiero jak poszłam do pracy, to napisałam do mamusi, co przeszłam. Mamusia była niezadowolona, że mi chrzestna nie pomogła, bo przecież z naszej wioski to się ludzie szukali i pomagali. Koleżanka mojego brata się w końcu znalazła i mi załatwiła te soszial sekjury.

Trudno mi było na poniewierce, ale jestem twarda. Odkąd za mąż wyszłam, musiałam dawać radę. Wyszłam z wielkiej miłości, ale mąż był alkoholikiem. Nie bił, pił tylko. Może bym męża nie zostawiła, ale w moim domu rodzinnym nie widziałam ojca pijanego, dlatego mnie to denerwowało. Któż cię podniesie, bydlaku? Bo nie ja. Dwójkę dzieci mieliśmy: chłopiec i dziewczynka, półtora roczku i siedem lat, malutcy jeszcze. Rozwodu nie chciałam brać z litości dla dzieci. Nie po katolicku. Powiedziałam tylko mojej matce: „Patrz na te dzieci", i wyjechałam. Wiedziałam, że zostawiam męża i już do niego nie wrócę.

Bo ja wyzwolona się poczułam. Małego mi było strasznie szkoda, bo za mną bardzo był. Dziewczynka, co miała siedem lat, to wiedziałam, że da sobie radę. Taka była sytuacja, że koleżanka moja z wioski przyjechała i potem wróciła do Polski. Poszła z prezentem do moich, a mały myślał, że to ja wróciłam do niego. Przytulał się i wołał: „Mamusiu!". Nie poznawał, że to nie ja, taki był z niego mały głupek.

Ja na Greenpoincie byłam nielegalnie, więc przyjeżdżać nie mogłam.

Ciężko było w święta Bożego Narodzenia. Każdemu. Były telefony, ale tutaj, bo w Polsce nie było telefonów. Mama musiała biegnąć do zakładów mięsnych pod Łomżą, bo tam mieli telefon, i jej koleżanka, co sprzątała w tych zakładach, pozwalała mamie przyjść i mama sobie mogła pogadać ze mną. Ale z dziećmi to już tak często nie mogła. Bo one mieszkały z moim mężem, mąż pił, to jak się dogadać.

Nie zapomniałam o nich. Paczkę każdemu uszykowałam, źle nie miały. Utrzymywałam ich, mąż się prowadził, jak się prowadził, ale posyłałam, bo były dzieci. Zresztą każda jedna osoba tu, na Greenpoincie, miała dzieci w Polsce. Tylko że osoby wracały, a ja nie wróciłam. Bo ja wiedziałam, że muszę się od swojego męża odłączyć.

Po szesnastu latach ich zobaczyłam. Poznali mnie po głosie, bośmy przez telefon rozmawiali raz na dwa miesiące. Ile ja kłopotu potem przez nich miałam, to świat wie.

Jestem osobą spokojną, ale tańczyć lubiłam i do dyskoteki jak najbardziej. W Polsce nie chodziłam, bo mąż i dzieci. Gloria, był taki lokal na ulicy Diamond. Elegancki, coś wspaniałego, w polskim stylu. Prowadziła go pani Gloria z Krakowa. Wchodziło właśnie disco polo, a Gloria trzymała rękę na pulsie. Piątek, sobota, czasem do trzeciej rano. Miała goryli, polskich goryli, co pilnowały, żeby się nie napić za dużo. Wtedy wywalały. Przy barze można było bezpiecznie siedzieć, a sala do tańczenia prima sort.

Mało było eleganckich restauracji, korner na kornerze były tylko bary. Tam, gdzie był bar Ajryszy, to Polaków w ogóle nie wpuszczali. Bo Ajrysz pije i Polak pije, no to potem ciągle coś do siebie mają.

W Glorii poznałam Józefa, który był bardzo nieśmiały. Zaprosił mnie na kawę. A ja: „Tylko na dobrą! Bo złej nie znoszę".

Był rozwiedziony. Miał żonę na wsi pod Rzeszowem i syna. Straszna ta jego była żona, ciągle czegoś chciała. Józef płacił czterysta dolarów alimentów. Plus paczki wysyłał, był bardzo dobrym ojcem. A ona syna nastawiała przeciwko ojcu i jeszcze sprawę założyła, że chce więcej. No ale na to więcej to ja się nie zgodziłam i poszłam do adwokata, żeby babsko się uspokoiło.

Bo my już byliśmy razem.

Dwadzieścia lat z Józkiem przeżyłam. Niby byliśmy amerykańskim małżeństwem, ale to normalne, że jak się tyle lat żyje z człowiekiem, to się go przedstawia jako swojego męża, sama byś tak przedstawiała, ja się mogę założyć.

Jedną wadę miał, że nie mówił po angielsku. Ciężki był do języków.

Bał się też szpitali, bał się lekarzy, bólu i śmierci. Dlatego nie poszedł do lekarza, jak go w boku rwało. Tylko tabletki i na rusztowanie.

Napij się kawy i nie krępuj się tego młodego, który się tu kręci. Podnajmuję mu pokój, musi się pokręcić za potrzebą. Jest Holendrem, ale tak naprawdę to ja nie wiem, kto to jest. Jakby był pomieszany z Japończykiem, coś w tym stylu. Jak go brałam na próbę, to powiedziałam: „Jak przyjdziesz pijany i sprzątać nie będziesz, to out". A on jest bardzo grzeczny, „haj, haj" zawsze mówi. Rano wychodzi, wieczorem przychodzi. Idealny lokator, chociaż bez wielkiego obycia, ręki nie umie podać, widzisz sama, tylko ucieka.

Zamieszkaliśmy z Józefem przy Huron w północnej części Manhattan Avenue. Polacy tam się wypierali z Kakroczami. Bo my nie lubimy tych Kakroczy, to jest najgorszy naród, taki zaczepny, głośny, barbakju na ulicy, muzykę puszczą, tłucze się obcasami po nocy. Nie wiesz, co to Kakrocz? Oczywiście, że Portoryk. Całkowity brak kultury, więc nie wynajmowaliśmy im mieszkań, jeśli byliśmy właścicielami. Polacy oczywiście.

Oni byli sprytni. Organizowali się w taki sposób, że sami kupowali cały dom. Mają to do siebie, że każdy z nich zbiera olbrzymią familię. W tej familii to może być wiele osób, nawet pięćdziesięcioro ludzi. I oni się wszyscy gnieżdżą w pokoikach, śpią na podłodze. W weekend już Kakrocz nie pracuje, pije margarity, ubiera się odświętnie, spodnie na kancik, koszula, i zaczepia polskie kobiety. A Polacy tego nie lubią, o nie.

Arabów tych, co grosery [sklepy spożywcze] mają swoje, też nie lubimy. Ale gdzie ich nie ma, muslimów pieprzonych. Przychodzi druga po południu, muslim zamyka sklep, bo idzie się czołem modlić. Kto to widział. Prezydent Trump, tak jak ja, nie lubi Kakroczy. Tych, znaczy, malutkich Portoryków. On by ich strzelał, ja też bym ich strzelała.

Przestałam pracować w sweterkowni w roku 1990. Ciężko mi już było. Nakładałam pod parę gotowy sweter, żeby się wyprostował. Za gorąco.

Zaczęłam się starać o budynek. Znaczy o sprzątanie w biurze, nie u kogoś w domu. W szukaniu pracy zawsze jest kłopot z tym językiem angielskim. Prawda jest taka, że ja rozumiem, ale jak natrafię na osobę, która tu jest urodzona, to nie dam rady zrozumieć. A czasem się trafia tu na Amerykanina. Piąte przez dziesiąte coś zrozumiem, ale kto to wie.

Naoglądałam się tu tragedii, jak ludzie wizy powygrywali, przyjechali i – o kurwa, jak to wygląda. I szok, że z domów rodzinnych, gospodarstw trafiali do sabłeja. I bez języka. I co ja tu, kurwa, robię? Ja tłumaczę: przyjechać bez języka to jest bezsens. Po co się tak męczyć. Najpierw trzeba się nauczyć. Żeby nie sprzątać, jak ja.

Dostałam się do ofisu na flory do sprzątania na noce. Szłam do roboty na siedemnastą. Miałam strasznie duży metraż, ale mogłam poobserwować, jak one żyli. Wyżsi rangą mieli pokoje, a średni w open spejsie. Sprząta się prosto. Podchodzi pani do biurka i śmieci pani bierze, biurko przejeżdża szmatą, rusza się rzeczy w zależności: jeden chce, a drugi nie chce. Ja miałam szczęście, bo to nie był flor, na którym trzeba podnieść każden jeden kubek.

Ta praca była dobrze płatna, ale też upokarzająca. Co to jest za przyjemność dla kobiety, jak podchodzi do takiego bydlątka w koszuli przy biurku? Siedzi bydlątko, nogi na biurku założone, a pani podchodzi, mówi „hi" czy „hello", jak pani woli, schyla się, bierze pani jego garbydż i idzie dalej.

A co się pani nagląda życia w ofisach! W nocy to widać, jak kobiety czekają na bossa, bo im boss każe. Życie jest życiem. Kanapy są wszędzie, jak on jest wajs prezydent albo prezydent, to ma kanapę w gabinecie. Młode są, to se czekają. Jak on ma lepsze stanowisko, to awans dostaną. Albo jak boss była kobietą, to akurat chłopcy czekali. Oni byli w nocy bardzo ostrożni, ale ja nie jestem głupia.

Niestety, po dwóch latach flory się skończyły, bo biznesy złapały zadyszkę i przeniosły się do New Jersey.

Po tych szesnastu latach pojechałam do Polski i ściągnęłam dzieci. Najpierw młodszego. Jak ja się cieszyłam, że je zobaczę. Bo ze zdjęć tylko znałam. I poznałam ich: on ładny, osiemnaście lat prawie skończył, córka zamężna, z dzieckiem. Zięć też w budowlance, niepijący.

Syn na lotnisku powiedział „mamo", czyli że pamiętał. Córka przy pierwszej okazji powiedziała, żebym się w jej życie nie wtrącała. „Nie chowałaś mnie!"

Przykro, bo ja na te paczki dla nich i przekazy ciężko pracowałam.

Zapytałam więc syna, czy chce przyjechać do Ameryki. Chciał. Okazało się potem, jak mnie ocyganił.

Zapłaciłam za bilety, odebrałam z lotniska. Józef go przywitał, ale się nie polubili. Bo syn już wdał się w ojca i zaczął mi pijany do domu przychodzić. Nie powiedział, że w sąsiedniej wiosce w Polsce zrobił dwoje dzieci. Miał szesnaście lat, jak się musiał ożenić z koleżanką, mój mąż podpisał w sądzie, że się zgadza.

Józef po roku czasu od pierwszego bólu powiedział, że go boli, tylko bardziej. Jechaliśmy samochodem, on zbladł i powiedział, że go boli, tak strasznie go boli. Poszliśmy do polskiego doktora na Nassau. Doktor badał i badał. Najpierw mówił, że to nic, a potem, żeby skan zrobić. Poszliśmy. Powiedziałam drugiemu lekarzowi: jak coś źle, pan mu nie mówi. Nic nie powiedział, ale kazał przyjść samej następnego dnia. Poszłam, a on, że już za późno i że dwa lata, i that's it.

Twarda jestem, więc mu nie powiedziałam, że umiera. Chemię przyjmował, jedną, drugą, potem już odrzuty były.

Nie oddałam go do zakładu, bo nie musiałam, chudy był i lekki. Jak go brali do szpitala, to z nim spałam, tak bardzo się bał. Bólu nie miał, bo ja pilnowałam, żeby morfinę dostawał. Najpierw ogłuszałam tabletkami, później przez kroplówkę. Trzy ostatnie tygodnie się nie podnosił, potem powiedział: „Janeczko, ja umieram".

I umarł, mój kochany.

Od pięciu lat pracuję u takiego Żyda, wdowca, jestem housekeeper, chociaż oczywiście mam już emeryturę. Znajoma poleciła: nic się nie narobisz, a kasę będziesz mieć. Wchodzę do niego, pranie wrzucę, łóżko zaścielę i szlus, do domu. Nawet kurzy nie ścieram, bo ten idiota tak przyzwyczajony do mnie, że mnie w życiu nie zwolni. Byłam w Polsce, to stary dzwonił: „Dżanina, kiedy ty wracasz? Kiedy ty przyjedziesz?".

Mieszka na West Side na Manhattanie, gdzie mieszkają bardzo bogaci ludzie. Dla mnie to rozrywka, mogę się ubrać, umalować i po eleganckich sklepach pochodzić. Tak sobie ich obserwuję, czy oni są szczęśliwsi od nas, klasy średniej? Na pewno mają łatwiej. O nic się nie martwią, wszystko mają zapewnione. Ciągle wyciągają kasę i ciągle mają. Człowiek z klasy średniej wyciągnie i nie ma.

Ale czy są naprawdę szczęśliwsi?

Najwięcej lesbijek i pedałów jest u milionerów, więc nie można powiedzieć, że pieniądze zawsze przynoszą szczęście.

Greenpoint kocham. Cicho tu jest, spokojnie, chociaż coraz mniej Polaków. Żałuję sklepu na Nassau, masarni u Steve'a, bo się zamknął. Na Manhattan Avenue jest jeszcze Kiszka, ale to nie ta Kiszka, co była. Ja nawet nie wiem, czy to Polak jest teraz właścicielem.

Wielki problem, że Williamsburg się wciska w postaci Murzynów i pedałów. Jest to okropne, niesmak. Niech sobie żyją, that's it. Ale niech się dzieci nie patrzą, jak się całują. Dla dziecka to może być wstrząs, szok. Kobieta z kobietą się całować może, ale u siebie w domu.

W życiu bym do Polski nie wróciła, w życiu. Wolałabym tu na schodach siedzieć, niż wrócić. Jak przyjeżdżam do Polski, ludzie mnie bardzo denerwują. Nie umieją docenić tego, co mają, tylko narzekają. Banda nierobów. Co to za ekspedientka, która siedzi dupą na krześle i mówi: „Niech sobie pani poszuka". Ja bym jednego, drugiego wzięła do Ameryki, żeby zobaczył, jak tu się pracuje.

Mojemu synowi się nie chciało. Po trzech miesiącach powiedziałam: „Bierz się do pracy. Darmo tu nie możesz siedzieć, księciem nie jesteś. Żonę ściągnij". Z niego była kupa Cygana, co zarobił, to przepił. Ale mówił „mamusiu to, mamusiu tamto". Miał urok osobisty.

Po roku odwiozłam go do Polski. Wtedy zobaczyłam, że ta jego żona też jest patologia. I te dzieci na to patrzą. Bardzo się rozczarowałam, tyle wysiłku, tyle wysłanych paczek! Więc teraz o młodszym nie chcę rozmawiać, nie wiem, gdzie on jest, nie obchodzi mnie to. Jak ktoś pyta, mówię, że gdzieś tam jest. Zawsze mówię: dzieci się nigdy nie odwdzięczą.

Uważam też, że gdyby nie Polacy, toby w Ameryce było bardzo źle. Bardzo brudno. Wie pani o tym? Polacy wyczyścili Amerykę z kakroczy, ze szczurów, myszy, z pluskiew, z wszystkiego. To Polacy dbali o czystość, kupowali boraksy, płacili za eksterminatorów. Na przykład właścicielka domu, w którym mieszkam, Amerykanka, nie chce wziąć eksterminatora. Mówi: „Dżanina, ty wiesz, ile to kosztuje?". „Jak chcesz – odpowiadam – to ja eksterminatora zawołam, ale wtedy ci czynszu nie zapłacę". Powiedziała kiedyś, że więcej by Polaków nie wzięła, bo są zbyt wymagający. Odpowiadam: „Kobieto, jestem emerytka, mnie wyrzucić nie możesz. Rób, co chcesz, aj dont kier".

## Bronisława, 1980

Niepokoję się o córkę moją, Victorię, która ma wrogów w dzielnicy.

Zaczęło się, gdy w 2018 roku zainteresowała się pomnikiem katyńskim, który stoi w New Jersey. Burmistrz powiedział, że ma zniknąć z głównego placu nad rzeką. Victoria chciała, żeby został, bo Victoria czuje się Polką. Zawiadomiła osoby z Polonii i zaczęła pomagać, ponieważ potrafi pisać oficjalne listy i po mnie ma duszę społeczną. Lubi robić ludziom fejwer.

Niestety pomnika broniły dwie polonijne grupy, które się pokłóciły. Kilku panów z jednej grupy zaczęło grozić Victorii. Pani, której prawie nie znam, złapała mnie za rękę na Manhattan Avenue i powiedziała, że córka ma się nie wtrącać, bo może się zdarzyć nieszczęście.

Ale Victoria nie może usiedzieć na miejscu. Jeszcze przed aferą z pomnikiem powiedziała, że chce zostać polityczką, a to przecież nie jest bezpieczne. Zgłosiła się na kandydatkę do rady dzielnicy. Musiała chodzić po domach i po ulicach, żeby uzbierać podpisy. Baliśmy się z mężem o Victorię, więc też chodziliśmy. I jeszcze z moim synem, bratem Victorii, strzeżonego Pan Bóg strzeże. Mamy zajęcie na emeryturze, bo już z mężem nie pracujemy.

Z zawodu jestem szefem kuchni. Urodzona w Sarzynie pod Leżajskiem w 1947 roku. Było nas ośmioro rodzeństwa, związani z ziemią.

Mimo że już pracowałam w kuchni w Leżajsku, często do Sarzyny jeździłam, piętnaście kilometrów, żeby pomóc matce w polu. Żal mi było, że tak ciężko pracuje.

Ojciec z dziadkiem wybudowali pierwszy murowany dom na wsi. Nie brakowało ani jedzenia, ani roboty. Zawsze się pomagało innym. Pamiętam, że brałam z domu ser i chleb, i jak zabili świnię, to brałam też wędlinę i zanosiłam koleżankom. Lubiłam patrzeć, jak szybko jedzą. Że mogę głodne nakarmić.

Inni jeszcze sierpami cięli zboże, kiedy ojciec miał maszyny konne. Dwa konie do pracy na polu i jednego do jazdy na oklep. Dyrektor ze spółdzielni przychodził, chłopy i podziwiali te maszyny.

Nigdy zahukana nie byłam. Odkąd pamiętam, chciałam świat zobaczyć. Byłam w Rosji, w Ukrainie, w Niemczech, gdzie zamieszkała moja najmłodsza siostra. We Francji byłam, a w Ameryce jeszcze nie. Bo za mąż wyszłam i córki się urodziły. Starsze siostry mojej Victorii.

Mojej siostry mąż wyjechał pierwszy. Chciał wziąć mojego brata, napisał nawet list w tej sprawie, ale brat nie chciał jechać. Mówił: za rodziną i dziećmi jestem, będę do nich chciał wracać, nie wytrzymam. Wtedy ja się zgłosiłam do szwagra: „Wyślij zaproszenie do mnie. Ja pojadę". W maju dostałam zaproszenie, ale poszłam do konsulatu dopiero w październiku. Jaka była kolejka w Krakowie, dwustu ludzi! Pani konsul zajrzała w te moje papiery: a czemu dopiero teraz? Ja, że przecież w żniwa nie mogłam. Mam dwie córki, jakżeż zostawić ich na pastwę losu. Musiałam poczekać, aż matka i siostra po żniwach będą mogły przypilnować dzieci. Pani konsul poruszona była tak, że podpisała dokumenty, i mogłam jechać. Na trzy miesiące do pół roku.

Z siostrą poszłyśmy na milicję, żeby podpisać opiekę nad dziewczynkami, dziewięć i siedem lat. Byłam rozwiedziona, nie mogłam zawierzyć ojcu moich córek.

Czy one się bały albo denerwowały?

Pewnie, że się bały, ale czy ja się nie denerwowałam jako mama? Potem, już w Ameryce, jednego obiadu człowiek nie zjadł, żeby nie myślał, czy te dzieci mają jedzenie. Czy dobrze żyją. Nie zobaczyłam córek osiem lat; takie były nasze czasy.

Na lotnisku odebrali mnie sąsiedzi z mojej miejscowości, zrobili mi fejwer, zawieźli mnie do sabłeja 131 Dupont Street, gdzie zamieszkałam z dwoma paniami. Teresa i Halina były z Biłgoraja. Przyjechały trzy lata przede mną, ciągle pracowały, na szczęście powiedziały też, gdzie można iść po pracę, to znaczy jak trafić do Reginy na Williamsburg. Jak się przyjechało, to od razu pracy nie było, przynajmniej takiej dobrej. Dla mnie nie było, bo ja nie znałam słowa po angielsku.

Na początek Regina dała mi karteczkę z adresem, a nawet zawiozła na Central Park West na Manhattan, 55 Ulica do Jennifer, która była w biznesie i na nic nie miała czasu. Sprzątanie i opieka nad dzieckiem, cały tydzień za sto dolarów. Wytrzymałam tam pół roku. Wolne miałam czwartki, więc poprosiłam Reginę, żeby mi co na czwartek znalazła. Poszłam do chasydów do hurtowni elektronicznej. Na Wszystkich Świętych i w Wielki Piątek też pracowałam. Do tych moich pań w mieszkaniu to przychodziłam może na dwie godzinki. Dzień dobry, dzień dobry, co słychać, czy są jakieś listy? Jak przysiadłam, to już tylko mówiłam: „Boże, żebym ja te pół roku wytrzymała, pracując tak ciężko".

Pieniędzy, jak mówię, zarabiałam mało. Co tydzień wkładałam wypłatę w książkę, co trzy tygodnie leciałam do polskiego banku, żeby wpłacić na konto. Jak nie pracowałam i nie spałam, to pisałam listy i patrzyłam, żeby co kupić do Polski. Na zakupy i wysyłanie paczek był czas w niedzielę po południu, kiedy się nie pracowało.

Z trudem się dzwoniło, bo nie było telefonów. Tutaj, w Ameryce, były, ale tam może na plebanii i na zakładach chemicznych, może sołtys miał telefon, nie wiem. Pamiętam, jak do Sarzyny na zakłady chemiczne dzwoniłam. Listownie się z siostrą umówiłyśmy na telefon. Moja siostra przyszła z dziewczynkami. Ale nie połączyli, tylko mówili: połączenie, połączenie, połączenie – i nic. Prawie czterysta dolarów zapłaciłam. Po pół roku dodzwoniłam się wreszcie do siostry. Powiedziała, że ekonomia zaczęła lecieć i moją restaurację zamkli: „Jeśli masz okazję zostać – zostań".

Razem podjęłyśmy decyzję, nie, że ja sama. Dziewczynkom i mnie było przykro. Najbardziej w święta, urodziny, zakończenie roku. Ciężko. W dniu ich pierwszej komunii w Polsce też szłam do kościoła, obiad robiłam, posiedziałam z paniami. Ale to nie to samo, co z rodziną. Te panie były starsze i ich dzieci były starsze, już przyzwyczajone, że mamy nie ma.

Pierwsze pieniądze wysłałam ojcu na traktor. Bo widziałam, jak ten ojciec chodzi za koniem, jak się męczy. Mogłam sobie wpłacić na poloneza albo na traktor – jedna cena była: dwa i pół tysiąca dolarów w 1981 roku.

Po roku ja się wyprowadziłam na 133 McGuinness. Wzięłam sama mieszkanie i dalej pracowałam siedem dni na okrągło. Do pracy dojeżdżałam metrem G oraz autobusem 61. Wyjeżdżałam o siódmej rano, wracałam o dwudziestej trzeciej, prócz niedzieli, kiedy kończyłam po południu.

W 1984 roku w tym autobusie spotkałam Jurka – George'a, z Gwatemali. On studiował na Polytechnic University, po szkole szedł do pracy. Rodzina wysłała go za granicę, ponieważ w Gwatemali był niepokój polityczny i groziło mu niebezpieczeństwo. Tata jego się bał, że mogą go porwać i zabić.

Kiedyś deszcz padał, a Jurek miał parasol. Tak się zaczęło.

Najmował u pani Ireny Klementowicz, którą wszyscy znali, bo walczyła z zanieczyszczeniami środowiska na Greenpoincie. Nie myślałam wtedy, że Jurek to akurat Latynos i mogą być kłopoty. Ja już widziałam, że ludzie ze sobą żyli, mimo że jedno było takie, a drugie inne. Za ulicą Huron mieszkali już przecież prawie sami Latynosi. Moje niektóre koleżanki umawiały się z nimi, a tylko niektóre się ich bały. Nikt nie rozróżniał, z jakiego są kraju.

Zdarzało się, że grupy młodych Portorykańczyków zaczepiały kobiety wracające z pracy. Zwłaszcza w piątek, kiedy miały ze sobą wypłatę. Tłumaczyłam: zapłaćcie dolara i weźcie autobus spod stacji metra. Będziecie bezpieczne, dolar to nie majątek.

Jak zaczęło się wracanie z Jurkiem, to jeszcze nie myślałam o przyszłości, tylko o pracy. Ale polubiliśmy się i rok później Jurek pojechał do Polski, żeby poznać moją mamę, siostrę i córki. Ja nie mogłam wyjechać z Ameryki, bobym nie wróciła. Przyjechał po dwóch tygodniach, bardzo mu się w Polsce podobało. Nie podobało mu się tylko to, że musiał płacić piętnaście dolarów dziennej taksy klimatycznej.

Mama się na Jurka zgodziła i w 1986 roku zostaliśmy małżeństwem. Miałam już zieloną kartę i uczyłam się na obywatelstwo.

Zaczęliśmy się rozglądać za mieszkaniem, bo już nie chciałam wynajmować, nie chciałam, żeby mi ktoś mówił: „A teraz podniosę ci rent". Miałam doświadczenie w handlu i zrozumiałam kapitalizm. Powiedziałam Jurkowi: „Pójdziemy na swoje". Jak Jurek dostał państwową pracę, kupiliśmy dom na Franklin: dla nas i jednego lokatora. Kiedy zadzwoniła do mnie Gienia z Sarzyny, wyrentowałam jej ten pokój i pracę znalazłam w kopertowni, bo pracował tam Ricardo, kolega Jurka, i dwie inne koleżanki z naszej miejscowości. Oraz ja się już potrafiłam dogadać, a Gienia nie.

Najważniejsze jest to, żeby jeden drugiemu robił fejwer.

## Eryka, 1970

Jestem wdzięczna, że chociaż w małym stopniu Bóg pozwolił mi przybliżyć się do ludzi bezdomnych, aby zrozumieć, że nie nam jest dane ich sądzić. Tylko Bóg osądzi każdego z nas sprawiedliwie, bo tylko on zna nas najlepiej i wszystkie nasze intencje. Boże, kieruj moim życiem!

Kiedyś zwracałam się do niego, tylko gdy czegoś potrzebowałam, szczególnie kiedy nie wszystko się układało według moich myśli. Teraz powtarzam: „Boże, kieruj moim życiem", ale także: „Pokaż, jak się mam odwdzięczyć" za wszystkie dary, które otrzymałam, za przyjaciół, za zdrowie i dobrą pracę, za rodzinę, dzieci i za wnuki.

Już dawno temu byłam gotowa robić więcej, tylko nie wiedziałam jeszcze co. Zawsze uważałam, że odwiedzanie chorych w szpitalach zaliczane jest do dobrych uczynków. W 1985 roku zadzwoniłam do pobliskiego szpitala, ale niestety sekretarka nie wierzyła w moje dobre intencje, myślała, że mam tam kogoś leżącego, dlatego chcę być wolontariuszką i mieć wolny wstęp do chorego. Było to jak chluśnięcie zimnej wody.

Potem zrodził się pomysł pomocy ludziom bezdomnym. Miałam dwa problemy: jak przezwyciężyć strach, bo zawsze bałam się bezdomnych, a drugi: gdzie ich znaleźć.

Drugi problem rozwiązał się niebawem, kiedy po zaparkowaniu samochodu pod domem zjawił się pan z walizką i płaszczem na ręku, z pytaniem, czy może spać w moim samochodzie. „Pan bezdomny?" – zapytałam. „Tak". Czyli bezdomni, pomyślałam, byli cały czas obok, tylko ja ich nie zauważałam. Normalnie tobym szybko zamknęła samochód i uciekła. Ale teraz wiedziałam, że to nie przypadek. Poszliśmy usiąść na pobliskiej ławeczce. Dużo opowiedział mi o sobie. Mój pierwszy bezdomny miał na imię Miklos, pochodził z Węgier. Miły człowiek, inteligientny, bardzo schludny i oczytany, definitywnie przewyższał mnie z geografii. Nie wiem, czy był lekarzem, ale coś wskazywało na to, że kiedyś pracował w klinice aborcyjnej. Już w ten wieczór zaniosłam mu jedzenie do parku, później uwielbiał kapuśniak z ziemniakami. Poprosiłam naszego doormana, żeby w nocy pozwolił mu spać w naszym prywatnym parku za budynkiem. Kołdrę, którą mu dałam, zostawiał raniutko mocno przywiązaną do ławki, mył się w parku i przebierał w czystą bieliznę, którą ode mnie otrzymywał.

Miał urojenia po śmierci córki. „Julia mówi, że będzie sztorm, Julia powiedziała, że będzie burza". Nosił przy sobie i dumnie pokazywał jej zdjęcie, jak bardzo była podobna do niego. Na każdą myśl o niej zachowywał się niespokojnie, zaczynał mówić sam do siebie, patrzył w chmury i pytał, czy słyszę, jak woła, jak śpiewa, informuje go, jaka będzie jutro pogoda itp. Jak mu przechodziło, to normalnie rozmawiał. Kiedyś, kiedy odnosił naczynia po posiłku, sąsiedzi zapytali go, czy jestem jego córką. Powiedział, że tak.

Nie godził się na pomoc psychologa. O szpitalu też nie było mowy.

Kiedyś o jedenastej w nocy zerwała się burza i ulewa. Pomyślałam, że Miklos sam na dworze. Wybiegłam z domu z parasolką, którą wiatr mi zaraz z rąk wyrwał, ale Miklosa nie było. Trudno mi było zasnąć tej nocy, więc na drugi dzień powiedziałam, że mój samochód jest otwarty, jak będzie taka burza, to idź tam spać. Miklos jak raz zasmakował, to spał tam każdej nocy.

Namawiałam Miklosa, żeby poleciał do Budapesztu. Obiecałam, że kupię mu bilet. Kiedyś pakuję się do jakiegoś wyjazdu, dzwoni policja z lotniska, że mają człowieka, który przyjechał z ostrzeżeniem dla jakiejś Julii, mówi, że będzie burza i trzeba wstrzymać wszystkie loty. Podał mój telefon. Wyjaśniłam im, że nie jest niebezpieczny, ale żeby go zabrali do szpitala, bo na pewno potrzebuje brać leki, a mnie nie będzie. Zawieźli go do szpitala Creedmoor.

Zdobyłam dużo dobrego doświadczenia i już nie tylko przestałam się bać bezdomnych, ale potrafiłam ich zaobserwować i najserdeczniej im współczułam. Cieszyłam się, kiedy z radością pobierali rzeczy, które im rozwoziłam. Nie zapomnę, kiedy jadąc wieczorem, zobaczyłam siedzącego w parku bezdomnego, który trząsł się z zimna. Kiedy zaniosłam mu kurtkę i spodnie, od razu zaczął się przebierać, ponieważ jego spodnie były mokre. Przechodnie oczywiście tego nie przewidzieli i zaczęli uciekać. Ledwo mogłam powstrzymać się od śmiechu.

Odważnym krokiem był telefon do departamentu Partnership for the Homeless miasta Nowy Jork, utworzonego przez majora Edwarda Kocha, we współpracy z Department of Homeless Services. „Czy to departament ten a ten? Chcę pomagać bezdomnym".

Wybrałam kościół Immaculate Conception na Astorii. Pomoc polegała na obsłudze bezdomnych przywożonych w okresie zimowym na noclegi do kościoła. Spotkałam grupę wspaniałych wolontariuszy, z którymi szybko się zaprzyjaźniliśmy. Brałam nieraz ze sobą moją dwuletnią wnuczkę, kiedy córka szła do pracy.

Bezdomnych zabierano specjalnymi autobusami wieczorem z dworca Grand Central. Do nas przywożono około dziesięciu osób o godzinie dziewiętnastej, a o szóstej rano zabierano ich z powrotem na dworzec. Organizowaliśmy posiłki, mycie i spanie.

Pobudka o piątej rano, później śniadanie. Przywożono mężczyzn i kobiety, które były słabsze i często łapały je skurcze nóg. Pamiętam, że kiedyś około północy z łazienki dobiegł krzyk. „Co się stało?" Pobiegliśmy z kolegą. Ujrzeliśmy kobietę, która wyglądała, jakby mocowała się ze ścianą. Okazało się, że złapał ją skurcz w nodze. Wszystko od siedzenia w kucki na dworcu.

Mile wspominam wieczorne pogawędki z bardzo ciekawymi ludźmi, między innymi z bezdomnymi zasłużonymi weteranami z Wietnamu; oni także lubili, jak ich się słuchało. Z pasją opowiadali o tym, co się działo, kiedy walczyli. Ale potem milkli na dłuższą chwilę, zapewne w refleksji nad swoim życiem. Mam dla nich teraz największy szacunek. Nie zapomnę, kiedy jeden z nich opowiadał o tym, jak podczas świąt Bożego Narodzenia zabrał ze sobą torbę słodyczy i rozdał je wietnamskim dzieciom zebranym pod kościołem. Nagle rozległ się szum, on wiedział, że zaraz spadną granaty, i wołał dzieci do kościoła, ale one rozbiegły się wystraszone. Ze łzami powiedział, że jak wyszedł, dzieci nie żyły. Buzie miały usmarowane krwią i czekoladą. Nie mógł ich zapomnieć. Mimo tego, że miał wszystkiego w bród, także alkoholu i narkotyków. Weterani często mówili również sami do siebie.

Rozmawiałam z matką, której syn wrócił z Wietnamu. Była przerażona, opowiadała, że zachowywał się jak zdziczały. Siedział przy stole bez słów, do dołu głowa, tylko patrzył spod oka, ciągle jakby nieobecny, a najgorszy ten zapach, jak w trupiarni, niczym go nie dało się wyeliminować.

Chętnie jeździłam na Astorię, aby choć troszkę ulżyć tym ludziom. Nieważne, że było daleko. Nieważne, że z poparzoną nogą.

Poparzyłam sobie nogę, kiedy poprzednia zmiana źle postawiła kocioł na gorącym piecu i rano, gdy przechodziłam obok, kocioł się przechylił i ukropem oblało mi prawą nogę. Na szczęście tylko koło kostki. Niesamowity ból, tygodniami nie schodził ogromny bąbel, ale miałam i tak dużo szczęścia.

Tuż przed zimą w 2000 roku program dla bezdomnych został zamknięty, mimo że mieliśmy już zapas bielizny osobistej, skarpet, czapek i szalików. Nie zapomnę tego panu Nashakowi z urzędu miasta, zastępcy szefa DHS, który był za to odpowiedzialny.

Kiedyś spotkaliśmy się na bankiecie: „Jak ty mogłeś przed zimą ten szelter zamknąć! Wszystko było przygotowane, nic to urząd miasta nie kosztowało. Komu ty służysz?".

W 2005 roku przeczytałam, że na Greenpoincie zamarzła kobieta w pudle po lodówce. I dwie osoby w parku. Byłam wstrząśnięta i zdziwiona, że byli to Polacy, których jako bezdomnych nie spotykałam dotąd w sąsiedztwie. Zadzwoniłam do parafii. „Naprawdę macie polskich bezdomnych?" „No przecież" – odpowiedział mi pan Jan Pukianiec, lekarz z Polski, który kiedyś sam był bezdomny. Od razu umówiliśmy się na spotkanie w redakcji „Kuriera Plus" na ulicy Java u bardzo gościnnej pani redaktor naczelnej, Zosi Kłopotowskiej, która jest przewspaniałym duchem Greenpointu. Wszyscy ją uwielbiamy. Postanowiliśmy działać tak, żeby już nigdy nie powtórzyła się tragedia zamarzania naszych rodaków w kartonach.

Nazwaliśmy się Homeless SOS i przy dużym wsparciu księdza Roberta Czoka, proboszcza z kościoła Świętego Antoniego na Manhattan Avenue, zapraszaliśmy bezdomnych do schroniska w podpiwniczeniu kościoła, aby przetrwali bezpiecznie te najzimniejsze dni srogiej zimy. Czyli wtedy, gdy temperatura spadnie w nocy do –3,9 stopni Celsjusza. Udało nam się wynająć pokój w pobliskim hotelu, żeby bezdomni mogli się wykąpać i przebrać. Czysty i ładnie ubrany bezdomny od razu czuje się bardziej pewny siebie niż w łachmanach. Z pokoju hotelowego zrobiliśmy dużą szafę z ubraniami. Po wyjściu chłopcy wyglądali jak nowi! Kiedyś ksiądz Czok mnie zapytał: „Eryka, a gdzie teraz przenieśli się twoi bezdomni, bo tu ich nie widać?". Miło to było usłyszeć. Niestety, menedżer hotelu powiedział, że hotel to nie łaźnia, i wymówił nam ten pokój.

W sali pod kościołem mieściło się nieraz nawet trzydziestu Polaków. Przeważnie mężczyzn, ale raz trafiła się pani z dwojgiem dzieci. To było wyjątkowo trudne, ale w zimie jest lepiej tam niż na dworze.

Przed spaniem mieliśmy wspólną modlitwę, często ktoś zapłakał. Urządzałam też strzyżenie włosów, oczywiście wszystko w rękawicach. Trzeba było podczas strzyżenia stać na rozlanym chlorku, na wypadek gdyby z głowy coś wyskoczyło. Nieraz widziało się ślady wszy na skórze głowy, wyryte ścieżeczki. Organizowaliśmy prześwietlenia płuc naszym bezdomnym, wykryto wtedy trzy przypadki gruźlicy.

Zwoziliśmy jedzenie z dwóch miejsc na Manhattan Avenue: z delikatesów The Garden oraz Starbucks. Zamykali o ósmej trzydzieści, więc zawsze ktoś z naszych ludzi meldował się o dziewiątej, aby zabrać resztki zup, które nie zostały sprzedane. Przynosiliśmy ze sobą kilka pojemników, ale czasem z konieczności trzeba było zlewać kilka zup razem. Rosół z kluskami z zupą z kapusty czy pomidorową. W końcu po całym dniu na mrozie wszyscy czekali, żeby dostać coś gorącego.

Przyjmowaliśmy zarówno trzeźwych, jak i pijanych. Czasem w bardzo zimne noce szukaliśmy brakujących bezdomnych w parkach czy na ulicach. Na przykład człowiek o ksywce „Kozioł" często się gubił. Kiedyś koledzy zostawili pijanego Kozła pod kościołem, bo nie mieli już sił go transportować. Leżał na ulicy. Zauważyliśmy go, a ponieważ nasza noclegownia była tajna i sąsiedzi nie mogli się o niej dowiedzieć, wyskoczyliśmy, żeby go wciągnąć. Poszło nas czworo wolontariuszy. Janusz i ja złapaliśmy za rękawy grubej kurtki Kozła, a Ania z Czarkiem za nogawki od spodni. Przy wciąganiu na schody wysunął nam się i z kurtki, i ze spodni. Podobnych przypadków nie brakowało, kiedy chciało się śmiać i płakać.

O piątej rano budziliśmy bezdomnych i wyprowadzaliśmy na ulicę. Po cichu, bo nie wszystkich mieszkańców ulicy uszczęśliwiało takie sąsiedztwo.

Największa radość pomagającego jest wtedy, kiedy bezdomny chce wracać do Polski. Robimy wszystko, żeby tę podróż umożliwić. Najpierw szukamy kontaktu z rodziną. Jeśli zgadza się go przyjąć, to staramy się o bilet, nieraz sami chętnie dokładamy, bo są to pieniądze wydane dla uratowania czyjegoś życia. Czasami Konsulat RP w Nowym Jorku udziela pożyczki, pomaga też uzyskać paszport. Przed wylotem staramy się odizolować bezdomnego od kolegów z ulicy, żeby mógł się wykąpać, ogolić, ostrzyc, przebrać i w miarę porządnie wyglądać. Szykujemy walizkę, aby miał wszystkie artykuły potrzebne na pierwsze dni w Polsce, a nawet małe prezenty dla rodziny. Śmiało można powiedzieć, że wysłaliśmy około trzydziestu osób.

W 2015 roku, przebywając w redakcji „Kuriera Plus", dowiedziałam się o problemach pani Krystyny. Z niedowierzaniem słuchałam o poświęceniu siedemdziesięciosiedmioletniej matki, która drugi rok spędzała w szpitalu przy łóżku syna, Andrzeja. Była tam każdego dnia od dziewiątej rano do dziesiątej wieczorem. Siedziałaby dłużej, ale ją wyganiali. Postanowiłam poznać Krystynę i nawiązać z nią kontakt, żeby przynajmniej nosić jej na wieczór coś do zjedzenia.

Mieszkała na ulicy Java, była biedną wdową. Przyjechała z Ełku, syn urodził się już w Ameryce. Powiedziała, że jej ojciec był generałem, w Ełku jest rondo nazwane jego imieniem. Była z tego bardzo dumna. Powtarzała: „Dlaczego ja się tak męczę w tym kraju". Nie znałam odpowiedzi.

Kiedyś pracowała w klubie nocnym na Greenpoint Avenue. Andrzej czytał w niedziele w kościele u świętego Stanisława Kostki. Jeszcze przed czterdziestką zachorował, wzięli go do szpitala na Harlem. Coś poszło nie tak z leczeniem, ale pani Krystyna nie wiedziała dokładnie co, bo nie znała angielskiego. Trzy lata leżał Andrzej w szpitalu. Niestety było z nim coraz gorzej, wreszcie podłączyli go do life support. Dzień w dzień jeździła do niego, ponieważ był on całym jej światem. Godzina i pół w jedną stronę. Jeździła tam w Andrzejka butach, dużo za dużych, bo innych nie miała.

Każdego wieczoru wieszałam jej na klamce coś do zjedzenia. Była coraz bardziej zgorzkniała i zmęczona. Raz spróbowała po kryjomu podać synowi troszkę wody. Przy intubacji jest to niedozwolone i zabroniono jej odwiedzin. Wiedziałam, że to jest najgorsze, co może się stać, i kilka razy upraszałam pracownika socjalnego, żeby zmienił zdanie, a jednocześnie prosiłam ją, żeby już więcej Andrzejka nie poiła.

Niestety, to nie był koniec nieszczęść. Kiedyś, gdy wróciła do domu, okazało się, że została okradziona. Zginęły jej dwa zegarki syna, siedemset dolarów renty, łańcuszek i imitujący ludzki głos tłumacz z języka angielskiego. Na koncie zostało jej sześć dolarów. Sercem jej współczułam, ale pocieszyłam, że nawet za te pieniądze życia i zdrowia kupić by nie mogła.

Andrzejek za niedługi czas zmarł w nocy. Czekali na nią do rana i przy niej go zabrali.

Tutaj biednych ludzi chowa się na Long Island na cmentarzu komunalnym, to jest bardzo daleko. Dół kopią, czymś posypią, nie ma pomnika, jest tylko rejestr. Wiedziałam, że na Long Island to ona nie dojedzie, a chciałaby jeździć codziennie. Mam tu pochowanego kuzyna, jest grób rodzinny i są dwa wolne miejsca. Zdecydowałam, że oddam je Andrzejkowi. Na ten cmentarz miała dziesięć minut drogi, nieraz ją wiozłam ja, innym razem ktoś inny. Za każdym razem kładła się na grobie twarzą do ziemi, w trawie, i tak mocno wołała: „Andrzejku, Andrzejku!"...

Trudny to był czas, zaniedbała się, przestała się myć, zaczęły się choroby i problemy urologiczne. Tylko jazda na grób ją interesowała. Zmarła rok później, w dzień Andrzejka urodzin. Być może spieszyła się, żeby nikt jej nie zajął drugiego miejsca w moim grobowcu.

Dobrze się stało, bo z pochówkiem i transportem zwłok są kłopoty, zwłaszcza kiedy człowiek nie ma uregulowanego pobytu. Wtedy musimy sobie radzić. Znałam pana, który może nie był bezdomnym, ale nie miał ubezpieczenia. Trafił do szpitala i czekało go dłuższe leczenie. Pracownik socjalny wpadł w panikę i zaczął wydzwaniać do konsulatu, że mają chorego alkoholika z rakiem. I państwo polskie ma go zabrać do Polski, bo hospicjum tutaj dużo kosztuje. Konsul odnalazł w Polsce jego żonę i zawiadomił o sytuacji. Zgodziła się, ale prosiła: jeszcze chwilkę, bo rok szkolny się zaczyna, a ona jest nauczycielką, boi się o pracę, musi też pożyczyć pieniądze na bilet. Poprosiłam w konsulacie o telefon do kobiety. I wtedy się dowiedziałam, że on szesnaście lat temu wyjechał do USA, rozpił się, nic nie pomagał, a ona sama trójkę dzieci wychowywała. Zapytałam ją: czy ty naprawdę chcesz, żeby on wrócił? Będziesz go transportować na leżąco, to dosyć kosztowne. Zaczęła płakać. Powiedziała, że może on nie pomógł, ale Pan Bóg dopomógł, dzieci wyszły na ludzi, są wnuczki, może powinny zobaczyć dziadka. Zdecydowała, że przyjedzie.

Zaczęliśmy wyrabiać paszport Januszowi, potrzebny nie tylko do wyjazdu do Polski, ale i do hospicjum. Leżenie Janusza wciąż mocno denerwowało pracownika socjalnego, który w ramach swoich obowiązków starał się jak najszybciej usunąć Janusza z systemu.

Dzwonił do mnie i wykrzykiwał: „Weź go do swojego kraju!". Któregoś razu nie wytrzymałam, tym bardziej że on też nie był tu urodzony, ponieważ mówił z obcym akcentem. „Co ty wiesz o Polsce? – zapytałam. – Chyba nawet nie wiesz, gdzie jest na mapie. Jak śmiesz! Czy wiesz, że nasz kraj jak żaden inny walczył dla USA w pierwszej linii?! Co twój kraj zrobił dla Ameryki?". Od tamtej pory było spokojniej, ale Janusz nie doczekał się przyjazdu żony, zmarł po otrzymaniu paszportu.

Zawsze są łzy. Pamiętam, wysłaliśmy do kraju prochy pani Weroniki, która trzydzieści lat mieszkała na Greenpoincie, w tym na greenpoinckiej ulicy. Była cicha, bardzo skromna, spała na schodach, miała wózeczek zawsze przy sobie, trochę alkoholu, ale niewiele. Nie chciała nawet słyszeć o powrocie do Polski. „Ach nie, pani Eryko, nie trzeba". Mówiła tylko, że ma tam córkę i syna. Pewnego razu pogotowie na Greenpoincie zabrało do szpitala polską kobietę śpiącą na schodach. Tego samego dnia zmarła. Zaczęliśmy sprawdzać, o kogo chodzi, okazało się, że to jest Weronika. Odszukaliśmy rodzinę w Polsce. Nigdy nie zapomnę, jak ta córka rozpaczała. „Mamusiu, dlaczego nas zostawiłaś? Czemu nie dawałaś znaku życia? My od dawna cię szukamy. Masz troje wnuków, mamo!" Błagała, żeby jedną rzecz dostać, której mama dotykała. Opowiadała, że miała cztery lata, jak mama wyjechała, brat sześć. Nie pamiętali jej w ogóle.

Zaczęłam więc szukać czegokolwiek dla tej córki. Najeździłam się po Brooklynie po miejscach, gdzie nocowała, pojechałam do pastorek z Milton, gdzie chodziła na obiady. Nic z tego, nikt jej nie pamiętał. Gdy już prochy czekały na przewiezienie do Polski, wyjęłam z szafy mały szlafroczek, pasowałby na nią. Do kieszonki włożyłam różaniec i szlafroczkiem tym owinęłam urnę Weroniki, z nadzieją, że może chociaż to da jakąś ulgę w cierpieniu jej dzieci.

Mikołaj Maliniak z Homeless SOS zabrał prochy Weroniki do Polski. Na lotnisku przywitała go cała rodzina, wszyscy stali ubrani na czarno, trzymali kwiaty i wieńce. Poszli razem do kaplicy i tam po wspólnej modlitwie zabrali prochy swojej ukochanej mamy.

Pamiętam wiele przypadków, kiedy przekonałam się, że Bóg czuwa nad nami cały czas, a szczególnie daje znak, gdy poświęcamy się dla ludzi potrzebujących. Kiedyś zadzwoniła koleżanka z prośbą, aby bezdomnej w szpitalu ściąć i umyć włosy, ponieważ porobiły się kołtuny, a ja mam praktykę. Pojechałam. Martwiłam się, że nie znajdę parkingu, wiedziałam z doświadczenia, jak długo się czeka na miejsce. Dojechałam i, o dziwo, ktoś wyjeżdżał właśnie, jakby tylko na mnie czekał.

Innym razem wiozłam do dentysty kobietę z bolącym zębem. Po zjeździe z autostrady młody kierowca zablokował mi przejazd i rozwścieczony wybiegł z samochodu z kijem bejsbolowym, obwiniając mnie, że zajechałam mu drogę. Za chwilkę zatrzymał się za nami drugi samochód, w którym jechało dwóch mężczyzn. Zimno mi się zrobiło ze strachu, myślałam o najgorszym. Moja pasażerka głośno się modliła, kiedy ci mężczyźni wyszli z drugiego auta, ja zamarłam w półzgięciu. A oni przeszli koło nas spokojnie. Jeden z nich pokazał młodemu, żeby wszedł do swojego samochodu, powiedział: „Nie zajechała ci drogi, my jechaliśmy z tyłu, wszystko widzieliśmy". Chłopiec jeszcze coś wykrzykiwał, ale zaraz odjechał, kiedy jeden z nich powiedział mu „do zobaczenia w sądzie". No i jak nie wierzyć, że anioły są wśród nas?

Moja droga, w szpitalu zmarł właśnie bezdomny Polak, rodzina zgodziła się na kremację, ale nie ma pieniędzy na transport prochów. Zmieszczą się w bagażu podręcznym, w małej urnie, w reklamówce. Kiedyś LOT bardzo dużo liczył za przewóz, więc przyjęło się, że jak rodzina nie ma pieniędzy na przesyłkę, to znajomi wolontariusze przewożą prochy w bagażu podręcznym, co jest legalne. Czy wracając do Polski, mogłabyś przewieźć tego pana?

# Rozdział II. Nowoczesność

Na ulicach słychać język holenderski, na Manhattan wiosłuje się z towarem w dni targowe. Greenpoint to wioska.

Aż do 1827 roku, kiedy Mary, dziedziczka Meserole'a, wychodzi za mąż za Neziaha Blissa, jankeskiego przedsiębiorcę z Connecticut, współwłaściciela fabryk parowców w Filadelfii i Cincinnati oraz producenta silników okrętowych w Nowym Jorku. Bliss przyjaźni się z Robertem Fultonem i podziwia jego parowe wynalazki. Jest wyznawcą postępu, przemysłu i poszukiwaczem okazji. Spogląda na Greenpoint i widzi Eldorado.

Przekopano właśnie kanał Erie. Bliss rozumie, że Nowy Jork będzie wkrótce najważniejszym portem handlowym Ameryki i że zmieni to funkcję miasta. Na Manhattan będą przypływać statki z towarami, a stocznie zostaną zepchnięte do Brooklynu.

W 1832 roku razem ze wspólnikiem, Eliphaletem Nottem, kupuje dwanaście hektarów ziemi od rodziny Meserole oraz rolnicze tereny wzdłuż zatoki Newtown.

Dzięki małżeństwu z Mary jest realnym właścicielem Greenpointu. Zaczyna budować miasto. Dzieli ziemię na działki i czeka na inwestorów, wyznacza nowe ulice. Począwszy od Newtown Creek, oznacza je kolejnymi literami alfabetu. Pod koniec XIX wieku ulice te mają już nazwy, kolejno: Ash, Box, Clay, Dupont, Eagle, Freeman, Green, Huron, India, Java, Kent, Milton, Noble, Oak i Quay, z wyjątkiem ulicy L, na którą mówi się po prostu Greenpoint. Nazwy te nie są przypadkowe – Huron, India, Java to ważne dla Brooklynu kontakty handlowe, Ash, Box i Clay nawiązują do manufaktur na północy półwyspu. Państwo Meserole-Bliss mieszkają między ulicami I oraz J. Równolegle do nabrzeża, od Williamsburga po Newtown Creek, biegnie teraz nowa arteria – Union Avenue, aleja Zjednoczenia.

Mimo inwestycji Greenpoint wciąż jest miejscem trudno dostępnym; mieszka tu mniej niż sto osób. Potrzeba mostu łączącego dzielnicę z leżącym na południu miejskim Williamsburgiem i regularnej przeprawy promowej na Manhattan.

W 1839 roku Bliss inwestuje osiemset dolarów w most i przeprawę. Miejska legenda głosi, że są to jego ostatnie pieniądze. Most nad zatoką Bushwick okazuje się kluczowy w historii Greenpointu. Kończy zarazem tutejsze intensywne życie przyrodnicze.

Mniej więcej w 1885 roku Union Street zmienia nazwę na Manhattan Avenue. Na Manhattanie aż do początków XXI wieku trudno będzie znaleźć miejsce, którego nazwa podkreślałaby związek wyspy z kopciuszkiem Brooklynem.

## Miasto, masa, maszyna

John Englis jest cenionym nowojorskim inżynierem, kiedy Neziah zaprasza go na Greenpoint i zleca budowę pierwszej stoczni. Aż do 1911 roku John Englis and Sons pozostanie największą stocznią na półwyspie. Stany Zjednoczone nawiązują kontakty handlowe z Chinami, w Kalifornii zaczyna się gorączka złota, wszyscy chcą drewnianych statków.

Po 1850 roku na nabrzeżu East River powstaje dwanaście kolejnych stoczni, które ściągają robotników. Przyjeżdżają z prowincji i z Europy, w tym Irlandii i Niemiec. Adrian Meserole buduje sześćdziesiąt domów, by mogli się w nich osiedlić stoczniowcy.

24 sierpnia 1855 roku „Brooklyn Daily Eagle” tak opisuje przemianę Greenpointu:

> Budowa statków przyspieszyła i ta część miasta rozwija się wyjątkowo gwałtownie. Znikają wzgórza i łąki, niebawem miejsce stanie się wspaniałą lokalizacją dla nowych mieszkańców. Widzimy solidne ceglane budynki, które powstały w ubiegłym roku.

Szesnaście następnych w budowie. Cztery trzypiętrowe domy ze sklepami na parterze powstają na ulicy Franklina, między ulicą K a aleją Greenpoint. Inwestorem jest pan James Sparrow. Przy tej samej alei pan William Smith wykańcza dziewięć budynków ze sklepami. Obok buduje pan William Ilo.

W 1859 roku między ulicami West i Calyera otwiera się Continental Iron Works, kolejna stocznia, która wejdzie do historii Stanów Zjednoczonych, ponieważ zbuduje pierwszy zamówiony przez US Navy pancernik. Będzie się nazywał USS Monitor i zostanie wysłany na wojnę ze zbuntowanym Południem. Amerykańska marynarka zamówi jeszcze siedem takich pancerników.

W następnych latach sprowadzają się tu odlewnie mosiądzu i żelaza, browary, składy drewna, producenci mebli, kotłów, garnków, porcelany. Rafinerie ropy, cukru i warsztaty mechaniczne. Fabryka ołówków. Z odlewni żelaza spływają elementy konstrukcyjne i ozdobne do manhattańskich wieżowców i rezydencji. Aż do lat osiemdziesiątych XIX wieku na Greenpoincie działa osiemnaście z dwudziestu brooklińskich hut szkła oraz wszyscy producenci porcelany i ceramiki.

W ekspresowym tempie na Manhattan Avenue powstają dwa teatry.

Miasto kładzie szyny dla tramwajów konnych, kopie kanał dla podziemnej kolejki, otwiera szkoły, posterunki policji, szpital. W 1872 roku dziennikarz miejscowej gazety przewiduje, że jeśli chodzi o rozwój przemysłowy – Greenpoint prześcignie wszystkie inne dzielnice miasta.

## Zbawienie i przekleństwo

Życie Charlesa Pratta jest przykładem amerykańskiego snu z czasów, kiedy amerykańskie sny dopiero zaczynały się śnić europejskim biedakom. Spełnionego, z dobrym zakończeniem.

Miał biednych rodziców, dziesięcioro rodzeństwa i kiepskie perspektywy. Zatrudnił się w rafinerii, która tłuszcz wielorybi przetwarzała na paliwo lamp olejowych. Był pracowity i oszczędzał.

Popyt na olej stał się w Ameryce tak ogromny, że w połowie stulecia zaczęło brakować wielorybów. Zbawieniem okazała się nafta. Mniej śmierdziała i była mniej łatwopalna. Ruszyły masowe odwierty w poszukiwaniu nowego paliwa. Młody Pratt zainwestował w zachodniej Pensylwanii i wygrał.

W 1859 roku z szybu wywierconego w Titusville wytrysnęła ropa, której Nowy Jork był naturalnym odbiorcą, oczywistą lokalizacją rafinerii zaś – rozwijający się ekspresowo Greenpoint.

Charles Pratt razem z partnerem o nazwisku Rogers budują rafinerię przy 12. Północnej, na styku Greenpointu i Williamsburga. Astral Oil Works, największa i najnowocześniejsza rafineria w kraju, zostaje otwarta w 1867 roku. Naftę Astral Oil reklamuje się jako czystą, bezzapachową i bezpieczną: „Astral Oil nie wybucha". Wkrótce wypełnia lampy całego świata, a Charles Pratt i jego wspólnik zostają milionerami. Na szczęście dla dzielnicy – oświeconymi.

Pratt jest pobożnym baptystą i uważa, że jego pieniądze powinny służyć także nieuprzywilejowanym. Buduje kościoły, zakłada szkoły. Na brooklińskim Clinton Hill powstaje Pratt Institute, szkoła techniczna dla przeciętnie uposażonych. Pratt uważa, że pracownik zdrowy fizycznie i duchowo pracuje wydajniej niż chory i nieszczęśliwy. Jest to nowatorskie założenie w czasach, gdy większość pracodawców woli zatrudniać na dwunastogodzinne zmiany, sześć dni w tygodniu, za głodową pensję, a po zużyciu wymienić robotnika na zdrowszego.

Na Greenpoincie, na ulicy Franklina, między Java i India, powstaje blok mieszkalny dla kilkuset robotników, przez długie lata awangarda humanitaryzmu. Apartamenty Astralne – ogromny budynek z czerwonej cegły, zdobiony kilkoma rodzajami dekoracyjnego kamienia, z wewnętrznymi dziedzińcami, wymyślnymi wykuszami, łukami i wieżyczkami. W przeciwieństwie do większości ówczesnych kamienic każde z mieszkań ma okna i dostęp do światła, wentylację i kanalizację. Na parterze działa biblioteka i żłobek, na strychu suszarnia. Warunki niewyobrażalne w Lower East Side na Manhattanie, gdzie gnieżdżą się najubożsi robotnicy, głównie emigranci, ale także na Brooklynie, gdzie fabrykanci przez kolejne dziesięciolecia stawiają szeregowe domy z podrzędnego

Astral Apartments współcześnie

materiału, z ciemnymi pokojami w amfiladzie. Najbliższe „railroad apartments" staną na ulicach India i Java, w cieniu Astral Apartments. Imigranci ze wschodniej Europy nazwą je sabłejami.

Sukces Pratta jest solą w oku Johna D. Rockefellera, przedsiębiorcy z Ohio, właściciela naftowego przedsięwzięcia o nazwie Standard Oil. Rockefeller ma opinię brutalnego i nieustępliwego, jeśli chodzi o interesy. Pratt i Rockefeller rywalizują, a potem łączą siły pod banderą Rockefellera. Astral Oil staje się częścią Standard Oil w 1875 roku, czyniąc Pratta najbogatszym mieszkańcem Brooklynu.

## Ostatnie małże

Kiedy John Rockefeller zaczyna interesować się rafineriami na nabrzeżach, Charles Primrose, rybak z Greenpointu, wydłubuje małże z Newtown Creek. To delicje, choć jeszcze sto lat wcześniej były najtańszym pożywieniem, karmiono nimi niewolników. Primrose każdego ranka zrzuca krótki trap, drewniane wiaderka, odcumowuje łódkę i niespiesznie kieruje ją w okolicę Maspeth, gdzie na podwodnych skałach żyją ławice małż. Codziennie zbiera dwadzieścia wiader. Ostrygi czyści i przerzuca do gara, dodaje kawałki węgorza i okonia morskiego. Po południu do jego domu na nabrzeżu ściągają mieszkańcy Greenpointu, ponieważ zupa rybna Primrose'a jest bezkonkurencyjna.

Primrose został rybakiem długo przed wojną secesyjną, nadzwyczajny chowder wydaje przez trzydzieści lat. Przestaje w 1870 roku, ponieważ w Newtown Creek nie ma już ani jednej małży, okonie smakują ropą, a kiedy człowiek zanurzy rękę w potoku, wyciąga ją pokrytą gęstą, cuchnącą mazią*.

Dziesięć lat później również East River jest nie do poznania. Historię małż i Primrose'a opowiada się w następnym stuleciu w szkołach jako zapowiedź katastrofy.

## Najdotkliwszy smród świata

Amerykanie chcą nafty, oleju, asfaltu, wazeliny. Manufaktura Roberta Chesebrough na Greenpoincie wypuszcza na rynek „Vaseline", marka staje się znana na całym świecie. Standard Oil Rockefellera przetwarza jedenaście milionów litrów ropy tygodniowo. Pracuje dla niego dwa tysiące osób.

Ze względu na popyt niezbędne są wielkie zbiorniki do przechowywania ropy. Wyrastają na łąkach, a obok nich destylarnie, rurociągi, farbiarnie i zakłady chemiczne produkujące nawóz.

* Opowieść o wymarłych małżach pochodzi z książki Geoffreya Cobba *Greenpoint Brooklyn's Forgotten Past* (New York 2015). Cobb jest z pochodzenia Irlandczykiem, z wyboru greenpointczykiem; nauczycielem, historykiem, blogerem i przewodnikiem po dzielnicy. Dokumentuje przede wszystkim historię Greenpointu irlandzkiego.

Zakłady wypluwają tygodniowo milion litrów odpadów, które się spala lub wpuszcza do potoku. Najczęściej smołę.

Na Greenpoincie śmierdzi, Newtown Creek gęstnieje, a w East River umierają ryby. Robotnicy na Brooklynie milczą, ponieważ boją się o miejsca pracy lub nie mówią po angielsku. Ale gdy wieje zachodni wiatr, śmierdzące chmury dopływają do manhattańskich rezydencji na West Side. W maju 1878 roku stu osiemdziesięciu siedmiu mieszkańców podpisuje petycję do nowojorskiego wydziału zdrowia. Podejrzane są rzeźnie w zachodniej części miasta, ponieważ zapach przypomina wyziewy gotujących się kości. Później okazuje się, że to Greenpoint. Niestety, Brooklyn jest wciąż niezależną jednostką administracyjną, więc jurysdykcja nowojorska tam nie sięga, a jego władzom zależy na szczęściu przemysłowców.

Pod koniec lat osiemdziesiątych w Newtown Creek nie ma już śladu życia. W wyniku śledztwa „New York Timesa" staje się oczywistym, że głównym winowajcą jest Standard Oil Rockefellera. Nowy Jork oddaje sprawę zanieczyszczeń do władz stanowych w Albany, lecz przemysłowiec ma tam sojuszników i pozostaje bezkarny.

Trwa gorączka postępu, popieranie przemysłu to narodowa cnota i polityczny priorytet. „W dziesięć lat po wojnie secesyjnej Ameryka przestaje być rajem małych warsztatów i gospodarstw rolnych. Północ, z Nowym Jorkiem na czele, przygotowuje się do wydarcia Anglii prymatu przemysłowego na rynku światowym i do podporządkowania sobie reszty świata"*.

Koszty nie mają znaczenia.

Doktor George Goler, społecznik z Williamsburga, bada dzieci w publicznej szkole numer 34 na Greenpoincie i wychodzi zatroskany. Widzi, że na stole w klasie stoi zapalona lampa, na szczycie której zamontowano małe naczynie. W ten sposób odparowuje się kwas rycynolowy. Opary mają oczyszczać powietrze i zapewnić ochronę przed chorobami zakaźnymi. Podobnie jak amulety lub worki z kamforą, które rodzice wieszają na szyjach dzieci. Niektóre noszą asafetydę.

* P. Zaremba, *Historia Stanów Zjednoczonych*, Warszawa 1992, s. 189.

## Ogień

Prócz zatrutej wody i burego nieba mieszkańców półwyspu nękają pożary. Rafinerie są blisko, straż pożarna daleko, w głębi Williamsburga. Pięć kilometrów to zbyt duża odległość, by skutecznie ugasić cokolwiek.

Tak więc między sierpniem 1880 a grudniem 1882 roku eksplodują zbiorniki ropy, płonie skład drewna, przycumowane przy składzie łodzie, zacumowany w porcie parowiec, fabryka Smith's Box Factory, magazyn Morrella, warsztaty na Ash Street oraz żywcem dziesięciu robotników rafinerii.

Z dzielnicy wyprowadzają się ci, którzy mogą: zamożniejsi przedsiębiorcy i nobliwi potomkowie pierwszych osadników.

Kończy się przemysł stoczniowy: drewno zaczyna być zbyt drogie, a nie opanowano jeszcze budowy statków z żelaznych elementów. Na nabrzeżu królują rafinerie. W 1885 roku reporter „New York Timesa" odbywa podróż koleją ze wschodniego krańca Long Island. Kiedy pociąg dojeżdża do Greenpointu, dziennikarz notuje, że prawdopodobnie przebywa w najbardziej śmierdzącym miejscu na ziemi.

Greenpoint staje się właśnie jednym z najbardziej zanieczyszczonych terenów przemysłowych w USA. Niektórzy uważają, że również na świecie. Jest gotowy na przyjęcie kolejnych osadników: zdesperowanych i bez wyboru.

## Tania siła

W 1861 roku Ameryka znajduje się na skraju rozpadu. Stany południowe, wściekłe na pomysł, by ostatecznie znieść niewolnictwo, próbują secesji. Nie zostaje ona zaakceptowana przez rząd w Waszyngtonie. Napięcie rośnie, w kwietniu armia konfederatów otwiera ogień w zatoce Charleston w Karolinie Południowej. Wybucha wojna.

Stany Zjednoczone powołują do wojska amerykańskich obywateli, mimo że rozpędzony przemysł dramatycznie potrzebuje rąk do pracy. Nie oznacza to jednak, że robotnicy, którzy pozostali na stanowiskach, mogą żądać wyższych płac i lepszych warunków pracy. W 1864 roku Kongres przyjmuje ustawę zezwalającą firmom produkcyjnym sprowadzać z Europy tanią siłę roboczą.

Kontrakty zawierane są jeszcze w Anglii, Niemczech i Irlandii. Za cenę biletu do ziemi obiecanej robotnicy, europejscy biedacy, zobowiązują się pracować za ustalone z góry niskie wynagrodzenie. W Europie działa ponad sześć tysięcy agencji rekrutacyjnych – wszystkie w porozumieniu z przemysłowcami i liniami żeglugowymi.

Na miejscu każdego rekruta odchodzącego do wojska staje trzech lub czterech Europejczyków godzących się na niższą płacę, niemających żadnych politycznych środków ochronnych, które wypracowali dla siebie Amerykanie, niemogących uciec na zachód kraju, gdyż do swojego warsztatu są przywiązani na mocy ustawy.

Warunki życia są lepsze w porównaniu z europejskimi, nieporównywalnie jednak gorsze od tych, których wymagał jako minimum najuboższy robotnik urodzony w Ameryce. System ten przypomina czasy kolonialne, ale działa. Praca jest kolejną amerykańską religią.

Jakub Gordon*, 1865:

> W Nowym Jorku i na Brooklynie spotykam robotników. Sposób pracowania jest zupełnie inny niż w Polsce. Przybądź tam kto z lenistwem, prędko odzwyczaisz się od niego. Albo nic nie zarobisz, albo wypędzisz z siebie próżniaka.
>
> Trzeba rozpocząć swój zawód nauką, bo tam godzinę odbywa się w czterdziestu minutach. Proszę się przypatrzyć na przykład polskiemu murarzowi – jak on stoi przy cegłach, których ma użyć do stawiania muru, jak wprzódy trzy razy opatrzy każdą, dwa razy obróci, potem nałoży fajkę, zapali, przywoła chłopca z wapnem i znów cegłę obróci, aż póki ją położy. Ten sam murarz w Ameryce

* Jakub Gordon, właśc. Maksymilian Jatowt (ok. 1823–1895) – polski działacz niepodległościowy, literat i wydawca. Był protegowanym Cypriana Kamila Norwida, znajomym Adama Czartoryskiego i arystokratycznej emigracji paryskiej.

> w tym samym czasie położy dziesięć cegieł lub kamieni. Dom murowany postawiony zostanie (wprawdzie przy pomocy maszyn) we dwa tygodnie, w Polsce potrzeba na to dwa lata. W Ameryce ujrzysz bogatego kupca, gdy nieraz pomaga stróżom zdjąć pakę z wozu. Pójdź tam, a w jednej chwili odrzucisz przesądy.
>
> W Ameryce nie jest się literatem lub drukarzem, lecz zwykłym panem X, dziś właścicielem, wydawcą lub współpracownikiem dziennika, jutro czcionkoskładaczem i posiadaczem prasy parowej*.

Można być wszystkim.

* *Ameryka w pamiętnikach Polaków. Antologia,* wybór i komentarze B. Grzeloński, Warszawa 1988, s. 102.

# Beata Delicatessen, 984 Manhattan Avenue (2)

MIESZKO: Kolega z sąsiedniego sabłeja pracował we włoskim sklepie z meblami. Takimi po kilka tysięcy dolarów, przy 3 Alei i 57 Ulicy na Manhattanie. Załatwił mi robotę przy dywanach. Pięciu czarnoskórych chłopaków z Bronxu i ja. Nie była to trudna praca. Kiedy przychodził klient, braliśmy dywan z zaplecza, rozwijaliśmy, potem zwijaliśmy, i następny. Nauczyłem się, że w Ameryce nawet kiedy nie rozwijam dywanów, nie siedzę z założonymi rękami. Miotła, odkurzanie, przemywanie luster i szyb. W Ameryce się pracuje.

Wciąż nazywałem się Ludłyk i pracowałem jako własny kuzyn. Ponieważ zapadła decyzja, że zostajemy, zapisaliśmy się na angielski, cztery razy w tygodniu jeździliśmy na Manhattan. Karierę finansową zaczynała robić moja żona.

BEATA: Koleżanka babci powiedziała, że ma już dla mnie pracę i jest to fabryka swetrów na Greenpoincie, na Clay, dwie ulice dalej. Zaprowadziła mnie do tej sweterkowni. Był to ciemny i duszny sweatshop na pierwszym piętrze kostropatej kamienicy, a w nim przy taśmie ściśnięte Polki i Latynoski, produkujące maszynowo najtańsze ubrania z anilany. Dostałam stanowisko obcinaczki końcówek nitek, miałam zarabiać trzy dolary za godzinę. Poszłam tam w poniedziałek i poczułam, że jeśli pójdę we wtorek, to zwariuję. Powiedziałam Mieszkowi, że chcę sprzątać. Babcia przerażona, że kręcę nosem, ale zapytała znajomych pań z kościoła, czy mają wolne plejsy.

## Regina

BEATA: Koleżanka babci zawiozła mnie autobusem do Williamsburga, do mieszkania pani Reginy, która była polską Żydówką i codziennie rozprowadzała polskie kobiety po chasydzkich domach. Wysiadłam na ulicy Bedford i spanikowałam, bo była ona w gorszym stanie niż ulice na Greenpoincie. Dużo Latynosów, opuszczone fabryki, po kątach wystawały prostytutki, mężczyźni w małych grupkach pochowani w bramach.

Weszłam na klatkę schodową. Na schodach na pierwsze piętro siedziały kobiety i rozmawiały po polsku. Drzwi do mieszkania otwarte, w środku coś w rodzaju poczekalni, w której też były kobiety. Powiedziały mi, że mam czekać na swoją kolej. W pokoju, czyli w gabinecie, siedziała pięćdziesięcioletnia kobieta z telefonem w ręku i przyjmowała zamówienia. Wychodziła z karteczką i adresem, wywoływała petentkę i wysyłała na plejs do klienta.

Regina świetnie mówiła po polsku. Nagle wyszła skrzywiona, że już nic nie załatwi, bo ją głowa boli i musi się położyć na pół godziny. Czy któraś z nas zna angielski i mogłaby ją zastąpić przy telefonie? Dziś myślę, że gdyby te dziewczyny z poczekalni mówiły po angielsku, toby ich tam nie było. Zgłosiłam się, na wyrost. Posadziła mnie za biurkiem i kazała odbierać telefony. Gdyby ktoś zadzwonił, mam spisać adres. Na szczęście niektóre panie Żydówki, które dzwoniły z Williamsburga, potrafiły powiedzieć kilka słów po polsku. Po półgodzinie wróciła. Powiedziała, że w nagrodę da mi dobry plejs, a nawet że mnie jej mąż zawiezie. Ostrzegła, żebym nie mieszała w kuchni koszernych i niekoszernych rzeczy, bo mnie zwolnią i nie zapłacą. Miałam duszę na ramieniu. W Opolu nie słyszało się o żadnych chasydach, a tym bardziej z Williamsburga.

Na ostatnim piętrze miejskiego bloku otworzyła mi kobieta w ciąży, za nią stało dziesięcioro dzieci. Żadnych emocji – powiedziała, od którego pokoju mam zacząć i że mają dwie łazienki. Byłam wyszkolona w sprzątaniu przez moją mamę, która trzymała nas krótko. Rozpoznałam Windex i Dr. Clean. Lodówkę czyściłam wykałaczką. Co chwilę wchodził mąż pani domu i sprawdzał, czy pracuję. Kiedy po sprzątaniu zajrzałam do pokoi, w których szalały dzieci, pomyślałam, że mogłabym zacząć od początku. Ale to nie była już moja sprawa.

Pani domu wypłaciła mi gotówkę, dużo pieniędzy. Zapytała, czy mogę wrócić za tydzień i czy mogłabym obsłużyć jej siostrę, bez pośrednictwa Reginy. Zaczęłam z mapą chodzić do siostry. Siostra zapytała, czy nie pomogę sąsiadce. Błyskawicznie miałam zapełniony cały tydzień, czasem trzy sprzątania dziennie.

Byłam młoda, silna i bardzo chciałam, żebyśmy się z Mieszkiem wyprowadzili od babci. I z Greenpointu. Po miesiącu awansowałam na Manhattan.

## Manhattan

BEATA: Do babci przyszła koleżanka, która powiedziała, że wyjeżdża do Polski i ma do oddania plejs na Manhattanie. Za darmo. Zwykle płaciło się tygodniowy zarobek odstępnego. Pojechałam na Manhattan, na tej 33 Ulicy mieszkała amerykańska Żydówka, dziennikarka, z kotem, w eleganckim penthousie. Pracowała w „Daily News" magazine.

Uśmiechnęła się, powiedziała, że mam zrobić loundry, na co ja zrobiłam wielkie oczy. Nie miałam pojęcia, czego ona chce. Po kwadransie rozmowy na migi wykręciła numer i podała mi słuchawkę. Po drugiej stronie była Ula, również sprzątaczka, zapewne sprzątająca u znajomych pani, z tym że w większym stopniu rozumiejąca angielski. Była miła, powiedziała, że pani da mi drobne, po czym mam pojechać do pralni w basemencie budynku, włożyć do bębna piorącego, a potem do suszącego.

Tak się dowiedziałam, że loundry to jest pralnia. Odetchnęłam.

Na koniec Ula poprosiła, żebym kiedyś zadzwoniła, to sobie pogadamy. Okazało się, że jesteśmy sąsiadkami. Była znacznie starsza, po czterdziestce, żywiołowa, i uznała, że mnie musi zabrać z Williamsburga na plejsy u Amerykanów, które są sterylne, bo Amerykanie nie gotują w domu, a jedynie palą w łóżku. Żydzi bardzo brudzą, dlatego Williamsburg był taki trudny. Zbierają cały tydzień brudne gary.

Beata,
między 1988 a 1992 r.

Nauczyłam się sprzątać jak maszyna. Wchodzisz do domu, ładujesz zmywarkę. Idziesz do łazienki i zbierasz pranie, schodzisz do pralni, nastawiasz na godzinę, wracasz, sprzątasz, lecisz na dół przerzucić pranie do suszarki, wracasz, żeby włączyć drugi cykl zmywarki. Kończysz kuchnię, składasz ubrania.

Opłacała się umowa o dzieło. Opanowujesz technikę, bo liczy się czas.

MIESZKO: To Ula wysłała cię na plejs do Beaty i Władka. Mieszkali na 72 Ulicy i Trzeciej Alei. On polski Żyd, wyjechali po 1968 roku. Władek był superem, czyli gospodarzem ekskluzywnego budynku na Upper East Side na Manhattanie, z odźwiernym i windziarzami. W ramach etatu mógł mieszkać w jednym z mieszkań. Jego żona sprzedawała kartki okolicznościowe w Lower East Side, gdzie sklepiki prowadzili polskojęzyczni Żydzi. Polacy z Greenpointu kupowali tam firanki i sztuczne futra, które wysyłali rodzinom. Zostaliśmy przyjaciółmi.

## Petycja

MIESZKO: Przyjechałem do Ameryki 21 lipca 1983 roku, a dzień później w Polsce zniesiono stan wojenny. W 1986 roku prezydent Ronald Reagan zapowiedział abolicję: przyznanie prawa pobytowego nielegalnym imigrantom z krajów, w których trwa wojna. Pojawiła się szansa, że prezydent uwzględni Polskę, w której stan wojenny trwał prawie dwa lata. Polacy na Greenpoincie wstrzymali oddech. Przynajmniej ci, którzy mieli czas na czytanie gazet.

BEATA: „Nowy Dziennik" wydrukował wzór listu, który trzeba było przepisać, wsadzić do koperty i wysłać do senatorów i kongresmenów.

MIESZKO: Usiedliśmy któregoś wieczora przy stole. Zrozumieliśmy, że to jest dla nas wielka szansa. Przepisaliśmy list na maszynie.

BEATA: Ja z tym listem poszłam do pracy, do gabinetu dentystycznego. Właścicielki nigdy nie było, stała za to kserokopiarka. Wydrukowaliśmy pierwsze dwieście kopii, kupiliśmy koperty, zaadresowaliśmy i poszliśmy do księdza. W następną niedzielę zapowiedział na kazaniu: przed kościołem stoją młodzi ludzie z kopertami zaadresowanymi do Senatu. Macie kupić znaczek, podpisać i wysłać. Na następnej mszy też staliśmy. Tydzień później poszliśmy pod kościół Świętego Stanisława Kostki.

Znów poszłam sprzątać. Zmywałam podłogę, a maszyna drukowała. Zużyliśmy cały tusz, biegliśmy odkupić.

MIESZKO: Oglądaliśmy potem dziennik, a tam senator z Nowego Jorku pokazuje kosz z listami poparcia dla amnestii. Miło było zobaczyć nasze koperty.

## Władek

BEATA: Zapytałam Władka, czy ma pracę dla mojego męża. On był szefem dwudziestu ośmiu złotych rączek, które krzątały się po budynku. Miał, ale potrzebny był ten cholerny numer Social Security.

MIESZKO: Musiałem sobie go w końcu kupić na Geenpoincie.

BEATA: Wszyscy wtedy kupowali.

MIESZKO: Zacząłem sprzątać budynek. Wynosiłem stare gazety, zmiatałem pety, odkurzałem dwadzieścia osiem pięter, myłem lustro przy windach. Raz w miesiącu zmywałem schody przeciwpożarowe, kiedy trzeba było – wpuszczałem ekipę cyklinującą. Z Polski zresztą. Wynajmowaliśmy właśnie mieszkanie, więc ich zapytałem, czy po drodze na zlecenie nie wycyklinowaliby podłóg w naszym mieszkaniu. Tak zrobili.

Właściciel naszego domu, Polak, a właściwie niemówiący po polsku Amerykanin polskiego pochodzenia, nie mógł uwierzyć, że nam się chciało o to zadbać. Nikomu przed nami się nie chciało. U Władka zarabiałem osiem i pół dolara na godzinę, trzysta pięćdziesiąt dolarów tygodniowo. Po pracy sprzedawałem kartki okolicznościowe na Lower East Side, u żony Władka, Beaty.

## Chrzest

MIESZKO: Zadzwonił do babci znajomy ksiądz z parafii Cyryla i Metodego, że potrzebują nas na chrzestnych rodziców dla małej dziewczynki. Trochę byliśmy zaskoczeni, ale babcia powiedziała, że takiej prośbie nie można odmówić, zwłaszcza gdy prosi ksiądz. Ubraliśmy się i poszliśmy na drugą stronę ulicy. Rodzice byli bardzo mili, trochę nieśmiali, dziewczynka spokojna. Nasz ksiądz zachowywał się tak, jakby nie było to nic dziwnego, że ściągnął chrzestnych z ulicy.

BEATA: Jesteśmy sympatyczni, więc się uśmiechaliśmy, a po nabożeństwie poszliśmy na proszony obiad. Ona była urodzona na Greenpoincie, on przyjezdny, Polacy. Zaczęliśmy się spotykać, polubili nas. On opowiadał o tym, że planuje handlować nieruchomościami.

Mieszko,
między 1988 a 1992 r.

BEATA: Nie spodziewaliśmy się, z kim mamy do czynienia, naprawdę.

MIESZKO: Mogliśmy dzięki nim zostać milionerami.

BEATA: Odwiedzaliśmy ich w New Jersey.

MIESZKO: Kiedyś powiedział, że chce kupić trzy działki budowlane i na każdej wybudować dom. Wielkie mansions, żadne małe klocki. Potrzebował czterdzieści tysięcy dolarów. Chciał wejść z nami w spółkę, wybudować i sprzedać domy, potem kupić następne. Nie mieliśmy tych pieniędzy, więc poszliśmy do babci zapytać, czyby nam nie pożyczyła oszczędności swojego życia. Babcia powiedziała, że to lipa.

BEATA: Za rok zarobili na czysto dwa miliony dolarów.

MIESZKO: Ciągle zadawaliśmy sobie pytanie: jak to możliwe, że żyją wśród Polaków, a nie mieli nikogo, żeby ochrzcić dziecko? Kiedy nas odwiedzali, zawsze pytali, kto będzie. Woleli, żeby nikogo nie było.

BEATA: Kiedyś, już po latach, ona dzwoni do mnie, że odchodzi. Pojechałam do New Jersey ją pocieszyć.

MIESZKO: Okazało się, że on był księdzem oddelegowanym do Stanów Zjednoczonych. Nigdy nie dotarł do żadnej polskiej parafii, tylko zaczął robić interesy. Sam sobie drukował listy w imieniu proboszcza i biskupa diecezji brooklińskiej i wysyłał do Polski. Kiedy wzywano go do kraju – wkładał sutannę i odprawiał mszę. Wracał do Ameryki, gdzie był bogaty, miał żonę i córkę.

## David

BEATA: Zorientowałam się, że jestem w ciąży. Mówię do Mieszka, że teraz to naprawdę musimy się wziąć do roboty. Nie wiem, co miałam na myśli, bo pracowaliśmy ponad siły.

MIESZKO: Zdrętwiałem. O kurwa. Byliśmy wciąż bez oszczędności, nielegalnie, teraz dodatkowo z dzieckiem.

BEATA: Wzięłam kolejny gabinet do sprzątania, trzy razy w tygodniu, umowa o dzieło, u fajnych Żydów. Zapytali, czy w weekendy nie mogłabym sprzątać ich mieszkania. Pracowałam do terminu porodu. Musiałam tylko przespać się w ciągu dnia, wystarczyło pół godziny. Kładłam się na podłodze w zakładzie dentystycznym. Wstawałam i szłam do następnej pracy.

Kończyliśmy na Manhattanie oboje o dwudziestej drugiej i jechaliśmy razem do domu. O siódmej szłam na swoje sprzątanie, Mieszko na swoje.

Zarabiałam czterysta dolarów tygodniowo, w 1986 roku to były straszne pieniądze. Odłożyliśmy dziesięć tysięcy dolarów. Kupiliśmy auto i sprzęt elektroniczny. Sprzęt stereo był fetyszem dla przyjeżdżających do Ameryki. Pierwsza potrzeba.

MIESZKO: Minął termin porodu, a ona z wielkim brzuchem targała przez miasto materacyk do łóżeczka. Myślałem, że mnie szlag trafi.

BEATA: Byłeś bardzo wtedy kategoryczny, a potem zemdlałeś przy porodzie. Urodził się David. Miał takie kolki, że myślałam, że sąsiedzi będą wzywać policję. Wariowałam, bo Mieszko wracał z pracy o północy. Po sześciu tygodniach powiedziałam: „Mieszko, muszę choć na pół etatu do pracy, ludzie dają mi sprzątania, mogę jeździć z nosidełkiem".

MIESZKO: Nawet z nią nie walczyłem, tylko zastanawiałem się, jak to zrobić, żeby zaczynała wcześniej i nie tkwiła w wieczornych korkach między Brooklynem i Manhattanem.

BEATA: Wpadliśmy na superpomysł, że ja w środy i poniedziałek, kiedy mam sprzątania, wsiadam do auta, zabieram mleko, pieluchy, jadę na Manhattan, podjeżdżam na piętnastą pod budynek Władka, wyskakuje Mieszko, podjeżdżamy pod moją pracę, ja wyskakuję, a Mieszko wraca, stoi w korku, więc swobodnie może napoić Davida. W tych dniach nie bierze sklepu z kartkami.

MIESZKO: W ten sposób Beata już o dwudziestej drugiej była w domu.

## Niespodzianka

BEATA: Miałam sprzątanie w sobotę. Pojechaliśmy z Mieszkiem, dwumiesięczny David w nosidełku. Mieszko miał mi pomóc, mielibyśmy wolny dzień. Nasz samochód był bardzo wygodny, ale nie znaliśmy się na amerykańskich autach, a szczególnie nie odczytaliśmy właściwie wskaźnika ilości paliwa. Korek był potworny, bo w sobotę miał się odbyć mecz Metsów, czyli nowojorskiej drużyny bejsbolowej, i cały Brooklyn jechał na Manhattan.

MIESZKO: Na wjeździe na most Brookliński nasz samochód się rozkraczył. Zabrakło nam paliwa. Zablokowaliśmy ruch, zaczęli na nas trąbić. Fakt, że mieliśmy niemowlaka, ochronił nas przed linczem. Przyjechała policja. Powiedzieli, że mieliśmy dużo szczęścia, że nam ktoś nie rozbił samochodu. Za pół godziny usłyszeliśmy o sobie w lokalnym radiu, że zablokowaliśmy most. Policjanci wezwali lawetę.

BEATA: Właśnie wtedy nasz syn, który miał od tygodnia problem z wypróżnieniem, zrobił tę tygodniową kupę, której nie mieliśmy jak wyciągnąć.

MIESZKO: Przyjechał wściekły facet z lawetą. Wściekły, bo chciał zdążyć na mecz. Zapytał: „Gdzie cię zawieźć? Pamiętaj, warsztaty już zamknięte, miasto czeka na występ Metsów". „Na stację benzynową", odpowiedziałem.

BEATA: Boże, z jaką pogardą na nas spojrzał!

MIESZKO: Powiedział, że gdyby policjanci zadzwonili kwadrans później, toby nie wyjechał. Rozszarpaliby nas na tym moście.

BEATA: Na stacji okazało się, że mamy przy sobie pięć dolarów. Zatankowaliśmy i wróciliśmy do domu. A potem z powrotem na sprzątanie.

## Dom

MIESZKO: Brałem u Władka wszystkie nadgodziny. Latynosom się nie opłacało, prawie wszyscy mieli dzieci z różnymi partnerkami, więc jeśli zarobili więcej, sąd im ściągał z czeku alimenty.

BEATA: Dawaliśmy z siebie wszystko. Ale koszty życia rosły.

MIESZKO: Władek powiedział: „Zróbmy biznes, kupmy dom wielorodzinny. Zamieszkacie w tym domu, a resztę pięter wynajmiemy".

BEATA: Chodziliśmy po Greenpoincie, oglądaliśmy domy.

MIESZKO: Wtedy do babci przyszła koleżanka z informacją, że na Manhattan Avenue właściciele sprzedają sklep i budynek. Koleżanka pracowała w mięsnym obok, więc miała oko na to, co się dzieje na ulicy.

BEATA: Poszliśmy zobaczyć. Sceptycznie, bo chcieliśmy tylko dom, a nie sklep.

MIESZKO: To był, można powiedzieć, zwykły osiedlak w trzypiętrowym budynku. Sklep w tym miejscu istniał od lat trzydziestych. Prowadzili go Żydzi. W latach sześćdziesiątych kupili go pan Konopka i pan Łaszewski. Dowiedzieliśmy się potem, że zanim przyjechali na Greenpoint, jeden z nich był w Polsce dyrektorem szkoły podstawowej, a drugi nauczycielem wuefu w tej samej szkole. W latach siedemdziesiątych znaleźli się wśród założycieli Polsko-Słowiańskiej Unii Kredytowej. Sprzedali nieruchomość Ludwikowi Wiskiemu, ale ten osiedlak na Manhattan Avenue ledwo zipiał.

BEATA: Powiedział, że sprzeda dom ze sklepem albo wcale.

MIESZKO: I w tym momencie wydałem na siebie wyrok. Powiedziałem: „Czemu nie?".

BEATA: Znów poszliśmy do babci po pożyczkę, bez wielkich nadziei.

MIESZKO: Na co babcia powiedziała, że jak na Greenpoincie i z Żydem, to tak. Pożyczyła nam pieniądze, ku zgrozie całej rodziny. Zapłaciliśmy pięćdziesiąt tysięcy pod stołem, a resztę oficjalnie, na pół. W sumie dwieście tysięcy dolarów.

## Wiatraczek

MIESZKO: Oczywiście nie mieliśmy pojęcia, jak się prowadzi sklepy.

BEATA: Zaczęliśmy się rozglądać. Na wystawie stał zakurzony wiatraczek ze złamanym ramieniem z napisem „Heineken". Mieszko spojrzał na wiatraczek i wrzucił go do śmieci. Zaraz zadźwięczał dzwonek przy drzwiach, ktoś wszedł do sklepu.

MIESZKO: Jakiś facet. „O, zniknął wiatraczek!" Za nim następny klient. „Otwieracie na nowo?"

BEATA: Napisaliśmy, że mówimy po polsku. To było ważne, bo dziewięćdziesiąt procent ludzi na Greenpoincie nie mówiło po angielsku.

## Sukces

BEATA: Kiedy powiedziałam mojej amerykańskiej dziennikarce, że już nie będę sprzątać, bo kupuję sklep, była zachwycona, że awansowałam. Po angielsku dukam, ale się pcham.

MIESZKO: Jeszcze u niej sprzątałaś, zanim sklep zaczął przynosić jakiekolwiek dochody.

BEATA: Może nie zostałam właścicielką korporacji – dla Amerykanki to byłby prawdziwy sukces – ale droga od sprzątaczki do własnego biznesu była dla niej dowodem, że American dream jak najbardziej się sprawdza.

# Rozdział III. Fala

## Pierwsza kostka domina

W latach siedemdziesiątych XIX wieku Brooklyn jest trzecim najbardziej zaludnionym miastem w USA. W odlewniach żelaza, hutach szkła, rafineriach ropy czy cukru na Greenpoincie i w przyległym Williamsburgu pracują Irlandczycy. Przyjeżdżają tu od lat czterdziestych, z kraju wygania ich głód i brytyjska imperialna polityka. Podobnie jak imigranci włoscy nie należą do elity.

Kiedy w kronice kryminalnej dziennika „Brooklyn Daily Eagle" pojawiają się relacje z sobotnich awantur ulicznych, ich uczestnikami są zwykle dmuchacze szkła nazwiskiem McGlinn, Shevlin, McGerner czy O'Neal.

Siłą Irlandczyków jest znajomość języka oraz ich liczba. Pod koniec XIX wieku stanowią większość mieszkańców Greenpointu.

Możni dzielnicowi przedsiębiorcy nazywają się Faber, Havemeyer i Liebmann. Pierwszy zakłada wielką fabrykę ołówków na ulicy Franklina. Havemeyerowie to cukrownicy. Ich Domino Sugar Refinery przerabia najwięcej trzciny cukrowej na całej kuli ziemskiej. Liebmann jest browarnikiem w czasach, gdy Brooklyn, a dokładniej Williamsburg, Bushwick i Greenpoint są największymi producentami piwa w całych Stanach Zjednoczonych. Piwo Rheingold nazywane jest piwem amerykańskiego robotnika.

Havemeyerowie, Faber i Liebmann przyjechali z Niemiec z fachem w ręku. Zajmują wysokie miejsce w społecznej hierarchii, obok anglosaskich i holenderskich właścicieli stoczni, fabryk porcelany i nafciarzy.

Pracownicy fabryki ołówków Eberhard Faber, 1920 r.

W połowie XIX wieku pojawiają się w dzielnicy pierwsi osadnicy z Polski. To uchodźcy wiosennoludowi, sfrustrowani upadkiem powstania poznańskiego. Są częścią emigracji politycznej, wyrzucanej za ocean przez kolejne powstańcze zrywy: wcześniejszy, listopadowy, i późniejszy, styczniowy. Inni to artyści i naukowcy zaciekawieni nowym światem i karierą. W całej Ameryce to wówczas nie więcej niż trzy tysiące osób. Wielu z tych i późniejszych emigrantów zaznaczy swoją obecność w życiu publicznym*.

Kiedy tylko stawiają stopę w nowym świecie, wydają czasopisma, które mają za cel pomoc wzajemną, ale też informowanie Amerykanów o sprawie polskiej i agitowanie na jej rzecz. Pierwszy polski magazyn na zachodniej półkuli zakładają w 1842 roku Paweł

* Między innymi Feliks Paweł Wierzbicki, autor książki *California as it is, and as it may be; or, a guide to the gold region*, wydanej w 1848 roku, pierwszej publikacji w języku angielskim na zachód od Gór Skalistych, Aleksander Bielawski, budowniczy kolei Illinois Central, Erazm Jerzmanowski, założyciel kompanii gazowych, Helena Modrzejewska, pianista Józef Hofmann, a także Albert Michelson, który zdobył Nobla z fizyki w 1907 roku.

Sobolewski i Eustachy Wyszyński. Nazywa się „Poland Historical, Monumental and Picturesque". Pieniędzy wystarcza na cztery numery. 1 czerwca 1863 roku ukazuje się w Nowym Jorku pierwszy numer tygodnika „Echo z Polski". Wydają go Romuald J. Jaworowski i Henryk Kałussowski. „Echo" ma ponadmiejski zasięg i dociera również do umiejących czytać pierwszych emigrantów zarobkowych. Upada, kiedy po klęsce powstania styczniowego Ameryka przestaje interesować się Polakami w stopniu wystarczającym do finansowania gazety. Dzięki liście prenumeratorów wiadomo, że „Echo" czytały osoby z Teksasu, Saint Louis oraz z Brooklynu.

Ludwik Krzywicki*, 1893:

> Brooklyn. Dziwne wrażenie wywarła na mnie Ameryka na wstępie, w najwyższym stopniu nieprzyjemne. Brudy, kurz – nasza niemyta ojczyzna nie jest ostatnią na ziemi. Wszędzie na głównych ulicach leżą śmiecie, jak u nas w zaułkach. I przestrzenie wzdłuż linii kolejowej są dziwnie zaniedbane. W Niemczech każdy kawałek bywa troskliwie uprawiony, tutaj spotykamy ciągle odłogi. Ze wszystkiego widać, że człowiek ma obfite i bogate siły przyrody do wyzysku, iż nie potrzebuje sobie zadawać trudu, żeby uprawiać gorszą glebę.
>
> Na ulicy dzieciaki obrzuciły mnie wyzwiskiem:
>
> – Wąchol, Wąsacz!
>
> Wrzeszczały, kiedym przed knajpą w mroku nocnym oczekiwał na towarzysza, który poszedł rozpytać się o drogę.
>
> Otoczyło mnie kilkunastu smarkaczów, jeden stanął naprzeciwko, mrugał okiem i przekrzywiał się. Towarzysz mój, wyszedłszy, uznał za najstosowniejsze, abyśmy się czym prędzej oddalili. Obawiał się gradu kamieni.
>
> Ktoś rzekł, że demokracje odznaczają się nietolerancją i konserwatyzmem. W pewnej mierze to słuszne zdanie. Nie wiem, skąd

* Ludwik Krzywicki (1859–1941) – naukowiec, socjalista, tłumacz *Kapitału* Karola Marksa. Do Stanów Zjednoczonych przyjechał, żeby zobaczyć kapitalizm z bliska oraz wystawę światową w Chicago.

powstało wysokie mniemanie o oryginalności Amerykanina. Nic monotonniejszego! Ubiór, umeblowanie, tryb życia są niewolniczo jednakowe. Taki sam twardy, czarny kapelusz w chłodnych porach roku, tego samego fasonu słomiany podczas skwarów letnich, tego samego stylu meble – jeśli jest różnica, to tylko w gatunku. I nie może być inaczej, gdzie szablon fabryczny porwał wszystko w swoje ręce i zdusił oryginalność drobnego warsztatu. Nawet meble posiadają swoje numery, jak buty. Nikt w dojrzałym wieku nie nosi zarostu na twarzy.

Wszelkie przekroczenia opinia publiczna prześladuje, wykonawcami prześladowania jest dorastająca generacja. Chińczycy, obecnie Żydzi padają ofiarą nietolerancji. Pierwszym ulicznicy obcinają na ulicy warkocze, chyba że Chińczyk się wykupi. Drugich ciągną za brodę. Posiadających wąsy wyśmiewają.

Pierwszą rzeczą ze strony Europejczyka, który pragnie osiedlić się w czysto amerykańskiej dzielnicy, jest upodobnić się w całości do wzorów miejscowych, a zatem kupić sobie kapelusz, jaki inni noszą, odziać córeczkę w długą, niby mnisią sukienkę, tak że maleństwu wciąż się nóżki plączą, zgolić brodę.

Zwłaszcza wśród Żydów obawa staje się wprost śmieszną. Niewolniczo kopiują oni tutejsze obyczaje, ażeby tylko nie poznano w nich greenerów, popcornów, greenhornów, istnieje bowiem cały słowniczek obelg względem cudzoziemca. Ponieważ Amerykanin nigdy nie przejdzie ulicy jak tylko w miejscu do tego przeznaczonym, przeto żaden nowy obywatel semickiego pochodzenia, który dopiero przybył z Brześcia czy Supraśla, tego nie uczyni. Amerykanin nie zdejmuje kapelusza w sklepie i przybysz tego nie uczyni.

Prasa miejscowa usprawiedliwiała niecne napaści na Chińczyków, że swoją konkurencją podkopują dobrobyt robotników. Istotnym jednak powodem była nietolerancja. Przybysz ośmielił się mieć inne rysy twarzy, nosił warkocz i strój odmienny! Jestem pewien, że gdyby przywdział strój miejscowy, obciął warkocz i włożył kapelusz amerykański, to zajadłość byłaby o połowę mniejsza*.

* *Ameryka w pamiętnikach Polaków. Antologia,* wybór i komentarze B. Grzeloński, Warszawa 1988, s. 227, 228.

## Irlandczycy. Róg Franklina i Noble

Katy Foster ma dwadzieścia dziewięć lat, dwójkę dzieci i męża pijaka, którego nie widziała od miesiąca. 2 marca 1866 roku wraca do domu po nocnej zmianie w fabryce. Otwiera drzwi mieszkania na ulicy Franklina i zaraz wybiega. Zasłania oczy dzieciom, które dopiero zdążyły się wspiąć na trzecie piętro. Szlocha, że zaraz za drzwiami leży martwy mąż. Jeszcze tego wieczora policjanci wręczają jej list, który leżał na kuchennym stole. Jest on egzemplifikacją problemów, które dręczą dzielnicę.

Kochana żono,
Zwracam się do ciebie prawdopodobnie ostatni raz w tym ziemskim życiu. Moje życie rodzinne i osobiste zniszczył demon rumu. Demon kazał mi teraz zażyć truciznę (laudanum). Droga żono, opiekuj się dziećmi, wychowaj je w miłości i szacunku do Boga i opowiedz im, co alkohol może zrobić z człowieka. Musisz im też powiedzieć, że ich ojciec, zanim stał się brutalną bestią, też był człowiekiem.

Korzystaj z mebli, których nie sprzedałem. Co do mojego ciała: niech je władze wrzucą do wspólnego grobowca, gdzie chowają pijaków takich jak ja. Nie płać za pochówek.

Takie jest ostatnie życzenie twego niegdyś kochającego męża.

William H. Foster
Dla władz: Irlandczyk, lat 32, 11 miesięcy*.

Foster, urodzony na Greenpoincie, to były żołnierz. Walczył w nowojorskim 170 Regimencie, a we wrześniu 1865 roku odszedł do cywila z pochwałą od dowódcy. Niestety doświadczenia wojenne nieodwracalnie go zmieniły.

Praca w fabryce i życie domowe stały się dla niego udręką, której nie rozumieli ani żona, ani proboszcz Brady. Doskonale natomiast koili ją rezerwiści z barów na Manhattan Avenue. Ukojenie jest chwilowe, dlatego pół roku później Foster pisze pożegnalny list do żony.

* List przedrukowała gazeta „Brooklyn Daily Eagle" 3 marca 1866 roku.

Ojciec John Brady, proboszcz parafii Świętego Antoniego przy ulicy India, odnotowuje w specjalnym zeszycie, że szatan, jakim jest alkohol, zabrał znowu byłego żołnierza, robotnika i ojca rodziny. Ponieważ z Irlandii przypływa coraz więcej wiernych (nie mieszczą się już w drewnianym kościele przy ulicy India; cały kwartał między Newtown Creek a Greenpoint Avenue nazywany jest Irishtown), szatan ma żniwa.

W 1871 roku Brady kupuje siedem działek przy Manhattan Avenue, by zbudować nowy kościół. Pierwsza msza w imponującym murowanym budynku z czerwonej cegły zostaje odprawiona trzy lata później. Parafię obejmuje ksiądz Patrick O'Hare. Lider na miarę emigranckich potrzeb.

## Patrick O'Hare. 862 Manhattan Avenue

Strzelista sylwetka świątyni staje się symbolem Greenpointu, nie tylko irlandzkiego. Kościół budowany jest za pożyczone pieniądze i w 1883 roku parafia balansuje na granicy bankructwa. Ratuje ją napływająca fala katolików: z Irlandii, z Niemiec i w końcu z Polski.

Wielebny O'Hare spłaca długi, a następnie kupuje organy, dzwony i zamawia freski. W parafii ma dziesięć tysięcy dusz, które trzyma twardą ręką.

Nienawidzi alkoholu – w przeciwieństwie do swoich parafian. Greenpoint to wyzwanie dla ruchów trzeźwościowych. W dzielnicy konieczne jest szczególne zaangażowanie. Na przykład kiedy działacze Klubu Rycerzy Gedeona (należącego do Trzeźwych Rycerzy Wolności w Ameryce) z filii numer pięć na Greenpoincie organizują doroczne wycieczki dla chętnych wioślarzy, muszą tłumaczyć w trakcie zbiórki na nabrzeżu przy Noble, że dwie beczki piwa, z którymi przybyli wycieczkowicze, nie mogą zostać wniesione do łodzi. Dyskusja kończy się interwencją policji.

Ojciec Patrick O'Hare obwołuje się jednoosobową policją obyczajową. Osobiście odwiedza bary i grozi ekskomuniką, gdyby właściciel chciał je otworzyć w niedzielę. Młodzi ludzie po bierzmowaniu muszą przysięgać, że nie tkną alkoholu. W piątki i soboty proboszcz kupuje bilety na popularne wodewile i sprawdza, czy aktorki są ubrane przyzwoicie. Jeśli nie – grozi ogniem piekielnym. Właściciele nie protestują.

Jednocześnie otwiera schronisko dla bezdomnych, szkołę, jadłodajnie dla ubogich, doradza małżeństwom, jeśli tkwią w konflikcie.

Jest pierwszym duchownym na Greenpoincie, który widząc potencjał wyborczy swoich owiec, wykorzystuje go do mobilizowania władz, by zadbały o dzielnicę. Śledzi gazety. Kiedy kongresman z Brooklynu wypowiada się w sprawie nowych przepisów o wolnym handlu, które mogą pozbawić parafian miejsc pracy, narzuca płaszcz i po niedzielnej mszy odwiedza człowieka, by przekonać go do zmiany stanowiska. Kiedy w 1895 roku strajkują tramwajarze na Greenpoincie – wielu z nich to parafianie – zachęca do oporu.

Owce Patricka O'Hare'a nieczęsto są wykształcone, niewiele z nich potrafi pisać. Ksiądz to pierwszy bufor między nimi a Nowym Światem. Uświadamia i edukuje. Jest w tym fanatyczny i bezwzględny, co nie ułatwia współżycia z niemieckimi ewangelikami. Frank Oswald, pastor z luterańskiej parafii Świętego Jana na ulicy Milton, opowiada podczas nabożeństwa, że życie Marcina Lutra powinno być wzorem dla niemieckiej rodziny. Gdy słyszy to O'Hare, natychmiast pisze interwencyjny niedzielny okólnik. Ma on tytuł *Luter i jego niemoralne życie*. Oskarża Oswalda o kłamstwa i rozsiewanie moralnego trądu.

Wymianę ognia między duchownymi opisuje nowojorski „Times" i jest to jedna z nielicznych okazji, kiedy reporter wielkiej gazety pochyla się nad parafią księdza Patryka. Inna trafia się w kwietniu 1883 roku.

## Dynamitersi, 420 Manhattan Avenue

Wiosną otwiera się wielki most nad East River. Łączy on Brooklyn i dzielnicę Lower East Side na Manhattanie, lecz przede wszystkim stanowi dowód wyższości myśli inżynierskiej nad żywiołem. Trwająca czternaście lat budowa mostu Brooklińskiego okupiona jest śmiercią kilkudziesięciu robotników, przede wszystkim irlandzkich i włoskich. W końcu z plątaniny żelaznych umocnień i pylonów wyłania się cud architektury i techniki. Po raz pierwszy nie tylko Nowy Jork, ale i Brooklyn są na ustach całego świata.

Jeśli chodzi o Brooklyn – nie tylko z powodu pięknego mostu.

Thomas Gallagher przypływa na Greenpoint w 1868 roku. Za ocean – jego, brata Michaela, siostrę Jane i matkę – wypycha bieda po śmierci ojca. Wszyscy trafiają do odlewni żelaza. Thomas jest ambitny, po pracy studiuje medycynę i z sukcesem otwiera gabinet w mieszkaniu przy Manhattan Avenue. Pacjenci mówią: melancholijny, ale silnej postury, budzi zaufanie. W przeciwieństwie do brata, który zapuszcza korzenie w barach, Thomas wspiera matkę i siostrę. Nie omija mszy u Świętego Antoniego. Mówi, że pasjonuje go nauka. Wczesną wiosną 1883 znika i słuch po nim ginie – aż do 6 kwietnia, kiedy policjanci londyńskiego Scotland Yardu dokonują aresztowania czterech mężczyzn, którzy mają przy sobie materiały wybuchowe wystarczające do skonstruowania wielkiej bomby. Są Irlandczykami. Najstarszy z nich podaje się za lekarza, młodsi za studentów medycyny. Mówią, że chcieli wysadzić Westminster, ale ponieważ był zbyt dobrze chroniony, szukali innego ważnego celu. Następnego dnia wychodzi na jaw, że najstarszy nazywa się Gallagher; zanim przypłynął do Londynu, szkolił młodzież, jak budować bomby.

Ślady spisku prowadzą do Bractwa Fenian, zafascynowanych dynamitem irlandzkich bojowników. Chcą wysadzić w powietrze zaborcze imperium brytyjskie i zbudować na jego gruzach niepodległą Irlandię. Dążą do tego, by w tanie i łatwe do wykonania bomby wyposażyć zwerbowanych na obczyźnie robotników. Wynalazek Alfreda Nobla z 1866 roku wydaje się im najlepszym narzędziem do osiągnięcia celu*.

Autorami konceptu bomb codziennego użytku są uchodźcy polityczni Jeremiah O'Donovan Rossa i Patrick Crowe. Swoją kampanię zaczynają około 1880 roku. W irlandzkich dzielnicach Nowego Jorku i Brooklynu nacjonalizm można wzniecić jedną zapałką,

* *'Scientific Warfare or the Quickest Way to Liberate Ireland': the Brooklyn Dynamite School*, historyireland.com, bit.ly/368De22 (dostęp: 20.04.2021).

także wśród urodzonych w Ameryce. Powstają gazety, które wzywają do zbrojnych akcji. Najpopularniejsza nazywa się po prostu „Dynamite Monthly". Rok później to między innymi amerykańscy wyznawcy Rossy podkładają przemycone ładunki wybuchowe w Liverpoolu, Londynie i Salford.

Ich centrum logistyczne znajduje się na Greenpoincie. W czerwcu 1882 roku brytyjskie służby konsularne informują, że fenianie z Nowego Jorku uczęszczają na regularne szkolenia z konstrukcji bomb. Oprócz zajęć praktycznych rewolucjoniści z Nowego Jorku i okolic organizują cykl wykładów pod wspólnym tytułem *Nauka w służbie wyzwolenia Irlandii*. Odbywają się między innymi przy York Street w Nowym Jorku, w istocie są kolejną okazją do opowiadania o dobroczynnych skutkach dynamitu. Przedmowę daje O'Donovan Rossa, a techniczne instrukcje – profesor Mezzeroff, samozwańczy konstruktor i megaloman z Brooklynu. Skarży się, że wygnano go z kraju, bo nie skłonił się przed królową Wiktorią. Na wykładach można się dowiedzieć, że najlepsza bomba ma „prostą zewnętrzną obudowę z blachy o powierzchni około dziesięciu cali kwadratowych; zapalnik zawiera mechanizm zegarowy, który w ustalonym czasie uwolni nóż, ten przetnie linkę i pozwoli spaść sprężynce na kapiszon, powodując eksplozję". Wykłady służą jednak przede wszystkim zbieraniu funduszy na walkę narodowowyzwoleńczą. Chwilę po pierwszym meldunku służb konsularnych imperium wysyła na Greenpoint swoich szpiegów.

Brooklińska prasa komentuje działalność dynamitersów w tonie pobłażliwym – aż do kwietnia 1883 roku, kiedy Gallagher z Manhattan Avenue trafia na czołówki gazet w Stanach, Anglii, Kanadzie i Australii. Być może on sam uważa się za samotnego wilka, ale jeden z jego uczniów należy do Bractwa Fenian, drugi zgadza się na współpracę z policją kilka godzin po aresztowaniu, a trzeci jest od dawna tajnym agentem policji. Czwarty zaś nazywa się Tom Clarke i w Wielkanoc 1916 roku jako jeden z liderów poprowadzi w Dublinie powstanie przeciwko Brytyjczykom.

Kiedy sąsiedzi Gallaghera załamują ręce nad osamotnioną starą matką doktora, na Greenpoincie zaczyna się kolejna rewolucja.

Antoni:

Ja, Antoni, urodzony w Polscze 1876 roku pod zaborem Rosijskim byłem trzecim synem w Rodzinie, było nas 5 i jedna siostra na gospodarstwie 36 morgowej z polem i pastwiskiem na drobnych zagonach blisko stacji kolejowej Łapy. Starsi Bracia chodzili na robotę, w domu się stołowali. Zacząłem na gospodarce od pasienia giensi. Za kilka lat starszy brat miał iść do wojska a ja miałem zastąpić jego i przy ojczu pomagać, jakem się bał tysiącze paciorki odmawiał, żeby mi się robota darziła, żebym nie robił z Ojcem, któregom się bał, bo bił i mścił się strasznie.

Tez wzięli mnie do Petersburga.

Po roku wziął mnie młody oficer na posługę, ale znienawidziłem te czarską służbę. Po 4 latach wróciłem do domu tam było źle a jeszcze młodszy brat już w 19 roku też był następujący do wojska i nam dwom nie było wiele do roboty.

Było już kilku chłopaków w Amerycze z naszej wioski, ale niktowy czenta nie przisłał rodzinie. Piszali, że im dobrze, ale że muszą ciężko pracować, że chłop robi za konia a koń za diabła.

Napisałem list do jednego kolegi, on przisłał karte okrentowo, naradziliśmy sie, że on jako nastepujący do wojska pojedze do Ameryki, jak bendze dobrze to zostanie, jak nie to powróci, no i przesło 2 lata nie przisłał ani grosza.

Wybuchła wojna Rusko Japońska. Zaczęli powoływać wysłużonych żołnierzi.

Ja wiedzonc jak w pokojowy czas obchodzą się z żołnierzamy i to pod bokiem Czara Batuski, to czo dopiro na wojnie czeka i czas się zaczęło w Polscze ruszać przeciw rzondowi, zaczeliśmy dostawać Gazetki z zagranicy, w ten czas zaczela się uciecka gromadnie do Ameriki.

Zapłaciwszy żidowi Agentowi 115 Rubli za czało podróż wyruszyłem w podróż w grudniu 1905 roku z Łap do Ostrołenki z kosykiem dla niepoznania ze jedze się w dalszo podróż. W Ostrołencze u Zida na przedomu zebrało się nas 30, za jaką chwilę prziśli strażnicy nas aresztować jako uciekinierów. Żidostwo się krenciło, żeby jako uwolnić. Ale nie, musieliśmy iść pod eskorto żołnierzi do arestu. Tam odebrali nam wszystko pieniadze jakie kto miał nie zasyte gdze w ubraniu paska i wpakowali nas po 15 do jednej czeli, na drugi dzień dali herbaty, chleba, zupę i siedz. Na trzeci dzień zawołali do kanczelarij i nas z pow. Mazowieckiego 16 ze stróżamy odprowadzili, tam znów do Zyda w nocy. Ten zbudził pisarza i stróża, przynieśli wpisowe ksiąnski, ten wszystko załatwił i nazad w podróż.

Jeszcze tegoż dnia wyrusyliśmu do granicy z Ostrołenki. Zebrało się nas 150 ja przed wyjazdem pytałem się proboszcza przi spowiedzi cy warto jechać do Ameriki z powodu wojny. Ten – oj może cię nie bendo wołać. W Amerycze bezrobotnych tysionce, czo i w Gazetach piszali, toteż jechaliśmy smutni przygnembieni.

Z Ostrołenki jechaliśmy na wozach, reszta piechotą, miejscowi Kurpie prawie cały czas prowadzili po lesie do Gminy. Nareście zobaczyliśmy Ruskiego żołnierza, który wołał „poskorej rebjata" no i przedostaliśmy się do Prostek, na niemiecką stronę, stamtąd do Iławy tam byliśmy przeszło tydzień. Z Iławy do Hamburga, tu znów przysło tydzień. Wrescie na upragniony okrent wsiadaliśmy w wieczór. Był to stara grata najpewniej towarowy Graf Walderse po 80 chłopów w kajucie.

Łóżka jedne nad drugiemy. Jechaliśmy 13 dni w smrodze i brudze. Mieliśmy na drugi dzeń Burze czo nas dobrze wychuśtała i na 10 dzeń na nowy rok. Bardzo była przikra ta podróż, byłem przyzwyczajony do pracy a to czekaj siedz bezcynnie. A po drugie baliśmy się ze jest tam bezrobocie a jak tyle ludzi zajedze czo wtenczas? Narescie zobaczyliśmy światło nie wiedzieliśmy cy się cieszyć cy smucić. Radzi, że podróż się skończyła, ale co teraz bendze. Przibycie do New Yorka, ponieważ miałem adresy znajomych w Brooklynie i 20 dolarów w gotówcze. Zupełnie zdrów przepuścili zajrzawszy w oczy w Kasyngardze.

Zjawił się agent z dobrocynnego domu św. Józefa i mówił kto zna miasto to może sam pójść, a kto nie zna gdzie znaleźć wskazanego adresu to prosze za nim do przitułku a my odprowadzimy podług tego adresu jaki sobie życycie. Ostałem się na drugi dzeń dawali zupe ale ja się nie pchałem się wstydziłem korzystać z dobrocynności za to z noclegu. Zaprowadziła nas zakonnica na góre pomodliliśmy się w czystej kapliczce i na cysto pościel to mi sie wydawało bardzo rzewnie, że za tyle podróży tysioncze mil usłysyć wszystkie nasze dzienne sprawy. No i te łożecko wydawało mi się Rajem.

Na drugi dzen przijechał mój kolega zożyliśmy niewielką ofiarę taki przitułek na obczyźnie dobrze działa na Imigranta. Znajomi robili w różnych fabrykach. Prace mieli cienżko, jacyś przignebieni każdy rachował ile godzin wyrobił ile ma nagrodzone płacy ile na wypłate. Nie było pogadanek jak to młodzi, byle czo i sczego śmiech dowcipy tu każdy się cuł jakby chwilowo tylko miał być jak mieli wienczej czasu to sli do karczmy i każdy kazał dać dla wszystkich a ci czo nie robili to nie musieli kupować piwa.

Poszedłem parę razy jak mnie wołali ale mi to się nie podobało, żeby cudze pić a swego nie postawić. Wyjść nie było gdze nie znajome jenzyka z obawo żeby nie zbłondzić trzeba było zawse mieć adres to w razie zabłondzenia pokazać policjantowi to odprowadził, a jak do kogo się zasło to trzeba było dać 10 centów na dzbanek piwa, liche to było piwo za 10 centów.

New York wydał się mnie miastem brzidkim domy budowane z czerwonej cegły różnej wysokości do 5 pienter mieskalne jak skrzinie. Ulicze brukowane też czerwono czegło nierówne pełno słupów telegraficznych, drutów porozpinanych jak sieć na ryby. Ruch jakiś pospieszny wszystko prędko, tramwaje elektrycne goro na słupach, po bruku furmanki, pod ziemio znów tramwaje, na głównych uliczach ani drzewka ani trawki nawet w mieskaniach nie widziałem doniczek z kwiatkamy. U jednych ludzi znajomych mieli kaktus ze 4 czale wysoki zapewne z 5 lat stary i takiego karzełka nazywali wazonem.

Starałem się o robotę, ale nicz podobnego nie było*.

* *Pamiętniki emigrantów. Stany Zjednoczone*, t. 2, red. J. Dziembowska, Warszawa 1977, s. 461, 462. Wszystkie cytaty z tego źródła zostały przytoczone w książce ze skrótami, bez oznaczania ich w tekście.

# Little Poland (2)

## Mariusz, 1981

Mieszkamy na granicy, jeden z ostatnich domów, potem hajłej i dawna dzielnica mafijna. Gotti tu przyjeżdżał. Przysięgam, że go widzieliśmy. Potem jeden zabity leżał na rogu, potem drugi, co chwilę ktoś leżał.

A współcześnie?

Znajoma Polka tu pracuje dla lekarza, właściciela przychodni. Ten lekarz to Włoch, jego żona to córka tych, co założyli nad rzeką studia filmowe. Nazwisk nie będę wymieniał na wszelki wypadek, lepiej dla ciebie, żebyś nie wiedziała. Ta dziewczyna pracowała w recepcji, przodem do klienta. Ale raz i drugi przyszła z podbitym okiem, nie w formie. Dopytywali ją w tej przychodni, a ona, że nic, nic. Ale po tygodniu lub dwóch, kiedy znów przyszła z fioletowym okiem, powiedziała w końcu, że mąż ją bije. Aha, powiedział ten pracodawca, to już cię nie będzie bił. Następnego dnia przyjechało pod ich dom dwóch na motorach i zapytali o męża. Był w domu. Zabrali gościa do funeral home, wepchali do trumny i zabili trumnę gwoździami. Po sześciu godzinach go otworzyli. Poinformowali, że jak jeszcze raz uderzy żonę, to już z tej trumny nie wyjdzie. I wiesz, co się stało? On już tej babki nigdy nie uderzył. Nie ma żartów.

Wynajmowaliśmy garaż naprzeciwko, po drugiej stronie ulicy, bo mieliśmy dwa samochody. Raz zdarzyło się, że jacyś ludzie przyszli w nocy, wyłamali kłódki i zabrali te dwa samochody. Zadzwoniliśmy do właściciela garażu. Była siódma rano. Za godzinę przyszli do nas posłańcy, dwaj faceci w marynarkach, chociaż upał był okropny. No ale pod marynarkami mogli schować broń. Gdybyś ich zobaczyła, tobyś zemdlała, coś niesamowitego, jakie straszne twarze. Nie wiem, skąd oni takie twarze biorą. Jak jestem waleczny, tak bym z nimi nie walczył. Powiedzieli, że o czternastej będą pod domem. I były. Ktoś w dzielnicy nie wiedział po prostu, że nie można okraść tego garażu.

Pochodzimy z południowej Polski. Ujście Dunajca do Wisły, major Sucharski stąd pochodzi. Region prawie dwieście lat związany z Ameryką.

Wujkowie byli w Ameryce, mamusia była, potem dojechał tatuś. Oboje wrócili do Polski. Mamusia nawet szybciej, bo w Chicago ją złapali i deportowali. Potem trudno jej było do Ameryki wrócić. Długo jej nie puszczali.

Miałem dziewiętnaście lat, jak „Solidarność" nastała. Zajadły byłem tak, że Wałęsa to był dla nas chujem, że się z komuchami w sierpniu 1980 roku dogadał. Do zabicia był. Zdrajca. Dlatego po sierpniu ja z braćmi i kolegami, tak samo radykalnymi, postanowiliśmy walczyć dalej, z bronią w ręku. Z jednostek się karabiny odkupywało, mundury też. Ćwiczenia organizowaliśmy z bronią, w lesie i po domach.

Szesnastu gnojków w mundurach polowych biegało po nocy po klatkach schodowych. Mój tata, kiedy przyjechał do Polski w roku 1981 i zobaczył, co my robimy, to się za głowę złapał. Tak się złapał, że cztery tygodnie potem wylądowaliśmy z bratem na Greenpoincie.

Dzikusami byliśmy, bez zawodu i języka. Pierwszy tydzień wóda codziennie, łażenie po mieście i oczywiście Atlantic City. Nie wiem, po co mi był potrzebny ten Atlantic City. Brat załatwił wycieczkę do kasyn, to pojechaliśmy.

Jakaś dziewczyna się w autokarze dosiadła. Z Łomży. Rozmowa się nie kleiła, słabo rozumiałem, co ona do mnie mówi. Ale z tyłu siedziała kobieta i mężczyzna. Głośno rozmawiali i ich akurat rozumiałem. „Zbyszek, ten mój, to taki skurwysyn i pijak, co dzień pił, a raz w tygodniu rękę podnosił". On odpowiadał: „Moja Marysia to taka kurwa, jaka ona kurwa, to sobie nie wyobrażasz". I tak jechali i się gładzili po rękach. A ja siedziałem i myślałem: o, to jest chyba małżeństwo amerykańskie. Ludzie wyrwani ze swoich wiosek, szukali nowych ścieżek, nowych koleżanek, nowych partnerów. Potem się zorientowałem, jak to działa, bo sam byłem w obiegu.

O Boże, jak na tym Greenpoincie było mało kobiet, jaka tragedia! Do dziś krąży powiedzenie, że na Greenpoincie nawet koza ma chłopaka. Amerykanki nie wchodziły w grę. Granica językowa i mentalna nie do przekroczenia. Nie było mowy.

Chodził człowiek po tych ulicach i ciągle musiał udowadniać, że mu się należy szacunek. Ciągle. Raz z kolegą poszliśmy do baru na Manhattan Avenue. Chińczyk to był. Wzięliśmy po zupie i poszliśmy do stolika, który zajęliśmy wcześniej. A tam siedzi już chłopak z dziewczyną, Amerykanie. Nie wiemy, co mówią, ale nie wstają. Zaczęliśmy im tłumaczyć na migi, że my siedzieliśmy tam wcześniej, oni nic. Wreszcie chłopak wstał i włożył palec do talerza kolegi. Śmiał się, miał zabawę. Dwóch półgłówków z Polski, frajerów znalazł, przed dziewczyną chciał się popisać. Publika zamarła, podbiegł właściciel, bo dotarło do niego, że będzie awantura, i powiedział, tak zrozumieliśmy, żebyśmy usiedli gdzie indziej, a on nam da nową zupę za darmo. Czyli mieliśmy ustąpić. Nie było mowy.

Zobaczyłem, że oni już zaczęli wychodzić, ci Amerykanie. Ubierali się i szli do drzwi. Bez przeproszenia. Jakiś inny Polak nad kotletem na to patrzył i to dla mnie było za dużo, wyszedłem za nimi. No, kurwa, nie. Powiedziałem jeszcze do kolegi: „Gdyby coś było, to powiedz, że myśmy się spotkali na ulicy, ja cię zaprosiłem na obiad. Rozumiesz? Nie znasz mnie". Kumpel się wystraszył, ale ja nie chciałem się bić, tylko wyjaśnić. Podszedłem i jak umiałem, zapytałem: „Dlaczego ty wsadziłeś palec do zupy mojego kolegi?". Ten Amerykanin złapał mnie za rękę i odepchnął. To ja złapałem za jego okulary słoneczne i je zgniotłem. On mnie uderzył, ja oddałem.

Zobaczyłem kątem oka, że dziewczyna wsadza rękę do torebki, wystraszyłem się, że ona sięga po pistolet, więc uderzyłem także tę dziewczynę. Zobaczyłem, jak ona wpada na szybę, szyba się ugina, a potem pęka. O Boże, co się zaczęło dziać! To był słoneczny dzień, niedziela, ludzie zaczęli wrzeszczeć, ja uciekać.

Miałem podrapaną rękę. Zakryłem ręką zranione ramię i zacząłem biec. Cały blok obiegłem, nikt mnie za bardzo nie gonił, więc wróciłem na miejsce z drugiej strony, żeby zobaczyć, co się dzieje. Mam taką obserwację: jak uciekasz z miejsca zadymy, to przez pierwsze cztery, pięć metrów pokazują cię palcem: to ten, to ten! Łapać go! Ale po dziesięciu i dwudziestu metrach już cię nie ma, zniknąłeś w tłumie, rozmyty. Jak zaszedłem z drugiej strony, to była już policja i zabierało ich pogotowie. Gdyby mnie złapali, to do dziś bym siedział. Wtedy byłem dziki i z Polski.

Po przyjeździe poznałem tego znanego pisarza, co wyjechał z Polski. Albo nie: jego się nie dało znać, bo on taki pijak był, że wstyd było do niego podejść, zresztą on i tak by nie zauważył. Kiedyś wysłali mnie do tego mieszkania na Green Street, ktoś do Polski jechał, zaproszenie trzeba było dowieźć. Poszliśmy z bratem, otwieramy drzwi, a tam ciemno, cicho, leży osiem chłopów na materacach, sami pijacy i ten pisarz. Nie miał prawa przeżyć, chlał na zabicie. Nie wiem, z czego żył. Myślę, że zbierali na niego. Nowy Jork nie da ci umrzeć z głodu.

Pisarz pił, nie ćpał, o ile wiem. Ćpał ten drugi pisarz, co tu przyjeżdżał z Manhattanu. Narkotyki dla zwykłych Polaków pojawiły się jakoś w tym tysiącleciu w postaci kokainy. Brało się po polsku. Najpierw na budowie, potem do Jadzi, do restauracji na Driggs. Zamawiało się na cały stół, jadło i piło, o jedenastej szło do kibla, po trzech minutach się wychodziło i od nowa: panowie, siadamy. Kelnerka: „Co tak powoli?". Narkotyki były, żeby więcej wypić.

Czy ja miałem problem z piciem? Kto nie miał? W 1992 roku posłali mnie na badania psychiatryczne i prace społeczne. Uznali, że ktoś, kto jeździ pijany, nie może być zdrowy na umyśle. Nie wącham alkoholu. Ile miałem wypić, wypiłem.

Tych włoskich garaży naprzeciwko to już nie ma.

Żydzi przyszli i zaoferowali. Do nas też przychodzą i oferują. Wiedzą wszystko. Która nieruchomość ile warta. Do sąsiadów przyszli: masz milion dolarów i nie płacz. Zobaczyli tyle dolarów w walizce, więc trudno im było się oprzeć, zwłaszcza że dom w ruinie. A Żydzi wiedzieli lepiej: z dwupiętrowego domu zrobili pięciopiętrowy, sześć mieszkań, każde za półtora miliona dolarów. Dlatego ja Żydom nie sprzedam. Nie żebym miał coś przeciwko

Żydom. Jak masz problem w Ameryce i jest ci źle, to idź do Żyda, on ci pomoże. Zatrudnia Polaka, bo go zna i rozumie, odczuwa tak samo jak Polak. Nie sprzedam Żydom, bo może sam zburzę i nowe mieszkania zrobię. Z drugiej strony: musiałbym się zapożyczyć, żeby zbudować. A to zawsze ryzyko dla detalisty.

Chyba żeby przyszli i dali trzy miliony. Tak, trzy miliony i bym sprzedał. Niby, jak widać, siedzę na pieniądzach, a na codzienne rachunki ich nie ma. Wiem, że pieniądze będą, ale na razie nie odczuwam bycia milionerem. Trzy miliony. Chętnie bym już je poodczuwał.

## Daniel, 1981

Miałem dwadzieścia lat, wyjechałem z przyczyn muzycznych – chciałem bywać w sławnych klubach jazzowych, chodzić na koncerty. Zarobki mnie nie interesowały, nie myślałem o ciułaniu dolarów. Był wrzesień 1981 roku i towarzyszyła mi dziewczyna. Nasza amerykańska przygoda miała trwać kilka miesięcy. Mówiłem po angielsku, ale nie znałem realiów amerykańskich, co przejawiło się między innymi tym, że pojechałem z magnetofonem Grundig i zestawem kaset, bez których – jak mi się wydawało przed wyjazdem – nie mógłbym żyć nawet w USA. Były to nagrane płyty Marka Grechuty. Jak wiadomo, w USA prąd ma inne napięcie, więc mój grundig nie zadziałał.

Płynęliśmy Batorym i tam dowiedziałem się, że istnieje taka dzielnica jak Greenpoint, wcześniej nigdy o niej nie słyszałem. Ojciec dał mi na wyjazd sto dolarów, więc myślałem, że na początek wynajmiemy pokój w sympatycznym polskim hoteliku. Z Montrealu przejechaliśmy autobusem na dworzec Port Authority na Manhattanie i mignęła mi 42 Ulica, którą rozpoznałem z filmu *Taksówkarz*. Stamtąd elegancko taksówką na Greenpoint. Nasz kierowca musiał mieć niezły ubaw, kiedy usłyszał, że szukamy hotelu na Greenpoincie. Wysadził nas wieczorem na rogu Manhattan i Nassau, z tym grundigiem, walizkami i gitarą. Oczywiście nie ma tam żadnego hotelu, a w 1981 roku nie było go jeszcze bardziej. Polscy przechodnie przygarnęli nas do siebie. Dopiero w grudniu właściciel, też Polak, zorientował się, że w lokalu mieszka dwa razy więcej osób, niż myślał, i wyrzucił nas na bruk tuż przed świętami.

Kiedy zobaczyłem, że mój magnetofon nie działa na amerykańskim prądzie, za ostatnie pieniądze poszedłem kupić baterie do wielkiego sklepu elektronicznego na rogu Manhattan Avenue i Calyer. Natknąłem się w nim na Polaków, którzy chcieli kupić radiomagnetofon, ale nie mogli dogadać się po angielsku z właścicielem. Pomogłem im, doradziłem, choć nie miałem pojęcia, o czym mówię, i wyszedłem z bateriami. Za mną wybiegł właściciel. „A ty gdzie pracujesz?" „Nigdzie. Dopiero co przyjechałem". „A chciałbyś tutaj?" I tak z marszu dostałem pracę, której nie zacząłem jeszcze szukać, i rzuciłem się na Manhattan, który przemierzałem na piechotę od rana do nocy. Wtedy akurat o pracę było trudno. Lata „Solidarności" przyniosły inwazję Polaków do Stanów, a kto lądował w Nowym Jorku, nieuchronnie trafiał na Greenpoint.

Na elektronice zupełnie się nie znałem, potrafiłem jednak przeczytać instrukcję i to wystarczyło. Właścicielami byli Żydzi sefardyjscy urodzeni na Brooklynie. Po pewnym czasie mieli na Manhattan Avenue trzy sklepy, ale nie byli specjalnie mądrzy, za to bezbrzeżnie chciwi. Myśleli tylko o tym, jak się wzbogacić, możliwie najszybciej. Wynikało z tego wiele kłopotów. Na okrągło rozmawiali o pieniądzach i tylko o pieniądzach, co dla mnie, studenta z Warszawy, było szokujące, bo u mnie w domu nigdy się o pieniądzach nie mówiło, co więcej, było to postrzegane jako przejaw braku kultury. Właściciele mieli do klientów stosunek taki, że chcieli wszystkich orżnąć. Polaków oczywiście też. Ale nie było w tym nic dyskryminującego – z upodobaniem „rżnęli się" nawzajem.

Szybko się okazało, że mam cechy dobrego sprzedawcy – to głównie kwestia kontaktu z ludźmi, znajomość towaru niewiele ma z tym wspólnego. Szef mi mówił, że dobry sprzedawca jednego dnia sprzedaje telewizory, a następnego opony, towar nie ma znaczenia. Wkrótce boss zaufał mi na tyle, że zacząłem bywać na ich rodzinnych grillach w New Jersey. I tylko ja znałem kod alarmu przy drzwiach, żeby jego rodzina, w tym synowie, nie okradała się nawzajem. Boss wiedział, że to przygłupy, że kochają się popisywać i zgrywają mafiosów.

Mieliśmy tam niejedno włamanie. Kiedyś złodziej przebił się przez sufit z piętra dentysty, doktora Weissberga. Rano przyszedłem do pracy i wszyscy już na mnie czekali: policja, dentysta, synowie bossa. I ja im otworzyłem: nielegalny. Dentysta od razu zakablował policjantom, że jestem z Polski i mam klucze, rzucając na mnie podejrzenie. Nawet mój szef go wyśmiał.

Nie wiem, jak teraz to wygląda, ale włamania były wtedy na porządku dziennym. Kiedy szło się w nocy Manhattan Avenue, był to metalowy kanion, wszystkie biznesy zakrywano pancernymi roletami. Plus jedno całonocne deli, gdzie zamordowano później troje ludzi, a skradziono sto dolarów. Nikt nie chciał tam później pracować na nocną zmianę, aż zatrudnił się mój obecny przyjaciel z Polski. Uznał, że prawdopodobieństwo ponownego morderstwa w tym samym miejscu jest niewielkie. A tamtych sprawców nigdy nie ujęto.

Praca w atrakcyjnym sklepie dawała bezcenny wgląd w środowisko Polaków, odciętych od kraju przez stan wojenny. Ludzie snuli się i opowiadali o sobie. Wtedy była to zamknięta grupa, bo nikt nie wyjeżdżał i nie przyjeżdżał. Każdą nową osobę odróżniało się z kilometra: o, nowy Polak! Czy czasem nie ubek? Jeżeli Polak szedł ulicą wczesnym popołudniem, to już był podejrzany, bo powinien być w pracy. Ludzie mieli paranoję, ale całkiem uzasadnioną.

Poznałem rodaków, o istnieniu których wcześniej nie wiedziałem. Właściciele domów, czyli stara Polonia. Ich lokatorzy – emigracja zarobkowa z Polski klasy B, C i D. W większości ludzie w średnim wieku, sami mężczyźni, kobiety były wówczas na wagę złota. Niektórzy nawet nie postawili stopy na Manhattanie. Opowiadali niestworzone historie, że Amerykanie biegają tam na golasa albo strzelają do siebie w biały dzień. Oszczędzali na wszystkim, na zakupy chodzili do Key Food na McGuinness Boulevard po olbrzymie tace skrzydełek z kurczaka, cztery tuziny, na których gotowali potem rosół na cały tydzień. Bywało, że kupowali ocet winny, myśląc, że to tanie wino – widziałem to na własne oczy.

Nie poznawałem tam wielu ludzi, z którymi można było porozmawiać. Całą aktywność przekierowałem na Manhattan, tam było prawdziwe życie: kina, koncerty, sklepy płytowe i księgarnie, restauracje z kuchnią świata, o której mało wiedziałem. Na Greenpoincie mieszkał ciekawy typ zwany Bizonem, znany hippis, rozpolitykowany typ bieszczadzki z brodą do pasa; dowiedziałem się znacznie później, że zmarł jako bezdomny alkoholik w parku Tompkins Square na Alfabecie*. Czyli tam, gdzie toczy się akcja *Antygony w Nowym Jorku*.

Kiedy wybuchł stan wojenny, na patriotycznej fali zacząłem chodzić do klubu organizacji Pomost, który mieścił się niedaleko, przy Manhattan Avenue. To tam właśnie działał Bizon. Organizowano w nim koncerty i odczyty. W 1982 roku wystąpił Jacek Kaczmarski. Był to rodzaj polskiej samoobrony, nastroje bojówkarskie: komuniści nam zagrażają, Portorykanie nam zagrażają, jakieś pieprzenie zupełne. W grudniu 1981 roku zaczęli mówić, że „musimy się zjednoczyć". Siwy dym, gadanie i wóda. A następnego dnia wszyscy do roboty. Typowy polski słomiany zapał, z którego nic nie wynika. Skończyło się na niczym.

Czy zagrażali nam Portorykanie? Trochę tak, Polacy się ich bali, bo zdarzały się napady rabunkowe. Najczęściej w okolicy metra w dniu wypłaty. Polacy nie tworzyli gangów i nie chodzili z bronią. Pamiętam, jak do sklepu przyszedł raz latynoski bandzior, przylizany piękniś, obejrzał radio i powiedział: „Let mi rob a couple of Polacks and I'll be back" [Obrobię paru Polaczków i wrócę]. Puścił oko i poszedł. Nie wrócił.

Ja z nimi miałem spokój, znaliśmy się z widzenia i ze sklepu. Kiedyś kupowali u mnie wielkie radio, wiązałem im sznurkiem pudło, a że nie miałem pod ręką nożyczek, powiedziałem: „Dajcie nóż, muchachos". „Nie mamy". „Co? Nie macie noża? To co z was za Portoryki?" Kupowali wielkie ghetto blasters na baterie. Łazili z nimi po dzielnicy i grali na cały regulator, a po godzinie przybiegali z płaczem, że się baterie skończyły. Krążył o nich dowcip:

* Alphabet City – dzielnica Manhattanu, wschodnia część East Village, między alejami A, B, C i D.

Procesja Bożego Ciała przed kościołem pod wezwaniem Świętego Stanisława Kostki na Greenpoincie

ilu ludzi trzeba, by pochować Portoryka? Dziesięciu. Czterech niesie trumnę, a sześciu radio.

Blisko Pomostu był słynny sklep z materacami dla Polaków, którzy pod koniec lat osiemdziesiątych zaczęli falami przyjeżdżać na Greenpoint. Te materace zbierano z wystawek, na szybko odnawiano i wypychano. Szefem był Luis, Kolumbijczyk, a jego pracownikiem Juan, nazywany Jasiem. Nauczyliśmy go pytać klientów po polsku: „Materacyk gwarantowany czy zasikany?".

Moja praca była lekka w porównaniu choćby z harówką na budowach. Do siedemnastej sterczeliśmy w sklepie nieomal bezczynnie. Oglądaliśmy filmy wideo, ja czytałem „New York Timesa" – szef go prenumerował, ale nie czytał. Po siedemnastej zaczynał się młyn, bo ludzie wracali z pracy. Nie miałem problemu, żeby pracować w niedziele, nie z powodów religijnych, żal mi tylko było wolnych weekendów. Akurat w niedzielę były tłumy. Trafiała w nas fala uderzeniowa wychodzących z kościoła, ze Stanisława Kostki, z Cyryla i Metodego. W przerwie pomiędzy sumą a schabowym wchodzili i zagadywali. I to całymi rodzinami, grupami. Większość tych ludzi tylko zawracała dupę i nic nie kupowała. Dla wielu z nich niedziela to był jedyny możliwy czas, bo pracowali przez sześć dni w tygodniu. Dla większości rodaków była to także jedyna dostępna rozrywka.

Polacy kupowali kalkulatory z funkcjami trygonometrycznymi dla dzieci w kraju. Obowiązkowo dwukasetowe „wieże" dla rodziny. Musiał to być sprzęt typu 110–220, multisystem, który był droższy od zestawów amerykańskich, co wkurzało kupujących. Warto przypomnieć, że w Stanach obowiązywał system koloru NTSC (nazywany złośliwie „Never The Same Color"), a w Europie był to PAL, z dodatkową komplikacją w postaci przejętego u nas od Francji SECAM. Utrudniało to zakup sprzętu do kraju, a cały towar multisystem i 110–220 volt należał do „szarej strefy" – te urządzenia nie miały amerykańskiej gwarancji.

Cenowo nie byliśmy w stanie konkurować ze sklepami na Manhattanie. Klienci szybko się uczyli. „Bo pójdę do Żyda na Delancey!" – straszyli nas. Tylko że tamten Żyd był na Manhattanie, gdzie nie każdy chciał się zapuszczać.

Przełomem stała się kamera na kasety VHS, szał połowy lat osiemdziesiątych. Na początku nie wiedziałem, co się dzieje, bo wszyscy dowiadywali się o kamery. Pytaliśmy z kolegami w ramach badania opinii publicznej: „Na ch… ci, człowieku, kamera?". Klienci na to: „Panie, teraz bez kamery nie ma życia!". Nagrywali się potem tymi kamerami VHS na ulicach Greenpointu i wysyłali rodzinom bajki o cudownym życiu w Ameryce. Z czasem zaczęły przychodzić kasety z Polski: błyszcząca toyota kupiona za przysłane ze Stanów dolary na tle stodoły i podwórka w błocie. Kiedy pojawiły się odtwarzacze kompaktowe, ponownie rozbudziło to apetyty uziemionych w kraju rodaków i rodziny z Polski prosiły o najnowsze miniwieże, koniecznie z kompaktem i z dwiema kasetami.

Starałem się pomagać naszym, żeby nie kupowali byle czego, a bossowi tłumaczyłem, że to nie jest highway store [sklep przy autostradzie]. Że ci ludzie nie odjadą, ponieważ mieszkają obok. I nie można ich rżnąć, bo więcej nic u nas nie kupią.

Zmieniały się towary, zmieniały się mody, tylko klienci niezmiennie przychodzili zobaczyć, co nowego. O, to sobie kupię, jak będę wracał. I to też, i jeszcze to – tak w kółko. Żyli powrotem do Polski. Dla sprzedawców to było frustrujące, bo szef pytał: „Dlaczego ci sami ludzie ciągle przychodzą i niczego nie kupują?". „Mówią, że kupią, jak będą wracać" – odpowiadałem. „A kiedy będą wracać?" No właśnie, oni nigdy nie wracali.

Od czasu do czasu przyjeżdżały wycieczki z Jackowa w Chicago. Rozpoznawałem tych ludzi z daleka: byli zamożniejsi, grubsi, nosili skórzane płaszcze i kowbojskie kapelusze: chory sen Polaka o Teksasie… Mieliśmy również sławnych klientów, jak Waldemar Kocoń czy Jerzy Połomski. Nie wiedziałem tylko, jak wytłumaczyć bossowi, że to wielkie gwiazdy, bo nie wyróżniali się wyglądem. Podejrzewał, że go robię w konia, bo znani piosenkarze nigdy by nie postawili stopy na Greenpoincie ani w ogóle na Brooklynie.

Zamieszkaliśmy z dziewczyną na Manhattan Avenue, centralnie nad biurem Polka Travel. Nie oszczędzaliśmy. Chodziłem do kina i na koncerty, widziałem na żywo wszystkich wielkich, z wyjątkiem

Johna Lennona, bo nie zdążyłem – byłem pod Dakotą* w pierwszą rocznicę zabójstwa, zebrały się wtedy tłumy. Rano przed pracą sprawdzałem na moim sztucznym kominku, na co mam tego dnia bilety, czy jest dziś jakiś koncert. Kiedy nic nie było, to myślałem: fajnie, dziś sobie odpocznę. Chodziłem do klubów na Greenwich Village, do Madison Square Garden, Carnegie Hall, Beacon Theatre – wszędzie.

Pokochałem Manhattan. Odnalazłem tam swoje miejsca, jak Caffe Reggio na MacDougal Street, gdzie bywam z przerwami już od czterdziestu lat. Płyty to moja pasja, znałem wszystkie sklepy, te wielkie i kolekcjonerskie dziury z bootlegami Dylana za ciężkie pieniądze. Tam mogłem porozmawiać z ludźmi, z którymi coś mnie łączyło, lecz poza muzyką trudno było złapać fazę: za intelektualistę uważali kogoś, kto przebrnął przez *Zbrodnie i karę*, którą my czytaliśmy w liceum. Zwykle nie mieli pojęcia ani o historii, ani o geografii. Ta ignorancja była dla mnie nowym doświadczeniem. Postawa „Not my business".

W stanie wojennym wysyłałem paczki przyjaciołom: kawa, buty, dżinsy. Zawsze wypychałem te rzeczy stronami „Nowego Dziennika" z komentarzami politycznymi, w Polsce nie mieli dostępu do informacji. Przekazywało się je przez „agencje", które miały nie najlepszą opinię. Moim zdaniem prowadzili je ubecy. W latach osiemdziesiątych podróżowali, jak chcieli, w każdą stronę, byli w Polsce ustawieni: biurko w kanciapie na Greenpoincie, a w Warszawie willa na Mokotowie.

Wiedliśmy z dziewczyną normalne życie, w miarę ograniczonych możliwości finansowych. Koncerty i restauracje, wypady na Florydę. Mieliśmy szanse na azyl i obywatelstwo, bo w naszej ojczyźnie były czołgi na ulicach. Tylko że my nie planowaliśmy emigracji. Chcieliśmy wrócić i dokończyć studia w Polsce. Żyliśmy więc w stanie męczącej ambiwalencji, ze świadomością, że jednak tracimy czas, choć nasi przyjaciele w Polsce też go wtedy tracili, i to w nieporównanie mniej przyjemnych okolicznościach. Ten pierwszy, młodzieńczy pobyt w Nowym Jorku dał mi dużo – orientację

* Apartamentowiec na Manhattanie.

w kulturze popularnej, szeroką znajomość muzyki i filmu, całkiem inną perspektywę. Odczekaliśmy, aż się w kraju uspokoi, i wróciliśmy we wrześniu 1984 roku.

Po przyjeździe do Polski – poza całym szokiem kulturowym, to jasne – uderzyła mnie jedna rzecz. Wszyscy, ale to wszyscy nasi znajomi i rodzina opowiadali nam o 13 grudnia. Gdzie ich zastał stan wojenny, co wtedy robili, gdzie byli. Minęły trzy lata, a to nadal była nieprzepracowana trauma. I nikt, prawie nikt nie pytał nas o Amerykę. Dla nich to była wtedy inna planeta.

## Halina, 1984

Przyjechałam dziewięć lat po mojej mamie, w roku 1984, żeby zacząć nowe uczuciowe życie. Nie mogłam pracować na plejsach, ponieważ się w tym zawodzie nie odnajdowałam, poza tym skóra schodziła mi z palców. Na szczęście znalazłam ogłoszenie, że ktoś szuka solistki do zespołu. I to mnie uratowało.

Jeszcze w Polsce chodziłam z bratem do MDK-u, gdzie śpiewaliśmy i tańczyliśmy. On grał na gitarze, ja byłam na wokalu. Marzyłam, żeby wystąpić na prawdziwej scenie.

Zadzwoniłam pod wskazany numer, odebrał jakiś Leszek: „Przyjdź na próbę". Próba była w prywatnym domu: tragedia, kupa ludzi, chłopy poutykane po pokojach. Jak ktoś pochodzi z Warszawy, to jednak coś innego wyniósł z domu. Tutaj było robolskie środowisko. Z drugiej strony człowieka się po pracy nie ocenia. Weszłam i tak stałam w przedpokoju, razem z innymi dziewczynami, z tym że ja miałam trzydzieści cztery lata. Przyszła moja kolej i poprosili, żebym zaśpiewała. Tak z buta, bez mikrofonu? „No? A czego niby potrzebujesz?" – odpowiedzieli. Tak więc zaśpiewałam *Bonitę*, bo akurat pamiętałam. Jeśli chodzi o teksty po angielsku, to tylko fonetycznie. Widziałam, jak ten Leszek daje oczami znać temu drugiemu, i byłam zdenerwowana. Potem zapytali, czy znam inne piosenki. Odpowiedziałam, że znam setki, bo ja w młodości cały czas przepisywałam piosenki. Śpiewałam bez mikrofonu i nagrywałam na magnetofon, na przykład *Dom wschodzącego słońca*. Ale akurat w tym momencie nie mogłam sobie nic przypomnieć. Zamiast tego zapytałam, czy oni z zespołem chcą żyć z grania, ponieważ wydawało mi się to dziwne. Odpowiedzieli, że będą występować w piątki i w soboty, nawet w prywatnych domach. Dodali, że w szczegółach nie powiedzą, bo jeszcze mnie nie wybrali.

Wróciłam do domu, gdzie mieszkałam z pierwszym mężem. Szczerze mówiąc, miałam mieszane uczucia co do szans zarówno moich, jak i całego tego biznesu.

Następnego dnia Leszek zadzwonił: „Mogłabyś na poważniejszą próbę przyjść i wziąć te teksty?". „Nie ma sprawy" – powiedziałam. „Tylko sobie nic nie myśl, bo my cię sprawdzamy" – zastrzegł Leszek. Na początku był, można powiedzieć, oschły.

Muszę dodać, że był to czas po śmierci mojego brata, który miał niewydolność nerek. Był kaskaderem w Warszawie. Wystąpił w wielu filmach wojennych, stawał w zimie w Wiśle zanurzony do pasa. Myślę, że praca przyczyniła się do jego śmierci.

Jak śpiewałam te nasze piosenki, to wspomnienia wróciły i zalewałam się rzewnymi łzami. Jakbym go widziała, jak mi grał, w głowie słyszałam jego gitarę. Leszkowi powiedziałam: „Widzę was i nie widzę. Przenoszę się w inny wymiar". Próba skończyła się o pierwszej w nocy. Powiedzieli: jesteś w zespole.

Kiedy wróciłam, mój mąż był niezadowolony. To znaczy zapytał: „Gdzie znów, kurwa, suko byłaś?". Taki już był. Zdarzało się, że jak mnie świsnął, to przez przedpokój do pokoju wleciałam i lądowałam na ścianie. W ciąży też, jak jeszcze byłam w Warszawie. Zdradzał mnie z młodszymi. Raz nóż wyciągnął, za nic. Za to, że buzię otworzyłam, jak ze zdrady wracał. Wtedy, jak wróciłam z tej próby – a może następnej – już wiedziałam: nie chcę z nim być. Jak znów się zamachnął, powiedziałam: „Uderzysz mnie, to wzywam policję". Nastraszyłam go, że już byłam na komendzie na Greenpoincie, gdzie zgłosiłam, że się kurwi i mnie bije. Powiedziałam: „Uderz mnie, a jesteś do odstrzału".

Następnego dnia wprowadziłam się do mieszkania mamy, też na Greenpoincie. Jak wróciłam po rzeczy, mąż był w łóżku z kobietą, ale rzeczy i tak nie chciał oddać. Wróciłam z policjantem, a on zażądał oficjalnego nakazu.

W Polsce zostawiliśmy firmę, cyklinowanie podłóg w Warszawie, to znaczy pod Ostródą. Mieliśmy małą fabrykę mozaiki podłogowej. Jeszcze nie zdążyłam zadzwonić do córki, że się rozwodzę, jak dostałam wiadomość, że fabryka okradziona: wszystkie maszyny wyniesione. I jeszcze dno jednej z szaf wyważone. Tam mieliśmy schowane oszczędności. O miejscu wiedziała tylko siostra męża.

Taki to był początek mojego życia.

Z zespołem graliśmy w Continentalu na Newel, w Domu Narodowym, w New Jersey, wszędzie. A że jestem niespokojnym duchem, taką pozytywnie zakręconą wariatką, to wymyśliłam biuro matrymonialne. Na dansingach widziało się, jak się ludzie nawzajem potrzebują. Pytali: „Halinka, nie masz chłopa dla mnie?". Powiedziałam mamie: „Będziesz cudowną sekretarką. Zobaczysz, ile małżeństw wyswatamy". Dałam ogłoszenie do „Nowego Dziennika", że powstaje nowe biuro. W mieszkaniu urządziłam kawiarenkę. Piękną, pamiętam jak dziś: kolorowe światła, dwa fotele, muzyczka w tle. Napoje. Żeby pierwsze spotkanie przebiegło w miłej atmosferze.

Po ogłoszeniu zaczęli napływać klienci. Kiedy przychodzili po raz pierwszy, robiłam im trzy zdjęcia: na siedząco, na stojąco i jeszcze szalone zdjęcie z głupią miną, na luzie. Zależało mi, żeby fajnie wyglądali. Potem siadałam z klientem na fotelu i go rozgryzałam. Gadaliśmy o wszystkim, ja starałam się wyczuć człowieka. Mówi się, że mężczyźni kłamią, tylko że kobiety kłamią jeszcze bardziej. Z mężczyzną było łatwo. „Wiesz, Halinka, muszę ci coś powiedzieć" – tak zaczynali. I ja od razu wiedziałam: „Masz w Polsce żonę i dzieci, tak?". „Skąd wiesz?" „Bo czuję". I ja takiego klienta nie mogłam połączyć z kobietą, która szukała stałego związku, niemniej było dużo kobiet, które również posiadały mężów i dzieci w Polsce, a nie chciały być samotne na Greenpoincie. Wtedy wszystko się zgadzało i to było bardzo zdrowe.

Potem facet przeglądał zdjęcia partnerek: „O, ta ładna". Na to ja: „Absolutnie tej nie bierz, nie będziesz miał z nią o czym rozmawiać". Wiedziałam, kogo mogę proponować. Radziłam: „Na pierwszą randkę ubierz się ładnie i czysto". On pytał: „W garnitur?".

„A czemu nie. I nie zapomnij o jednej rzeczy, bo ja przywiązuję do niej wielką wagę. Na pierwszą randkę przychodzisz z kwiatem. Jak nie kupisz, to ja kupię i obok ciebie postawię". Jak te kobiety były pozytywnie zaskoczone: „To dla mnie?!". Czasem i dla mnie przynosili, zdarzyło się oczywiście, że jedną różę. No cóż, lepsza jedna niż żadna. Ciesz się, że w ogóle dostałaś.

Biuro zaczęło hulać. Urządzałam święta, walentynki, Wielkanoc po królewsku, na bardzo wysokim poziomie. Dla sparowanych i niesparowanych. Żyliśmy jak jedna wielka rodzina, w porywach do osiemdziesięciu osób. Cudowne to było. W weekendy śpiewałam w Continentalu, w tygodniu swatałam. Do czasu oczywiście.

Jeśli chodzi o biuro, to jego działalność przerwał portal internetowy. Była to nowość, ten dobór komputerowy, bez wychodzenia z domu, dla leniwych. Moim zdaniem moje biuro miało znacznie większą skuteczność. Jeśli chodzi o zespół muzyczny, to rozpadł się on, ponieważ poznałam mojego drugiego męża, młodszego ode mnie o dwadzieścia dwa lata i niezwykle zazdrosnego.

Mój drugi mąż był kolegą synów mojego ówczesnego partnera, którego z kolei poznałam przez znajomych po rozstaniu z pierwszym mężem. Partner był żonaty, dwóch dorosłych synów w Polsce, ale obiecywał, że się rozwiedzie. Żyliśmy, a nagle on mówi: „Weź mi ściągnij chłopaków z Polski". Dobra, odpowiadam, ja mam papiery, ty nie masz, pomogę ci. „I jeszcze kolegę synów". Pokazał mi zdjęcia całej trójki. Ten trzeci był ładny. Pomyślałam, że to może dla mojej córki, która też się akurat rozwiodła. Partner zachwalał: grają w poola, jeżdżą na turnieje.

Przyjechali. Wysłałam ich do szkoły językowej na Manhattan Avenue, koleżance do remontu poleciłam. Córkę z Queensu ściągnęłam, żeby zobaczyła tego trzeciego. Nie chciała: „Mamciu, za spokojny, ja potrzebuję ognia". Trudno.

Jak chłopaki były ściągnięte, to partner powiedział: „Firmę truckerską bym założył". Zdziwiłam się: „Przecież ty nie masz pobytu!". „Ale ty masz – odpowiedział. – Załóżmy firmę na ciebie". Jak kupiliśmy trucki, to gówniarze rzucili szkołę i poszli na trucki. Jeździli na okrągło. Wtedy właśnie mój partner zauważył, że inaczej patrzę na tego trzeciego. Zaśmiałam się tylko: „Bo myślałam, że to przyszły zięć. Sprawdzałam, czy robotny. A ty kiedy się rozwiedziesz?". „Rozwiodę, rozwiodę" – powiedział.

Aż raz poszliśmy do mieszkania chłopaków na Graham, a tam siedzi babka w moim wieku. „Kto to jest?" – pytam. „Mama – mówią bracia. – Przyjechała nas odwiedzić". Zdębiałam. „Skąd się tutaj wzięła?" – zapytałam partnera. „Skąd mam wiedzieć?" – odpowiedział, ale ja wiedziałam swoje. Tego dnia mój partner powiedział, że do domu wróci bardzo późno, ale wcale nie wrócił.

Wezwałam go na rozmowę: chłopaków ustawiłam, cztery trucki na mnie, bipery na mnie. „Czemuś ty nic nie powiedział, że się nie rozwodzisz z żoną?" „Bobyś mi chłopaków nie ściągnęła". Ale firmę spłacił, na raty.

Rozstaliśmy się, bo mu powiedziałam, że w trójkącie żyć nie będę. Niemniej spędziliśmy razem półtora roku fajnego życia. Bez niego nie poznałabym drugiego męża, w życiu.

Ten trzeci ciągle jeździł na moim trucku. Kiedyś przyszedł do mojego domu na Newel i zapytał: „Halinka, wynajęłabyś mi basement?". Bo on nie chciał tyrać siedem dni w tygodniu, chciał się angielskiego uczyć, myślał o studiach. Pewnie, że mu wynajęłam. Ucieszył się, zostawił mi jeszcze dolary, żeby mu fotel czy łóżko do tego basementu kupić, i pojechał na trucku. Przyjechał po trzech tygodniach.

Akurat serial sobie w łóżku oglądałam, wieczorem, w szlafroku, kiedy zadzwonił po klucze. Zeszłam, zobaczyłam, jaki zmęczony, zmarnowany. Powiedziałam: „Chodź na kolację, wykąp się, coś pooglądamy razem". Zapytał, czy może do jacuzzi, które miałam w łazience przy sypialni. Wyszedł w bokserkach. Pomyślałam sobie: ja pierdzielę, no dobra. „Weź się kładź – mówię – łóżko mam king size, pogadamy". I tak się to zaczęło. Teściową miałam starszą o trzy lata ode mnie.

Jeszcze prowadziłam biuro i zespół, ale się okazało, że on jest zazdrosny o klawiszowca, co go dostałam od koleżanki. Później zazdrosny był o klientów biura, bo każdy mówił, że chce taką babkę jak ja. Młody nie miał papierów, więc mu powiedziałam: „Jaki problem, weźmiemy ślub, przepiszę na ciebie dom, mam wysokie karty. Ustawię cię, że szok". Zaczęliśmy się szykować do ślubu.

Jeszcze przed ślubem Małolat miał przygodę. Policja zatrzymała trucka, wywąchała, że jest nielegalnie, i zasugerowała deportację. Małolat nic mi nie powiedział, że został zatrzymany, sam wziął adwokata, który chciał półtora tysiąca dolarów, a załatwił tyle, że przyszedł nakaz, że za trzy dni Małolat ma wyjechać z Ameryki.

Byłam wściekła: „Dlaczego mi nie powiedziałeś? Odkręcilibyśmy wszystko. Teraz nawet gdybyś wziął ślub z córką prezydenta, to ona nie będzie cię mogła skutecznie sponsorować". Młody nie pojechał do Polski i spalił za sobą wszystkie mosty. Ślub wzięliśmy, jak widzisz, nie dla papierów.

Zaczął powtarzać, że chce mieć dziecko. Tylko że ja miałam akurat torbiel na jajniku i mu powiedziałam, że najpierw trzeba z tym zrobić porządek. Osobiście już dziecka nie chciałam. Miałam pięćdziesiąt lat, zasugerowałam więc Małolatowi: „Po co ci to? Żyjemy na górnej półce, kupujemy domy, jeździmy tam, gdzie chcemy. Źle ci?".

Torbiel to był niby zabieg kosmetyczny. Powiedzieli, że potrwa czterdzieści minut i nie będzie bolało. Podsunęli papiery medyczne. Jak zawsze poprosiłam o tłumacza, żeby lepiej wiedzieć, co mnie czeka. Jak jesteś z tłumaczem i nagrywasz rozmowę, to masz zabezpieczenie i w razie kłopotów możesz pójść do sądu. Lekarz zapytał, czy gdyby okazało się, że ten wycinek jest podejrzany, to zgadzam się, że wytną mi zainfekowany organ. Powiedziałam, że jasne, bo wcześniej byłam w Polsce i znajomy ginekolog uspokoił, że infekcji ani raka nie mam. Ten kumpel nawet powiedział: „Ja ci tę torbiel usunę, położę cię do Konstancina, będziesz miała z głowy". A ja, że nie, że jadę do Stanów, bo Młody się zapłacze.

Więc teraz zaczyna się ten zabieg. A lekarz nie wiem, czy był zdenerwowany, czy roztargniony, dość, że zamiast zrostów przeciął moczowód. I mocz zalał wszystko, musieli mnie zamrozić, otworzyć i płukać. Przyszedł urolog, a potem znów ginekolog, żeby dokończyć robotę. Tylko że na drugiej sali była kobieta z narządami do wycięcia, a ginekolog pomylił karty i zamiast tej kobiecie – mnie wyciął narządy rodne.

Ledwo uszłam z życiem, ruszać się nie mogłam, rozcięta, a potem się okazało, że dziecka już mieć nie będę.

Dwa razy się wieszałam. Od drugiego powieszenia się Małolat mnie uratował. Byłam w garażu, na stołku stałam, kiedy się pojawił. Zeszłam ze stołka.

Siedziałam na kanapie i gapiłam się w telewizor. Dusiłam się, beknąć nie mogłam, tylko piwo imbirowe piłam. Potem już z balkonikiem jakoś mogłam doczołgać się do lodówki.

Zaczęłam leczyć się u psychiatry. Adwokat powiedział, że dostanę osiem milionów. Że tyle kosztuje dobra macica. Ale szpital przeciągał sprawę.

Małolat nie mógł znieść mojego widoku. Wiesz co, ja pojadę na te trucki, za dwa tygodnie wrócę. Nie że mnie całkiem samą zostawił, bo przecież zaczęła przychodzić córka. Przyjechała mama. Jak Małolat przyjechał, to powiedział, że truck się zepsuł i znów musi jechać na Florydę. Zrozumiałam, że już nie wróci. Że go sytuacja przerosła.

Tych milionów nie dostałam. Lekarz nie przyznał się do pomyłki. Powiedział, że to dla mojego dobra, a ze względu na wiek strata rozrodcza jest minimalna.

Kiedy Małolat się wyprowadzał, to zostawił mi dom, ale pieniądze z sejfu zabrał. Ani dolara nie zostawił. Nie pomyślał, że przez długi czas ja nie będę mogła pracować. Po dwóch latach bank przejął mój dom za długi.

Kiedy doszłam do siebie, zaczęła chorować moja mama. Poświęciłam się jej, słuchałam jej historii o wojnie, ciotkach folksdojczkach, książkę by można napisać. Kiedy zmarła, urna stała na telewizorze, nie miałam kasy na pogrzeb. Z mamą nie mogłam się rozstać, więc w końcu zatrudniłam egzorcystkę, żeby mi ducha odprowadziła. Przez trzy miesiące za sześćset dolarów pomagała mi pożegnać się z mamusią. Dawała mi instrukcje, co mam robić, jakie karteczki pisać i gdzie je rozkładać. Kazała mi nie przywoływać mamy. Nie płakać: mamciu, mamciu. Tylko powtarzać: „Ja, Halina, mówię ci: odejdź".

I to zaczęło działać. Kiedyś przyjechał do mnie klient, któremu miałam zrobić kąpiel na pasożyty. Zajmowałam się już medycyną naturalną. Powiedziałam: „Przygotuję kąpiel, ale muszę iść do urny, żeby ją przytulić". Ale nie doszłam, bo potknęłam się, upadłam na glebę, rękę wykręciłam. Długo musiałam ćwiczyć, żeby ją rozprostować i normalnie ruszać. Wtedy znajomi powiedzieli: „Pochowaj mamę, odwieź ją do polskiej Częstochowy, mama tam dawała pieniądze, muszą ją pochować. Ona nie może zostać w domu, musi leżeć". Miałam już wtedy kilku klientów, pospłacałam długi. Pożegnanie urządziłam w domu pogrzebowym Artura na Greenpoincie.

I dopiero wtedy poczułam, że mogę zacząć nowe uczuciowe życie.

## Roman, 1987

Pieniądze miałem, rodzinę miałem, pracę miałem, jak należy: kontrola i rzeczoznawstwo, szef zakładu. Ale chciałem dom zbudować, więc się wystarałem o zaproszenie, lewe. Nieboszczyk mnie niby zapraszał.

W mieszkaniu na Leonard mieszkało nas na materacach ośmiu, w dwóch pokojach z kuchnią. Bez wentylacji. Jak zaczęli palić papierosy, jak wódki wypili, to siekierę można było wieszać. Tylko karaluchy dobrze się tam czuły; nigdy ich w Polsce nie widziałem. Nowy Jork był brudny i zaśmiecony gorzej niż Polska. O tym się nie mówi.

To mieszkanie na Leonard mieściło się blisko Narodowego Domu Polskiego, który był centrum rozrywkowym polskiego Greenpointu. Było to uciążliwe w weekendy, kiedy ludzie wychodzili w nocy z zabaw lub koncertów pijani, mówiąc niecenzuralne słowa. O spaniu nie było mowy. Mimo zastrzeżeń kolegów posługiwałem się wtenczas wiadrem z wodą, którą wylewałem z okna na ulicę. Poklęli, poklęli, ale się rozchodzili.

Mówiłem sobie: pobędę parę miesięcy i wracam.

Pracę uzyskałem na myjni samochodowej na Queensie jako brygadzista, trzy dolary na godzinę i tipy – ale nie zawsze, bo czasami nas, nowych, czterech z sabłeja na Leonard, pomijano w dzieleniu tipów. Polacy nas pomijali dłużej pracujący. Dla nas, hołoty, nic. Wykryłem to i jak mogłem – bo angielskiego wtenczas nie znałem – powiedziałem naszemu bossowi o niesprawiedliwości. I żeby on

sam dzielił tipy, które były zostawiane przez klientów w skrzynecz-
ce przy kasie. Jak się można domyślić, musiałem odejść.

Żalu nie było, bo myjnia nie przypominała zakładu pracy: ani stołówki, ani świetlicy, lunche na ulicy trzeba było jeść. Brud, smród, szesnaście godzin, a potem brudny sabłej, godzina do domu.

Następnie trafiłem na oszustów w dziedzinie budowlanej i w końcu na wysypisko śmieci, sortownię garbedzia z rozbiórki domów. Osobno drewno, papier i metale. Ciężka praca na wybrzeżu Greenpointu. Tu menedżerem był bardzo przyjemny Murzyn. Od razu nawiązaliśmy łączność, chociaż po angielsku wciąż nie mówiłem. Zrobiłem dobre wrażenie i Murzyn pozwolił mi wejść na buldożer. Praca w szoferce, prawie jak w biurze. Machałem łyżką, na którą pracownicy nakładali, co tam było do nałożenia. Pracowaliśmy od siódmej rano, czasem i do dwudziestej drugiej. Przed wyjściem mieliśmy zostawić plac pusty, wszystko posortowane.

Przerwę na lunch mieliśmy między dwunastą a trzynastą, z tym że w dwóch turach: jedni od dwunastej do dwunastej trzydzieści, drudzy do trzynastej. To ważne, bo dzięki tej godzinie mogliśmy pomyśleć o dodatkowym zarobku, jakim była nielegalna sprzedaż kolorowych metali, takich jak miedź, cynk, aluminium, które uzyskiwaliśmy z wysypiska, a które były cenne.

Zostałem dopuszczony do spółki przez kierowcę hiszpańskiego. Odkładaliśmy sobie te metale na bok, a w czasie przerwy jeździliśmy do punktu skupu. Jak boss, Żyd, przyszedł nas liczyć przed dwunastą trzydzieści i mu kogoś brakowało, to mówili przykładowo: „Bo dziś Roman na wcześniejszym lunchu". A jak przyszedł liczyć po dwunastej trzydzieści, to mówili, że na późniejszym. I szef tego burdelu się nie zorientował, a my zarabialiśmy sto dolarów na głowę.

Raz pojechaliśmy, ale długo nam zeszło ze zdawaniem. Przyjechaliśmy po pierwszej. I niestety boss też już był i liczył. A my w służbowej ciężarówce. Szok. Parkujemy ciężarówkę, biegniemy na wysypisko, każdy do byle jakiej roboty, żeby tylko szef zobaczył, że jesteśmy i robimy. Poleciałem do buldożera, zobaczyłem, że tam są śmiecie i wyciągam. Kolega poleciał do kabiny, żeby tylko. Jak ja włożyłem rękę, żeby wyciągnąć śmiecie, to kolega zamknął łyżkę. Zobaczyłem jeszcze, jak moja ucięta ręka znika w łyżce, i zemdlałem.

Obudziłem się w szpitalu, gdzie karetka mnie dowiozła. Bałem się spojrzeć na miejsce, gdzie wcześniej była ręka. W końcu spojrzałem i bardzo się ucieszyłem, bo się okazało, że ciągle jest, doszyta. Ameryka. Nie miałem ani legalnego pobytu, ani ubezpieczenia, pracowałem nielegalnie, ale w szpitalu nie dochodzili. Zobaczyli, że jedzie człowiek z ręką obok i doszyli. W Polsce by nie doszyli.

Powiedzieli, że do sprawności potrzeba dwóch lat co najmniej. Od razu znalazł się polski adwokat, który powiedział, że teraz zostanę milionerem. Obliczył, że taka ręka to będzie osiem milionów odszkodowania. I ja mu uwierzyłem, chociaż jak do szpitala przychodziła policja, to mogłem się domyślać, że coś jest nie w porządku. W końcu się okazało, że nie tylko ja byłem w Stanach nielegalnie, ale wysypisko też było nielegalne, boss był nielegalny, a firmy, w której pracowałem, nie było w rejestrach. Adwokat się upierał, szczególnie na honorarium. Przegrałem wszystkie sprawy sądowe, a po dwóch latach przyznano mi rentę, working compensation, w wysokości dwustu dolarów.

Co było robić? Załatwiłem sobie lewe dokumenty i poszedłem pracować na cmentarz. Gdzieś trzeba było robić. Niestety na cmentarzu miałem drugi wypadek. Kiedyś podnosiliśmy płyty nagrobkowe i ta doszyta ręka nie wytrzymała obciążenia. Upuściłem i płyta spadła mi na nogę. I znowuż się zdarzyło, że odcięło mi palce, tym razem od nogi. Znowu prawnicy obiecywali miliony. Więcej, bo pracowałem legalnie, choć na fałszywe Social Security, które kupiłem sobie za pięćdziesiąt dolarów. Papiery poszły do sądu, ale adwokat, stary dziadyga, nie podołał, papiery mu z rąk leciały na rozprawie. Znowuż przegraliśmy.

Powiem pani, że było mi przykro, chociaż sprawa zakończyła się zwiększeniem renty. Z tego obecnie żyję. Mam miejskie mieszkanie – dwieście osiemdziesiąt dolarów miesięcznie, trzysta dolarów mam na pozostałe rzeczy, od czasu do czasu dorobię, nie narzekam.

Miejskiego mieszkania bym nie miał, gdyby nie moja córka z pozamałżeńskiego związku z Polski, która, gdy dorosła, przybyła na Greenpoint ze swoją matką po wylosowaniu zielonej karty w loterii wizowej. Będąc legalnie, mogła mnie sponsorować, co też zrobiła. Zamieszkaliśmy razem, ponieważ córka z mojego małżeństwa legalnego już ze mną na Greenpoincie nie mieszkała.

Córka ta przyjechała do Ameryki wcześniej, po skończeniu radiologicznej szkoły średniej. Teoretycznie miała szanse na pracę w swoim zawodzie. Teoretycznie, bo niestety spotkała Murzyna, który wmówił jej, że ma wytwórnię płytową na Bronxie, i tam też się córka przeprowadziła. W rzeczywistości był wcześniej aresztowany za rozprowadzanie narkotyków. Kiedy przyprowadziła czarnoskórą osobę, nie byłem zadowolony, ale to był jej wybór.

Córka z Murzynem zaczęła przyjmować narkotyki i nadużywać alkoholu. Kiedy urodziła dziewczynkę, to na chwilę przestała. Potem znów zaczęła i opieka społeczna umieściła dziewczynkę w rodzinie zastępczej. Była to robota tego Murzyna, z którym miała nieporozumienia. On fałszywie zeznał na policji, że była dziewczyna zaniedbuje dziecko. Córka nie wytrzymała ciosu i wypiła za dużo alkoholu. Umarła.

Czy ja jej chciałem pomóc? Chciałem, ale co to dało. Jeździłem na Bronx, opiekowałem się wnuczką, mówiłem: zostaw to życie, aż mi kazała oddać klucze. Miała trzydzieści jeden lat.

Moja legalna żona bardzo to w Polsce przeżywała. Ale w Stanach się nie widziała, po dwukrotnej, jeśli dobrze pamiętam, wizycie. Została w Polsce. Teraz, muszę powiedzieć, podupadła na zdrowiu.

Czy ja myślę o wyjeździe z Ameryki? A dokąd? Nie myślę, bo straciłbym rentę, a w Polsce niczego nie mam. Wtenczas musiałbym liczyć na siebie, co przy zaawansowanym wieku nie wyszłoby na dobre.

## Krystyna, 1989

W Niemczech mieszkaliśmy z mężem i córką prawie rok, w obozie przejściowym dla uchodźców. Potem musieliśmy decydować: Kraków czy Ameryka. Córka miała zacząć drugą klasę. Mąż marzył o tej Ameryce i tak wylądowaliśmy w konsulacie we Frankfurcie. Amerykanie mieli nas zaakceptować, że nie będzie wstydu, jak nas wpuszczą.

Poszliśmy na interview. Bez języka angielskiego, bardzo byłam zestresowana. Weszliśmy do sali, tam panowie uśmiechnięci, wskazali nam krzesła. Następnie poprzez tłumacza zapytali, z czym kojarzy mi się data 4 lipca. Odpowiedziałam bez zastanowienia, że z moimi urodzinami. Zaniemówili i nie zadawali już żadnych pytań.

Od razu mieliśmy numery zielonych kart, numer Social Security i pozwolenie na pracę. Wylądowaliśmy na Brooklynie, najpierw na dolnym. Córka miała osiem lat, skończyła pierwszą klasę w Niemczech. Myślę, że w Niemczech nie było jej łatwo, ale była zahartowana. Mimo tego zahartowania, kiedy zobaczyłam tę brooklińską szkołę, gdzie prawie wszystkie dzieci pochodziły z krajów hiszpańskojęzycznych, oniemiałam.

I jeszcze mieszkanie: dom wielorodzinny, zamieszkany przez samotnych Polaków po jednym, dwóch na pokój. Okolica nieciekawa, wszędzie kakrocze. Od razu zadecydowałam: odmieszkamy depozyt i szukamy dalej.

Szukanie było trudne, ponieważ na Greenpoincie landlordowie bali się dzieci. Tak, tak, polscy. Zastanawiali się: a może wynajmiemy, a może nie, przecież jak rodzina z dzieckiem, to ją wyrzucić bardzo trudno.

Znaleźliśmy blisko Greenpointu, w części włoskiej. W tym domu była jeszcze polska dziewczynka w wieku córki. Ucieszyliśmy się bardzo: w Stanach Zjednoczonych dziecko do dwunastego roku życia musi być prowadzone do i odprowadzane ze szkoły przez dorosłego. Mogliśmy sobie wzajemnie pomagać. Dla rodziny na dorobku było to bezcenne.

Mąż podjął pracę na azbestach, natomiast ja, szukając pracy, myślałam o moim doświadczeniu w Niemczech. Pracowałam tam w restauracji tureckiej jako kelnerka. Mogłam regulować godziny pracy i zajmować się córką.

Trafiłam do Henryka na ulicy Norman. U Henryka prowadził Henryk z Łomży. Pełen alkohol, polskie dania: zupy i drugie. Wielu klientów było zaskoczonych, że przyjął kelnerkę z Krakowa, ponieważ miał zasadę, że zatrudnia wyłącznie z Łomży. Z Łomży byli też jego klienci. W dziewięćdziesięciu ośmiu procentach samotni mężczyźni przychodzący wypić i zjeść w niedzielę i święto. Azbesty, mieli pieniądze, bardzo dobrze zarabiali.

Czy u pana Henryka w lokalu blondynka czuła się bezpiecznie?

Powiem, że nie było niebezpiecznie.

Bezpieczeństwo to kwestia profesjonalizmu. Trzeba być miłym i trzeba trzymać dystans. W młynie hormonów zaczepienia oczywiście się zdarzają, ale swoją osobowością kelnerka stwarza respekt. Wydaje mi się, że miałam propozycje typu: umówisz się ze mną, niemniej odmowa nie skutkowała agresją.

Trudniej było w Niemczech. Dojeżdżałam do tureckiej restauracji pod Norymbergę. Wielokrotnie po odmowie umówienia się z klientem zastawałam na parkingu przebite koła samochodu.

Pracując u Henryka z Łomży, podjęłam na szybko naukę angielskiego u Rzeźnika, w szkole polskiej na Manhattan Avenue. O dalszej edukacji uniwersyteckiej nie myślałam. Mieliśmy dziecko i nie sądziłam, że zapuścimy korzenie.

Nie opuszczała mnie jednak myśl o rozwoju osobistym, więc znalazłam ogłoszenie z restauracji na Manhattanie. Właściciel miał ukraińskie pochodzenie, a na imię miał Bruno. Zatrudniał tylko Polki, podobnie jak restauracje Krystyna czy Teresa, które wręcz słynęły z zatrudniania Polek.

Na interview przyszło sto dziewczyn, Bruno zaczął ze mną rozmawiać po angielsku. Powiedziałam mu, że jeśli naprawdę chce coś o mnie wiedzieć, powinien raczej pytać po polsku. Bruno znał polski, więc komunikacja zadziałała. Co przeważyło, że mnie przyjął? Byłam mężatką z dzieckiem, kobietą ustabilizowaną, pracy się nie bałam. Jedynie angielskiego menu może. I chciałam pracować przed południem. Tak, tak, wszyscy byli zaskoczeni, że awansowałam na Manhattan. Koleżanki, żony kolegów mojego męża i pan Henryk. Z takim żadnym angielskim na Manhattanie?

A ja zaczęłam nową przygodę. Mówiąc „przygoda", chcę powiedzieć, że szybko się okazało, dlaczego ten Bruno często zatrudnia coraz to nowe Polki. Był bowiem szalony. Potrafił wpaść do kuchni, spróbować, wylać gar zupy na podłogę i wyjść. Albo wywalić talerze, które wyszły z kuchni, i wyjść. Była tam piwnica, tak zwany storage, i jak dziewczyna coś nie tak podała, mówił: „Idź do piwnicy na godzinę i przemyśl swoje błędy". Albo szarpnął, narwany taki, aż siniaki zostawiał. Acz dla mnie w porządku.

Być może miał szacunek do mnie z uwagi na to, że miałam wspomnianego męża i dziecko. Nie wyzywał i nie szarpał, momentami był po prostu zabawny.

U Bruna odnalazłam się językowo. Z wyjątkiem weekendów, kiedy było pełno i głośno, więc jak ktoś coś niestandardowego zamówił, to się gubiłam. Wtedy prosiłam o pomoc koleżanki, chociaż nie wszystkie oczywiście chciały pomagać.

Wracałam z pracy wykończona z wysiłku umysłowego, ale zadowolona z powodu awansu.

Kiedy człowiek przyjeżdża do Ameryki z Niemiec, przeżywa wielki szok. W Niemczech na socjalu czuł się wychuchany. Socjal niemiecki pozwalał zaoszczędzić, pięknie się ubrać, pobawić. W Ameryce należało wydrapać swoje paznokciami.

Niemniej wszystko zaczęło się powoli układać. Odnaleźliśmy grupę przyjaciół z Krakowa. Spędzaliśmy weekendy w miłym, kulturalnym towarzystwie.

A ja znów czułam potrzebę rozwoju.

Po dwóch latach usłyszałam od Bruna: kup tę restaurację. Można powiedzieć, że Bruno mnie zaskoczył – tak we mnie wierzył. Mówił, że mam potencjał. Obiecał, że mogę go spłacać. Wtedy nie czułam się na siłach, język w sumie słaby, strach przed urzędami. Przedyskutowaliśmy z mężem, odmówiliśmy, Bruno sprzedał biznes za dwieście tysięcy dolarów.

Sytuacja uruchomiła moją potrzebę, żeby założyć własny biznes. Zwłaszcza że mąż był sfrustrowany na azbestach. Nie była to jego droga kariery. W końcu stało się. Informacja przyszła z kręgów azbestowych, bo wszystko na Greenpoincie się wokół nich kręciło. Kolega tam pracujący powiedział, że jego przyjaciółka kupiła restaurację na Manhattan Avenue. Ze wspólniczką, ale się już z nią rozstała. Biznes siadał, mimo że było to miejsce prawie eleganckie, z rzadkimi przypadkami jakichś niedogodności. Ta przyjaciółka kolegi przekazała, żebym ja jej pomogła. Podpowiedziała, co i jak. Prowadziła śniadania, które ja przecież świetnie opanowałam.

Najczęstszym błędem restauratorów z Polski jest, myślę, wydziwianie. Są w karcie bowiem klasyczne rzeczy, które są oczywiste dla Amerykanów, na przykład śniadania Western Omelet. I nie można, myślę, się nad nimi rozwodzić. A ona miała zatrudnionego kucharza z Warszawy, super hiper, który robił to po swojemu. Ambitny. Amerykanin zamówił Western Omelet, dostawał nowinkę z Polski i więcej nie przyszedł. Nawet taki Amerykanin polskiego pochodzenia, ale na Western Omelet już wychowany. Tutaj trzeba wiedzieć, że hamburger to hamburger. Nowinki to można wprowadzać w polskich daniach. Powiedziałam mu, że robi źle, że musi używać takich a takich składników. Że pankejksy i french tosty to nie są dania do popisywania się, tylko do odtwarzania.

Nie zawsze się dogadywałam z tym kucharzem. Miał uwagi, że się rządzę. Właścicielka była za mną. Męska kobieta, pracująca również na azbestach. Worek przyniosła, ale nie znała się na kuchni. Potrafiła posprzątać, ale kelnerki ją oszukiwały. Wreszcie zdecydowała, że się do tego biznesu nie nadaje. Powiedziała: „Krystyna, musisz to kupić".

Myślałam, myślałam. Każdy miesiąc dawał większą pewność. Już nie bałam się, że nie spamiętam zamówień. Czułam, jak otwierają się we mnie horyzonty. W 1993 roku we wrześniu kupiliśmy ten biznes. Wszystkie oszczędności włożyliśmy w niego, pożyczyliśmy od znajomych. I zaczęła się prawdziwa praca.

Pracowaliśmy z mężem od rana do wieczora.

Od rana do wieczora.

Przeprowadziliśmy się w pobliże biznesu, żeby nie tracić czasu na dojazd do pracy. Rano przygotowywałam restaurację, po południu pracowałam jako kelnerka, mąż robił dostawy. Powoli, powoli, po jednej puszce składników kupowaliśmy. Żeby się nie zadłużać.

Najpierw zatrudniliśmy kogoś do sprzątania. Potem dziewczynę, żeby kelnerowała rano, kiedy biegłam się odświeżyć. Wracałam do restauracji, a dziewczyna szła do szkoły.

Biznes zaczął mieć ręce i nogi.

Czym zdobyliśmy Greenpoint? Międzynarodowym podejściem i elegancją. W dzielnicy było sporo jadłodajni, czyli barów mlecznych. Szło się do kasy, potem pani z okienka krzyczała:

„Schabowy!". Mężczyźni stołowali się w tych jadłodajniach, a potem szli do baru lub do likier storu po alkohol. „Restauracja", „kelnerka", „tipy" – te słowa odstraszały pewnego typu klientów. Poszliśmy na całość, nazwaliśmy się Christina's Restaurant i zaproponowaliśmy dwujęzyczne menu.

Polskie restauracje tego nie robiły, może Stylowa. Byliśmy trzecim miejscem z kelnerkami. Wybieraliśmy najładniejsze i wkrótce Christina zaczęła słynąć z urody kelnerek. Musiały mówić po angielsku. W konkurencyjnej Rzeszowskiej natomiast niewiele w tym języku rozumiały. U nas można się było dogadać. To była nowość na Greenpoincie.

Nasz sukces, muszę powiedzieć, wyniknął z legalności naszego z mężem pobytu. Już u Bruna byłam jedną z nielicznych, która przebywała tu legalnie. Widziałam dokumenty restauracji, podpisywałam, nosiłam do księgowej Bruna. W miarę możliwości zadawałam pytania. Poznałam tajniki prowadzenia miejsca. Po prostu: Bruno mógł mnie wykazać w dokumentach. Kiedy kupiłam restaurację, od razu poszłam do tej samej księgowej. Znałam ją jako osobę, wiedziałam, że mogę zaufać i że będę dobrze prowadzona.

Kiedy ruch zaczął się zagęszczać, do Ameryki przyjechała mama męża. Pomagała, żebyśmy się mogli jeszcze bardziej poświęcić pracy, dorabiała tym samym do emerytury. W tym mniej więcej czasie pokochałam Greenpoint i zaczęłam się czuć jak w domu, bezpiecznie.

Panowały tu bowiem swojskie warunki. Podam przykład pana Marka z pobliskiej apteki. Wszyscy go znają, ponieważ zawsze można go prosić o poradę i pomoc, a nawet lek, zanim przyjdzie recepta. Pan Marek, można powiedzieć, robi za dzielnicowego lekarza. Mogłam wysyłać pracowników z informacją: ten i ten lek dla pani Krystyny. Wielki komfort, proszę mi wierzyć.

Ponieważ mogłam zatrudnić personel, miałam odrobinę czasu dla siebie. Tak jest do dzisiaj.

Oczywiście, że słyszałam złe języki. Krążyły plotki, że się ubieram za elegancko, że mam ułożoną fryzurę, że nic nie robię, tylko dbam o siebie. Nie obchodzą mnie, dlaczego nie mogę wyglądać dobrze? Co szkodzi paniom ładnie się uczesać?

Jako właścicielka biznesu gastronomicznego musiałam uważać na rzeczy oczywiste, jak zatrucia, i mniej oczywiste, jak poślizgnięcia. Zatruć, które generują cały szereg dalszych oskarżeń, nie zanotowaliśmy, aczkolwiek mieliśmy poślizgnięcie. W czasie śnieżycy człowiek poślizgnął się przed restauracją i skręcił nogę. Specjalnie się poślizgnął, żeby uzyskać odszkodowanie. Sprawa była oczywiście w sądzie. Kosztowało nas to dużo nerwów.

Bardzo to przeżywałam. Pod koniec lat dziewięćdziesiątych przybrała na sile frustracja męża. Nie odnalazł się jako restaurator, azbesty też nie spełniały jego ambicji zawodowych, chociaż awansował, odnosił sukcesy.

Mówił dobrze po angielsku, z powodu wspomnianej legalności wykorzystywany był do mniej ciężkich prac, szczególnie tam, gdzie mógł być legitymowany. Mimo to czuł się niespełniony, choć widział, że ja rozkwitam, restauracja też. Mówił: sprzedajmy ją. Ja byłam stanowcza: jeśli on chciał sprzedać, to musiał mieć pomysł, co dalej. W 1997 roku mąż zmarł, ale o okolicznościach mówić nie będę, bo to wciąż bolesny temat.

W 2003 i 2004 roku pod Christina's ustawiały się kolejki. Polaków i Amerykanów. Któregoś dnia zadzwonił telefon z amerykańskiej telewizji, kanał 5. Przyjechała ekipa, prezentowałyśmy z kelnerkami gołąbki. Na koniec była degustacja uwieńczona sukcesem, a ja pojawiłam się w studio w głównym wydaniu wiadomości, które oglądają miliony. Hit, zaczęli się zjeżdżać klienci. Wielu ludzi do dnia dzisiejszego mówi: „Ja ciebie widziałam w telewizji". Jak ta telewizja mnie znalazła, zupełnie nie wiem. Miałam potem kilka innych epizodów na kanale 4 i 25.

Jak pani doskonale wie, rok 2004 był początkiem problemów kadrowych, jeśli chodzi o Polaków na Greenpoincie. Coraz częściej obsługiwałam grilla śniadaniowego, bo nie było komu. Potem te problemy zaczęły się pogłębiać.

Tymczasem zaczęłam samorzutnie wspierać artystów. Dyskretnie, w sposób naturalny, będąc sama miłośniczką opery. I szerzej: muzyki. W moim domu położonym niedaleko Christina's organizowałam wieczorki muzyczne. Poznałam Marka Piekarczyka, wokalistę z Polski. Zaprzyjaźniłam się z Jerzym Bidiukiem, organistą w kościele, niestety już świętej pamięci, bo zmarł na zawał serca. I ten właśnie organista zajmował się programem artystycznym, a ja poczęstunkiem.

Któregoś dnia zapytał, czy może przyprowadzić na wieczór kolęd dla urozmaicenia młodego śpiewaka, Krzysztofa, który występuje w naszym kościele. Czemu nie, śpiewak operowy zawsze ładniej zaśpiewa niż chór osób na co dzień nieśpiewających. Powiedziałam: „Nie ma sprawy, oczywiście, nawet lepiej". Ten Krzysztof, zanim przyszedł, zapytał, czy nie zechciałabym jeszcze przyjąć znajomych ze studiów, akurat przyjechali do miasta.

Tak poznałam Mariusza Kwietnia, który przyjechał na dwa lata do Metropolitan Opera na stypendium Young Artist Program. Obecnie sporo Polaków dostaje się do programu. Wtedy świat nie był tak otwarty. Mariusz wynajął mieszkanie na tej samej ulicy. Powiedziałam, żeby wpadł na obiad, na kolację. Starał się być samodzielny, ale wiedziałam, że jest w Nowym Jorku sam, a mnie było miło, że mogę wesprzeć młodego i ambitnego człowieka.

Poprzez Mariusza poznałam inne osoby z tego światka. Małgosię Walewską, która u mnie się wielokrotnie zatrzymywała. Piotrka Beczałę – tenora początkującego w Metropolitan Opera. Trafił do mnie na Christmas Party. Przyszedł z małżonką. Powiedziała, że dawno się tak nie wybawiła. Aleksandrę Kurzak, sopranistkę, która odwiedziła mnie w czasie Wigilii. W tym dniu śpiewała spektakl. Przyjaciółka zadzwoniła, czy może przyjść po wszystkim z Aleksandrą. Ależ oczywiście, odgrzewaliśmy dla niej potrawy. W wywiadach wspominała nawet, że jak była sama w taki dzień jak Wigilia w Nowym Jorku, to ktoś ją przyjął i był ciepły. Następnie zaczęła przyjeżdżać wraz z małżonkiem, Roberto, i z córeczką. Kontynuowałam te znajomości. Oni mieli we mnie wsparcie kulinarne i mieszkaniowe, a ja wspaniałe towarzystwo. Bardzo się dobrze wszyscy dogadywaliśmy. Także kiedy Mariusz osiągnął światowy sukces.

Spędzaliśmy razem sporo czasu, wspólne wakacje. Mariusz zapraszał mnie do innych teatrów na świecie, gdzie śpiewał spektakle. Zawsze też z niecierpliwością czekaliśmy na rozpoczęcie sezonu operowego, bo to oznaczało, że zjawią się w mieście nasi przyjaciele śpiewacy.

Krzysiu, który nas zapoznał, też próbował robić karierę. Jednak inną drogą: przyjechał nie na kontrakt, lecz do ojca, który przebywał w Ameryce. Aktualnie nie jest tak znany jak Mariusz, ale został organistą w naszym kościele i udziela lekcji.

Myślę, że szkoda, że męża już nie ma. Bardzo był za operą. Dzięki niemu zaczęłam bywać, w tym na Pavarottim. W aucie woził kasety. Arie puszczał, a ja musiałam zgadywać, która jest która.

Tak jak mówię, znajomości z artystami były kontynuowane. Zwłaszcza Mariusz podkreślał moją osobę, co było naprawdę bardzo ładne z jego strony. Program o przyjaźni z Mariuszem Kwietniem i innymi śpiewakami pojawił się w TVP w głównym wydaniu dziennika. Filmowano wieczór kolęd w moim domu. Odwiedzałabym moich przyjaciół częściej, gdybym mogła opuścić restaurację.

Zmiany na Greenpoincie polegają na tym, że wyrzuca się starych najemców, żeby nowoczesnej amerykańskiej generacji wynająć za więcej. Drżę, co z czynszem. Dom, w którym wynajmuję lokal, należy do pana o pochodzeniu żydowskim. Nie chciał mi go sprzedać, ale na razie czynszu nie podnosi. Przynajmniej drastycznie. A co będzie, jak podniesie?

Wokół mnożą się restauracje. Są już na każdym rogu. Weekendy jeszcze pełne, ale w tygodniu raczej pusto, z wyjątkiem stałych gości, takich jak starszy pan Amerykanin, który latami zjawiał się codziennie rano, siadał z kawką i gazetką przy oknie. Zawsze mówił, kiedy wyjeżdża z miasta, żeby się nie martwić. Niestety, zmarło mu się w zeszłym roku.

Menu obecnie układam dla Amerykanów. Wyrzucam rzeczy, które przestają pracować. Wołowina w sosie chrzanowym przestaje pracować. Jedna na sto osób zapyta o wołowinę, a przecież sos chrzanowy nie może stać długo. Mielone podobnie nie pracują, więc zastąpiłam je klopsikami w sosie grzybowym. Wymyśliłam kiedyś roladki z kury i szpinaku. Potrawa przyjęła się, ale nie do końca, już nie ma sensu oferować. Nowi mieszkańcy Greenpointu mają obecnie konkretne zamówienia obiadowe, więc zawężam menu do klasycznych potraw polskich. Ta nowoczesna generacja przychodzi na placki, bigos, gołąbki, pierogi i kiełbasę. Z uwagi na to, że coraz trudniej prowadzić taki biznes, prawdopodobnie przyjdzie moment, kiedy podejmę decyzję o jego sprzedaży. Zacznę wtedy korzystać z życia. Najchętniej w Europie.

# Rozdział IV. Matka Boska rozprasza mgłę

3 kwietnia 1852 roku krakowski dziennik „Czas" podaje informację, że „w Bydgoskiem ludność wiejska poruszona jest wieścią, jakoby Koszut [Lajos Kossuth] i [Henryk] Dembiński od króla amerykańskiego wielki kraj w podarunku otrzymali i darmo w nim grunta stąd przybyłym rozdają". Autor tekstu jest przekonany, że to plotki rozsiewane przez agentów, którzy trudnią się przewożeniem kolonistów z Niemiec do Ameryki, a teraz szukają nowych klientów. Spodziewa się, że plotkarze zostaną ukarani.

Pierwsza polska emigrancka parafia w Teksasie powstaje już w 1854 roku, w osadzie nazwanej Panna Maria. Proboszczem i przewodnikiem przyjezdnych jest tu ksiądz Leopold Moczygemba urodzony w Płużnicy Wielkiej pod Strzelcami Opolskimi.

Prawdziwa fala rusza po wojnie francusko-pruskiej, kiedy w ślad za Niemcami wyjeżdżają Polacy z zaboru pruskiego. Pierwszym celem jest właśnie świeżo przyłączony do Ameryki Teksas. Wielkie przestrzenie i ziemia rozdawana pod uprawę działają na wyobraźnię. Następnie wybiera się stany Illinois (największym polskim przyczółkiem jest Chicago), Ohio, Pensylwanię oraz Nowy Jork, gdzie rośnie zapotrzebowanie na robotników. Ze względu na kryzysowe fale – sezonowych.

Niezależnie od amerykańskiej koniunktury na terenie Niemiec działają energiczne spółki, które organizują podróż, a czasem pomagają także w uzyskaniu ziemi. W ich imieniu występują agenci, którzy docierają do najmniejszych gmin i opowiadają o niewyobrażalnych możliwościach za oceanem. Wkrótce gorączka teksaska szerzy się w Prusach Wschodnich, gdzie pada na podatny grunt.

Wirus emigracyjny przekracza granice zaborów. Carskie reformy rolne osłabiły polską szlachtę, ale nie wzmocniły wielkiej grupy chłopów. Dostają oni na własność ziemię, jednak gospodarstwa nie są samowystarczalne. Gospodarz musi pracować na swoim i dorabiać na cudzym. Wsie w Królestwie Polskim popadają w biedę. Straszy widmo służby w wojsku i perspektywa kolejnych wojen. Wyjazd za ocean wydaje się jedynym cudownym rozwiązaniem. Tak przynajmniej zapewniają agitatorzy, którzy pukają do chłopskich okien.

Towarzystwa okrętowe mają siedziby w wielkich portowych miastach, w Hamburgu i Bremie. Płacą za każdą głowę wysłaną za ocean, każdą sprzedaną „szyfkartę", czyli bilet na transatlantyk. Pracują dla nich karczmarze, głównie Żydzi, poczmistrze, nauczyciele ludowi, pisarze gminni. Budzą skrajne emocje, nadzieję i potępienie. Przychodzą z zewnątrz, czasem mówią w innym języku, potrzebują tłumacza, wprowadzają zamęt w wiejskiej społeczności, po czym znikają. Pracują w ukryciu – ponieważ wyjazd, zwłaszcza z Królestwa Polskiego, jest nielegalny, jeśli decyduje się na niego osoba w wieku poborowym. Obiecują góry złota, niepiśmiennym czytają listy szczęściarzy, którym się udało. Listy nie zawsze są prawdziwe, podobnie opowieści. Na przykład te o rzece Parana, z istnienia której świat nie zdawał sobie sprawy, gdyż była okryta mgłą. Dopiero Matka Boska, widząc nędzę polskich chłopów, mgłę tę rozproszyła, by się nad Paraną osiedlili.

W 1890 roku w Oświęcimiu zaczyna się głośny proces przeciwko agencji prowadzonej przez Jakuba Klausnera i Szymona Herza. Oskarżeni są o skorumpowanie lokalnych urzędników, pobieranie od kandydatów na emigrantów zawyżonych opłat za karty okrętowe, sprzedawanie nieumiejącym czytać ulotek reklamowych jako prawdziwych biletów. A także o zamykanie w chlewie i bicie kandydatów opornych. Jeden z oskarżonych miał za pomocą budzika

„dzwonić" do cesarza Ameryki, z pytaniem, czy życzy sobie nowego poddanego, i za tę rozmowę żądał opłaty*.

Trzecia fala rusza z przeludnionej Galicji właśnie po roku 1890. Szacuje się, że na kilometr kwadratowy przypada tu sto piętnaście osób, a w Tarnowskiem nawet sto pięćdziesiąt, co w przypadku terenów rolniczych jest rekordem w Europie. Najwięcej gospodarstw ma powierzchnię kilku morgów, nie są w stanie wyżywić rodziny. W Galicji żyje co najmniej milion dwieście ludzi zbędnych.

Ameryka jest przedmiotem bezustannych gorączkowych rozmów i pragnień, ale to nie najbiedniejsi wyjeżdżają. Tych na to nie stać. „Materiał na wychodźców stanowią w ogóle ci, co mają dosyć, żeby z głodu nie umrzeć, ale za mało, żeby zaspokoić swe najważniejsze potrzeby"†. Wyjazd za granicę to również możliwość ucieczki – przed długami, staropanieństwem, przemocą w rodzinie, niedopasowaniem społecznym.

Antoni Robakiewicz:

Greenpoint, dnia 9 grudnia 1890

Do Stanisława Pesty, Boguszewiec powi. Żuromin

W pierwszych słowach listu mojego niech będzie pochwalony Jezus Chrystus, donosim wam kochani komotrowie o swojem zdrowiu, jestemi zdrowi z łaski Pana Boga czego i wam z czałego sercza ziczym. Te pieniedzie, któreś mi komotrze ostawił to ci je odszyłam za twojem wyjazdem w niedziele, a list pisze we ftorek. Mówił agent, ze za 15 dni od tej środy to je masz dostać i za te twoje pieniedzie coś mi je ostawił to jakiem je wylozował [wymienił] to

* M. Starczewski, *Agenci emigracyjni na ziemiach polskich przed 1914 rokiem*, praca magisterska napisana pod kierunkiem prof. dra hab. T. Kizwaltera, Wydział Historyczny Uniwersytetu Warszawskiego, Warszawa 2010, s. 65.

† S. Piech, *Emigracja z diecezji tarnowskiej w świetle ankiet konsystorza z lat 1907 i 1910*, „Nasza Przeszłość. Studia z dziejów Kościoła i kultury katolickiej w Polsce" 1988, t. 65, s. 165.

dostałem razem 115 rubli, może byłbyś troche wieciej dostał, żebyś ze szobu brał, ale ja nie mogłem wieciej dostać, byłem u paru agentów to jeszcze droży chcieli jak u tego takgiem od tego posłał. Proszę cie kochany komotrze, jak ten list dostaniesz to mi odpisz jak ci się w drodzie powodziło i co tam w Krają słychoć, czy też to prawda co tu piszali i odpisz mi czy nie krzywdujesz sobie zo pieniedzie. Nie mamy czo więcej do piszania jak tylko wasz poszdrawiomy wszystkich kochani komotrowie rziczim wam zdrowia, sczenścia, wszystkiego dobrego czego od Pana Boga sobie rziczycie, do widzienia i do miłego się zobaczenia.

Adres do mie taki Marczeli Kamieński, Greenpoint, Baks St. N78, Broklin, E. D, New York. Dlatego kaze adresować na Baks St bo ja tam będę mufował*.

## Tor przeszkód

Pierwszym wyzwaniem jest pokonanie granicy zaborów: przedostanie się na stronę pruską wymaga sprytu, kontaktów i pieniędzy na łapówki. Następnie pieszo i wozami trzeba dotrzeć na pociąg do Berlina, a stamtąd na kolejny, do któregoś z portowych miast w Niemczech lub Belgii. By trafić na właściwy statek w Bremie czy Hamburgu, ulotki odpowiedniej kompanii okrętowej zatyka się za czapkę – to sygnał dla jej agentów. Na zaokrętowanie czeka się kilka dni. Podróż trwa mniej więcej dwa tygodnie i odbywa się ją pod pokładem, w zbiorowych, sześćdziesięcioosobowych kajutach. Nie wszyscy dożywają.

Kolejnym etapem są właściwe bramy raju – Castle Garden. Niepohamowana ludzka fala sprawia, że w 1892 roku Stany Zjednoczone otwierają stację na Ellis Island (która w emigranckich listach z Polski wciąż jest nazywana „Kaselgardą" albo „Kesosgordą"). Ma ona większą przepustowość, wyposażona jest także w poczekalnię,

* *Listy emigrantów z Brazylii i Stanów Zjednoczonych 1890–1891*, red. W. Kula, N. Assorodobraj-Kula, M. Kula, Warszawa 2012, s. 435. Wszystkie cytaty z tego źródła zostały przytoczone w książce ze skrótami, bez oznaczania ich w tekście.

gabinety lekarskie, a nawet biura organizacji społecznych, które informują przybyłych o kolejnych krokach na nowej ziemi.

W bramie do raju odbywa się selekcja.

Z roku na rok przybywa restrykcji. Najpierw wystarczy mieć ze sobą dziesięć dolarów, potem trzeba już dwadzieścia. Nie można być niezamężną kobietą. Nie można być zaangażowanym anarchistą. Zapis, że trzeba umieć czytać, nie zostaje przegłosowany. Odsyła się wszystkich podejrzanych o choroby zakaźne i psychiczne, tych, którzy mogliby się stać ciężarem publicznym, także poligamistów i osoby nielojalne względem rodziny. Nielojalnych nie brakuje.

W 1895 roku komisarz Senner z Ellis Island pisze do przełożonych w sprawie Petera Zawadzkiego przybyłego do Nowego Jorku. Zawadzki po dwóch latach rozłąki zapragnął sprowadzić żonę z trojgiem dzieci. W tym celu wysłał im trzysta pięćdziesiąt dolarów. Niestety, zanim parowiec z żoną wpłynął do Nowego Jorku, Peter Zawadzki otrzymał list z rodzinnej wioski z informacją, że żonie towarzyszy niejaki Jan Wonsowicz, jej wieloletni admirator, któremu kupiła bilet za pieniądze Zawadzkiego. Na pisemny wniosek Petera Zawadzkiego urzędnicy zatrzymują parę kochanków na terenie stacji. Zawadzki odbywa z żoną poważną rozmowę, po czym odjeżdża do miasta. Wonsowicz następnym statkiem wraca do własnej żony i dwójki dzieci.

Choza Klein:

Williamsburg-Greenpoint, 29 grudnia 1890

Drodzy rodzice. Mogę Wam donieść, że Wasze pismo dostałam. Moja radość była bardzo duża, gdy się dowiedziałam, że moi drodzy rodzice są zdrowi i żyją. Ja, Bogu dzięki, jestem rześka jak i moi drodzy kuzynowie. Dziś mam prawdziwie dobre miejsce pracy, gdzie pracuję tymczasowo. Małżeństwo mi się jeszcze nie trafiło. Jak kuzynowie zobaczą, że coś się nadarza, to będą ku temu dążyć.

O mojej siostrze Szejne Małke nic nie słyszę, ale mój ziomek Hersz Dowid pisze mi często listy, że ona wkrótce znów rodzić będzie. Ale tak jak siostra do mnie się odnosi, to nie chcę o niej słyszeć przez całe życie.

Mój kuzyn wycofał się z interesu, który dotychczas miał, i myśli inny na nowo rozpocząć. Więc piszę Wam, drodzy rodzice, ten adres, pod który macie mi dalej pisać.

Dalej nic nowego.

Od Was, kochani rodzice, chcę zawsze dobre wiadomości otrzymywać.

Piszcie od razu listy pod adresem Miss Anna Mayer, Care of Mrs. Kantrowitch, no 39 East Broadway*.

## Równi i obcy

W 1891 roku rosyjska poczta przechwytuje serię listów wysłanych z Brazylii i Stanów Zjednoczonych. Adresatami są rodziny w guberni płockiej. Carscy cenzorzy są zdania, że w listach jest zachęta do wyjazdu. Nigdy nie docierają do adresatów, ale nie giną. Pół wieku później ustawione w magazynie warszawskiego Archiwum Głównego Akt Dawnych skrzynie otwiera przez przypadek historyk, profesor Witold Kula. Ma przed oczami ważne źródło historyczne†. Dzięki temu znalezisku można wejrzeć w mentalność, potrzeby i marzenia prostych ludzi, chłopów ledwo potrafiących posługiwać się piórem.

Pisane są przede wszystkim po polsku: z mozołem, z błędami, z pomocą współbraci. Ale wśród trzystu sześćdziesięciu siedmiu zatrzymanych listów siedemdziesiąt dziewięć jest w jidysz.

Żydzi z Królestwa Polskiego wyjeżdżają po pierwszej fali pogromów. Podróżują tą samą trasą, wchodzą na te same statki, osiadają w tych samych miastach. I w Europie, i za oceanem Polacy i Żydzi są sąsiadami. Listy opowiadają historię ich wzajemnych relacji. A raczej ich braku. Dziennikarka Dominika Pszczółkowska, recenzentka książkowego wydania listów, ujmuje to tak: „Polacy

* *Listy emigrantów z Brazylii i Stanów Zjednoczonych…*, dz. cyt., s. 564.

† Opatrzone wstępem prof. Witolda Kuli, jego żony Niny Assorodobraj i syna Marcina Kuli listy zostały opublikowane po raz pierwszy w 1973 roku.

i Żydzi, choć jedni i drudzy długo wyliczają w swych pismach, kogo pozdrawiają, nigdy nie pozdrawiają przedstawicieli tej drugiej narodowości. Sugeruje to życie dwóch narodów obok siebie, lecz bez bardziej osobistych kontaktów"*.

Polscy Żydzi nie byli rolnikami. Zajmowali się handlem i drobnym rzemiosłem. Za oceanem trafiają, tak jak Polacy, na sam dół drabiny społecznej – pracują w fabrykach (głównie w przemyśle odzieżowym), gdzie są ciemiężeni. Lecz równie często przejmują dawne funkcje: zakładają karczmy i sklepy, odtwarzając przedemigracyjne relacje. W ten sposób między Polakami i Żydami odradzają się również europejskie antagonizmy.

Józef Cybulski, 1891:

Żono, donoszę ci z Ameryki że jezdm zdruw z łaski Najwyszego Boga czego i tobie życze ci z czałego sercza.

Najmilsza żono moja wysłałem ci kochana żono 65 rubli dnia 15 lutego, te pieniądze jak odbieżesz, to weź sobie 5 rubli. A te 60 to daj bratu na podrusz do Ameryki.

Nie namawiam Cie kochany bracie, żebyś przyjechał, ale jezli masz chęć kochany bracie to przyjeć, to jezli brat bedzie jechał to mu daj kochana żono to 60 rubli.

Prosisz mnie kochana żono żebym cie wziuł do Ameryki. Ja cię nie myślę wziąść kochana Żono, bo ja myśle powrócić na jesini, bo w Amerycze jest katorżna robota, więczy trzeba potu wylać przes dzień jak u was przez tydziń. Tak, kochana żono, myślisz, że to pieniędze w Amerycze tak letko zarobi. O nie, trzeba cieszko praczować. Puki człowieka ma zdrowie i może praczować to dobrze, a jeżeli nie ma zdrowia, nie może praczować to bieda takiemu człowiekowi.

Tak kochana żono, oszczędzaj grosza, kochana żono, nie wydawaj na niepotrzebne zeczy, bo ja bym chciał, żeby trochę grosza zarobić, więc proszę cię kochana Zono, żebyś się prowadziła jak najmniejszym kosztym, żebym tesz na dalsze życie miał jakieś

* Ceemr.edu.uw.pl, bit.ly/2OPVOWw (dostęp: 12.03.2021).

ulżynie swoim kością i polepszenie dalszemu życiu. Kochana żono co mogłem to ci przysłałem, a jezli ci będzie potrzeba pisz, to ci przyśle Kochana żono.

Jezdm w praczy dzięki Bogu to ji parę groszy zarobię. Te 100 rubli, kture ci przysłałem kochana żono do Dobrzenia nie pożyczaj. Lepij miej przy sobie.

Proszę cie Kochana żono, jezli brat bedzie jechał do Ameryki to mu daj te 60 rubli bo, jeźli byś mu nie dała, to bym się bardzo gniwał.

Wieczej nie mam co do pisania jak tylko życzę ci dobrego zdrowia o kture bardzo Boga proszę, żeby ci Pan Bóg użyczył do zobaczenia się ze mną. Zuczam się w objęcia twoje wraz z dziećmi swemi i kochanymi.

Proszę cie kochana Żono donieś mi czy ta najmłotsza chodzi na nogę czy nie proszę cię, jak odbierzesz pieniądze odpisz mi zaras w tej chwili bardzo cię proszę.

Jezli przyjedziesz, kochany bracie, do mnie, jezli będziesz miał chęć to okasz te ruzową kartę w Prusoh, przypni sobie do boku albo do czapki na czole, a te biała to dopiero jak przyjedziesz do Ameryki to dopiero ja okazesz w Naiorku to cie doprowadzą do mnie, a stą ruzową to cię znowusz doprowadzą w Prusach do Bremu do agienta u kturego dostaniesz szyfkarte, zegnam cie bracie i czałuje.

Pieniedze nie lożyuj [wydawaj] za granicą, tylko tyle czo ci starczy na kolij przez Prusy: 10 rubli zmiń tylko, a resztę to u biura Misslera na szyfkarte dasz, na brzegu oszukują. Koszule weś tylko 3, więczy ni*.

## Potajemnie

15 kwietnia 1907 roku konsystorz diecezji tarnowskiej zaleca proboszczom przeliczenie parafian w celu oszacowania liczby brakujących.

O tym, że radykalnie zmniejsza się ich liczba, wiadomo już od dłuższego czasu; dla duchownych jest to powód do niepokoju.

* *Listy emigrantów z Brazylii i Stanów Zjednoczonych…*, dz. cyt., s. 294.

W tym samym roku konsystorz tarnowski w *Słowie o misjach polskich w Północnej Ameryce* zachęca proboszczów, żeby powstrzymywali wyjeżdżających. Wkrótce się okaże, że jedynym sposobem na utrzymanie parafian w wierze jest wyjazd księży w ślad za nimi i zorganizowanie duchownym życia za oceanem.

W ankiecie konsystorza znajdują się tylko dwa pytania: ile osób wyjechało i dokąd. Odpowiedzi wysyła stu piętnastu proboszczów, ale wielu zastrzega, że mogą się mylić. „Mało kto z parafian opowiada mi się – pisze ksiądz Józef Koterbski, proboszcz z Kamionki Wielkiej – czy wyjeżdża i gdzie wyjeżdża, owszem, wolą nie opowiadać się, by im przypadkowo nie odradzać". „Wyjeżdżają przeważnie potajemnie – dodaje ksiądz Antoni Kmietowicz z Radłowa – tak iż żaden z wójtów nie jest w stanie podać ani liczby wychodźców, ani też miejscowości". Mimo trudności konsystorz ustala, że do 1907 roku z samej diecezji tarnowskiej za ocean wyjechało dwadzieścia pięć tysięcy osób.

Ksiądz Józef Gawor z Muszyny narzeka, że połowa z przeszło stu osób, które corocznie emigrują z jego parafii do Ameryki, zostaje tam na stałe. Reszta wraca po kilku latach do ojczyzny; niektórzy znowu wyjeżdżają. W Ameryce podejmują się każdej pracy, choćby najcięższej i najgorzej płatnej, ponieważ zdają sobie sprawę, że zarobią dwa lub trzy razy więcej niż w kraju. Ze względu na to, że myślą o powrocie, nie wspierają materialnie parafii polonijnych w takim stopniu, jak to czynią wychodźcy z Poznańskiego, Śląska czy Królestwa. Z kolei gdy już wrócą, widać, że nie pozostali obojętni na pokusy oraz zagrożenia obecne w nowym świecie. Spada entuzjazm dla cotygodniowych mszy, niektórzy parafianie stają się wręcz aroganccy, co może być skutkiem przebywania w pobliżu niemieckich ewangelików lub Amerykanów.

Dwudziestu pięciu ankietowanych proboszczów dopytało wiernych o docelowe miejsca emigracji. Dzięki temu wiemy, że do Brooklynu wyruszyli wierni z parafii: Baranów, Gawłuszowice, Borowa, Jaślany, Tuszów i Padew. Chętniej wyjeżdżali do innych miejscowości stanu Nowy Jork, następnie do Massachusetts i Pensylwanii oraz do Chicago.

Migrujący wbrew proboszczom parafianie ratują od najstraszliwszej nędzy cały region. „Kurier Lwowski" podaje do wiadomości, że do jednego tylko powiatu jasielskiego w 1899 roku przysłali milion sto tysięcy koron, niemożliwych do zarobienia w żaden inny sposób.

F. Gregorski:

Grenpoint, dna 10 grudna 1890 roku

Do: Katarzyna Gregoro, Starorypin, Stzigi, guberna płocka

Piszę ja F. Gregorski,

W najpierwsych słowach mojego listu do was psemawiam, niech będzi pochwalony Jezus Chrystus. Teras Kochany szwagze pisałem do ciebie, a ti widac se rozgnewales na mne i wcale ne otpisales mi. Ale ti ne masz za co się gniewać, bo ja jakem ci słowo dał tak go ne zmene. Jakem ci zswkarte [szyfkartę] obiecal tak ci i prześlę. Ale mi odpis kochany swagrze i jenaczi uważałem, ja chciałem przisłać kartę dla Ciebie i dla ni. Ale sobie inaczej uwazsiłem, że to bi bił zaduzsji koszt bo jeno teras bi dla was musiał 3 zsiwkarti posłać i takrze i piniendzi na drogę.

Teras jak bista tu przijechali to trzeba wam jake meble posprawjac i mneskaje winajmne to widzisz za duzi koszt dla mne i dla cebe. A tak ja Cebie samego tu sprowadze to mnie bedzie lepii tobe. A pusni mozemi ju tu scugnuc jak do domu bo mi juz to wszistko możemy pokupić.

To teras kochany swazse opatz ju i dzieci dobrze w zicie, zebi ona bide nie miała, pzsinajmi co jeść z dziećmi, bo tobie przisle w marcu sziwkartę to mozesz przijechać razem z Matuzsesko, bo ja z nem rozmawiałem to ona ma posłać swojej zone zsiwkartę to razem mozeta przijechać.

Teras kochana matko i do matki pjisze kilka słów. Kochana matko ja rozmawjałem z Michałem, on muwjił do mne tak, azeby napisać do matki, z nech matka wszistko zda Zułkoskwmu i sama sobie przi nem sobie żije. A Zułkoski te 50 rubli ciotce ma oddać, bo Mnichał może wróci, albo i wcale ne. A choć wróci, to on nic z tego nie chce.

A ja to jusz nie powroce nigdy.

Teras to proszę cie abys ti tej biednej matce ne robił żadni krziwdy to ja ce prosze. Jak tui bedzesz dobry dla matki to bedesz mnuł i od nas dobrze.

Teras kochany szwagrze, jak i Rempuszewski odjedzie, to ja ce prosze abjis i jej dzecum ne robił krziwdy.

Teras nei mam wienci do pisana tilko kłanam se wszystkim znajumem, najpsut ściskam kochanu matke wras z siostrami i raz z swagruw iejeh dzeci i pozdrawiam Juzefa Gulenskiego i wras wzistkich mojich pzsijaceluw.

Adres moja.
Oklant St, Grenpoint 387, proszę was o predsy odpis*.

## Brudni, zacofani, niemoralni

Największe obawy Amerykanów budzą imigranci z Imperium Rosyjskiego: zacofani, niecywilizowani, moralnie zdegenerowani. Tak opisują ich gazety. Mają przenosić choroby, najpierw cholerę, a w 1905 roku okazuje się, że również jaglicę, która niebezpiecznie rozprzestrzenia się w Nowym Jorku i Brooklynie. Jaglicę leczy się trudno, może doprowadzić do ślepoty. Doktor Lester z miejskiego szpitala ostrzega mieszkańców Brooklynu przed przybyszami z Imperium, zwłaszcza tamtejszymi Żydami, którzy są źródłem zarazy:

> Nadciągające hordy tych ludzi są zagrożeniem, a kontrola na Ellis Island jest niewystarczająca. Emigrantów pędzi się przed inspektorami jak bydło, więc ci nie są w stanie wyłowić chorych osobników. Ponieważ hordy tych ludzi wciąż wpływają do Nowego Jorku, zagrożenie rośnie, zarazki mogą się rozprzestrzeniać na

* *Listy emigrantów z Brazylii i Stanów Zjednoczonych…*, dz. cyt., s. 311.

wiele sposobów. Ich kobiety mają niewyobrażalny dla cywilizowanego człowieka zwyczaj trzymania drobnych monet w ustach. Monety te wcześniej miętoszą w wytłuszczonych paluchach ich niemyci współziomkowie i trafiają one w obieg. Papierowe pieniądze mogą godzinę wcześniej być w rękach zarażonego imigranta. Wystarczy potem potrzeć oczy*.

Doktor Lester dodaje, że jaglicę wyjątkowo ciężko przechodzą Irlandczycy i Żydzi, natomiast osoby czarnoskóre są odporne. Zaleca bezwzględną higienę, a przede wszystkim segregację.

W kwietniu biuro prasowe prezydenta Theodore'a Roosevelta wydaje oświadczenie w sprawie dziesięciu agentów specjalnych, którzy właśnie ruszają do Europy. Mają zidentyfikować nieuczciwe praktyki stosowane przez europejskie rządy, w wyniku których do Ameryki przedostają się tysiące obywateli najgorszej jakości. „Wykryto lekarzy w porcie w Marsylii, którzy za pieniądze podają chorym na jaglicę miksturę, dzięki której oczy przez kilka tygodni wyglądają na zdrowe, i czas ten jest wystarczający, by zakażony przeszedł selekcję w porcie, dostał się na transatlantyk, został przepuszczony przez inspektorów w Ellis Island". Ustalono też, że strażnicy okrętowi w porcie w Londynie są instruowani, by „przepuszczać ludzkie szumowiny i wysyłać na odległy kontynent. Rządy chcą się pozbyć najniższej klasy, ale Ameryka musi protestować przeciwko spływającej fali osób chorowitych, zakażonych, kryminalistów i biedaków†.

Studenci socjologii Uniwersytetu Yale zaczynają wyjazdowe zajęcia dydaktyczne w Nowym Jorku, podczas których mogą zobaczyć, jak żyją ci dziwni przybysze. Wykładowcy argumentują, że być może w okolicach kampusu w New Haven można znaleźć tanie knajpy i ubogich ludzi, ale takiej biedy ściśniętej w slumsach jak w Nowym Jorku nie zobaczą nigdzie. Studenci przyglądają się różnym dzielnicom: włoskiej, polskiej, rosyjsko-żydowskiej, greckiej, syryjskiej oraz chińskiej. Spacer po tych

* „Brooklyn Daily Eagle", 21 czerwca 1906.
† „Brooklyn Daily Eagle", 5 września 1906.

okolicach ma dawać lepszy ogląd sytuacji niż najbardziej szczegółowy opis w książce.

A jeśli nawet wiedza zdobyta podczas praktyk nie przyda się do CV, to zawsze warto wiedzieć, jak wygląda miejsce, gdzie lepiej się nie zapuszczać.

Autor nieznany:

H. Heisman, Manufacturer of Fine Clothing, Brooklyn

Serdecznie Kochani Rodzice,
Po pierwsze donosimy Wam o naszym zdrowiu, jesteśmy zdrowi i to samo pragniemy od Was słyszeć po wsze czasy. Kochani Rodzice, Waszą kartę pocztową otrzymaliśmy we właściwym czasie i zirytowały nas głupstwa, które sobie wmówiliście.

Siostra Malka jest dzięki Bogu zdrowa i życzymy Wam, abyście i Wy byli tak zdrowi jak i ona. Zaledwie osiem dni temu bawiła ona wraz z dziećmi u brata Chaima, a także on był u niej w odwiedziny. Ona jest tak samo wesoła jak w domu i nie ma żadnych trosk.

Dnia 25 bieżącego miesiąca zaręczam się. Będziemy się razem cieszyć, a radość byłaby większa, gdybyście mogli być z nami. Mam nadzieję, że będziecie obecni na moim ślubie, taki jest obowiązek rodziców i sądzę, że nie zrazicie mnie swoją nieobecnością. Mam też nadzieję, że niczego Wam tu nie zabraknie i będziecie mieli tu szczęśliwą starość, i wszyscy razem będziemy się cieszyć.

Brat Chaim chce wszystko to załatwić i łożyć na niezbędne koszta podróży. Sądzę, że powinniście być z niego zadowoleni. Można tu żyć tak samo pobożnie jak w domu.

Od mego kuzyna otrzymałam zaproszenie na obiad, a z okazji zaręczyn kupił mi rzeczy za trzysta dolarów, które w domu warte są sześćset dolarów.

Pozdrawiam serdecznie*

* *Listy emigrantów z Brazylii i Stanów Zjednoczonych*…, dz. cyt., s. 557.

## Powstrzymajcie nawałnicę

Erazm Jerzmanowski nigdy nie był pucybutem, ale został milionerem.

Jest synem oświeconego ziemianina, dołącza do powstania styczniowego, a potem do popowstaniowej fali wyjazdowej. Udaje się najpierw do Francji, gdzie dzięki znajomościom ojca kończy studia inżynieryjne, następnie zaciąga się na wojnę francusko-pruską (z nadzieją na francuskie wsparcie dla Polski). Wreszcie trafia do Nowego Jorku, gdzie udoskonala sposoby produkcji gazu oświetleniowego. Udoskonalenia udaje mu się opatentować i sprzedać.

Ma trzydzieści osiem lat, kiedy zostaje wiceprezesem, a potem prezesem Equitable Gas Light Company w Nowym Jorku i jeszcze dziewięciu miastach Wschodniego Wybrzeża.

Kiedy prywatny sen amerykański już się spełnił, Jerzmanowski próbuje ziścić ten o silnej Polsce katolickiej. Zakłada i utrzymuje Czytelnię Polską w Nowym Jorku. Kupuje hurtowo obrazy polskich malarzy, dopłaca do polskich kościołów. Wspiera polskie organizacje samopomocowe – jest jednym z pomysłodawców Komitetu Centralnego Dobroczynności pomagającego nowo przybyłym. Działają w nim i go współfinansują członkowie polskiej elity z Nowego Jorku: hrabia Karol Chłapowski, generał Włodzimierz Krzyżanowski, doktor Wincenty Żołnowski.

Spoglądają oni z troską, ale i zażenowaniem na zagubione w Nowym Świecie chłopskie masy, na ludzi nieznających języka, bez finansowych możliwości powrotu do kraju, dla których nowoczesne państwo to próg nie do przeskoczenia. Jerzmanowski i jego koledzy z Komitetu uważają, że wizja wolnej Polski spełni się tylko wtedy, gdy Polacy przestaną wyjeżdżać, w tym też do Ameryki. W tym celu Komitet wysyła do kraju dramatyczne odezwy. Jedną z nich publikuje „Gwiazdka Cieszyńska", „Katolik" przedrukowuje kolejne. „Odzywam się do szanownej prasy i organów krajowych, ażeby używając głosu przestrogi, powstrzymała tę nawałnicę emigracji polskiej, która ogałacając kraj z siły roboczej, dąży do Ameryki jedynie na własną zgubę". Nawałnica, dodajmy, może się ostatecznie wynarodowić, oddalając tym samym marzenia o „nowej Polsce".

Między 1891 a 1900 rokiem przybyło do USA około dwustu siedemdziesięciu tysięcy Polaków. Drugie tyle w latach 1901–1904. W dekadzie poprzedzającej pierwszą wojnę światową – ponad milion.

Krystyna:

Zwróciłam się o pomoc do pana sędziego pokoju w dzielnicy Brooklyn dnia 5 września 1904 roku. Ponieważ nie mówię słowa w języku angielskim, prosiłam o pomoc brata mego.

Męża imieniem Jan Askaratz poznałam jeszcze w mojej polskiej wiosce. Słysząc same dobre rzeczy o Ameryce, ja, on i jeszcze kilku osobników postanowiliśmy opuścić miejsce ojczyste, które kojarzy mi się z trwogą i przerażeniem. Tak też zrobiliśmy, jednakże dobiwszy do Ellis Island, natrafiliśmy na trudności, gdyż nie znałam nikogo w Ameryce, języka miejscowego i nie byłam niczyją żoną, więc nie zostałam wpuszczona na stały ląd.

Szukając wyjścia z sytuacji, Jan wśród przybywających odnalazł kapłana, który udzielił nam ślubu. Wszystko poszło dobrze, więc już po ślubie udaliśmy się do Battery Park, Manhattan, gdzie snuliśmy się jak owce na tym dziwacznym ludzkim pastwisku. Wreszcie poczułam się znużona, głodna, przysiadłam więc na ławce z widokiem na zatokę, a Jan powiedział, że pójdzie po jedzenie oraz zapytać się o pracę i mieszkanie.

To był mój pierwszy dzień w nowej, upragnionej ojczyźnie. Jakież było zdziwienie, gdy Jan się nie pokazał ani wcześniej, ani później. Czekałam, siedząc na tej ławce, pełna niepokoju. Wreszcie zaczepiłam policjanta, który jednak nie zrozumiał mych intencji. Zaczęłam więc rozpytywać takich obcych jak i ja, którzy jeszcze nie udali się do miasta Nowy Jork w poszukiwaniu lepszego życia.

Nikt Jana nie widział, nikt nie słyszał.

Nie straciłam jednak wiary w męża. Zgubił się, w końcu się pojawi, mówiłam do siebie. Z myślą tą udałam się sama szukać schronienia, korzystając z pomocy dobrych państwa z kościoła.

Wynajęłam pokój w East Side na ostatnim piętrze domu wielorodzinnego. Nigdy nie widziałam ludzi tylu nacji pod jednym dachem. Hałasy i krzyki wielkiego miasta wydawały się nieznośnymi. Dniami i nocami czekałam na Johna, aż wreszcie udałam się na Brooklyn sprawdzić, czy go tam nie ma. Johna nie spotkałam, ale cudem odnalazłam brata Justyna, którego spotkać się nie spodziewałam, ponieważ zniknął on z rosyjskiej Polski, znaku życia nie dawał, więc rodzina dawno go opłakała. Justyn obiecał rozpytać o Johna.

Pojawiły się plotki, że John cały i zdrowy znalazł pracę w dzielnicy Jamaica. Zaczęła do mnie docierać smutna prawda, że być może nie ma intencji powrócić. Stanęłam w obliczu komplikacji, ponieważ okazało się, że będę rodzić dziecko. Tak też się stało, ale po przerwie spowodowanej porodem nie przestałam ustawać w poszukiwaniach męża na terenie Brooklynu.

Wziąwszy za dobrą monetę poradę Justyna, zwróciłam się do policjanta. Uznałam, że policjant mieszkający długo w Ameryce będzie wiedział. Uzbrojona w poradę policjanta udałam się wraz z dzieckiem (dwa miesiące) do biura sędziego pokoju dzielnicy Brooklyn, żądając wydania nakazu aresztowania dla mego męża Johna. Wyjaśniłam, że można go odnaleźć w dzielnicy Jamaica.

Po rozpoznaniu sprawy sędzia pokoju, pan Furlong, odmówił wszczęcia poszukiwań, ponieważ opuszczenie mnie przez małżonka nastąpiło na terenie Castle Garden, gdzie nie sięga jurysdykcja sędziego pokoju w dzielnicy Brooklyn. Poradził mi nie ustawać w poszukiwaniach. W przypadku odnalezienia Johna polecił zapytać go o wsparcie w wychowaniu dziecka. Gdyby odmówił – przyprowadzić Johna do jego biura. Obiecał zapytać dlaczego, a następnie spróbować przekonać Johna do zmiany zdania na ten temat. Otrzymawszy poradę, zabrałam dziecko i udałam się na poszukiwania*.

* Historię Krystyny opisywała gazeta „Brooklyn Daily Eagle” 6 września 1904 roku. Tak mogłaby wyglądać jej własna relacja o tych wydarzeniach.

Kiedy upadają kolejne polskie powstania narodowowyzwoleńcze, Amerykanie tracą finansowy entuzjazm dla tak zwanej sprawy polskiej. Patrioci na wygnaniu nie są w stanie utrzymać ani zainteresowania Ameryki, ani redakcji kolejnych gazet, które zakładają, by nawoływać do walki o Niepodległą. Jest ich zbyt niewielu.

Wydawanie gazet przez stowarzyszenia, grupy interesu, parafie czy wspólnoty to w drugiej połowie XIX wieku amerykańska oczywistość.

> Amerykaninowi gazeta jest tak potrzebna, jak kawałek chleba lub szklanka wody. Ona jest mu źródłem codziennej informacji, pośrednikiem i dźwignią w biznesie (interesie). Ograniczeń ani utrudnień przy zakładaniu lub prowadzeniu gazet nie ma tu żadnych. Nie ma prawie miasteczka, w którem by nie istniał organ miejscowy. Środków nie potrzeba zbyt wielkich. Jedynie ludzi, o tyle o ile zdatnych lub gotowych do podjęcia się pracy dziennikarskiej spośród wykolejonej inteligencji, stanowiącej zawsze jakiś procent*

– pisze ksiądz Wacław Kruszka, kronikarz polskiego osadnictwa w Ameryce.

Nowe tytuły powstają w Teksasie, Milwaukee, Chicago, Buffalo, tam gdzie tworzą się polskie kolonie†. W roku 1876 ukazuje się pierwszy numer „Kuriera Nowojorskiego", który wkrótce potem zostaje przeniesiony do Brooklynu. Po kilku miesiącach upada. Podnosi się, kiedy znajdują się nowi wydawcy – dwóch szewców i krawiec. Odnowiona gazeta ukazuje się 1 grudnia 1876 roku i wychodzi do 1878. Redaktorem zostaje Edward Kulikowski, powstaniec listopadowy.

„Kurier" nie jest sukcesem finansowym.

* W. Kruszka, *Historia polska w Ameryce*, t. 4, Milwaukee 1905–1908, s. 85.

† Tereny przedrozbiorowej Polski jako miejsce urodzenia zgłosiło w 1860 roku 7 tysięcy emigrantów, w 1870 – 14 tysięcy, w 1880 – 49 tysięcy, a w 1890 – 147 tysięcy.

W 1877 roku dziennik „The New York Times" donosi, że w jednym z brooklińskich parków leżał nieprzytomny mężczyzna, który umarł, zanim dotarła lekarska pomoc. W jego kieszeni znaleziono jednego centa, fajkę oraz notatkę z informacją, że kilka godzin wcześniej przyjął truciznę, a gdyby go odratowano, przyjmie ją znowu. Ustalono, że samobójcą jest Kulikowski, dziennikarz, nieżonaty, lat sześćdziesiąt cztery.

W 1881 roku w Nowym Jorku powstaje gazeta, która ma być głosem tworzącej się właśnie organizacji – Związku Narodowego Polskiego. Nosi tytuł „Zgoda", ale popada w kłopoty, ponieważ w Związku od początku istnienia formują się walczące ze sobą frakcje. Jej redaktor umiera z głodu.

## Nieufni, wycofani, zniewoleni

William Felter, kronikarz dzielnicy, na początku XX wieku publikuje *Historic Green Point*, książkę o tym, jak gwałtownie rozwinęła się tu przedsiębiorczość i jak jasna przyszłość jawi się przed Greenpointem. Wydawcą jest Greenpoint Savings Bank, beneficjent przemian i lokalny dobroczyńca.

Felter nie pisze o strajkach, które w tych latach wstrząsają Ameryką, również Greenpointem, ani o zanieczyszczeniu powietrza i Newtown Creek. Zauważa natomiast z niepokojem:

> Aż do 1880 roku osadnikami u nas byli przede wszystkim Anglicy, Irlandczycy, Niemcy. A potem nagle na ulicach zaczęli się pojawiać ludzie z zupełnie innych części Europy. Przywieźli ze sobą siłę i nadzieję oraz zupełnie nowe problemy.
>
> Przede wszystkim amerykanizują się bardzo powoli lub wcale. Pracodawcy nie rozumieją, że jeśli czerpią zyski z ich niewolniczej pracy – powinni zadbać, by ci biedni ludzie zmienili się w kochających wolność, inteligentnych obywateli, powinni posłać dorosłych do szkół, bo tylko wtedy nasz kraj będzie bezpieczny. Niezasymilowani ignoranci stają się bowiem łatwym celem dla destrukcyjnych socjalistycznych propagandystów.

> Mieszkają w swoich małych gettach, nie mówią po angielsku i żyją według zasad wyniesionych ze swoich zniewolonych krain: nieufni i wycofani.
>
> Ludzie urodzeni już na Greenpoincie nie kiwną palcem, lub kiwną tylko trochę, żeby zmienić tę nieszczęsną sytuację*.

Urodzeni na Greenpoincie zwyczajnie się boją. W grudniu 1882 roku na policję przybiega pan Isaacson, nadzorca w Union Rattan Company. Zatrudnia kilkudziesięciu nowo przybyłych Żydów z terenów rosyjskich, których setki lądują na Greenpoincie w tymczasowej noclegowni Hebrajskiego Stowarzyszenia Pomocowego. Nowi mają trudności ze znalezieniem pracy, brakuje im pieniędzy na podróż na zachód, więc najmują się u fabrykantów za nocleg i wyżywienie.

Pan Isaacson jest przerażony. Jeden z mówiących po hebrajsku starszych pracowników doniósł, że młodzi szepczą podczas pracy o zabiciu cara oraz pana Henry'ego. Przysięga, że widział broń w kieszeni obcych. To nie wszystko: dwudziestu właśnie przyszło do pana Isaacsona do domu na ulicy Green, narzekając na pluskwy w siennikach i podłe jedzenie. Tak wynikało z ich gestykulacji. Mają niezadowolone miny, więc pan Henry uważa, że jego dni są policzone. Oczekuje licznych aresztowań.

Policjanci próbują przesłuchać nowo przybyłych, co jest trudne, ponieważ zeznają oni jednocześnie po niemiecku, hebrajsku i rosyjsku. Trzeba trzech biegłych w językach pomocników, by ustalić, że Żydzi proszą o zabicie pluskiew oraz zwiększenie porcji żywnościowych. Jeden z przesłuchiwanych domaga się zwrotu płaszcza, który pozostał w domu pana Henry'ego; sędzia pokoju nakazał zwrócić ubrania Żydowi†.

Między 1870 a 1910 rokiem do Stanów Zjednoczonych wjeżdża trzydzieści milionów osób. Dwie trzecie z nich to przybysze z Europy Środkowo-Wschodniej i Południowej.

* Cyt. za: B. Merlis, R. Gomes, *Brooklyn's Historic Greenpoint*, New York, 2015, s. 34.

† Na podstawie „Brooklyn Daily Eagle", 11 grudnia 1882.

## Manhattan Avenue, róg ulicy Box

Na Greenpoint z południowego Brooklynu jeździ się tramwajem. Do 1890 roku konnym, następnie zelektryfikowanym. Szyny biegną Manhattan Avenue aż do zajezdni na ulicy Box. Jest to największa zajezdnia w mieście.

Ponieważ tramwaj jest coraz bardziej popularny, producenci wagonów oraz ich akcjonariusze domagają się coraz większych dywidend. Firmy podpisują umowy na dzierżawę szyn z mniejszymi przedsiębiorstwami, niektóre z nich zarejestrowane są poza stanem Nowy Jork, więc nie podlegają przepisom i podatkom uchwalonym w Nowym Jorku. Na przykład przepisom o prawach pracowniczych.

Zjednoczeni w związkach zawodowych konduktorzy – wielu mieszka w pobliżu zajezdni – uważają, że prowadzenie elektrycznego tramwaju wymaga szczególnej koncentracji i umiejętności, a co za tym idzie, znaczących podwyżek. Narzekają, że zaleca im się prowadzić wagony szybciej niż dziesięć mil na godzinę, co zagraża życiu motorniczego, pasażerów i przechodniów. Postulują, by do godzin pracy wliczać przerwę na lunch i oczekiwanie na właściwy skład.

Pracodawcy są głusi, więc w niedzielę 13 stycznia 1895 roku Rycerze Pracy (Knights of Labor) decydują się na branżowy brookliński strajk generalny. W poniedziałek pięć tysięcy pracowników nie wsiada do pojazdów lub odchodzi od maszyn. Brooklyn zostaje sparaliżowany.

Pierwszy dzień strajku jest spokojny. Nie interweniuje policja.

Pracodawcy nadal są nieugięci. Drugiego dnia zaczynają werbować łamistrajków na Greenpoincie, zwożą ich też z Bostonu i Filadelfii.

Związkowcy są wściekli.

Do łamania strajku pracodawcom najłatwiej przekonać najuboższych: niemówiących po angielsku, niezorientowanych emigrantów. To Włosi, Litwini i Polacy.

## W rękach księży

W 1876 roku Henryk Sienkiewicz, trzydziestoletni dziennikarz i aspirujący pisarz, wyrusza w dwuletnią podróż po Stanach Zjednoczonych. Towarzyszy mu grupa znajomych, wśród których jest aktorka Helena Modrzejewska. Wpływają do Nowego Jorku, ale celem jest Kalifornia, być może nawet utworzenie tam polskiej kolonii. Sienkiewicz swoje reportaże wysyła do „Gazety Polskiej" w Warszawie.

Zauważa, że tutejsi polscy emigranci ani trochę nie przypominają tych wyrafinowanych z Paryża.

> Emigrantami, w zwykłym znaczeniu tego wyrazu, nazywamy u nas ludzi, którzy z powodów politycznych, po czasach powstania lub zaburzeń, zmuszeni byli kraj opuścić. Tu, w Ameryce, żywioł ten stanowi niezwykle małą część i nie odgrywa żadnej roli. [...] Ogół jest arcykonserwatywnym, arcyreligijnym i zupełnie w rękach duchowieństwa. Stan taki rzeczy da się łatwo wytłumaczyć. Chłopi, z natury religijni, przybywając tutaj bez znajomości kraju, języka, stosunków, widzą w duchownym nie tylko pasterza dusz, ale swego pełnomocnika, radcę i sędziego. Kościół jest ogniskiem, około którego się grupują, nicią wiążącą ich z krajem, czymś swojskim, własnym, czymś ochronnym. Parafia staje się jednostką, nie tylko w znaczeniu duchownym, ale i socjalnym. [...] To w początkowym okresie po przybyciu do Ameryki dla polskich imigrantów niejako pomost łączący USA ze światem pozostawionym za oceanem. Pomost umożliwiający wejście w nowe życie*.

Uwagi Henryka Sienkiewicza można odnieść nie tylko do polskiej fali. Na przykład Greenpoint nazywany jest dzielnicą kościołów. Znajdują się tu między innymi: kościół pod wezwaniem Świętego Alfonsa na ulicy Kent przy Manhattan Avenue (dla katolików niemieckich), kościół pod wezwaniem Świętej Rodziny przy

* H. Sienkiewicz, *Listy z podróży do Ameryki*, wolnelektury.pl, bit.ly/3a3GLk9 (dostęp: 12.04.2021).

Nassau Avenue (jak wyżej), zbór luterański przy Milton Street, kościół reformowany przy ulicy Java (od 1848 roku modlą się w nim Holendrzy). W 1880 roku williamsburscy Żydzi planują kupić na Greenpoincie działkę, żeby zbudować bożnicę i szkołę, jednak ze względu na protest sąsiadów transakcja nie dochodzi do skutku.

Polacy modlą się na razie na Williamsburgu. Na swój pierwszy kościół na Greenpoincie czekają do 1896 roku. Zakłada go ksiądz wizjoner z Wejherowa.

## Wyżej niż Włoch

Charles Skinner, korespondent dziennika „Brooklyn Daily Eagle", w 1900 roku publikuje obszerny reportaż, w którym zwraca uwagę na ogromną rolę, jaką w dzielnicy odgrywa przemysł cukrowy. Już nie tylko rodzina Havemeyerów osadziła swoją fabrykę nad rzeką, także inni, przede wszystkim niemieccy wizjonerzy, tworzą tu światowe zagłębie rafinowanego cukru.

Za wizjonerami podążają niemieccy robotnicy. Razem z przybyszami ze Szwecji tworzą harmonijną wspólnotę. Mają swoje sklepy i kościoły; czasem widzi się na ulicy człowieka w stroju tyrolskim. Mimo że warzą piwo wszędzie, gdzie tylko da się wcisnąć mały browar między szeregowymi domami, nie spotyka się tu alkoholików. Urządzają tradycyjne zabawy, podczas których strzelają do celu oraz zajadają kiełbaski. Nie są wybitnie wykształceni, lecz w większości potrafią pisać. Nie notuje się też wśród Niemców wysokiej przestępczości. „Niewiele morderstw, dominują samobójstwa"*.

Skinner zauważa jednak, że w ostatnim czasie harmonia w dzielnicy jest zagrożona. Napływają *the Polacks*. Nie tylko chrześcijanie, ale też polscy żydzi. Próbują stworzyć swoje getta. Skinner tłumaczy niezorientowanym, że polski żyd różni się od polskiego chrześcijanina tak, jak Amerykanin od Francuza. Żyd nie znosi pracy na zewnątrz, woli szwalnię i mały sklepik, w którym szesnaście godzin sprzedaje sznurówki. Nie lubi natężać mięśni. Polak chrześcijanin jest tępy, niezbyt sprytny, niekoniecznie uczciwy, ale wierny

* „Brooklyn Daily Eagle", 18 marca 1900.

swojej rodzinie. Upija się głównie na ślubach, chrzcinach oraz pogrzebach i dba o to, żeby zdarzały się jak najczęściej. Żyje marnie. Aby oszczędzać pieniądze, ciężko pracuje, zwłaszcza w zawodach, które nie wymagają zbyt wiele umiejętności czy kombinowania.

Zanim przyszedł Polak, proste prace w cukrowni brał Irlandczyk. Ten nie dał sobie w kaszę dmuchać. Przede wszystkim chodził na wybory, a w tych lokalnych zawsze wystawiał swojego kandydata. Być może Polak też się kiedyś politycznie przebudzi, ale teraz wolałby kilka flaszek whisky zamiast stanowiska.

Niemiec i Irlandczyk boją się nowego Polaka, wystarczy popytać w cukrowni, dowodzi Skinner. Będzie pracował za najmniejszą sumę i nie kiwnie palcem, by zmienić swój los. Nie zadba o swoje prawa, nie zapisze się do związku. Jest pod całkowitą kontrolą pracodawcy. Kiedy rozmowa mieszkańców Greenpointu schodzi na Polaka, pojawiają się litościwy uśmiech lub wzruszenie ramion.

Oczywiście istnieją zwolennicy *the Polacks* gotowi przysiąc, że kiedy już zanurzą się oni w życiu dużego amerykańskiego miasta, to się zmienią. Być może nawet ucywilizują i będą się myć tak często jak każdy. Już teraz widać, że na Nowy Rok kobiety zmywają podłogi i czasem przebierają dzieci w czyste ubrania. W kwestii czystości Polak stoi bowiem wyżej od Włocha.

Antoni, 1906:

> Znów pojechałem z takim drugim z Broklina do New Yorku zobaczyć brata ciotecznego Andrzeja. On przijechał rok przede mną. Nie było go w domu robił na nocno zmiane. Zaśliśmy do Gazowni stałem chwile przuchodzi nadzorcza pyta cy ja był chciał robić jakiś czas, naturalnie że nie rozumiałem, ktoś mi przetłumacył, dał mi siufle i węgiel nasypywać na tacki, drudzy odwozili do pieczów. Słyszałem że w Ameryce chłop robi za konia wienc wziołem sie raźno żeby nadzorcza nie odprawił, bo chciałem czo zarobić i wstyd by było przed swoimi gdyby żem nie mógł wyrobić, ale też i robili za konia 12 godzin. Te czo do pieców sypali mieli 3 dolarów, ci czo dowozili 2, a my 1,25, ci czo piecze ładowali to wymiotowali od gazu. Porobiłem tak pare tygodni, zaczęła się wiosna,

dnie wienksze, mniej Gazu uzywali do oświetlenia, no i ostawili kilkanaście starsych robotników a nas wypłacili.

Kupiłem ubranie, zapłaciłem za życie i znów niewiele zostało. Brat z New Jorku wyjechał do kopalni wengla w Vest Wirginij. Odpisał, ze jak kto nie boi się zejść pod ziemie to i niezgorzej może zarobić i przisłał przekaz na 20 dolarów na drogę.

Wziołem tłumacza i poslismy zmienić na pieniondze. W Banku sie pytajo od kogo ja mam i ten przekaz, ja mowie od K. Oni na to tego ci nie zmieniem i odeślij ten przekaz skond jego mam bo mogę miec dużo kłopotów, wienczej nie wytłumaczyli. Mój tłómać też niewiele znał Angielscyzny, ja nie mogłem zrozumieć czo to może być, aż potem dowiedziałem się że brat z drugiemi pojechali na kompaniany koszt i ktoś im poradził żeby przesli pod inny zarzond tej samej kompanij i nazwiska zmienili to nie będo za podróż odrabiać. Brat się przezwał Franek Nowak. Cyli ja nadawał przekaz to ci w banku myśleli, ze ja cudzy przekaz chce zmienic, a za to jest duża karą.

Jak to niedobrze zmieniać nazwisko.

Drugi wypadek, był z namy razem Majk Winniski, przibrane imię i nazwisko gdzieś spod Krosna. W rok jak my opuścili kopalnie on ostał robić, wydarziła się Eksplozja pyłu wenglowego, 15 górników zginęło i napiszali listy do nas cy my nie wiemy o jego rodzinie, my tyle wiedzieli ze Majk. A wienc Rodzina się nie dowiedziała gdzie się podział.

Raz posliśmy na jedno zabawe, ludze starsi chłopy wonsale tanczo do upadłego. Paru Zidków gra zskreipcze [na skrzypcach] klarnet trombka no i nieodstępny bemben. Wszystko nieznajome. Wołajo jedni na drugich Halo acan, choc Majk, gdze robis, czy w Elektrowni cy w Pajpowni, cy mas dobrego Bosa, cy jeździs tramwajem.

Słysałem, ze jeden chłopak robi przi Kongresie dwa miesioncze jak przijechał z kraju. Myśle sobie jak to może być ja Gwardzista sie poniewieram a ten ni cytaty ni pisaty a do Kongresu się dostał. Zapewne ksiengi nosi za kongresmanami, a tu się okazało, że przi konkrece cyli miesaninie czementu ze żwirem taczkamy odwozi.

Tytoń tu ma inny smak, piwo zwłaszcza w polskich karczmach kupujo najpodlejsze. Posliśmy jeszcze po informacje do polskiego karczmarza salonysty. Tam i różni ludzie przechodzo i mapy na ścianach on nam tłomacy, że West Virginia to na westachy i tam najwięcej Nygrów.

Pojechaliśmy więc do New Jorku tramwajem, kupiliśmy bilety pokazawszy adres gdzie chcemy jechać, dali nam tasony jak kazali długe zapłacili po 18 dolarów z czentami mieliśmy chleb i kawał szynki żeby w drodze nie złazić z pociongu i się nie zgubić.

Pojechalimy do ty Virgini scescia szukac*.

* *Pamiętniki emigrantów. Stany Zjednoczone*, t. 1, red. J. Dziembowska, Warszawa 1977, s. 463.

# Beata Delicatessen, 984 Manhattan Avenue (3)

MIESZKO: Na rogu ulic Manhattan Avenue i India był sklep spożywczy prowadzony przez Arabów. Nie wiem, czy mieli coś przeciwko nam, w każdym razie dzień przed pierwszym Bożym Narodzeniem, kiedy ruch był ogromny, okazało się, że kłódki są zaklejone. Nie można podnieść kraty, nie można wejść, nie można wnieść towaru.

BEATA: A pod sklep podjechał właśnie samochód z chlebem, pierwsi klienci przytupują na mrozie.

MIESZKO: Zaczęliśmy wydłubywać klej z kłódek, żeby otworzyć kratę na tyle, aby wejść dołem do sklepu i towar nie mókł na śniegu.

BEATA: Za pół roku Arab sprzedał sklep.

MIESZKO: Innej konkurencji na Manhattan Avenue na północ od stacji metra Greenpoint Avenue nie mieliśmy. Byliśmy ostatnim przyczółkiem polskości. Na północ od ulicy Huron mieszkali niemal sami Portorykanie. Ale nie tylko. Raz zupełnie ciemnoskóra dziewczynka przyszła do naszego sklepu i czyściutką polszczyzną poprosiła o „Nowy Dziennik", pół chleba i dżem. Powiedziała, że właśnie wróciła z wakacji u babci pod Rzeszowem. Szczęki nam opadły.

BEATA: Jeśli wychodziłaś z metra na południe, to po lewej stronie miałaś The Green Farm Supermarket, czyli „U Chłopaków". Byli więksi i znajdowali się w bardziej eleganckiej części Greenpointu. Kiedyś zadzwonił telefon. „Dzień dobry, dzwonię z The Green Farm, inspektorzy sanitarni idą do was, facet w zielonym płaszczu".

Nie musieli, a ostrzegli. To jest dowód, że Polacy potrafią sobie pomagać.

MIESZKO: Bałem się, że przyjdzie mafia. Filmy się oglądało.

BEATA: Tylko o śmieciową się otarliśmy. Okazało się, że nasze śmieci może wywieźć jedynie włoska firma związana z miastem. Firmy podzieliły się Brooklynem i nie można było negocjować stawek. Zdarzało się, że płaciliśmy sto dolarów za wywóz, niezależnie od ilości. Kiedy przyszedł [Rudy] Giuliani, cena spadła do czterdziestu dolarów. Bardzo z mężem żałujemy, że na starość zwariował.

## Logistyka

MIESZKO: Nie wiedzieliśmy, jak się prowadzi sklep, ale nasi dostawcy wiedzieli. Przyjeżdżał facet z napojami. Ja: „Poproszę dwulitrowe cole". Facet widzi, że jestem nowy: „No way, man, bierz puszki, szybciej ci zejdą".

BEATA: Uczyliśmy się od klientów i od pani Marysi, sprzedawczyni, która pracowała w sklepie od dziesięciu lat. Nie mogła się nadziwić, jak Mieszko rozmawia z klientami.

MIESZKO: Przychodzi facet, widać, że go żona przysłała z kartką, i pyta, czy mam liść laurowy. Zapytałem go, czy na wieniec potrzebuje, czy do czegoś innego. Nie kupił żartu, zaczął dopytywać, czy sprzedajemy wieńce. Marysia wznosiła oczy: „Boss, jaki wieniec laurowy?".

BEATA: Ciągle się wygłupiałeś.

MIESZKO: Jak według ciebie miałem tam wytrzymać?

BEATA: Przychodzi facet i pyta, czy mamy żyletki, bo ogolić się nie ma czym. Powiedzieliśmy mu, że jak będzie wracał z roboty, to będą. Mówię do Mieszka: „Jedź na Bay Ridge, kup kilka paczek". Sprzedawaliśmy je na sztuki z przebiciem czterokrotnym, szły jak gorące bułki.

MIESZKO: Różniliśmy się od innych sklepów tym, że przyjmowaliśmy banknoty większe niż dwadzieścia dolarów. Amerykanie posługują się dwudziestodolarówkami, w sklepach są napisy, że większych nominałów nie przyjmują, tylko dwudziestki.

BEATA: Na Greenpoincie dwudziestki były tak popularne, że jak po Manhattan Avenue od sklepu do sklepu chodził facet z walizką i sprzedawał fałszywe dwudziestodolarówki po dziesięć dolarów, to ludzie masowo kupowali.

MIESZKO: Nie skorzystaliśmy, ale i tak zdarzało się, że ludzie płacili fałszywymi dolarami, a my nie zauważyliśmy. W banku, kiedy wpłacaliśmy utarg, zauważyli.

BEATA: Uprzejmie przeprosiliśmy, oni uprzejmie wysłuchali, ale gdyby to się zdarzało częściej, wezwaliby FBI.

MIESZKO: Na koniec dnia trzeba było sklep wysprzątać. Musiało być czysto, noże przygotowane, kawa do filtrów przesypana, majonez w wielkim pojemniku. O szóstej rano już była kolejka, ludzie szli do pracy. Chcieli szybkiej kawy i kanapek. Następny szczyt mieliśmy, jak wracali.

BEATA: Za ladą dowiadywałam się o Polsce rzeczy, o których nie miałam pojęcia. Większość klientów pochodziła przeważnie z terenów między Łomżą, Białymstokiem a Ostrołęką. Mówili na to „Trójkąt Bermudzki". Od innych dowiedzieliśmy się, że są Kurpie Zielone i Białe.

MIESZKO: A oni od nas, że jest Śląsk i Zagłębie. Że jak gdzieś płynie Przemsza, to Ślązak może dostać w trąbę.

BEATA: Ludzie zamawiali potrawy, które by nam do głowy nie przyszły, a być musiały. Kiszka ziemniaczana? Sękacz? Zupa grzybowa na święta Bożego Narodzenia?

MIESZKO: Pani Zosia, która kupowała u nas dwa razy dziennie, w drodze do pracy i z pracy, krzyczała do mnie, że barszcz na wigilię to profanacja. Tak sobie miło rozmawialiśmy. Raz przyszedł klient i mówi, że przyjechał z Warszawy. A z jakiej dzielnicy, pytam. Z Ostrołęki. Nie skomentowałem, nie chciałem go do siebie zrażać. Potem już po zamówieniach poznawaliśmy miejsce urodzenia. Pierogi z kaszą? Białystok.

BEATA: Myśmy się podzielili. Ja byłam odpowiedzialna za to, co stoi na półkach, Mieszko za lodówki: napoje, sody, nabiał, wędliny.

MIESZKO: Polacy kochali lastriko, czyli salceson. Kiedy go kroiłem, zbierało mi się na wymioty. Pytałem: „Jak wy to możecie wsadzać do ust?".

BEATA: Klienci kochali *nasz* salceson.

MIESZKO: Ale to nie salceson uczynił nas zamożnymi ludźmi, tylko azbest i kobiety sprzątające.

## Azbestowcy

MIESZKO: Stan Nowy Jork stwierdził, że wszystkie budynki użyteczności publicznej muszą być obrane z azbestowej izolacji. Odkryto, że jak się azbest kruszy, to jest szkodliwy. Moim zdaniem to był związkowy biznes. Przyszły związki i powiedziały, że każdy, kto zdejmuje ten azbest, musi dostawać dwadzieścia pięć dolarów za godzinę. Stawki doszły do czterdziestu dolarów. Pracowało się w strojach szczelnych, z kosmiczną ochroną. To były wielkie pieniądze. Wtedy na budowie zarabiało się siedem, niektórzy zaczynali od 3,75 za godzinę. Pomyśl o tym, ile w Polsce wart był dolar. Oczywiście część prac azbestowych zostało zleconych firmom zatrudniającym pracowników przebywających nielegalnie. Wtedy te wyśrubowane stawki nie obowiązywały, zabezpieczenia też nie. Nie muszę dodawać, że były to firmy przede wszystkim polskie, prawda? Dziś też ściąga się azbest, ale robią to Koreańczycy w maskach za trzydzieści centów każda.

BEATA: W piątek po południu oni się wysypywali z vanów i szli naprzeciwko do lakierni, czyli do monopolowego, liquor store'u Basi, a potem do nas. Do Basi po wódkę, do nas po zagrychę. Przyjeżdżali po zakupy z innych dzielnic.

MIESZKO: Biznes w piątki i w sobotę był niesamowity. Mieliśmy tylko trzy rodzaje kiełbasy, jedną lodówkę; kiełbasy szły jak woda. To był początek lat dziewięćdziesiątych, dekadę później mieliśmy piętnaście rodzajów kiełbas i nie miał ich kto kupować. Lata dziewięćdziesiąte to był hype. Myśmy się wszystkiego dorobili na początku lat dziewięćdziesiątych. Chłopcy azbestowcy ćwierć wypłaty zostawiali w lakierni i ćwierć u nas. Poza pracą i relaksem w piątek nic ich nie interesowało, nic. Kochamy ich, ale byli zupełnie bezradni poza szlakiem: subway, azbest, lakiernia i my. Jak z dowcipu: „Czy pan zna angielski? Osobiście nie, ale słyszałem dużo dobrego".

Miejsce szkoleń pracowników ściągających azbest

## Lousy

MIESZKO: W latach osiemdziesiątych nie mieliśmy żadnego polskiego towaru. Ale przyjechał do nas gość, Wiesiek, i powiedział, że ma polskie piwo od marynarzy ze statku. Okazało się, że marynarze z Polskich Linii Oceanicznych składali się i zanim weszli na statek, ochmistrz kupował w Baltonie piwo, ile wlezie. Ładowali je do jednej kabiny i tę kabinę zamykali. Jak wpływali do portu w Elizabeth pod Nowym Jorkiem, to podjeżdżał Wiesiek, weteran z Wietnamu notabene, ładował skrzynki i sprzedawał na Greenpoincie.

Myśmy od niego kupowali. Afera się zrobiła, kiedy zaczęli przywozić Marlboro i sprzedawać kartony prosto z vana przy Unii Kredytowej na Manhattan Avenue, po pięć dolarów paczka. Tylko że na rogach były kioski arabskie, w których nagle sprzedaż spadła do zera. Ze względu na podatek stanowy nie mogli legalnie sprzedać paczki papierosów za mniej niż jedenaście dolarów.

BEATA: Ci na rogu zadzwonili na policję, policja na FBI. Agenci zamknęli wszystkich marynarzy z tego statku. Byli obywatelami obcego państwa złapanymi na przestępstwie finansowym. Wiedzieliśmy, że musimy uważać, jeśli chodzi o papierosy. W 1997 roku wszedł facet i powiedział, że ma tańsze papierosy z Wirginii, które możemy sprzedawać na sztuki, żeby nie było widać banderoli z obcego stanu. Nowojorskie były droższe, bo podatki w Nowym Jorku znacznie wyższe. Lousy, czyli papierosy bez opakowania, były towarem chodliwym wśród naszych mniej zamożnych klientów. Powiedziałam, że nie jestem zainteresowana. Facet wyszedł.

MIESZKO: Potem okazało się, że złapali piętnaście sklepów na Greenpoincie. Trzeba było być czujnym, bo przychodziły podstawiane nastolatki i prosiły piwo. Jak sprzedałaś, zza pleców wyskakiwał inspektor i wlepiał karę.

BEATA: Raz nasza pracownica sprzedała piwo nieletniemu czarnoskóremu chłopcu. Tłumaczyła się, że nie rozpoznała w nim dziecka. Kosztowało nas to pięć tysięcy dolarów.

## Ashley

BEATA: W 1992 roku urodziła się nasza córka. Przyjechała moja mama, żeby nam pomóc, ale bywało, że obsługiwałam klientów z Ashley na ręku.

MIESZKO: Powiedz, dlaczego Ashley.

BEATA: Na złość rodzinie oczywiście. O ile dla syna wybraliśmy imię międzynarodowe, używane w Polsce, to imię córki miało być amerykańskie. Żeby rodzina się trochę wysiliła. Żeby rozumieli, że my mieszkamy w Stanach Zjednoczonych i że nasze dzieci należą do tego świata.

## Święta

BEATA: Pracowaliśmy na zmianę, prawie się nie widywaliśmy. Wspólne spotkanie przy stole tylko w sobotę, jak w porządnej żydowskiej rodzinie, bo w sobotę do sklepu jechałam rano, a Mieszko wieczorem zamknąć. Pracował całą niedzielę.

Przed świętami był największy utarg. Pracowaliśmy po osiemnaście godzin na dobę, jak w transie. Ludzie kupowali tony jedzenia; zastanawiałam się, ile można zjeść i ile się potem zmarnuje. Raz w święta zorientowaliśmy się, że nic nie ma w naszej lodówce. Zupełnie. Mówię: „Mieszko, zejdź do sklepu, weź kawałek kiełbasy, chrzan i jajo, urządzimy święta".

MIESZKO: Kiedyś dzieci przyszły do kuchni i zobaczyły, że jesteśmy razem. Wystraszyły się, że stało się coś złego. Kto pilnuje sklepu? „Nikt – odpowiedziałem. – Jest Wielkanoc, Ashley. Otwieramy dopiero jutro".

BEATA: Raz w roku zostawialiśmy sklep pod okiem naszych pracowników, tylko raz. Pakowaliśmy dzieci i jechaliśmy na Florydę. Tam zawsze było dla nich mnóstwo atrakcji. Po tygodniu musieliśmy wracać, żeby pilnować biznesu. Jak nie przypilnujesz, to ci pracownicy wystawią szynkę, która na tyłach lodówki leżakuje od dwóch tygodni. Po linii najmniejszego oporu.

MIESZKO: Kiedy mama Beaty przyjechała pomóc nam przy dzieciach, szczęka jej opadła. Dowiedziała się, co to znaczy praca w Ameryce. Była przerażona.

## Awans

MIESZKO: W latach dziewięćdziesiątych sporo dziewczyn przychodziło szukać pracy. Płaciliśmy pięć dolarów na godzinę, taka była stawka, ale zaraz je wyrzucaliśmy. „Wracajcie na studia, w sklepie nie ma kariery, nie ma awansu, będziesz sprzedawała pasztetową i lastriko do końca życia. To nie ma sensu. Chcesz skończyć jak my?"

BEATA: Byliśmy szczęśliwi, kiedy dziewczyna zaczynała naukę w college'u. Stawaliśmy na głowie, żeby dostosować jej pracę do rozkładu zajęć.

MIESZKO: Naszą ambicją było, żeby noga naszych dzieci nigdy nie stanęła za ladą. Nigdy. Dzieci miały iść na studia, których my nie skończyliśmy. Uczyliśmy się od Żydów. Pierwsze pokolenie zarzyna się w sklepie, drugie idzie na prawo lub medycynę, trzecie pokolenie zajmuje się filozofią. Dzieci skończyły uniwersytety: w Princeton i na Florydzie. Kiedy będę miał wnuki, będę prowadzał je do teatru i do muzeów. Tam, gdzie sam nie byłem.

# Rozdział v. Stabilizacja

## Parafie

Ksiądz Wacław Kruszka, osadnik i aktywista, podróżuje po Stanach Zjednoczonych, by na własne oczy zobaczyć walkę wychodźców o zachowanie wiary, ustalenie tożsamości i zdobycie pieniędzy. W 1905 roku oddaje do druku trzynaście tomów *Historii polskiej w Ameryce*, wydanej pod auspicjami Archiepiscopus Milwaukiensis.

Polska parafia, widzi ksiądz Kruszka, jest dla emigranta jedyną znaną formą życia społecznego. Nie lubi on uczęszczać do kościoła amerykańskiego, ponieważ śpiewa się w nim nieznane pieśni, kalendarz nabożeństw jest dziwaczny, a miejscowy ksiądz nie może wyspowiadać, bo nie rozumie ani słowa. Trudno go polubić, jeśli jest Niemcem. Emigrant musi więc skrzyknąć się z innymi, zebrać pieniądze na budowę i wystarać się o polskiego księdza. Modlić się, by z Europy przypłynął duszpasterz odpowiedzialny i zaangażowany, a nie karierowicz pragnący łatwego życia na koszt parafian. Albo nawet fałszywy ksiądz.

Budowanie wspólnoty to droga przez mękę.

Kruszka zauważa, że parafianie z rejonu Nowego Jorku, w tym Brooklynu, mimo swojej liczebności mają większe niż gdzie indziej kłopoty z samoorganizacją. Jeśli chodzi o Manhattan, kłopoty wynikają z podejrzanej tkanki społecznej. Dzielnica ma opinię „ogniska cyganerii". Lądują tu emigranci polityczni, rozbitkowie ze wszystkich warstw społecznych, o niepewnej moralności:

> Lud roboczy i wiejski tworzący warstwę podstawową kolonii polskich w Ameryce tutaj jest tylko domieszką; widzimy go więcej

w okolicach New Yorku, w Brooklynie czy Jersey City i dalej w głębi Stanów. [...] Brak tu tej poczciwej masy ludowej, która zarobionymi krwawą pracą centami i dolarami podtrzymuje byt pism polskich i byt parafii polskich. Hrabiowie galicyjscy, prawdziwi i podszywani, wykolejeni artyści, niedokończeni studenci uniwersytetu, których takie lub inne losy przepędziły za ocean, złota młodzież z polskich stolic, kantorzyści, niekiedy zwykli kryminaliści, a obok niejedna zdolność prawdziwa, niejedno serce przez okoliczności zwichnięte – oto żywioły, które w pewnej części stanowiły światek półinteligencji nowojorskiej, przez niejednych wprost „szumowinami" nazwany. Obracał się on koło paru knajp polskich, z których najpierwszą dziś już nieistniejąca restauracja „Matki" Budzyńskiej*.

Z powodu tej różnicy mieszkańcy Greenpointu na Brooklynie, ta opisywana przez księdza „poczciwa masa ludowa" czy miejsko-wieśniacza, przez następne sto lat spoglądają na Manhattan z pogardą, wstrętem, zazdrością lub tęsknotą. Mimo coraz doskonalszych szlaków komunikacyjnych podróż z Greenpointu na Manhattan okaże się dla wielu z nich znacznie bardziej skomplikowana niż półgodzinny spacer przez most nad East River.

Kruszka ubolewa, że nad „poczciwym i niezepsutym ludem wszechwładnie panują Niemcy i Żydzi"; twierdzi, że wtykają długie nosy nawet w sprawy kościelne.

Pierwsza nowojorska parafia, pod wezwaniem Świętego Stanisława, powstaje w znoju w roku 1875. Polscy emigranci muszą pokonać przeszkody wewnętrzne (brak zaufania parafian do siebie nawzajem i do kolejnych duszpasterzy) oraz zewnętrzne (niechęć hierarchów irlandzkich i niemieckich). Niemcy, którzy osiedlili się najwcześniej, mają wyższą pozycję społeczną. Irlandczyków mieszka tu za to trzy razy więcej niż Niemców i Polaków. Swoje miejsce na szczycie katolickiej hierarchii kościelnej w Ameryce wywalczyli z trudem, zdarzyło się nawet, że z bronią w ręku†.

* W. Kruszka, *Historia polska w Ameryce*, t. 12, Milwaukee 1905–1908, s. 81.

† W pierwszej połowie XIX wieku w Stanach zaczęły powstawać silne ruchy antykatolickie. Najbardziej znane to Know Nothing i American Protective

Nie są zainteresowani dzieleniem się władzą z nowo przybyłymi duchownymi z Polski, dla których ważna jest odrębność i polskość parafii. Oczekują subordynacji i amerykanizacji.

Irlandzki kardynał McCloskey, miejscowy arcybiskup, sprzeciwia się pomysłowi utworzenia polskiej parafii, więc jeden z księży prosi wytwornego hrabiego Piotra Leliwę Wodzickiego, wychowanka jezuitów, osobę cieszącą się poważaniem w mieście, by wstawił się u hierarchy. Przejęty Wodzicki przemawia jak Cyceron, po łacinie – ale kardynał łaciny nie zna. Kiedy hrabia wyłuszcza w języku angielskim, że Polacy potrzebują kościoła, McCloskey odpowiada, że akurat Polacy mogą się modlić w chlewie.

Parafia powstaje, lecz zmienia adresy, popada w długi, proboszczowie gubią akt własności, niejasności z tym związane doprowadzają do zamknięcia kościoła, a sprawy sądowe ciągną się latami. W końcu parafianie składają się na zakup budynków przy 7 Ulicy na Manhattanie i budują reprezentacyjny kościół z czerwonej cegły. Na początku XX wieku parafia liczy dwieście rodzin, jednak proboszczowie narzekają, że tylko połowa przychodzi w niedzielę.

Association. Żądano proskrypcji dla katolików, pozbawienia obywateli urodzonych poza Stanami Zjednoczonymi urzędów publicznych oraz prawa do ich sprawowania we władzach stanowych, federalnych i municypalnych. Ruchy te uderzały przede wszystkim w Irlandczyków, ponieważ stanowili oni najbardziej zwartą grupę wśród emigrantów i to oni zaczęli w skali masowej „umacnianie Kościoła katolickiego". Umacnianie to spotykało się ze sprzeciwem legalnym i nielegalnym. W 1834 roku w Charlestown w Massachusetts spalono klasztor urszulanek. Dziesięć lat później tłum napadł na kościoły w Filadelfii, dwa z nich spalił. Celem stało się też irlandzkie getto, palono domy i mordowano mieszkańców. W 1851 roku doszło do incydentów w Providence na Rhode Island – w nocy zaatakowano żeński klasztor. Irlandczycy, kierowani przez swojego biskupa, zorganizowali grupy samoobrony. Zamieszki wybuchały aż do lat sześćdziesiątych, kiedy stało się jasne, że katolicy, których było już dziesięć procent, na dobre stali się częścią amerykańskiego społeczeństwa. W latach dziewięćdziesiątych XIX wieku prawie cała katolicka hierarchia była irlandzka, a w roku 1930 na sto dwadzieścia diecezji sto osiem zajmowali Irlandczycy. Zaczęli oni zwalczać nieprzychylnych im arystokratycznych katolików amerykańsko-francuskich i niemieckich, a następnie polskich.

Na Brooklynie też są kłopoty. Parafię pod wezwaniem Świętego Kazimierza w dzielnicy Williamsburg zakłada ksiądz Józef Niedzielski. Proboszczem ma być niejaki ksiądz Marcinkowski; uchodzi za zacnego i świątobliwego. Niestety zostaje otruty przez organistę.

## Podstęp

Nie wiadomo, czy ksiądz Leon Wysiecki jest bohaterem, szaleńcem bożym czy biznesmenem. Do Ameryki trafia jako świecki czternastolatek z Luzina pod Wejherowem w 1880 roku. Jedzie do Detroit, do polskiego seminarium duchownego. Święcenia otrzymuje już na Brooklynie, z rąk biskupa Johna Loughlina, w listopadzie 1891 roku. Ma zaledwie dwadzieścia sześć lat, gdy zostaje proboszczem parafii Świętego Kazimierza.

Nie wiadomo również, jak wpada na pomysł, by zbudować nowy polski kościół akurat w tej części Greenpointu, gdzie Polaków mieszka garstka.

Emigranci z Polski osiedlają się na razie po przeciwnych stronach osi, jaką jest Manhattan Avenue: mieszkają przy ulicy Box i w Williamsburgu. Ulice Driggsa i Humboldta, gdzie wolnych działek wypatruje młody duchowny, znajdują się w połowie drogi między tymi skupiskami, za to w centrum „Małej Germanii", zamieszkanej przez protestantów niemieckich lub Amerykanów niemieckiego pochodzenia. Przyszli polscy parafianie z ulicy Box i Williamsburga uważają, że pomysł jest niedobry. Po pierwsze – będą mieli daleko na mszę, po drugie – nie wiadomo, czy niemiecki protestant sprzeda działki polskiemu księdzu. Zwłaszcza że są przekonani, iż nawet za oceanem rządy zaborcze szerzą propagandę, jakoby Polacy byli rasą niższą od innych.

Wysiecki jest jednak wizjonerem przebiegłym. Wychował się w zaborze niemieckim, mówi bez akcentu, a kupno działek zleca pośrednikowi. Sprzedający nie mają pojęcia, że wpuszczają konia trojańskiego. Orientują się przy podpisaniu aktu notarialnego 12 października 1894 roku. Na jego mocy Wysiecki, a dokładniej biskup diecezji brooklińskiej, nabywa budynki za 10 tysięcy pożyczonych dolarów.

6 grudnia biskup święci kościół tymczasowy (dwa piętra) i szkołę (w piwnicy). Koszt – 27 tysięcy dolarów.

Rok po akcie notarialnym stoi nowa plebania, a siedem lat później zaczyna się budowa nowego kościoła. Ma kosztować 75 tysięcy dolarów, co jest sumą niebotyczną. Składają się polscy emigranci, którzy w fabrykach zarabiają 12 dolarów tygodniowo. „Zapraszam do ofiary w imię Pana Jezusa i honoru narodowości naszej" – wzywa Wysiecki, a odzew napawa go optymizmem. Nawet dzieci biegają po domach, by zbierać pieniądze. I to mimo że „pojawiają się nieprzyjaciele wiary, by poróżnić parafian między sobą i przeszkodzić budowie*". Ale jeszcze nieskutecznie. Sam Wysiecki dokłada z własnej kieszeni 10 tysięcy dolarów.

W 1903 roku na rogu alei Driggsa i ulicy Humboldta stoi już neogotycki kościół z dwiema strzelistymi wieżami. Ma 21 metrów długości, 20 szerokości, wysokość wież to 42 i 46 metrów. Jest w nim 1250 miejsc siedzących. To największy polski kościół w Nowym Jorku†.

Kiedy ksiądz Wacław Kruszka dociera tu w 1904 roku, kościół pod wezwaniem Świętego Stanisława Kostki jest już centrum osadnictwa polskiego w tej części miasta. Notuje: „Brooklyn posiada bardzo liczną, przeszło sto tysięcy osób liczącą Polonię, która obrała sobie za siedlisko Greenpoint‡".

W tym samym roku Wysiecki chrzci 629 dzieci, rok później o sto więcej. Udziela odpowiednio 173 i 243 śluby. Nie wyprawia żadnego pogrzebu. Między 1896 a 1900 rokiem rodzi się 1355 dzieci. W następnym pięcioleciu w księgach parafialnych notuje się 3167 narodzin. Spowiedzi słucha się do pierwszej i drugiej w nocy.

W 1918 roku aż osiemdziesiąt procent mieszkańców Greenpointu ma rodziców urodzonych poza USA. Połowa z nich jest Polakami.

* D. Piątkowska, *Polskie kościoły w Nowym Jorku*, Nowy Jork–Opole 2002, s. 320.

† S. Kumor, *W kierunku setnej rocznicy parafii św. Stanisława Kostki*, Nowy Jork 2005.

‡ W. Kruszka, *Historia polska w Ameryce*, dz. cyt., t. 12, s. 90.

Franciszek Stuer SJ, 1900:

Przyjechaliśmy wczoraj wieczorem do Brooklyna, w niedzielę rozpoczniemy tu ośmiodniowe misje. Tutejsza parafia liczy około siedemset familii, to jest takich, którzy kochają Boga, ale dwa razy większa jest liczba takich, co o kościół i o polską szkołę katolicką już nie dbają. O ile można sądzić z opowiadań, w Brooklynie między Polakami stosunki katolickie muszą być nie bardzo pochlebne. Nie ma tu wprawdzie niezależnego kościoła, ale za to partia narodowców polskich jest tu bardzo mocna. Kto należy do tej partii, tego niewiele interesuje Kościół i Bóg, dlatego podczas naszych misji będziemy się starali, aby takowych oziębłych w wierze znowu pozyskać dla Kościoła.

Ja zawsze od piątej rano będę miał naukę i mszę dla tych robotników, którzy podczas dnia nie mogą uczęszczać na naukę, a prócz tego będę nauczał także w ciągu dnia.

We wtorek zaczniemy słuchać spowiedzi, to znaczy siedem lub osiem godzin, czasem do dwunastej w nocy. Najwięcej spowiedzi słuchamy od siódmej godziny począwszy aż do północy. Dziś jeszcze pójdziemy do biskupa brooklińskiego, aby się jemu przedstawić, a zarazem poprosić o błogosławieństwo*.

## Z ksiąg parafialnych

Z ksiąg parafialnych wynika, że rodzice nowo narodzonych przypłynęli na Greenpoint z różnych regionów Polski oraz z Dolnego Manhattanu. Najwcześniej z Bydgoszczy, Włocławka, Płocka, Przasnysza, Białegostoku i Rostkowa (gdzie urodził się patron kościoła). Druga grupa wywodziła się z Małopolski (okolic Tarnowa) i Rzeszowa, trzecia z Pomorza, czwarta z Poznańskiego, a najpóźniejsza, po drugiej wojnie światowej – z kresów: Wilna i Lwowa.

* *Burzliwe lata Polonii amerykańskiej. Wspomnienia i listy misjonarzy jezuickich 1864–1913*, oprac. L. Grzebień SJ, Kraków 1983, s. 131.

Ignacy Paderewski w czasie jednej z wizyt w Nowym Jorku
między 1915 a 1920 r.

Urzędnicy kościelni spisują najważniejsze wydarzenia pierwszych dwudziestu lat istnienia parafii. Jest to najściślejsza dostępna kronika rosnącej polskiej dzielnicy.

W 1905 roku wizytę składa polski arcybiskup, wysłannik papieża. Ma zbadać skargi księży na kolegów z Niemiec i Irlandii, którzy teraz torpedują plan ustanowienia polskiej diecezji w Chicago.

Od 1912 roku przy parafii zaczynają się tworzyć organizacje kadetów i Sokoła, czyli paramilitarne i sportowe patriotyczne grupy młodzieżowe.

W marcu 1916 roku z wizytą na Greenpoint przyjeżdża małżeństwo Paderewskich. Maestro koncertuje nie tylko w wielkich salach Manhattanu, jest także częstym gościem na Brooklynie – w grudniu poprzedniego roku gra w Akademii Muzycznej (bilety kosztują od jednego do dwóch i pół dolara). Teraz jednak występuje w sprawie polskiej. W Europie trwa wojna, Polacy walczą w mundurach państw zaborczych, politycy, przede wszyscy emigracyjni, starają się na nowej mapie wyszarpać miejsce dla wolnej Polski. Dzielnicę odwiedzają emisariusze obu głównych nurtów politycznych obecnych na ziemiach polskich po 1900 roku i ich liderów: bardziej popularnego wśród Polonii, związanego z Kościołem katolickim nacjonalisty Romana Dmowskiego i odwołującego się do tak zwanych sił postępowych Józefa Piłsudskiego.

Paderewski jest najbardziej wpływową postacią Polskiej Rady Narodowej, której przewodniczy pierwszy polski biskup w Stanach Zjednoczonych Paweł Rhode. Mowa pianisty jest płomienna, jej celem jest łączenie Polaków we wspólnej sprawie. Rada, a dokładniej stworzony przez radę komitet z Paderewskim na czele, ma wpływać na amerykańską opinię publiczną i zbierać fundusze na pomoc materialną dla odradzającej się Polski.

Chętni do walki Polacy na Greenpoincie, podobnie jak w całych Stanach Zjednoczonych, mogą być zdezorientowani. Do jakich sił dołączyć? Walczyć z Niemcami przeciwko Rosji? Czy z Rosją przeciwko Niemcom? Dopiero jasny sygnał o tworzeniu się we Francji Armii Polskiej generała Józefa Hallera rozwiewa wątpliwości. Dla wielu ochotników jest już jednak za późno – kiedy Stany Zjednoczone przystępują do Wielkiej Wojny, mężczyźni z Greenpointu, w tym Polacy z obywatelstwem amerykańskim, dostają powołanie do US Army. Mimo to w 1918 roku osiemdziesięciu parafian rusza do Europy, do Hallera. Niemal wszyscy wracają po 1920.

## Groźby

Ksiądz Wysiecki ma wrogów. Pewnego letniego dnia w 1909 roku nieznani polscy szantażyści wysyłają anonim, że pozbawią go życia, jeśli nie przyniesie w umówione miejsce należnych (nie precyzują za co) czterech tysięcy dolarów. Zaalarmowani policjanci spędzają noc we wskazanym miejscu, ale nie widzą nikogo, kto mógłby chcieć odebrać gotówkę. Uznają więc, że ksiądz za bardzo bierze sobie do serca żarty swoich wiernych. Jedno jest pewne: wraz z powiększaniem się parafii rośnie też liczba parafian niechętnych. Niektórym chodzi o to, że ambicje księdza przekraczają wydolność finansową tutejszych Polaków. W 1914 roku na przykład proboszcz zbiera na marmurowy ołtarz, elektryczny kandelabr, zegar na dzwonnicy, a później miedziany dach. Prócz powyższych wydatków parafianie muszą jeszcze uciułać trzydzieści pięć tysięcy dolarów na remont szkoły. W grudniu 1921 roku pożar spowodowany przez pęknięty świecznik dewastuje prezbiterium i ołtarz główny. Potrzeba kolejnych czterdziestu tysięcy dolarów.

Wybucha bunt. Parafianie przysyłają listy, odmawiają dawania na tacę, obrzucają proboszcza wyzwiskami.

Powodów jest kilka. Po pierwsze: naciski finansowe. Po drugie: część polskich katolików (zwłaszcza ci z północnej części Manhattan Avenue) wciąż ma pretensje, że kościół jest za daleko. Po trzecie: pojawiają się katoliccy nacjonaliści, którzy chcą założyć niezależną od władz w Rzymie polską parafię narodową. Takie parafie powstają właśnie w całych Stanach Zjednoczonych. Wielu emigrantów nie ma zamiaru podporządkować się obcojęzycznym biskupom. Chodzi o dumę, ale też o problemy językowe i amerykańskie prawo, zgodnie z którym to wierni finansują budowę kościoła i parafii, lecz jej właścicielem jest biskup. Pierwsza parafia narodowa na Greenpoincie zawiązuje się w 1922 roku.

Ksiądz Wysiecki nie wytrzymuje presji i we wrześniu wyjeżdża nagle do Polski. Już nie wraca.

Irlandzki biskup wyznacza duchownych ze Zgromadzenia Księży Misjonarzy św. Wincentego a Paulo. Prowadzą parafię do dziś.

## Męczennik

Rozwój polskich enklaw etnicznych, w tym tej na Greenpoincie, nie jest tematem pierwszego wyboru dla zajmujących się imigracją socjologów amerykańskich. Jeśli się nad nimi pochylają, najczęściej eksponują ich homogeniczność, niepoddające się zmianom trwanie w tradycji, przywiązanie do Kościoła, silne więzi ze Starym Krajem, a przede wszystkim z językiem polskim (i słabsze z angielskim).

Kiedy jednak pochylą się z większym zaangażowaniem, ich oczom ukazuje się bardziej złożony i skomplikowany obraz.

Profesor John Bukowczyk z uniwersytetu w Wisconsin przyjrzał się próbom założenia polskiej parafii w Williamsburgu przez powstałe w tym celu Stowarzyszenie Świętej Trójcy. Kilka osób ze stowarzyszenia zajęło się zbieraniem pieniędzy wśród wiernych. Zbierający ustalili, że z każdego pozyskanego dolara pobiorą trzydzieści pięć centów za fatygę. Pod budowę kościoła kupili drogie działki – przepłacili, bo od wysokości transakcji zależała ich prowizja. W krótkim czasie rosnący majątek członków stowarzyszenia wywołał bunt parafian; pobili ich na pikniku dobroczynnym. Interweniował biskup Loughlin: na prośbę buntowników przysłał duchownego, by uczciwie poprowadził dalszą zbiórkę.

Nowy ksiądz nazywał się Juodisius, przyjechał z Shenandoah w stanie Nowy Jork, mówił po polsku i litewsku. Obiecał, że prowizje nie będą pobierane. Problemy jednak nie wygasły, ponieważ ksiądz odmówił umieszczenia w powstającym kościele reklamy karczmy prowadzonej przez parafianina zaangażowanego wcześniej w lukratywną zbiórkę. Parafianin ten, George Mickiewicz, w Ameryce Miller, zaczął akcję pisania donosów na księdza.

Rok po wmurowaniu kamienia węgielnego kościół został przejęty za długi. Juodisius był uparty, więc za zebrane pieniądze kupił działkę w swoim imieniu, doprowadzając do furii biskupa, i odprawiał msze mimo zakazu. Konflikt trwał jeszcze trzy lata, po czym nieruchomość wystawiono na aukcję. Księdza oskarżono o romans z gospodynią, która była szwagierką jednego z jego wrogów.

Profesor Bukowczyk uważa, że po pierwsze: powstawanie parafii miało też charakter biznesowy. Po drugie: owszem, członkowie polskiej enklawy czuli się zagrożeni w obcym świecie, w morzu obcojęzycznych imigrantów. Byli jednak zagrożeniem również sami dla siebie.

Wojciech, 1905:

> Miałem czternaście lat, kiedy w październiku wysłano mnie z naszej Lubatówki na Przełęczy Dukielskiej. Po morskiej mordędze dobiliśmy do Nowego Jorku. Wielu pasażerów było słabych, chorych, musiano ich na noszach wynieść na ląd. Ponieważ nie miałem

pieniędzy, Urząd Emigracyjny zatrzymał mnie w Nowym Jorku i telegrafował do mojej ciotki, aby po mnie przyjechała. Ciotka wysłała Jana Wałtosza, naszego sąsiada z Lubatówki. Po czterech tygodniach zostałem dostawiony, jak żywa paczka z naklejoną nań zieloną kartką, do miejsca przeznaczenia u mojej ciotki.

Ciotka i jej mąż Florian ciężko pracowali w fabryce.

Robotnicy polscy nosili skromne, tanie ubrania, nie interesowały ich ani gazety, ani książki, nie uczyli się języka angielskiego. Pragnęli jedynie zarobić i powrócić z pieniędzmi do swojej wsi. W niedzielę szli do irlandzkiego kościoła, chociaż z kazania nic nie rozumieli. Dawali składki kościelne, a po obiedzie kładli się do łóżek i odpoczywali po całotygodniowej harówce.

Poznałem rówieśników, moich sąsiadów. Byli rudzi, pochodzenia irlandzkiego. Mieli też rudą siostrzyczkę, Betty, która nadawszy mi imię George, chadzała ze mną w niedziele po lesie w poszukiwaniu kasztanów jadalnych. Od niej zacząłem się uczyć pierwszych słów angielskich. Była cierpliwą nauczycielką. Na spacerze poznałem pana Łodzińskiego z Królestwa, użaliłem mu się na moją dolę i prosiłem o pomoc w znalezieniu roboty w fabryce. Raz wieczorem pan Łodziński przyszedł w odwiedziny do ciotki. Powiedział, że u nich w fabryce potrzebny jest robotnik do maszyn, że może zarobić dziewięćdziesiąt centów na dzień, a jeżeli się będzie dobrze starał, to może po jakimś czasie dostać dolara. Ciotka rzekła:

– Dodaj sobie ze trzy roki, to cię przyjmą.

Następnego dnia wyruszyłem z panem Łodzińskim do fabryki.

Boss tego działu fabryki, Irlandczyk zwany James, obejrzał mnie i zapytał:

– Ile on ma lat?

– Szesnaście – odpowiedział Łodziński.

– Ok!

I tak dzień w dzień, miesiąc za miesiącem robiłem śrubki i tylko śrubki, żadnych rozrywek, życie moje kończyło się na śrubkach. Ale dowiedziałem się, że w pobliżu jest wieczorowa szkoła języka angielskiego dla pracujących. Poszedłem, zastałem w klasie szesnaście osób różnego wieku, przeważnie byli to Włosi, byli też Niemcy i Grecy, a z Polaków ani jednego.

W domu zaczęły się docinki, że chcę być mądry, że chyba zostanę urzędnikiem, żeby sobie lekko żyć. Znosiłem te docinki w milczeniu, zawziąłem się w nauce, kupiłem podręcznik i kułem zawzięcie. Co wieczór wkładałem do kieszeni kartkę z osiemdziesięcioma nowymi słówkami i kiedy tylko mogłem, patrzyłem na nią i powtarzałem słowa.

Po siedmiu miesiącach w fabryce James zawołał Łodzińskiego i kazał mu powiedzieć, że podnosi mi płacę z dziewięćdziesięciu centów do dolara i zamierza wkrótce dać mnie na inną maszynę, na tokarkę, gdzie z czasem będzie mógł mi podnieść na 1,10 dolara.

James zdziwił się, kiedy mu podziękowałem w języku angielskim, zapewniając go, iż będę się starał.

– Kto cię uczy języka? – zapytał James.

– Chodzę do szkoły.

– Bardzo dobrze! Od jutra przejdziesz na inną maszynę, bo mogę się z tobą rozmówić. Dostaniesz dolara dziennie.

Ja, moja ciotka i jej rodzina pochodziliśmy z Galicji. Obok nas, w sąsiednim domu, mieszkali Polacy z Królestwa. W fabryce też stykaliśmy się z Królewiakami. Oni sobie, a my sobie tworzyliśmy kółka towarzyskie. Ci z Galicji uważali Królewiaków za „Rusków", mówili, że to są „ludzie innej wiary", że „ich cysorz to nie katolik, bo w Ojca świętego nie wierzy". Bywało, kiedy dziewczyna z Galicji wyszła w Ameryce za mąż za Królewiaka, to znajomi z jej wsi przebywający w Ameryce pisali listy do rodziny w kraju, donosząc, że „wyszła za Ruska". I wtedy rodzina w kraju szła do swego proboszcza, dawała na mszę śpiewaną, aby przebłagać Boga za śmiertelny grzech.

Ale bywało również inaczej. Kiedy jeden z Królewiaków, przyjechawszy do Ameryki, udał się za miasto, na farmę, aby tam odwiedzić znajomą ze swojej wsi w kraju, ta przedstawiła mu Murzyna jako swojego męża. Kiedy odwiedzający wyraził zdziwienie i zapytał, czemu wyszła za mąż za czarnego, sąsiadka powiedziała:

– Dziwi to pana? A moja siostra wyszła za Galicjanina i jakoś dobrze ze sobą żyją!

W większych miastach Polacy byli bardziej solidarni, stanowili bowiem mały procent ogółu mieszkańców, łatwiej łączyli się w celu samopomocy. W większych miastach mieszkało więcej ludzi o wybitniejszej inteligencji, ci umiejętnie kierowali środowiskiem polonijnym. Serdeczne, braterskie przemówienia na zebraniach jednały wszystkich. Dziewczyna z Galicji, wyszedłszy za mąż za Królewiaka, zawiadamiała, że wyszła za mąż za Polaka, „jeno że mieszkał dość daleko od naszej wsi". Wzruszeni rodzice przysyłali błogosławieństwo i wyrażali żal, że nie mogą odwiedzić rodziców kochanego zięcia, „bo ta Łomża to gdzieś daleko, nawet nikt nie wie we wsi, gdzie to jest"*.

## Kim jest Polak?

Podróżując po polskich osadach, Wacław Kruszka obserwuje, jak wychodźcy, osamotnieni, bez pomocy swojego państwa (nie istnieje), próbują budować wspólnotę, by przetrwać. „Wychodźstwo polskie w Ameryce jest jakoby jeden olbrzymi obóz, z mnóstwem namiotów i namiocików. Są to organizacje, większe i mniejsze, towarzystwa, bractwa, kółka, zjednoczenia, związki, unie, stowarzyszenia, ligi i sokoły. Polacy w Ameryce, od samego początku wychodźstwa swego, doskonale pojęli ważność i doniosłość stowarzyszeń bratnich i organizacji"†.

Najpierw trzeba się zebrać, żeby zbudować kościół i parafię, potem towarzystwo ubezpieczeniowe, a następnie wesprzeć ojczyznę. Przy czym od razu pojawia się problem, czym dla poszczególnych uchodźców jest ojczyzna. Czy jest nią Polska, czy jest nią Kościół, polska parafia, rodzinna wieś, rodzina, taniec ludowy czy może po prostu język polski?

Ksiądz Kruszka chciałby, żeby Polacy w Ameryce się zjednoczyli. To znaczy, żeby w swoim obozie rozbili jeden wielki namiot. Szybko się orientuje, że to nie będzie możliwe, ponieważ nie wiadomo, jaki nad tym namiotem miałby powiewać sztandar.

* *Pamiętniki emigrantów*, wybór i przedmowa K. Koźniewski, Warszawa 1965, s. 17–30. Cytat został przytoczony ze skrótami, bez oznaczania ich w tekście.

† W. Kruszka, *Historia polska w Ameryce*, dz. cyt., t. 3, s. 139.

Jaka jest dla Polaka w Ameryce hierarchia wartości? Czy ważna jest najpierw wiara, a potem ojczyzna – czy też ojczyzna, a potem wiara?

Z powodu tej niejasności obozy tak naprawdę są dwa. W obu mówi się dużo o jedności i zgodzie, ale przede wszystkim walczy się z obozem przeciwnym.

Pierwszy to organizacja o nazwie Zjednoczenie Polskie Rzymsko-Katolickie (wiara, ojczyzna), drugi to Związek Narodowy Polski (ojczyzna, wiara). Zjednoczenie (ZPRK) powstaje w 1873 roku w Detroit. Zakładają go księża oraz świeccy i nadają mu formę towarzystwa ubezpieczeniowego. Zjednoczenie zrzesza mniejsze organizacje katolicko-polskie. Związek (ZNP) powstaje siedem lat później w Filadelfii. Artykuł II jego konstytucji mówi, że trzeba tworzyć szkoły, domy polskie, zakłady dobroczynne i przemysłowe. Podkreśla się, że członkowie powinni zostać obywatelami Stanów Zjednoczonych, żeby bronili polskich interesów. I że powinni zachować umiarkowanie w spożyciu trunków.

Artykuł III mówi o tym, że należy trwać w wierze katolickiej, ale, wzorem konstytucji 1791 roku, szanować Polaków innych wyznań. Zapis ten staje się powodem zaciętych walk między Zjednoczeniem a Związkiem. Dla wielu księży, członków Zjednoczenia, deklaracja o przyjmowaniu obywateli innej wiary jest nie do zaakceptowania. Odwołują się do amerykańskich biskupów, by rozstrzygnęli, czy polski duchowny ma prawo należeć do organizacji, której członkami mogą być też żydzi.

O walce obozów pisze ksiądz Kruszka:

> W Ameryce, rzekłbyś, nie istnieli wcale ani katolicy, ani Polacy, tylko zjednoczeniowcy albo związkowcy. Kto nie był związkowcem, tego Związek nie uznawał za Polaka, kto zaś nie był zjednoczeńcem, tego Zjednoczenie nie uznawało za katolika. Kto zaś w Ameryce chciał być i Polakiem, i katolikiem, ten znajdował się między młotem a kowadłem. Jeśli przyłączył się do Zjednoczenia, Związek odsądzał go od patriotyzmu. Przyłączył się do Związku – Zjednoczenie odsądzało go od katolicyzmu.

Tak w zacietrzewieniu partyjnym wzajemnie się wykluczano i wyklinano*.

Ksiądz cytuje dalej „Kurier Codzienny" z Warszawy: „Mniejsza o tę secesję [...], dwa związki na milionową ludność mogły istnieć swobodnie. Niestety, osławiona bezwzględność, wyłączność i nietolerancja wyszczerzyła szakalowe zęby: różnisz się ze mną przekonaniem, więc jesteś nie przeciwnikiem, lecz wrogiem – i nie tylko wrogiem, lecz łotrem i zdrajcą"†. Widzi jednak również pozytywy: bratobójcze zmagania są motorem rozwoju. „Właśnie ta walka wytworzyła w Polonii amerykańskiej ożywienie, poczucie łączności, miłości ojczyzny, chęć do oświaty, potrzebę gazet, bibliotek, obchodów itd. Albowiem każde stronnictwo, chcąc sobie zjednać masy ludu, starało się je oświecać (choć stronniczo), zachęcać do czytania swoich gazet, organizować w grupy organizacje swoje idee reprezentujące"‡.

## Czas na Brooklyn

Ponieważ wielkie organizacje mają główne siedziby w przemysłowych Detroit i Filadelfii, a potrzeba stabilizacji ekonomicznej jest paląca, w lutym 1903 roku na ulicy Kent na Greenpoincie zbierają się wychodźcy dotychczas zrzeszeni w ZNP, by założyć nową organizację.

Są w większości byłymi chłopami na dorobku, nie stać ich na rejestrację działalności asekuracyjnej. Kapitał założycielski wynosi zaledwie dwieście czterdzieści dziewięć dolarów, w pierwszym roku działalności mają tylko dwustu dwudziestu siedmiu członków (ZPRK – dwadzieścia tysięcy, a ZNP – czterdzieści).

Mimo trudności organizacyjnych Zjednoczenie Polsko-Narodowe staje się na Greenpoincie liderem „niesienia bratniej pomocy w nieszczęściu, udzielania pomocy wdowom i sierotom, udzielania pożyczek, krzewienia zgody, krzewienia miłości do Polski oraz przybranej ojczyzny" na kolejne siedem dekad. Ze składek buduje

* Tamże, t. 4, s. 32. † Tamże, s. 2. ‡ Tamże, s. 5.

ośrodek wakacyjny w Oak Ridge w New Jersey, dom starców, wspomaga parafie i klasztory (głównie siostry nazaretanki oraz parafię Świętego Stanisława Kostki), Związek Śpiewaków i chóry polonijne, przyznaje stypendia. Zjednoczenie pomaga w rekrutacji do armii Hallera, a dwadzieścia lat później urządza zbiórki na Fundusz Obrony Narodowej. Uczestniczy w organizacji Kongresu Polonii Amerykańskiej i Polskiego Komitetu Imigracyjnego.

John Smolenski, wieloletni prezes Zjednoczenia, zostaje wybrany do legislatury stanowej Nowego Jorku i zasiada w niej piętnaście lat. Wydarzenie to symbolicznie kończy jednowładztwo Irlandczyków i jest jednym z ważniejszych sukcesów politycznych Polaków na Greenpoincie oraz w całych Stanach Zjednoczonych.

W szczytowym momencie, w latach sześćdziesiątych XX wieku, Zjednoczenie ma dwadzieścia tysięcy członków i osiem milionów kapitału. Aby zostać jego członkiem, należy być Polakiem i chrześcijaninem.

Niestety, również w latach sześćdziesiątych Zjednoczenie urządza bankiety członkom zespołu Mazowsze oraz Poznańskim Słowikom (które w Waszyngtonie wzruszają prezydenta Kennedy'ego). Zaprasza drużynę piłkarzy Górnika Zabrze na wczasy do Oak Ridge. Próba wspierania artystów i sportowców z Polski Ludowej to dla Zjednoczenia pocałunek śmierci. Na Greenpoincie pojawiają się plotki, że organizacja jest przeżarta sowiecką agenturą.

Alojzy Warol, 1905:

> Jakże się udają nasze misje w Brooklynie?
>
> Nie bardzo. Trzeba wiedzieć, że Brooklyn z Nowym Jorkiem – to próg dla emigrantów. Kto nie ma krewnych lub znajomych w głębi kraju, tu osiada i jak wróbel z dachu rozgląda się za okruszyną chleba.
>
> Utracjusze i rozbitki społeczne albo ci, co swoją niesumiennością roztrwonili całą fortunę, obwijają się, jako pasożyty, koło konarów polskiego społeczeństwa i jako gorący patrioci ssą, gdzie mogą, soki do życia. Wiele złego sprawiają między amerykańską Polonią, przede wszystkim na wędkę niezdrowego patriotyzmu

łowią niebacznych, z uszczerbkiem wiary, którą ostudzają w swym otoczeniu. Stąd i nasza praca w Brooklynie nie mogła wydać owocu, którego można się było spodziewać.

Jedna parafia na Brooklynie to gniazdo liberałów. Kazania patriotyczne jeszcze mają jakiś urok, ale kiedy misjonarz poruszy temat pokuty i spowiedzi – krzywią nosy, że to nie dla nich. Za to wokół plebanii, zwłaszcza koło południa, kiedy nęcący zapach potraw uderzy w powonienie, krążą jak głodne wilki i pod różnym pozorem anonsują swoją wizytę. Liberałowie*.

* *Burzliwe lata Polonii amerykańskiej*, dz. cyt., s. 140.

# Little Poland (3)

## Stefan

Dwa razy zaczynałem pracę na posterunku numer 94 przy Meserole Avenue. W 1994 roku byłem sierżant. Recepcjonistką była wtedy pani Krysia, która miała za zadanie rozmawiać z Polakami. Wszyscy ją lubili i wiele osób przychodziło do niej, żeby się poradzić. Byłem zaskoczony, że nowojorska policja utrzymuje kogoś na takim dziwnym etacie. Był tam jeszcze jeden Polak z pochodzenia – sierżant Henryk Ciborowski. Mówił dobrze po polsku, ale się ukrywał. Dał mi na początek dobrą radę: „Nie przyznawaj się, że mówisz po polsku. Jak już zaczniesz, to ci nie popuszczą, będziesz siedział w robocie do nocy", ale nie posłuchałem. Kiedy pani Krysi akurat nie było, rzucałem robotę i zbiegałem, żeby tłumaczyć. Oraz byłem, można powiedzieć, prawnym doradcą. Po godzinach zostawałem, żeby kończyć swoją własną papierkową robotę.

Urodziłem się w Ameryce, czuję duży związek z Polską i jej kłopotami, ale wkrótce się dowiedziałem, o czym mówił Ciborowski. Szef był wściekły, że się nie mogę wyrobić. Musiałem tłumaczyć, że dzięki mojej znajomości języka polskiego ludzie do nas przychodzą po pomoc i że zajmuję się sprawami, którymi nikt inny by się nie zajął. „No widzę, że ty masz jakąś dziwną słabość do tych Słowian" – powiedział kiedyś jeden z moich przełożonych. Nie wiem, co miał na myśli, mówiąc „słabość" do człowieka, którego ojciec jest Polakiem.

Największym problemem w dzielnicy był alkohol i przemoc domowa. Byłem na to szczególnie uczulony, bo w pierwszych tygodniach służby dostałem zgłoszenie od kobiety, której groził własny mąż. Było to niedaleko kościoła na Manhattan Avenue. Poszedłem tam, żeby z nimi porozmawiać, załagodzić sprawę i poradzić tej kobiecie, co ma robić w przyszłości. Dozorca powiedział mi, że facet wrócił już do domu i żebym uważał, bo jest uzbrojony. Ale zanim dotarłem, usłyszałem wystrzał. Gdy wbiegłem do mieszkania, leżała w kałuży krwi, a nad nią stało dwóch przerażonych synów. Taki miałem początek służby.

Od tego momentu byłem bardzo uwrażliwiony. Tylko że polskie panie nie chciały współpracować ani z policją, ani z prokuratorem. Dostawałem zgłoszenie, szedłem pod wskazany adres, słuchałem relacji ofiary i kiedy chciałem już aresztować napastnika, wtedy te kobiety mówiły „nie" – on przecież ciężko pracuje, zarabia pieniądze i utrzymuje dom. Co my zrobimy, jak pójdzie siedzieć? Pisały oświadczenie, że nie wyrażają zgody na aresztowanie napastnika. Musiałem obrócić się na pięcie i opuścić mieszkanie.

Polacy byli ofiarami napadów i włamań, ale też nie chcieli zgłaszać. A nawet jak już zgłosili przestępstwo, to nie chcieli współpracować z prokuratorem i wycofywali swoje zeznania. Najczęściej mówili, że nic nie wiedzą i nie mają z tą sprawą nic wspólnego. Bali się, że przestępcy będą ich nachodzić, a jak sprawa trafi do służb imigracyjnych, to będą deportowani. Byli nielegalnie, więc siedzieli cicho. Akurat amerykańska policja ma się nijak do służb imigracyjnych.

Najczęściej jednak zdarzały się kłótnie między właścicielami domów a lokatorami. Na Greenpoincie było zupełnie inaczej niż w Nowym Jorku, gdzie właściciel zarządzał kilkoma budynkami, miał współpracowników i administratorów. Tutaj landlord mieszkał w tym samym domu i miewało się wrażenie, że nie znosili się z lokatorami nawzajem. Przy byle okazji obie strony wzywały policję, a potem oskarżały się o najgorsze rzeczy: pobicie, złodziejstwo, niepłacenie czynszu. Nie wiadomo było, kto kłamie, a kto mówi prawdę.

Przy McDonalds, na rogu Greenpoint i Manhattan Avenue, na piętrze, gdzie dziś jest siłownia, mieścił się w latach dziewięćdziesiątych polski klub nocny. Przychodziła tam młodzież, żeby się trochę rozerwać. A dokładniej młodzi samotni mężczyźni, którzy przyjechali z Polski, mieszkali ze sobą i przez cały tydzień ciężko pracowali, żeby wysłać rodzinie pieniądze i paczki. Ten klub to była jedyna ich rozrywka, więc siedzieli tam, pili i rozmawiali. Nad ranem wychodzili na zewnątrz i bili się na pięści. Koledzy z posterunku nie mieli pojęcia, o co chodzi. Dzięki znajomości języka zrozumiałem, że się biją z powodu miejsca urodzenia. Osoby z Łomży biły się po prostu z osobami z Rzeszowa.

Kolejnym wrażliwym punktem na mapie dzielnicy były okolice kościoła Świętego Stanisława, niedaleko wejścia do szkoły parafialnej. Tam też był klub nocny i restauracja. Koledzy z posterunku uważali, że te polskie bijatyki na pięści są bardzo męskie. Latynosi mieli noże, szli na łatwiznę.

Duże wrażenie zrobiło na nas wezwanie w aleję Kent, nad rzekę. Stały tam stare, zrujnowane hale produkcyjne. W jednej z nich mieszkali bezdomni, w większości nasi, w większości alkoholicy. Na środku pomieszczenia zbudowali sobie dom. Był tam pokój zbity z desek, w którym ustawili sobie łóżka. Stół zrobili z butelek, w butelkach stała woda do mycia i picia. Była tam nawet toaleta, tylko sedes zakończony wiadrem, ponieważ nie było tam kanalizacji. Bardzo dziwne domy i bardzo dziwny sposób życia.

To było złe miejsce. Na Kent Avenue między North First a North Twelve, gdzie jest teraz piękny park, stały prostytutki, a przy Franklin był ciąg garaży, w których były dziuple samochodowe. Złodzieje rozbierali tam kradzione samochody na części, które potem sprzedawali na bazarach i przez internet. Często tam jeździliśmy, szukając skradzionych samochodów. I często je znajdowaliśmy. Złodziei samochodów nie należy łączyć z Małą Polską. Tego rodzaju przestępczej aktywności nie notowaliśmy. Przeważyła nieznajomość języka angielskiego. Poza tym latynoskie gangi, które handlowały narkotykami na Northside i po obu stronach Manhattan Avenue, włoska mafia i najspokojniejsi – chasydzi. Polonia skarżyła się na nich, że kantują na podatkach i biorą nieprzysługujące im zasiłki. Ale to nie była nasza sprawa. Nie mieliśmy z nimi kłopotów. Zdarzają się im jakieś drobne wykroczenia: jazda bez prawa jazdy albo skargi, że zarysowali komuś samochód. Ale to naprawdę drobnostki.

Włosi mieszkali po drugiej stronie Northside i za autostradą. Co roku zbierali się przy włoskim kościele i ruszali przez miasto z wielką figurą Matki Boskiej. Ulicami, którymi przechodzili, rządziła mafia. Lepiej się tam było nie zapuszczać. Stały tam grupki wyrostków, jak im się ktoś nie spodobał, mogli pobić. I czuli się przy tym bezkarni, bo wiedzieli, że nie znajdziemy żadnego świadka, który przeciwko nim zezna. Żaden sąsiad by ich nie wydał, tak byli tam wszyscy zastraszeni.

Greenpoint to jedno z najbezpieczniejszych miejsc Nowego Jorku, cisza i spokój – według statystyk.

Wróciłem na Greenpoint w 2004 roku jako kapitan. Zastałem mniej Polaków, mniej polskich biznesów, mniej restauracji i barów. To się od razu rzucało w oczy. Mnóstwo ludzi wyjechało. Następny polski sklep zamknięty, następna restauracja, a jak coś się otwierało, to francuskie i meksykańskie restauracje – choć właścicielami często wciąż są Polacy.

Greenpoint jest dobrym miejscem, ponieważ z powodu niskich statystyk przestępczości policjanci mają więcej czasu, by pomyśleć i zadziałać, gdy już mają prawdziwe zgłoszenie. W Nowym Jorku często biegasz od jednego pożaru do drugiego i nie masz czasu, żeby gasić.

Mieliśmy na przykład serię włamań w moim rejonie. Wszystkie dokonane w podobny sposób – przestępca łamał klamkę i wchodził do mieszkania, gdy ludzie spali. Zacząłem wypytywać i rozdawać im ulotki, które sam przygotowałem. Gdyby coś podejrzanego zauważyli, mieli do mnie zadzwonić na numer z ulotki. Zdałem sobie sprawę, że te włamania dość systematycznie się powtarzają. W końcu obliczyłem dzień, godzinę i przypuszczalne miejsce kolejnego. Zabrałem ze sobą młodszego kolegę. On jeździł po Greenpoincie na rowerze, ja jechałem nieoznakowaną czarną toyotą camry. W pewnym momencie zadzwoniła do mnie zdenerwowana kobieta, że prawdopodobnie spłoszyła złodzieja. Opisała mi chłopaka, którego widziała. Gdy tylko skończyłem z nią rozmawiać, zauważyłem go, jak jechał naprzeciwko mnie na rowerze. Nie zatrzymał się przed skrzyżowaniem, więc podjechałem i poinformowałem, że dam mu mandat, ale na posterunku. Kiedy go tam zawiozłem, to się okazało, że rzeczy z poprzednich włamań wozi ze sobą, bo jest bezdomny. Rower, na którym jechał, też był kradziony.

No cóż, znalazłem złoczyńcę, zamknęliśmy go, a mój szef, komendant posterunku, nawet mi „dziękuję" nie powiedział. Po kilku dniach dowiedziałem się, że organizuje spotkanie z ludźmi z Greenpointu. Nie zaprosił mnie na to spotkanie, za to wziął ze sobą porucznika, którego wprowadziłem do sprawy i zabrałem na akcję. Zaczął mu dziękować za złapanie włamywacza, nie wspominając o mnie ani słowem. Byłem wściekły. Dwa dni później spotkałem w mieście kolegę, który był komendantem na innym posterunku. Zaproponował mi pracę i pożegnałem się z Greenpointem.

Miesiąc po moim odejściu nazwisko tego szefa – Peter Rose – stało się głośne. Pisały o nim gazety nawet w Wielkiej Brytanii i Nowej Zelandii. Burmistrz Nowego Jorku i komendant nowojorskiej policji musieli się za niego tłumaczyć, bo na jakimś spotkaniu z mieszkańcami zaczął sobie żartować z ofiar gwałtów. Mieszkańcy poskarżyli się dziennikarzom i wybuchł skandal.

W 2014 roku władze miasta zorganizowały na ulicy Clay schronisko dla bezdomnych. Burmistrz de Blasio otworzył je w środku nocy, bez konsultacji z sąsiadami. W naszej okolicy to już piąte. I potem turyści są oburzeni, że muszą przeskakiwać przez bezdomnych na dworcu Grand Central, częściej na Penn Station i jeszcze częściej na dworcu autobusowym Port Authority. Co to za bezduszne miasto, które wyrzuca na margines swoich obywateli? – załamują ręce. Prawda jest taka, że bezdomni z całych Stanów ciągną do Nowego Jorku.

Jak ja ich odróżniam? Oczywiście po akcencie. Na palcach jednej ręki policzyłbym leżących nowojorczyków. Leżą przyjezdni. Zapytałem kiedyś jednego bezdomnego: „Dlaczego przyjechałeś leżeć do Nowego Jorku?". „Tu jest centrum świata, człowieku. Nigdzie nie ma takiej opieki jak w Nowym Jorku". Dach nad głową tracą także osoby przyjeżdżające bez odpowiedniego przygotowania zacząć tu nowe życie. I one też nie mają nowojorskiego akcentu.

Wracając do Greenpointu: mogę tę dzielnicę polecić każdemu, kto tak jak ja lubi polską kuchnię, lubi używać języka polskiego i rozmawiać o patriotyzmie z działaczami polskich organizacji.

## Mietko, 1989

Nie lubię rozmawiać w polskich knajpach, zawsze ktoś podsłuchuje. Wolę w parku Domino. Teraz to miejsce dla hipsterów, kiedyś wrzucano stąd trupy do rzeki. Potem spotykały się tu misie, które wróciły z Wietnamu. Za parkiem masz tę największą na świecie byłą cukrownię, Domino Sugar Refinery. Kiedy ją zamknęli i zaczęli opróżniać budynek, to nagle zaprzestali, bo się zorientowali, że nie ma szczurów w budynku. Czyli jest skażony. Zaczęło się poszukiwanie i utylizacja odpadów.

Ja w ogóle nie chciałem nigdzie wyjeżdżać, ale waliło mi się pierwsze małżeństwo. Teściowa mnie nienawidziła, a żona nie pozwalała córek widywać. Wiecznie były zajęte. Cztery lata próbowałem naprawiać, strych zaadaptowałem, potem się poddałem. Pojechałem w Bieszczady ścinać drzewa.

Nie chciałem wyjeżdżać, bo nie chciałem komunistów o nic prosić. Jak wprowadzili kartki na cukier, to przestałem słodzić, jak wprowadzili kartki na mięso, to zostałem wegetarianinem.

Przestałem służyć do mszy w wieku lat szesnastu, bo się okazało, że jestem większy niż wszyscy, i źle to wyglądało. Potem w kościele mnie wkurwiali, to przeszedłem na zen. Przez zen zaszedłem do makrobiotyki. Ale żona była w ciąży i pomyślałem, że chyba jednak jestem katolikiem.

Potem byłem drwalem. Wolny chłopak, wszystko miałem w dupie poza lasem.

Kolega mój z Bochni znał się ze Zbigniewem Legutko z Krakowa, który na Greenpoincie prowadził w swoim domu galerię sztuki. Ten Zbyszek wspólnie z Ewą i Wojtkiem Fibakami założył magazyn „Pro Arte" o sztuce polskiej na Zachodzie. Magazyn miał ją promować: eleganckie zdjęcia prac artystów wklejane, zeszyty zszywane. Cztery rocznie. Zbyszek szukał misia do składania tych zeszytów. Kolega przypomniał sobie, że ja w Krakowie pracowałem również przy restauracji starodruków. Zbyszek stwierdził: „To ja ściągnę tego Mieczysława". Spotkaliśmy się, ale powiedziałem: „Zbyszek, ja nie jadę do Ameryki. Jakbym chciał, tobym już dawno pojechał. Ale jak wyjadę, to mi się rodzina rozsypie". Poleciłem mu innego misia, sekretarza partii, dostał wszelkie urlopy, siedział dwa

Cukrownia Domino Sugar Refinery, 1962 r.

lata i się rozpił. Na koniec to już spał na schodach galerii Zbyszka, nawet jak już nie pracował. Zbyszek go pijanego wysłał do Polski. I znowu do mnie. Wtedy se myślę: kurwa mać!

Paszport dostałem, ale wizy już nie. Pani konsul zapytała: „A pan skąd?". „Z Bochni". Uśmiechnęła się: „Ach, Bochnia. Ależ tam podrabialiście wizy. Doskonała robota, jacy to zdolni ludzie". Przez pięć lat w Bochni działała spółka – ksiądz, milicjant i artysta. Ksiądz naganiał klientelę, milicjant załatwiał paszporty, a artysta rysował. Przykładał rysunek wizy do okna, nakładał stronę z paszportu i kopiował kredkami. Nikt się nie kapnął. Dopiero kobieta z LOT-u się kapnęła, bo data lotu zupełnie nie zgadzała się z tym, co na tej wizie było napisane. Wzięła paszport i okazało się, że tę wizę można wymazać gumką.

No ale ja ciągle stałem przed tą panią konsul. Powiedziała: „Pan da z powrotem ten paszport. – I wbiła wizę. – Tylko niech pan wróci". Potem polska żona wychowała moje córki w przekonaniu, że tatuś wyjechał do USA i nie chce ich widzieć.

Przyleciałem do Nowego Jorku w maju 1989 roku. Zbyszek wiózł mnie przez ulicę na Queensie, gdzie był największy parking śmieciarek, stały wzdłuż ulicy kilometrami. Potem przez dwie chujowe dzielnice, gdzie wszędzie na parterze były kraty. A potem na Greenpoint i było tak, jakbym przyjechał do Hollywood na set filmowy. Pomyślałem: „Kurwa, to się na mnie wywróci, to jest z tektury, od tyłu podparte patykiem drewnianym, pomalowane na szybko przez misia z Piwnicy pod Baranami". Tak było. Te patyki nawet widziałem, bo ktoś porozrzucał stare rusztowania. Później zobaczyłem, że gzymsy domów kolorowe są tylko z przodu, bo od tyłu są deski albo obleśny mur.

Pomyślałem, że to nie może być prawda. Jezu, to ja ze stolicy świata uciekłem do takiego więzienia? Bochnia to w porównaniu z Greenpointem było cudo. Na Greenpoincie ciemno, biznesy tylko na Manhattan Avenue i na Nassau. Na Greenpoint Ave, obok Unii Kredytowej, była chińska rzeźnia kurcząt. O czwartej rano krew z wodą spływała do ścieku wzdłuż krawężnika.

Kurwa, jestem w filmie!

W takim dreszczowcu, trochę niebezpiecznym.

Wieczorami i z samego rana Portorycy wsiadali w sześciu do metra, brali koleżankę, prowokacyjną dupę. Wsiadało do metra dwóch Polaków, którzy jechali albo do kościoła, albo z pracy. Oczywiście gapili się na dziewczynę. Wtedy jeden z drugim mówili: „A co ty robisz, czemu się gapisz na moją dziewczynę?", i spuszczali wpierdol. Żeby nie wyjść z wprawy i skroić portfel.

Zaczepki się skończyły, kiedy na motorze pojawił się Curtis Sliwa, Polak, ale w trzecim pokoleniu. Założył Guardian Angels, drużynę zaprowadzającą porządek na ulicach. Wielu tych kolesi miało wcześniej za uszami, nie byli jakoś angels. Sliwa ich brał na resocjalizację. Uczył ich sztuk walki. Jeździli po NYC w czerwonych kurteczkach. Jak ktoś robił awanturę, to sami wymierzali sprawiedliwość. Potem zaczęli współpracować z policją.

Mój kolega Jurek wracał pijany do domu, nie zauważył kolesi w bramie. Czarni go skuli, wybili mu prawie wszystkie zęby, złamali szczękę i rozbili czaszkę. Jakby dwóch gości od Sliwy nie weszło, toby nie żył.

Polska apteka przy Nassau Avenue

Dojechaliśmy w końcu do domu Zbyszka. Mieszkałem u niego pięć miesięcy najpierw na kanapie, potem w piwnicy. Płacił pięć dolarów na godzinę, gdybym był sprzątaczką, zarabiałbym dziesięć. Ale mentalnie byłem jeszcze w Bochni, więc nie negocjowałem.

Jakoś niedługo po przyjeździe poszedłem do polskiego banku, żeby wpłacić forsę, którą przywiozłem, tysiąc dolarów. Jak mnie strażnik zobaczył w drzwiach, to powiedział, że nie mam wstępu. Bo ja byłem tak: pióra do łokcia, torba szyta własnoręcznie, ciuchy szyte własnoręcznie, broda, wszystko czarne i prawie dwa metry. Wypierdolili mnie. Powiedzieli, że mogą wchodzić ludzie o normalnym wyglądzie. Takie były początki.

Zbyszek mało płacił, ale dzięki niemu wiedziałem, gdzie jest jaka wystawa, kiedy są imprezy w konsulacie, jakie galerie trzeba zobaczyć, i że prócz Greenpointu jest Manhattan. Po pracy latałem na koncerty, do sklepów płytowych, gdzie chcesz. Opierdoliłem wszystkich muzyków, o których słyszałem: Ella Fitzgerald, von Karajan, Stonesi, McCartneya z Lindą. Willie Nelsona nie widziałem. Poza tym you name it – ja tam byłem.

Minęło pół roku, więc mówię: „Zbyszek, albo przedłużę wizę, albo wracam". Zbyszek: „No co ty, wszyscy tutaj są nielegalnie". To jego artystyczne pismo skończyło się po pięciu numerach, zacząłem szukać mieszkania i roboty. Pokój znalazłem u takiej Tereski. Żeby znaleźć robotę, musiałem rozwiązać problem konta w banku. W City Banku, nie mylisz się, potrzebowali numer Social Security, ale ja miałem ten numer, bo wcześniej, na spotkaniu o Holocauście w Fundacji Kościuszkowskiej, podszedł do mnie pan, który się kręcił przy fundacji, i zapytał: „O, pan tu pewnie nielegalnie?". A ja, że już tak. I on mi za opłatą załatwił ten numer, nie mówię, że prawdziwy.

Kiedyś zadzwonił telefon. „Miecio? – Głos znałem. – Marek Piekarczyk, jestem w Nowym Jorku". „O kurwa – mówię – przyjeżdżaj do mnie, ale natychmiast!" Marek był gwiazdą heavy metalu, która się wkurwiła i wyjechała do Ameryki. Trochę grał w polskich klubach w New Jersey. Przyjechał do mnie i zrobił wielkie zakupy, bo akurat u mnie się nie przelewało.

Jak Marek nie grał, to pracował jako zajebista złota rączka. Elektryk, budowlaniec, wszystko, żeby utrzymać rodzinę, która za nim przyjechała. Zasuwaliśmy razem przy dekorowaniu świątecznych choinek dla Macy's. Najcięższa praca w naszym życiu, ale miałem już przy sobie przyjaciela.

Zacząłem pracować jako grafik w polskiej gazecie. Tam poznałem laskę i zakochaliśmy się. Energiczna laska, wprowadziłem się do niej na Queens. Mieszkaliśmy razem, mieszkaliśmy, osiem lat, aż do tej redakcji zaczął przychodzić facet, fotograf. OK, ja zazdrosny nie byłem. OK, kiedyś się pogniewała na mnie i trochę ze sobą nie gadaliśmy. A potem zobaczyłem, jak wychodzi z redakcji z tym facetem. Zapytałem żartem: „Czy ten gość poprosił cię już o rękę?". Jakiś czas potem patrzę, a na stole w domu leży akt ślubu mojej narzeczonej z nowym fotografem. Ja pierdolę.

Byłem skołowany. Uczciwie rzecz biorąc, ja się z nią hajtnąć nie chciałem, ona miała przede mną ośmiu mężów czy coś. „Ja pierdolę, nie nadajesz się na żonę, możemy mieszkać razem, ale jestem tu nielegalnie i nie będę się wychylał". Już wtedy z pięciu adwokatów, którzy mieli załatwić papiery, mnie nabrało. Fotograf zaczął mieszkać w naszym mieszkaniu, aż ona powiedziała, że mam się wyprowadzić albo ona dzwoni do Immigration, to mnie wyprowadzą. Zacząłem zwozić książki do mieszkania Marka.

Kiedyś w sobotę poszliśmy na aukcję charytatywną na rzecz polskich powodzian. Był 1998, organizowała ją Amber Gallery na 9 Ulicy na Manhattanie. Markowi spodobało się zdjęcie Ryszarda Horowitza, cena wywoławcza pięćset czy sześćset dolarów. Mówię: „Marek, bierz, to jest jedna trzecia ceny tego zdjęcia, ja ci pożyczę". Wylicytował je za sześćset osiemdziesiąt dolców. Poszedłem do banku po kasę. Wracam z pieniędzmi, a Marek stoi z jakimiś laskami. Jedna z fioletowymi włosami. Podchodzę: fioletowa laska to matka, stoi z córką. Spodobały mi się, ale zwinąłem Marka i pojechaliśmy na Greenpoint. Tydzień później Marek mówi: „Chodź, idziemy na kawkę, tu taka laska na Manhattan Avenue sklep otworzyła i na zapleczu można wypić. Biżuteria, obrazy, między Nassau i Norman". Poszliśmy, gadamy. Jakieś inne babki wchodzą, Marek leci się witać. Mówię: „Przedstaw mnie". „My się znamy" – Marzenka na to. Ja nic nie pamiętam, bo ona w galerii miała fioletowe loki, a teraz wygląda jak Tom Petty, Słowianka w słomianym kapeluszu.

Telefony wymieniliśmy. Pomyślałem: „Zadzwonię se do laski". Jak już zadzwoniłem, to skończyliśmy gadać o ósmej rano. Wszystkiego się dowiedziałem: uciekła zaraz po tym, jak skończyła studia, w 1972 roku. Polski nie lubiła. Matka umarła, jak miała piętnaście lat, tatuś ożenił się z koleżanką z jej klasy. Przyjechała do Bayonne, do szwalni, księżniczka warszawska. Poznała pana, który klimatyzację projektował, okazało się, że na całym świecie. Zrobiła sobie dwójkę dzieci i była z niej światowa laska. Jacyś kochankowie się pojawili, więc musiała wziąć rozwód, a następnie znów wyszła za mąż. Drugi mąż zrobił jakiś przekręt biznesowy i poszedł do więzienia. Nie oddawał, choć pożyczał. A miał dar do wyciągania kasy. Jak ją poznałem, to akurat była po bankructwie, nie miała nawet prądu na swoje nazwisko, mieszkanie za gotówkę. Wszystkie pieniądze przewaliła w Las Vegas.

Tymczasem przestałem pracować w gazecie i znów nikt mnie nie chciał zatrudnić. Byłem w biedzie, z dorywczymi pracami, ale miałem już kumpli całą masę. Miałem gdzie spać i co jeść. Ważne, żeby starczyło na fajki i ewentualnie na jacka daniel'sa. Nie byłem w specjalnie dobrej formie. Ubliżałem każdemu, man, piłem, jak nie wiem, byłem agresywny. Jak już dostawałem zlecenie, to stawiałem trzy litry coli, wódę, paczkę fajek i jechałem przy komputerze. Z Marzenką też potem chlałem, tylko lepszy stuff, wstawałem rano i szedłem do roboty.

Kiedyś nie miałem na fajki. Zaszedłem do kumpla na kolację. Po tej kolacji poprosiłem: „Danuś, pożycz dwadzieścia dolców na fajki". On powiedział: „Mogę cię, Mieciu, karmić do końca życia, ale na fajki i alkohol dawać ci nie będę". Przykro mi się zrobiło. Pomyślałem, że ostro mnie misio potraktował. Szedłem tak ulicą India i pomyślałem: „Kurwa, przecież on ma rację". Rzuciłem fajki na rok. Po roku na jednym posiedzeniu wypaliłem całą paczkę. Chlałem tylko na imprezach. Ale imprezy tu są, jak wiesz, trzy razy dziennie. Wernisaże, odczyty, wieczorki, konsulat, Fundacja Kościuszkowska. Potem miałem pierwszy zawał i przyhamowałem.

Brałem takie leki, że krew nie krzepła. Raz skaleczyłem się w kolano. Zorientowałem się, jak miałem już sztywne spodnie od krwi, dopiero w szpitalu zemdlałem. Miałem potem drugi i trzeci zawał. Na szczęście byłem już ubezpieczony.

Wracam do Marzenki: po bankructwie nie miała nic, jedynie męża, który siedział w więzieniu za przewały w kasynach. Była twarda, znalazła jakąś bogatą WASP-babcię, żeby się nią zajmować. Mieszkała u niej, woziła na golfa, do kina, zamawiała lunche, rezerwowała stoliki w restauracjach. Po dwóch latach kupiła to mieszkanie na Queensie. Zarejestrowała utilities [media] na córkę, która nie miała przejebane, bo nie zrobiła bankructwa.

Poznałem ją półtora roku później i zacząłem się opiekować: jak nie masz karty, ja ci pomogę, niby jestem tu nielegalnie, ale znam kolesi. Dzwonię do nich, oni sobie notują numer Social Security, ja zaraz wysyłam aplikację o nowe karty z jej nazwiskiem jako drugim. Karty przychodzą i sytuacja się jakoś prostuje.

Jak się prostuje, to ona mówi, żeby kupić dom. Ja mówię: „Droga, ty jesteś po bankructwie, ja mam pięć tysięcy długu i jestem tu na krzywy ryj, może nie kupujmy". Ona, że ja nic nie rozumiem, jestem prowincjonalny Polaczek. Tu się domy kupuje bez pieniędzy. Dobra. Zacząłem się dowiadywać, jak to działa, ile trzeba mieć score'u na karcie, jakie zasoby. Wszystko wiedziałem. I, kurwa, znalazłem ten dom.

Jak się wprowadzaliśmy, to wypierdoliła moje rzeczy, dużo rzeczy, bo jej się nie podobały: krzesła, ciuchy, naczynia. To był znak, którego wtedy nie dojrzałem. „To się teraz hajtnijmy" – powiedziała. Tylko że ja nie miałem w Polsce rozwodu. No ale byłem teraz zakochany, więc znów spróbowałem. Wcześniej też próbowałem. Koledzy z Chicago mi doradzali. Mówili: „Daj żonie w Polsce upoważnienie, ona pójdzie do sądu i za czterysta złotych jesteście rozwiedzeni". To ja jej przesyłałem upoważnienia i tysiąc dolarów co rok. A ona zawsze, że nie zdążyła, że było zamknięte, że rozwody podrożały. Jak mi powiedziała, że za rok muszę zapłacić dwa tysiące sto dolarów, to ja powiedziałem: kurwa, never. Znajdę gościa, co za tysiąc pojedzie do Polski i mnie rozwiedzie.

Poszedłem do Marka, bo miał już doświadczenie w rozwodzeniu. Powiedział, że jest kolega w Bochni. Znam go: czytaliśmy razem w kościele, jest bardzo uczciwy, ministrant, udziela rad w kościele za darmo. Dzwonię, rozmawiamy, w czym rzecz. On zmartwiony mówi „Ojej, ty jesteś z Ameryki, to dla ciebie będzie drożej, to będzie czterysta pięćdziesiąt". Ja: „Co?". On przestraszony: „No bo poczta kosztuje". Ten kolega poszedł do sądu, odwiesił sprawę, powiedział „tak" i było załatwione. No to miałem rozwód. Tak przynajmniej myślałem.

Marzenka tylko na to czekała. Przyszła do domu i powiedziała: „Taka okazja, przechodziłam obok biura Liberty Travel, widziałam oferty na śluby w Las Vegas, pojedziemy do Las Vegas i się hajtniemy". „Marzenko, dokument rozwodowy jeszcze nie doszedł". A Marzenka, że tu jest Ameryka, zero biurokracji. I za tydzień siedzieliśmy w samolocie.

Ten pakiet do Las Vegas opiewał na wszystko: świadka, limuzynę, kościół, hotel. Nie powiedziała mi, że mam wziąć numer Social

Security ze sobą. Na szczęście wziąłem. W czwartek ślub w Las Vegas, w piątek wycieczka do Doliny Śmierci. Zdaliśmy samochód i w niedzielę wróciliśmy do Nowego Jorku.

Dostałem zieloną kartę, bo Marzenka była obywatelką USA, a ja jej mężem.

Żyło mi się dobrze. W domu na Queensie urządziłem galerię, zacząłem kolekcjonować fajną sztukę, sprzedawać, zapraszać artystów, zwłaszcza kumpli. Do czasu.

Jak wiesz, z Marzenką zaczęliśmy się rozwodzić i nie było to miłe. Jak to, kurwa, życie. Jakoś to się wszystko toczyło, dopóki nie zacząłem starać się o obywatelstwo. Wysłałem pocztą podanie, dostałem termin egzaminu. Laska zadawała mi pytania z historii i gramatyki, czy używałeś broni, ja, że kabekaes w Polsce. Dała mi numerek i wysłała na Manhattan na egzamin. I zaczęły się jaja, bo zobaczyłem, że na biurku jest teczka z moimi dokumentami. I ta teczka ma pół metra wysokości. Są w niej kwity, które ci prawnicy skurwysyny latami wysyłali, żeby mi załatwić zieloną kartę. Kasowali honorarium, ale nie załatwili. Dokumenty, które ugrzęzły w Immigration, były źle wypełnione, niepełne albo wadliwe. Jak urzędnik niedbale przeglądał papiery, to dostawałeś tę kartę. A jak dbale, to dostawałeś odmowę. Ja, dopóki się nie hajtnąłem z Marzenką, dostawałem akurat odmowę i nic tym kolesiom prawnikom zrobić nie mogłem; gotówką im te zaliczki płaciłem, bo mówili, że duże mają koszty. Śladu po wpłacie nie było.

Siedziałem na tym egzaminie, laska powiedziała: „OK, zdałeś", ale widzę, że na stercie moich dokumentów ma te swoje żółte samoprzylepne karteczki. Mówi: „Mam pytania. Ryszard Horowitz to twoja rodzina?". Bo miałem jego rekomendację, kiedy starałem się o zieloną kartę. I dalej: „O, ja tu widzę, że ty byłeś żonaty w Polsce?". „Tak, byłem". „Ale tu nie ma papierów z twojego rozwodu, a są za to papiery z nowego małżeństwa". Ja nawet nie bardzo rozumiałem, co ona do mnie mówi. Uczciwie jej powiedziałem: nie wiem, co się dzieje. Więc ona dalej: „Masz dwa tygodnie, idź, donieś te papiery z polskiego rozwodu". To poszedłem, przetłumaczyłem, rejent przybił pieczątkę, urząd zaakceptował.

Wróciłem do domu, walnąłem piwko szczęśliwy, że będę mógł na Trumpa głosować, drugi raz w życiu zagłosować z przekonaniem. Raz na Mazowieckiego głosowałem z przekonaniem i teraz na Trumpa.

A za dwa miesiące przyszła przesyłka, trzy strony. Sorry Winnetou, ale prawo federalne mówi, że korzyści nabyte drogą nielegalną są nielegalne. Twoje małżeństwo amerykańskie jest nielegalne, zawarte przed polskim rozwodem, więc twoja zielona karta jest raczej nieważna. Ups. Bo jestem właśnie w trakcie rozwodu z Marzenką. Poszedłem do niej i jak idiota powiedziałem, co się dzieje. Poprosiłem: „Marzenka, wyczyśćmy sytuację, hajtnijmy się na chwilę, ja zdam ten egzamin i się znów rozwiedziemy. Pójdziemy do urzędu, zapłacimy sto pięćdziesiąt dolarów, ja sobie odbiorę obywatelstwo, a za sześć miesięcy anulujesz małżeństwo". Ale Marzenka mówi: „Znajdź sobie nową idiotkę". Przekonuję: „Marzenko, ty nie rozumiesz, to jest kwestia moich papierów, to ty mnie zmusiłaś do wyjazdu do Las Vegas". Wtedy Marzenka poczuła krew, bo wiedziała, że muszę się zgodzić na podział majątku na jej zasadach.

W końcu powiedziałem do siebie: wal się. Wiesz, ja dobrze działam pod presją, a to już była, kurwa, presja level master, bo w grę wchodziła deportacja. I znalazłem. Znalazłem misia polskiego pochodzenia, który służył w Iraku u starego Busha. Był misiem do zabezpieczenia ruchu paliwa na pustyni.

Musisz wiedzieć, że amerykański czołg wpierdala superdużo paliwa, nie wiem, tyle, ile wszystkie polskie samoloty, i trzeba mu to paliwo dostarczyć, bo on musi po tej pustyni zapierdalać, a nie ma tam stacji benzynowych. Jedna z dwóch rafinerii znajduje się w Indiach. Trzeba tę ropę przewieźć samolotami do Iraku, bo nie ma dróg, potem przesłać ropę do bazy rurą. W rurze jest taka śrubka, którą produkują tylko w Minnesocie, a trzeba ją wymieniać co osiem godzin.

On się, zdaje, tym zajmował. Po wszystkim wrócił do USA i został adwokatem. To ja mówię: „Ty, weź tę moją sprawę rozwodową, bo mam problem". Wiedziałem, że on da radę. Po czym okazało się, że ten misio z Iraku zna się z moim poprzednim adwokatem i nie bardzo chce mu wchodzić w drogę. Wysłał mnie do takiej swojej koleżanki. Poszedłem. Koleżanka się nie przestraszyła, wykręciła numer do znajomego w Immigration, wzięła na głośnomówiący i pyta, jak sytuacja tego a tego misia. Kolo z drugiej strony powiedział, że nie ma jeszcze adnotacji o deportację. Powiedziała, żebym złożył pismo o odnowienie zielonej karty. „Jezu, boję się" – odpowiedziałem, bo to już było, kurwa, niebezpieczne do potęgi. Ale nie miałem wyjścia. Poleciałem powybierać resztkę wszystkiego z kart kredytowych i przyniosłem tysiąc dwieście dolców w zębach.

Po trzech miesiącach wezwali mnie na biometrics. I miesiąc potem dostałem kartę do domu. Papiery mam wyprostowane, rozwody wzięte, z tym że ten drugi nie odbył się z poszanowania mojego prawa do połowy domu.

Po tej aferze poznałem Bożenkę i wyniosłem się do Pensylwanii, gdzie nieruchomości są tańsze. Mój dom ma dwieście lat, jest w nim powozownia i meble, na widok których oczy ci wyjdą z orbit. Wciągnąłem na maszt amerykańską flagę.

Moja Bożenka też jest przewrażliwiona, ma przejścia za sobą. Wychowała się bez matki, bo matka pracowała na Greenpoincie. Dojechała do niej i też musiała zacząć pracować. Akurat gdy Bożenę spytasz, jak się sprząta u Żydów, to ona ich pod niebiosa wychwala. Jak ją landlord wypierdolił, to Żyd dał jej jedzenie i pracę gdzie indziej. Ale to był Żyd z Manhattanu. Polki, które sprzątają, są tutaj powerful women, stawiają się: nie będę pracowała w niedzielę, mogę w poniedziałek. Za osiem dolarów to se weź Meksykankę lub czarną, to ci jeszcze nabrudzi. Bożenka pod tym względem ma klasę.

Jest takim ósmym cudem świata. Nie myśl, że mówię to z przekąsem. Jest szczęśliwa, nie odróżnia Hitlera od Picassa. Nic o świecie nie wie i nic jej nie interesuje. Nie muszę jej nic tłumaczyć, bo ona nie zadaje pytań, Ona się, kurwa, tylko przebiera. Ma sto tysięcy ciuchów. Buty i kapelusze. Nie widziałem jej dwa razy w tym samym ubraniu, to jest jej model na życie. Wyciąga mnie na tańce, robi na tych tańcach furorę, a ja jestem szczęśliwy. Czasem czuję się biedny, jak mnie na autostradzie mija koleś w aucie droższym niż mój dom i samochód. Ale przecież mam wszystko. Biedny

Miecio z Bochni, co sobie kwiatuszki malował, zarobił na dom w Ameryce, po sześćdziesiątce zrobił prawo jazdy i napierdala po autostradzie; naprawia starocie, handluje antykami, zaraz otworzy zakład kowalski w Pensylwanii.

## Artur, 1998

Ciągle ktoś mnie pyta: „Taki młody człowiek, dlaczego akurat funeral home?". Odpowiadam: dlaczego nie?

Miałem dziewiętnaście lat i zacząłem studia w college'u St. John's. Czy ja szukałem wtedy pracy – raczej nie pamiętam. Pamiętam, że szedłem Nassau na McGuinness, zobaczyłem wywieszkę, że szukają pracownika. Zajrzałem do środka – biuro. Spojrzałem na szyld – zakład pogrzebowy. Pomyślałem: co tam, będę siedział za biurkiem, odbierał telefony, lekcje poodrabiam w wolnym czasie. Słowem: praca ofisowa.

Nie wiedziałem, z jakimi wyzwaniami się to wiąże.

Wszedłem, powiedzieli, że będę potrzebował garnitur. Ktoś wyniósł jakiś z zaplecza i poprosił, żebym się przebrał. Wprowadzili mnie do drugiego, większego pomieszczenia, gdzie znajdowały się również osoby, które nie żyły. Trochę, prawda, zdrętwiałem. Osoby zatrudnione w tym dziale zajmowały się ich balsamowaniem.

Jakoś się nie spodziewałem, że z nieżywymi osobami też będę miał kontakt. Raczej że będę odpowiadać na pytania: kto, kiedy, o której serwis i za ile. Wróciłem do domu i powiedziałem mamie: „Wiesz co, mamo, chyba będę musiał tę pracę rzucić". Mama: „Żeby ci, synku, na psychikę nie siadło".

Ale zostałem.

Krok po kroku dowiadywałem się nowych rzeczy o biznesie funeralnym i zacząłem rozumieć, jak bardzo się myliłem, myśląc, że będzie to prosta praca. Przede wszystkim dowiedziałem się, że aby pracować w tym biznesie, to ja będę musiał skończyć moją szkołę oraz jeszcze drugi, specjalistyczny kierunek. Specjalista funeralny w Stanach Zjednoczonych musi być artystą rekonstruktorem, prawnikiem, znawcą anatomii, patomorfologii, chemii oraz psychologii. Czasami psychiatrii i kryminologii.

Za dzieciaka w Polsce chciałem zostać księdzem. Maturę zdawałem w seminarium duchownym u franciszkanów w Niepokalanowie, w liceum czteroletnim. Pięćdziesięciu nas zaczęło, skończyło dwunastu. Po maturze poleciałem odwiedzić tatę na Greenpoincie. Tata w 1988 roku wyjechał za granicę i podjął pracę jako hydraulik. Nielegalnie, więc nie mógł nas odwiedzać. Po ośmiu latach go zobaczyłem, jak wreszcie miał zieloną kartę i przyjechał.

Potem wsiadłem do samolotu i gdzieś nad Atlantykiem ochota na życie duchowne mi minęła. Pomyślałem, że pójdę na studia.

Z tatą się nie wychowywałem, więc musieliśmy się docierać. Mieszkał w ciasnym mieszkaniu na Leonard. Jak się pokłóciliśmy, dzwoniłem do mamy. Tata to samo. Mama szybko dojechała, więc nie musieliśmy dzwonić, tylko zmienić mieszkanie na większe, na ulicy Newel. Do dziś dzień łatwiej mi rozmawiać z mamą.

Złożyłem papiery na St. John's college na finanse i się dostałem. W trzy lata się wyrobiłem ze wszystkimi kursami. Graduation miałem mieć w grudniu, lecz był to grudzień po nine eleven*. Przez całe lata market był down i trudno było znaleźć pracę w finansach. Albo pieniądze były nieciekawe. Więc uznałem, że pójdę w biznes, który w czasie studiów poznałem. Czyli funeralny.

Rozejrzałem się po Greenpoincie. Polaków z licencją w biznesie było mało. Może Polaków urodzonych w USA to jeszcze było. Ale Polaków z Polski to nie. Urodzenie w Polsce daje duże możliwości, bo się człowiek orientuje, o co chodzi rodzinom naszych klientów, które zostały w Polsce. Często jest to kwestia wyczucia mentalności, której Polacy urodzeni w Stanach po prostu nie mają.

Zapisałem się na mortuary science na 57 Ulicy na Manhattanie. Zrobiłem sześćdziesiąt trzy kredyty w dwanaście miesięcy. Najtrudniejsza była anatomia, patologia, chemię akurat lubiłem, podobnie rekonstrukcję. Nauka funeralna jest szalenie wymagająca, studenci odpadali, nie dawali sobie rady. Odpadali nawet ci, dla których funeral biznes był rodzinną kontynuacją. Dziadek, ojciec i teraz syn. Wszystkich religii.

* Chodzi o atak na World Trade Center 11 września 2001 roku.

Na naszych studiach zapoznawaliśmy się z tajnikami grzebania we wszystkich możliwych obrządkach, bo klientem domu może być i Jamajczyk, i Jewish, i orthodox, i gość z Indii. Z Indii mają ciekawe swoje obrzędy. Bardzo ciekawe. Syn zapala świece, musi sam rozpalić ogień, ciało zawinięte w trzy stopy prześcieradła. Żydzi, wiadomo, nigdy nie kremują, nie ma kwiatów. Trumny zero metalu, całe z drewna, oni mają tematy całkowicie inne. U nich, podobnie jak u Hindi, wierni się słuchają ichniego rabaja [rabina]. On im ogarnia temat. Teraz mam w środę pogrzeb orthodox, trumna będzie otwarta.

Te różnice są do ogarnięcia. Kiedy człowiek się profesjonalizuje, nawiązuje współpracę z rabajami i popami, więc potrafi zrobić każdy serwis, i to bardzo dobrze. Profesjonalistę czyni praktyka, praktyka i jeszcze raz praktyka.

Kiedy byłem w procesie nauki, pracowałem z moim kolegą dla czterdziestu domów pogrzebowych, zajmowaliśmy się odbiorem ciał i robieniem balsamacji. Tysiąc ciał rocznie. Duża liczba, można powiedzieć.

Zrozumiałem, że do tego trzeba mieć dryg. Mój kolega, który mnie nauczył, był jednym z lepszych, a potem ja, okazało się, byłem jeszcze trochę lepszy niż on. Balsamacja to w USA podstawa, ponieważ tak naprawdę w domach pogrzebowych nie ma lodówek. I bardzo silna jest tradycja. Balsamuje się od wojny secesyjnej, kiedy zdecydowano, że martwych żołnierzy ściąga się do domu, żeby rodziny miały się z kim żegnać. Z synem, bohaterem, żołnierzem, a nie z rozkładającym się ciałem. Więc wszystkimi siłami zatrzymywano ten proces.

Dam przykład z Flatbush, Brooklyn, od kolegi. Mają rocznie sześćset pogrzebów, samych czarnych, którzy z różnych krajów pochodzą. Jak ktoś umiera, to wszyscy mają być. Jak trzeba, to i sto osób. Więc zanim się zbiorą, to za trzy miesiące pogrzeb. Jeśli ciało jest zabalsamowane, to sobie spokojnie czeka.

Każde ciało, które wysyłam do Polski, musi być zabalsamowane, ponieważ linie lotnicze nie biorą niezabalsamowanych. To działa też w drugą stronę, kiedy ja ściągam kogoś z Polski. Oczywiście, że to się zdarza. Ktoś pojechał na wakacje, miał wypadek, a cała rodzina w Nowym Jorku. Zanim się go przywiezie, trzeba go zabezpieczyć. Nie chcemy zobaczyć kogoś, kto nie przypomina naszego wujka, prawda?

Od czego się zaczyna?

Kiedy już mam ciało, muszę je umyć i ogolić. Zlokalizować aorty, żyły, wiedzieć, gdzie naciąć. Odpowiednimi pompkami wlać formalinę i inne płyny. Jeśli ciało jest w dobrym stanie, czyli człowiek zmarł w domu, nagle, nie został uszkodzony, trwa to trzy godzinki. Takie ciało może miesiąc sobie leżeć i czekać albo na kanapie można człowieka posadzić. I nic się nie dzieje. Niech sobie siedzi.

Ciała trudniejsze balsamuje się odpowiednio dłużej. Jeśli człowiek leżał w szpitalu, brał lekarstwa, chemię i ta chemia pomiesza się z formaliną, to może być kłopot, bo nie wiemy dokładnie, co szpitale aplikowały. Jeśli się dostaje dużo kroplówek, kiedy przestają pracować nerki, to się puchnie. Balsamacja trwa dłużej, bo płyny szpitalne muszą zejść z ciała.

Ogólnie trzeba wiedzieć, na co człowiek umarł, i do tego potrzebna jest ta patologia. Jeśli dostajemy, dajmy na to, ciało żółte, to musimy umieć stwierdzić, czy to alkoholik, czy człowiek z ogólnie niezdrową wątrobą.

Jeszcze trudniej jest po sekcji zwłok. To nie szpital składa, tylko my składamy osobę z powrotem. To jest dużo pracy: głowę doszyć i żeby wszystko było na miejscu. To schodzi długo.

Najbardziej czasochłonni są ludzie po wypadkach. Często czegoś brakuje i trzeba nadrobić. Ze specjalnego wosku. Rodzina nie chce widzieć człowieka po wypadku.

Najtrudniejszy był przypadek dwóch naszych chłopaczków z Greenpointu. Jechali na motorze. Jednego nie dało się złożyć, tak był porozwalany. Drugiego składaliśmy razem z kolegą. Głowę z kawałków. Musieliśmy kupić małą okrągłą piłkę, żeby na niej ułożyć głowę, nic się nie chciało trzymać.

Tak dochodzimy do przypadków, kiedy jesteśmy bezradni.

Jeśli ktoś sobie strzela w twarz, to się nie naprawi. Jeśli ktoś zmarł w lecie i leżał w domu dwa dni, to też jest pozamiatane. W środku ciało jest zgniłe, i już po balsamacji. Układ krwionośny musi działać.

Przyzwyczajenie do zawodu nie trwało długo. Może po miesiącu czułem się bardzo dobrze. Nie myślałem za wiele, tylko chciałem to, co robię, zrobić jak najlepiej.

Mam poczucie, że robię dla nich coś dobrego. O własnej śmiertelności w pracy nie myślę. O cudzej więcej. Szczególnie o tych rodzinach, w których dzieje się tragedia. Ja, można powiedzieć, poznaję tajniki życia ludzkiego w głębszym wymiarze. I uważam, że ludzie ze śmiertelnością są na bakier, co generuje dalsze problemy.

Będę podawać przykłady.

Przyjeżdża tu żonaty mężczyzna. Nielegalnie, więc może się zdarzyć, że się tu żeni z amerykańską Polką dla papierów. Albo nawet z nowej miłości. No i teraz jedna żona w Ameryce, a druga żona w Polsce. Gość umiera i nie wiadomo, która ma prawo do zwłok. Okazuje się, że gość nie ma rozwodu w Polsce. Najczęściej polska żona nic nie wie o amerykańskiej. I teraz my musimy z tym dilować, bo musimy ustalić, kto ma prawo do pogrzebu. To nie jest takie śmieszne, w Polsce zaczynają się dziać sprawy majątkowe. Mieszkania, samochody. I spadkobiercy.

I teraz tak: prawnie żona amerykańska ma większe prawo niż ta w Polsce. Bo ostatnio wzięty ślub się liczy. Jedna chce chować w USA, a druga w Polsce. I one muszą się dogadać. Takie dogadywanie trwa. Nagle żona w Polsce się orientuje, że ze względu na to, że mąż ożenił się Ameryce, ona nie może wyciągnąć aktu zgonu, bo jest już osobą obcą. A bez aktu zgonu nie udowodni nikomu, że człowiek nie żyje. Nie sprzeda domu, nie podzieli majątku.

Ostatnio leżał tu pan. Miał tu konkubinę, żył z nią długo i szczęśliwie. Ale w Polsce miał grób rodzinny. Bardzo chciał tam leżeć. Wiem o tym, bo go znałem. Zresztą na kartce napisał. Umarł i zaraz zgrzyt się taki zrobił, że nie pozwolili go pochować w tym grobie. Była nierozwiedziona żona nie pozwoliła. Czekaliśmy, czekaliśmy, w końcu z tą panią konkubiną kupiliśmy grób na warszawskim Bródnie i go odesłaliśmy. Nie minęło wiele czasu, kiedy ci polscy państwo, którzy się sprzeciwiali, zorientowali się, że są majątkowe rzeczy do ogarnięcia. I nagle akt zgonu potrzebny. Zaczęli wydzwaniać do konsulatu, do mnie, wszędzie. Tylko że ja, żeby ta druga babka mogła pochować człowieka w Polsce, napisałem, że on był divorced. Okey? Co miałem zrobić? W konsulacie mówią, że mu nie wyciągną, bo nie mają takiego prawa. Więc dla Polski on wciąż żyje.

Swoją drogą, ile rodzin pobiera polskie emerytury na zmarłych emigrantów, to też jest temat.

Takie historie ludzkie mam non stop. Dlatego uważam, że ludzie powinni się ze sobą godzić.

Czasami sprawy trwają za długo. Miałem starszą panią, cztery miesiące u mnie czekała, bo syn na wakacje jechał, potem mówił, że nie ma czasu, bo podatki musi robić. A mama sobie kimała. Nie mnie oceniać, może niewielki kontakt mieli, tylko przez przekazy pieniężne.

Z drugiej strony bardzo przykra sytuacja w zeszłym roku. Pan pracował trzydzieści lat, nielegalnie, kupił bilet, żeby wreszcie wrócić na stałe, na Boże Narodzenie. W piątek miał ostatni dzień w pracy, a samolot w środę. Tylko jak zaczął się żegnać z kolegami, to we wtorek zmarł. Stres, alkohol, wszystko. A ci w Polsce tak czekali! Rozmawiałem z córką przez telefon. Mówili, że koniecznie trzeba wysłać ojca. Tylko mnie prosili, żeby nie w Boże Narodzenie, tylko trochę później.

Niektóre przypadki ocierają się o kryminał. Proszę posłuchać: on był przemocowy, ona uległa, wszyscy słyszeli o awanturach. Oboje około sześćdziesiątki. Ale do czasu. Jak się któregoś dnia zaczął awanturować, to go w końcu pani młotkiem trzepnęła. Przewrócił się i stracił przytomność. Na drugi dzień wezwała ambulans, pan był w śpiączce. Wsadzili go pod maszyny, leżał sobie. Brat pana był podejrzliwy, że to nie nieszczęśliwy wypadek. Pan leżał, leżał, aż zmarł. Pani nie chciała sekcji zwłok, tylko jak najszybciej odesłać ciało do Polski. To odesłałem. Tymczasem brat poszedł na policję, a do mnie zadzwonił detektyw, że pan miał ślad młotka odciśnięty w czaszce. Tyle że ten nieżywy pan już frunął nad oceanem. I pani się upiekło.

Kiedyś miałem pana, co zmarł. Nie pamiętam już na co. Okazało się, że miał łódkę, a na tej łódce znaleźli trzy ciała w złym stanie. Znaleźli je, bo łódka była niepłacona.

Takie rzeczy.

Nie mogę powiedzieć, że jest jeden główny powód śmierci, można powiedzieć, nienaturalnych. Jak ktoś ma dziewięćdziesiąt pięć lat, to it's time to go, naturalnie. Są trzy powody. Kiedyś, podobnie jak w przeszłości, to alkohol. Nie tylko jest to kwestia wątroby, ale również wypadków po spożyciu. W pracy i podczas czasu wolnego. Kiedyś koledzy z firm kontraktorskich, jak szli rano do pracy, to po trzech piwach. W przerwie kielich, co chwila ktoś ma urodziny. Wielu tych kolegów przebywało bez pilnujących ich na co dzień ślubnych żon. Więc następował alcohol abuse, bo któregoś dnia organizm przestawał przerabiać.

Z moich statystyk wynika, że tak wielu samotnych mężczyzn podatnych na alkohol na Greenpoincie to już nie ma. Pokończyły się czasy zarobkowych wyjazdów, łatwiej jechać do Europy. Do Ameryki to może wypychać już tylko polska tradycja.

Większy problem, jaki widzę, to jest śmierć przez narkotyki, overdosing. Mieszanki Bóg wie czego i opioidy. Wczoraj miałem czterdziestoparolatka, ale zwykle ofiary są młodsze. Skąd biorą narkotyki? Z apteki. U nas na Greenpoincie wybuchła afera, kiedy okazało się, że właściciele poważnej apteki zaszaleli i zaczęli sprzedawać te opioidy nielegalnie, za to na masową skalę. Dla mnie szok, bo ja znałem tych ludzi, do głowy by mi nie przyszło, że kombinują, gdyby nie interwencja FBI. Apteka świetnie dawała sobie radę; widocznie to było mało.

Ponieważ te opioidy coraz trudniej dostać, młodzi przerzucają się na coś taniego. Amfę, metę albo diler coś pomieszał i sprzedał. Kolega ma zakład w Pensylwanii, to mi dzwonił, że mu siedemdziesiąt dzieciaków zmarło w jeden weekend, bo ktoś coś źle pomieszał. U mnie dwudziestu rocznie, w większości młodzi ludzie.

Miałem takiego pana, pięćdziesiąt osiem lat, nagła śmierć. Żona z Polski dzwoni, co się stało. Nie wiadomo, bo jeszcze wyników sekcji zwłok nie było – mówię. Po jakichś miesiącach ona dzwoni, czy już wiem, czy mogę sprawdzić, czy on jest w systemie. Otwieram komputer, patrzę, jest: abuse of cocaine. Dajcie spokój, myślę. Żona zbladła, bo myślała, że normalnie miał zawał, jak to na Greenpoincie.

Samobójstwa też się liczą, choć kolega z Warszawy mi mówił, że nie tak jak w Polsce. Tu zdarzają się, powiedzmy, samobójcze wypadki. Akurat w zeszłą niedzielę chłopak sobie w głowę strzelił.

Ale to można zrozumieć: miał rodzinę, dwójkę dzieci, może pokłócił się z żoną, obraził się, nie wytrzymał.

Na wielu moich klientów czekają groby w Polsce. Oczywiście najłatwiej zorganizować przewóz urny. Urnie muszą towarzyszyć pewne dokumenty, przede wszystkim ze względów epidemiologicznych. Ale ludzie są mądrzejsi i przewożą urny w bagażu osobistym. Jedna pani po śmierci konkubenta wysłała go żonie w zwykłej paczce. Dołożyła jakieś przybory szkolne, zabawki dla dzieci. Ale prześwietlili tę paczkę na cle w Warszawie i sanepid zatrzymał urnę. Biedna polska żona nie miała pojęcia, że mąż został wysłany. To nie jest mądre. Oszczędza się może trzysta dolarów, a generuje kłopoty na miesiące.

Ja moim klientom niczego nie mogę kazać. Na przykład jak chcą rozsypać najbliższych nad Rzeką Wschodnią, bo takie też miałem przypadki. W Ameryce nie można nikogo tak sobie rozsypywać. Mogę doradzić, żeby tego nie robić.

W szczytowych czasach dzielnicę obsługiwało dwanaście domów pogrzebowych, w większości polskojęzycznych. Na Driggs, Meserole, Metropolitan; dużo. Pierwszy był John Smolenski na Manhattan Avenue. Te zakłady się zamykały, bo dzieci nie chciały działać w biznesie funeralnym. Po śmierci Smolenskiego zakład prowadził Leon Klementowicz, ważna postać na Greenpoincie, współzałożyciel polskiego banku. Dostał zawału serca w samochodzie i umarł. Jeszcze pani Klementowiczowa prowadziła, ale też zamknęła.

Kiedy inni się zamykali, ja poczułem, że jest nisza. W budynku, w którym się znajdujemy, już wcześniej mieścił się zakład pogrzebowy. Poprzedni właściciel prowadził go trzydzieści lat. Pracowałem u niego, a on ciągle mówił, że chce sprzedać i że ja mam kupić. Wreszcie doszedłem do wniosku, że spróbuję. Było pożyczanie, od kogo się dało, i remontowanie. Jednoczesne pracowanie w innym funeral home, żeby na to wszystko zarobić. Masakra, na szczęście rodzice mi pomagali. Zajęło mi cztery lata, żeby wyjść na prostą.

Czy na rynku jest silna konkurencja?

Absolutnie, chociaż ceny zależą od dzielnicy. Miałem praktyki w Manhasset na Long Island. Mieszkają tam CEO-si największych korporacji. Wielkie wille, wielkie rachunki za pogrzeby, pięćdziesiąt tysięcy dolarów za człowieka. A potem jedzie się z tego Manhasset trzydzieści kilometrów na zachód i za człowieka jest pięć tysięcy. Duża rozpiętość cen, ale nie ma żadnej mafijności.

Dom pogrzebowy nie może być właścicielem ani krematorium, ani cmentarza. Żeby sobie nawzajem nie zlecały. Nie można zostawiać wizytówek w szpitalach. Jak słyszałem o tym podbieraniu nieboszczyków w Polsce, to o tym tutaj nie ma mowy. Ambulance chasing* – może to było pięćdziesiąt lat temu, ale nie teraz. Jak ktoś do mnie nie zadzwoni, to ja nie jestem w stanie wiedzieć, kto zmarł.

Nie mówię, że nie można się polecać.

Ja należę do różnych organizacji funeralnych. Robimy reklamy w gazecie, supportujemy akcje charytatywne, kościoły. Działam w polonijnych organizacjach.

Parafie – bez komentarza. Na pewno księża mają swoje preferencje, ale więcej zależy, jak kto przeżył pogrzeb. I czy poleci znajomemu mój zakład. Krótko mówiąc: żeby biznes się opłacał, muszę zrobić sto serwisów rocznie. Robię więcej.

Wszyscy się pytają, czy ludzie w moim biznesie piją. Może w Polsce, tu nie ma mowy. Jak ktoś o to pyta, to znaczy, że ma starą mentalność. Przecież trzeba rozmawiać z klientem, odwieźć dokumenty, gdzieś zadzwonić. Gdybym to robił na bani, to by było trochę crazy, prawda? Smutek przeżywamy we własnym zakresie, w domu. Wiadomo, że jak się chowa dziecko albo kogoś młodego, to jest straszny żal. Po czymś takim trzeba się chwilę wyciszyć.

Na Greenpoincie zapuściłem korzenie prywatne i zawodowe. Moja żona tu się urodziła. Jest księgową. Reprezentujemy dead and taxes, dwa pewne biznesy w Ameryce.

Lubię mieszkać w tej dzielnicy, ale wolałem lata dziewięćdziesiąte, kiedy ludzie znali się nawzajem. Dzień dobry, dzień dobry, szedłeś Manhattan Avenue i znałeś wszystkich. Dziś nie znasz prawie nikogo, bo to już Amerykanie, którzy żyją w swoim świecie.

* *Ambulance chaser* to prawnik, który specjalizuje się w wynajdywaniu spraw o odszkodowania powypadkowe.

Jeszcze w mojej części Greenpointu, w okolicach Driggs i McGuinness, zna się sąsiadów. Jeszcze nie sprzedali swoich domów. Jeszcze się bronią przed amerykańskim huraganem.

Dziesięć lat temu był szał na sprzedawanie domów, a ja uważam, że to wielki błąd, że Polacy sprzedawali. Mówili, że oferta była atrakcyjna. Tylko że teraz jest jeszcze bardziej atrakcyjna i dalej rośnie. Zaczęło się od Bedfordu na Williamsburgu, gdzie zjawiło się dużo yuppies i artystów mówiących po angielsku. Otwierały się knajpy. Było wiadomo, że oni przejdą przez park McCarren na naszą stronę. To była kwestia czasu, bo ile ten Williamsburg może tych hipsterów pomieścić i nie pęknąć.

Razem z cenami urosły czynsze. Chodzi się po Manhattan Avenue, sklepy wolne. Nie wiadomo, czy to te zabójcze czynsze, czy pomysłu nie ma.

Napływ Amerykanów i odpływ Polaków powoduje, że ze względu na słabą frekwencję trudno zorganizować bal polonijny, nie mówiąc o paradzie Pułaskiego. Coraz mniej ludzi, za to coraz więcej polityki wśród osób starszych. I konfliktów, muszę powiedzieć. Mamy spory w polskim banku, w Centrum Polsko-Słowiańskim. Uczestniczą w nich osoby w wieku powyżej sześćdziesięciu lat, które reprezentują mentalność z dawnej Polski, opartą na konflikcie i nieufności.

Jeśli chodzi o te spory polityczne, to mnie pani nie namówi na zwierzenia. Straszna walka. Mam taki biznes, jaki mam, i chciałbym chować obie polityczne opcje.

## Atena, 1992

Byłam już w ciąży, to mógł być 1998 rok, kiedy obejrzeliśmy film *Szczęśliwego Nowego Jorku*. Mój Zbyszek był tak oburzony tym, co widzi, że nie mógł wysiedzieć na seansie. To, co zobaczyliśmy, było bardzo krzywdzące. W filmie występowali Polacy zamieszkali na Greenpoincie i wszyscy byli pokazani w krzywym zwierciadle. Jak intelektualista, to alkoholik, jak ładna kobieta, to dla pieniędzy śpi ze starcem na wózku. Jak ktoś ma zacięcie biznesowe, to oszukuje i brata się z mafią. Przykre.

Zbyszek był greenpointczykiem, ale był również częścią nowej, pięknej, wykształconej generacji emigrantów. Jej liderem. Miał klub nocny w centrum Greenpointu, inwestował w kulturę, miał przyjaciół, którzy też odnosili sukcesy. Nie żyli jak bohaterowie tego filmu. Zbyszek piął się w górę i nigdy nie miał polskiej mordy.

Przyjechał w czerwcu 1989 roku na zaproszenie kuzynki, ale przede wszystkim chciał odwiedzić mamę, która wyjechała trzy lata wcześniej. Zanim zakochał się we mnie, zakochał się w Manhattanie. Śmiał się, że Manhattan różni się od Suwałk, gdzie mieszkał, bo ludzie są uśmiechnięci i pomocni.

Wiedział, że pierwsza rzecz, którą powinien zrobić, jest nauka języka angielskiego. Tak poznał Ryszarda Rzeźnika, który był właścicielem Greenpoint English School, najsłynniejszej na Manhattan Avenue. Jak skończył tę szkołę, to robił dla niego tłumaczenia. Zdolny absolwent.

Zapisał się do LaGuardia College. Miał wysoką średnią. Jego profesor od prawa biznesowego, emerytowany sędzia nowojorski, wyróżnił dwie osoby spośród ponad dziesięciu tysięcy uczniów. Jedną był mój Zbyszek.

Chyba wtedy się spotkaliśmy. Pracowałam na Manhattanie, nie miałam kontaktu z Polonią na Brooklynie. Zbyszek przywiózł mnie na Greenpoint i ten Greenpoint wyglądał jak polska głęboka prowincja. O tej prowincjonalności powiedziałam moim amerykańskim znajomym. Oni mi odpowiedzieli, że tak właśnie wygląda prawdziwa Ameryka. Prowincja.

Zakochałam się w Zbyszku bez pamięci; mógł mnie zawieźć do piekła, byłoby mi wszystko jedno. Chciałam stać u jego boku. I stałam.

To on wpadł na pomysł, żeby założyć pierwszy w metropolii nowojorskiej polski klub nocny. Wcześniej jeździło się do Scorpio's w New Jersey. Daleko i, powiedzmy sobie, wiocha. Na Greenpoincie było mnóstwo młodych ludzi, którzy chcieli oglądać znane polskie zespoły, tańczyć, zamawiać drinki i się nie wstydzić.

Zbyszek namówił Rzeźnika, żeby zainwestował. Znalazł lokal na Meserole Avenue i został menedżerem. To był strzał w dziesiątkę. W klubie występowała czołówka: grały zespoły Bajm, Dżem,

Republika, Lombard, De Mono, Wilki, Big Cyc, Łzy, Ich Troje, Stanisław Sojka, Michał Urbaniak, Bogusław Mec, Małgorzata Ostrowska i Andrzej Zieliński.

Chyba po roku zaczęły się rozmowy, żeby Zbyszek przejął biznes. Rzeźnik chciał sprzedać za siedemset pięćdziesiąt tysięcy i myśmy pomyśleli, że warto. Zaczęliśmy pożyczać. Wszyscy się zrzucali na Europę: rodzice, znajomi, nasi didżeje. Chwilę przed podpisaniem umowy okazało się, że Europa będzie kosztowała znacznie więcej. Zbyszek powiedział: trudno.

I potem już tylko spłacaliśmy, spłacaliśmy i spłacaliśmy.

To były niekończące się spłaty. Syzyfowe, można powiedzieć. Już mieliśmy tylko ostatnią ratę za to wielkie air condition pod sufitem, a tu w niedzielę ktoś się wywraca na niby śliskiej podłodze. Na łyżce wody, na wylanym drinku. Albo uderza się w ścianę, łamie palec od nogi i sądzi nas na dwa miliony.

Po roku żeśmy się spalili. Ktoś nam wywiercił dziurę w suficie. Zadał sobie trud, wlał benzynę. Była teoria, że zrobiła to konkurencja, która w tym mniej więcej czasie się otworzyła. Takie plotki krążyły. Z drugiej strony to nie był polski sposób pozbywania się konkurencji. Może bardziej włoski.

Kiedy otwieraliśmy się po remoncie, Zbyszek zasypał Greenpoint ogłoszeniami w kształcie ognika, małego płomienia. Wszyscy wiedzieli, o co chodzi.

A my szliśmy do przodu. Mieliśmy ambicje, żeby na Greenpoint przyszła kultura. Poznaliśmy Mariana Żaka, baletmistrza z Bytomia, który założył New York Dance and Arts Innovations. Przez osiem lat co niedziela organizował u nas Art Nights, wieczory kulturalne. Pokazywaliśmy rzeźby, obrazy, rysunki, co tylko sobie wymyślisz. Co trzy tygodnie nowa wystawa. Nie zarobiliśmy na tym ani dolara, nie chcieliśmy.

A potem Zbyszek zaczął organizować koncerty w słynnym Roseland Ballroom na Broadwayu. Występowały tam takie sławy, jak Rudolph Valentino, Rolling Stones czy AC/DC. Na początek zaprosiliśmy Ich Troje. Przyszło trzy i pół tysiąca osób. Stali w kolejce, ludzie na Manhattanie pytali, co się dzieje, skąd nagle tylu Polaków na Broadwayu.

Europa to była oaza nowoczesności. Dostawaliśmy listy pochwalne od prezydenta dzielnicy Marty'ego Markovitza, burmistrza Giulianiego. W Europie siedział gubernator George Pataki i politycy polscy, z prezydentem na czele. W najlepszym roku mieliśmy trzy miliony obrotu. O Zbyszku pisały gazety. Zaczęłam mu pomagać: organizowaliśmy chrzciny, imieniny, komunie. Świetnie zarabialiśmy.

Pewnie, że się bałam o Zbyszka. Siedziałam w domu z naszą córką, a wokół niego kręciło się mnóstwo osób, młode dziewczyny też. Był przystojny i charyzmatyczny. Małżeństwa obok nas rozpadały się jak domki z kart, wszyscy naokoło się zdradzali. Miałam takie przypadki, że stoję w Europie koło Zbyszka – jestem malutka, sto sześćdziesiąt dwa, ledwo mnie widać – a dziewczyna przy barze go podrywa. Śmiechy, zaczepki, głupie żarty. Ja się śmieję, Zbyszek się śmieje, pokazuje obrączkę i puka tą obrączką o blat. A laska pyta: „So what?". Takie były dziewczyny.

Przetrwaliśmy. Żartowaliśmy, że jesteśmy jedyną parą, która się nie rozwiodła. Bardzo się kochaliśmy.

Zaczęliśmy kuleć w roku 2004. Polaków ubywało, przybyło konkurencji. W 2008 roku uderzył kryzys i ludzi było jeszcze mniej. Zbyszek zapisał się na studia biznesowe do Baruch College, żeby zdobyć bachelor degree w biznesie. Podtykałam mu rosołki pod nos, żeby się uczył. Ale odpuścił, zabrakło mu semestru. Powiedział, że nie ma siły, że jak sam nie zrobi pieniędzy, to mu szkoła nic nie da. Był zmęczony.

Klienci w Europie zaczęli być trochę zbyt wymagający i roszczeniowi. Na Greenpoincie były już dwa kluby, więc wiedzieli, że mogą powiedzieć: a, bo w Exicie mamy wolny wstęp do dwudziestej drugiej trzydzieści, a kobiety wchodzą tam za darmo. A myśmy przecież nie mogli rozdawać wszystkiego za darmo. Z drugiej strony pierwszą zasadą działającego klubu jest to, że nie może być pusto. Jeśli jest pusto, to ludzie zaglądają i uciekają.

Ciągle się zastanawiał, co zrobić, żeby znów rozkręcić biznes. Miał nadzieję, że jak zainwestuje we wnętrze osiemdziesiąt tysięcy dolarów, to się wszystko zmieni, biznes ruszy. Ale te inwestycje były wciąż większe niż przychody. Zostaliśmy z dzieckiem w prywatnej szkole, dwoma samochodami, domem na kredyt. Okazało się, że nasze wydatki miesięczne to siedemnaście tysięcy, a zarabialiśmy pięć.

Wszystkie oszczędności wydaliśmy przez pół roku. Trzeba było spłacić karty bankowi. W końcu musieliśmy sprzedać dom, żeby podtrzymać Europę. Kupiliśmy o wiele mniejszy.

Dla niego to był cios. Poczuł to tak, jakby się nie sprawdził jako mężczyzna. Obiecywał, że pewnego dnia się odkujemy.

Czy wtedy zaczął pić? Przed 2008 rokiem pił jak wszyscy, a nawet bronił się przed piciem. Kiedy był na świeczniku, wszyscy chcieli się z nim napić. Barmani wiedzieli, że mają nalewać mało wódki i dużo soku grapefruitowego, żeby wyglądało jak drink. No ale problemy okazały się za silne i te proporcje wódki i soku się zmieniły.

Zaczął gemblować, żeby się odegrać i żeby kupić nam dom albo nowy biznes. Na moich oczach się osuwał, diabeł brał go w swoją moc. Jak się odegrał, to cieszył się jak dziecko. Ja się nie cieszyłam, bo wiedziałam, że nie ma z czego, że za dwa tygodnie straci. Siedziałam w domu i udawałam, że jesteśmy normalną rodziną. Dla naszego dziecka. Gotowałam obiad, odprowadzałam dziecko na zajęcia, jak gdyby nigdy nic.

Zbyszek wciąż miał klasę i mocną pozycję w dzielnicy. Znalazł się więc wspólnik, który uznał, że warto zainwestować w Europę. Po pięciu latach przejął biznes. Zbyszek postanowił, że zajmie się sprzedażą nieruchomości. W wywiadzie dla „Nowego Dziennika" obwieścił, że to kolejny etap kariery i wielki sukces.

Czy wtedy zaczął skarżyć się na serce? Nie pamiętam. W każdym razie myślał, że to stres.

10 lipca 2014 roku siedziałam w knajpie na Long Island. Obchodziłam z przyjaciółkami moje urodziny, dzieliłyśmy się lunchem. Mamy taką tradycję, że kiedy któraś z nas ma urodziny w sezonie letnim, dziewczyny zapraszają na lunch lub obiad w pięknym miejscu. Ubieramy się ładnie i świętujemy. O drugiej lub trzeciej zadzwonił telefon, dostałam esemes od koleżanki, która pracowała ze Zbyszkiem. Czy ja wiem, co się stało Zbyszkowi? Odpisałam zgodnie z prawdą, że nie wiem. A ona: gdzie jestem?

Myślałam, że to już wszystko, ale znowu napisała, że policja prosi, żebym przyjechała. Na Queens. Myśmy mieszkali na Queensie. Zadzwoniłam do niej, nic więcej nie wiedziała.

Miałam złe przeczucia. Zbyszek poprzedniej nocy pojechał do kasyna. Byłam na niego wściekła, nie odpowiadałam na esemesy. Pomyślałam, że mógł mieć wypadek. Dziewczyny powiedziały, że pojadą ze mną. Że może ktoś go dźgnął nożem, ale jest przytomny.

Dojechałyśmy na dwunasty komisariat. Wypindrzone, wyglądałyśmy dziwnie na tym komisariacie. Czekałyśmy chwilę, a potem wzięli mnie na przesłuchanie. W końcu się dowiedziałam, że znaleźli jego ciało w motelu blisko naszego domu. Bez śladów walki, bez ran. Mój mąż leżał na łóżku ubrany, wokół rozrzucone karty, jak w jakimś filmie.

Czy ja wiem, co się stało?

Co mogłam wiedzieć prócz tego, że miał grać w kasynie na Queensie. Domyślałam się, że wynajął motel, żeby grać dalej. Policjanci powiedzieli, że kamery przemysłowe pokazały Zbyszka z dwoma kolesiami. Nad ranem obaj wyszli z motelu. Czy wiedzieli, że Zbyszek jest nieprzytomny? Czy zostawili go na śmierć?

Powiedzieli, że zmarł na serce .Taka była cena za jego marzenia.

Po tygodniu umorzyli śledztwo, a ja czym prędzej pojechałam odebrać samochód z parkingu policyjnego. Był drogi, wyleasingowany, chciałam go jak najszybciej oddać, bo wiedziałam, że mnie nie będzie stać na takie auto. Nie pamiętam wiele z tamtego czasu. Działałam jak robot.

Mój ojciec nie żył, pół roku po Zbyszku zmarła moja mama. A potem najbliższa mi ciocia. Nagle zostałyśmy z córką same na świecie. Nie miałyśmy wyjścia, tylko przetrwać.

Byłam jeszcze w głębokiej żałobie, kiedy zaczęli emablować mnie mężczyźni, którzy myśleli, że jestem bogatą blond wdówką. Kiedy wyprowadzałam ich z błędu – entuzjazm opadał. Niektóre koleżanki boją się zapraszać mnie do domu. Że im męża odbiję: tego małego, łysego, z brzuchem na krzywych nóżkach. Oh my God, naprawdę?

## Łukasz, 1990

Dojechałem do ojca w ósmej klasie. Zapisał mnie do liceum w Elmhurst na Queensie, miałem się uczyć w ramach programu Liberty, dla obcokrajowców. Żadne Beverly Hills 90210. W naszym budynku nie było nawet okien, zero boiska, garstka białych. Program Liberty polegał mniej więcej na tym, że angielskiego trzeba było nauczyć się w biegu, bez tłumaczenia zasad gramatyki. Na lekcjach głównie pisaliśmy. Dla dzieciaków z Bangladeszu to był kosmos, bo nie znały łacińskiego alfabetu. Wtedy jeszcze nie było wykrywaczy metalu na bramkach. Raz ktoś strzelił z pistoletu na korytarzu i zostaliśmy zamknięci w klasach na dwie godziny. Potem drzwi do sal można było otwierać tylko od wewnątrz. Taki Nowy Jork bardzo mi się podobał, jakbym wskoczył do filmów, które oglądałem.

W Krakowie tata był dyrektorem administracyjnym w teatrze, w Ameryce złotą rączką w apartamentowcu na Manhattanie, tuż przy rezydencji burmistrza. Z dwójką Polaków dzielił trzypokojowe mieszkanie na 87th Street w Jackson Heights. Dzięki współlokatorom wszedł w biznes limuzynowy w prowadzonej przez Rosjan firmie PrimeTime. Kupowało się w tej firmie udziały, zwracały się po roku. Tata kupił lincolna town car z przyciemnianymi szybami i stolikami z tyłu. Bajer.

Salon zajmował Lester. Korzystał wyłącznie z dużej szafy, w której trzymał sterty kuponów lotto. Mówił, że jak wygra dziesięć milionów, to będzie mógł odliczyć pięć tysięcy za te kupony. Lester w dzień jeździł limuzyną, w nocy był doormanem. Przychodził, by się umyć i zmienić garnitur. W drugim pokoju była Wiki, świętej pamięci, bo wróciła do Polski i popełniła samobójstwo. Wiki też była kierowcą i fajną dziewczyną, ale przechodziła kryzysy z powodu agresywnego boyfrienda. W trzecim pokoju mieszkał mój tata.

Dojechałem do niego, po kilku miesiącach przyjechała mama, a potem babcia z młodszym bratem. Jeździliśmy na Greenpoint do polskich delikatesów, głównie do Kiszki. To był kosmos, w życiu nie widziałem tylu polskich wędlin. Miałem do Kiszki sentyment, bo wyobrażałem sobie, że tak wyglądał kiedyś sklep mięsny mojego dziadka.

W naszej okolicy mieszkali głównie Azjaci i Latynosi. Pewnego wieczoru usłyszeliśmy strzały za oknem. „Zobacz, Łukaszku, kogo tam znowu zabili" – zażartowała mama. Posłusznie podszedłem do okna i zobaczyłem, że do odjeżdżającego samochodu wskakuje mężczyzna z bronią w ręku, a na chodniku przed naszym domem leży facet.

Kiedy mama dojechała, to się okazało, że rodzice mają kryzys małżeński. Ojca nie było w domu. Pracował non stop albo gdzieś dzwonił. Rodzice zaczęli się strasznie kłócić, a dla mnie to był szok, bo w Polsce byli fajną parą i miałem fajne dzieciństwo. Teraz ojciec był nie do zniesienia, a ja bez znajomych czułem się parszywie. Zacząłem tę Amerykę nienawidzić. Kulminacja nastąpiła, kiedy pojechaliśmy na wakacje na Florydę. Miało być fajnie: Disney World, Universal Studios, parę dni odpoczynku od nowojorskiego syfu. Na Key West rodzice znowu mieli kryzys. Mama płakała, młodszy brat nie wiedział, co się dzieje. Kazałem sobie kupić bilet do Polski. W jedną stronę.

Wróciłem do Krakowa, poszedłem do liceum i zamieszkałem z babcią. Ale tak się złożyło, że dostałem stypendium we Francji. Rok chodziłem do liceum w Dijon. Uczyłem się dobrze, ale bez rodziców traciłem grunt pod nogami. Rozrabiałem w internacie. Rodzice ściągnęli mnie z powrotem do Stanów.

Mama pracowała już jako opiekunka osób starszych. Najpierw u pani Rity, która była podobno podczas wojny polskim szpiegiem w Madrycie, potem u emerytowanej psychoanalityczki z Wiednia. Jej nauczycielem był sam Freud, choć wolała Junga. Przyjechała do Nowego Jorku po wojnie, mieszkała w Upper West Side, blisko Lincoln Center. Jej pacjentami były głównie osoby, które dziś nazywamy LGBT. Była bardzo ceniona w środowisku psychoanalityków. Jak Dalajlama przyjeżdżał do Nowego Jorku, to ją odwiedzał albo przysyłał jej do domu kwiaty. Myślę, że ta drobniutka staruszka bardzo pomogła mojej mamie. To jej przyjaciel, również psychoterapeuta, Charles, uzmysłowił mamie, że powinni mieć syna przy sobie, a nie we Francji.

Myślałem, że przyjechałem tylko na wakacje i wrócę do Dijon, do kumpli, a tu usłyszałem, że od września idę do Newtown High

School. Trzeci rok liceum i trzecia zmiana szkoły. Znów wejście w nowe środowisko. Nie byłem szczęśliwy, ale okazało się, że mam zaliczonych tyle przedmiotów z Polski i Francji, że mogę skończyć high school w ciągu roku. Zapisałem się na wszystkie możliwe zajęcia, żeby uzupełnić program. Play production, czyli szkolny musical, produkcję telewizyjną, teatr, historię filmu. W tej publicznej szkole z czterema tysiącami uczniów, głównie imigrantów z Kolumbii, Ekwadoru, Meksyku, Pakistanu, Indii, Tajlandii, Chin i Korei, uczyli świetni nauczyciele. A ja byłem naprawdę zdolnym dzieckiem, więc miałem od nich wsparcie.

Polaków było może trzydziestu, głównie z Greenpointu, chociaż obowiązywała rejonizacja i powinni byli chodzić do high school na Greenpoincie. Ale ponieważ ta high school była jedną z gorszych szkół na Brooklynie, niektórzy Polacy z Greenpointu dogadywali się z rodakami z lepszych dzielnic, żeby przepisać na siebie rachunek za gaz albo telefon. To wystarczyło, żeby potwierdzić lepsze miejsce zamieszkania i posłać dziecko na przykład do Newtown.

Część dzieciaków z Greenpointu trzymała się razem, zawsze siedzieli na lunchu przy jednym stoliku. Zawistni, nieambitni, nie znali angielskiego i kłócili się między sobą. Nienawidzili Murzynów, Latynosów, Chińczyków, wszystkich. Nic im się nie podobało, używali rasistowskich epitetów i uważali się za lepszych, bo byli biali i z Europy. Na początku też jadłem z nimi lunch, bo nie znałem nikogo innego. To było strasznie dołujące. Była na przykład dziewczyna z Podlasia, której matka powiedziała, że urodziła ją tylko po to, żeby nie iść do więzienia. Jedyny kontakt, jaki mieli z innymi uczniami, to gdy uczyli ich polskich przekleństw. Jak ktoś mijał tych Polaków na korytarzu, to wołał w ich stronę „hello, kurwa" albo „pierdol się". Drwili z poziomu nauki. Trójka z tej grupy chodziła ze mną na matematykę. Na jednej lekcji któryś powiedział: „Kurwa, ja takie rzeczy, kurwa, miałem w siódmej klasie w podstawówce, a to ma być liceum?". Ja na to: „Ciesz się, z testów będziesz miał same A, więc w czym problem?". Ostatecznie żaden z nich nie zdał tej matematyki.

Ciągle powtarzali: „Ameryka jest do dupy, nie jestem w stanie zdać kartkówki, bo Ameryka jest do dupy". Dla mnie do dupy było ich towarzystwo, więc żeby ich nie spotykać, zaproponowałem nauczycielce produkcji telewizyjnej, że w czasie lunchu będę przychodził do sali wideo, żeby robić porządki.

Z kumplem Tadkiem urywaliśmy się ze szkoły, a ja potem wypisywałem sobie i jemu lewe zwolnienia. Po jakimś czasie jedna z nauczycielek Tadka przyszła do mnie, pokazała mi Tadka usprawiedliwienie, które sam napisałem, i spytała, czy to aby na pewno pisała jego matka. Wagarowanie nasze skończyło się, gdy wprowadzono w NYC przepis, że policja powinna legitymować nastolatków, którzy w godzinach zajęć przebywają poza szkołą. Wtedy też dotychczasowych pracowników ochrony w budynkach szkół publicznych w Nowym Jorku zastąpili regularni funkcjonariusze NYPD. Zainstalowane zostały wykrywacze metalu, przy wejściu przeszukiwane były plecaki. Przy wyjściu policjanci sprawdzali, czy uczniowie skończyli już w danym dniu lekcje.

W ramach zajęć z play production wziąłem udział w produkcji szkolnego musicalu *Bye Bye Birdie*. Grali w nim uczniowie i nauczyciele. Dostałem rolę Hugo, chłopaka zakochanego w dziewczynie, która musi wybrać między nim a wzorowanym na Presleyu, młodym, uwielbianym przez nastolatki piosenkarzu. Miałem w tym musicalu taką scenę, że przychodzę pijany i w ataku zazdrości rozwalam imprezę. Miałem być zabawny i budzić współczucie. Tak zagrałem tę scenę, że zostałem bohaterem szkoły. Gdy szedłem korytarzem, ludzie witali mnie: „Hi Hugo!". I przybijali piątki. Dostałem kopa energii. Zacząłem brać udział w różnych konkursach i jako pierwszy w historii uczestnik urodzony poza USA dostałem się do finału nowojorskiego szkolnego konkursu na recytacje dzieł Szekspira. Recytowałem zabawny fragment ze *Snu nocy letniej* i słynny *Sonet 18*. Wygrałem kolejne etapy olimpiady dla dwujęzycznych studentów.

O sukcesach uczniów informował sam dyrektor w komunikatach nadawanych przez szkolny radiowęzeł. Kilka razy pod rząd komunikaty były o mnie. Rodzice pękali z dumy. Nauczyciele uważali, że powinienem iść na Harvard albo inną prestiżową uczelnię. Szybko okazało się, że jest to nierealne, bo moi rodzice są w Stanach nielegalnie, a mnie kończy się ważność pobytu na wizie turystycznej.

Złożyłem papiery do Baruch College na Manhattanie. To był jedyny college, który znałem, bo stał przy stacji metra, blisko katolickiej szkoły, z której odbierałem brata. To była uczelnia miejska, więc nie pytali o status imigracyjny. Studiowałem, a w weekendy pracowałem jako doorman; ojciec mi załatwił tę robotę.

Cztery lata, fajny czas. Przebierałem się w służbowy plastikowy garnitur z lampasami, prywatne ciuchy chowałem do szafki i stawałem w wejściu do apartamentowca przy East End Avenue w Upper East Side. Budynek należał do rodziny Weinrebów, pochodzących z Kresów polskich Żydów, którzy zanim zostali kamienicznikami, sprzedawali na ulicach hot dogi. Witałem lokatorów, anonsowałem przybycie ich gości, wpuszczałem dostawców jedzenia, odbierałem pocztę, rzeczy z pralni, łapałem taksówki, pomagałem wyładowywać bagaże, kiedy wracali z lotniska albo z weekendu za miastem. Gdy było trzeba, chodziłem na zastępstwo do innych apartamentowców Weinrebów, na przykład do ekskluzywnie położonego budynku przy Zachodniej 85 Ulicy przy samym Central Parku. Przez jakiś czas obsługiwałem zabytkową windę w kamienicy przy Madison Avenue. Byłem biały, kulturalny i mówiłem po angielsku, co przekładało się na napiwki. Od dolara za otworzenie drzwi do taksówki do dziesięciu dolarów za pomoc przy wyjęciu z bagażnika zakupów i zaniesieniu siatek do windy. Bycie doormanem nie wymagało kompetencji, z wyjątkiem zimnej krwi oraz podstaw psychologii.

Raz poszedłem na zastępstwo do budynku, w którym nigdy wcześniej nie pracowałem. Po północy zamknąłem drzwi na klucz, ale przez szybę zobaczyłem, że na ulicy jest bójka. Jeden obrywa, drugi go próbuje ratować, sprawcy są agresywni. Ten, co oberwał, ocieka krwią i rzuca się na moje drzwi. Wrzeszczy, żeby go wpuścić. Ten, który go podtrzymuje, mówi, że oni tu mieszkają i żeby wezwać policję. Nie znałem ich, więc bałem się otworzyć drzwi. Tłumaczyłem, że nie mogę ich wpuścić, bo ich nie znam. Bałem się, że jak wezwę policję, to się okaże, że jestem nielegalnie. A jak nie wezwę, to człowieka zatłuką. W końcu otworzyłem drzwi. Oni faktycznie mieszkali w tym domu, zrobili awanturę, przyjechała policja. Uratował mnie płynny angielski, skończyło się na spisaniu zeznań. To była para gejów, którzy szli ulicą za rękę. Był 1996 rok i komuś się to nie spodobało. Ta para złożyła na mnie skargę do Weinrebów z żądaniem natychmiastowego zwolnienia mnie z pracy. Więcej już tam nie pracowałem.

Innym razem przyszedł gość do lokatora, po trzech godzinach wyszedł. Rano okazało się, że lokator nie żyje. Znów śledztwo, wyszło, że to samobójstwo z asystą. Lokator miał AIDS, rzuciła go rodzina, miał depresję.

Weinrebowie nie byli ultraortodoksyjni, ale byli religijni. W budynku mieszkało kilku bardzo proizraelskich Żydów. Pan Nadler walczył w armii amerykańskiej w czasie drugiej wojny i był dziwny. Na zakupy wychodził wyłącznie późnym wieczorem. Ojciec ostrzegał: uważaj na tego świra. Raz pan Nadler zajrzał za moje biurko, zobaczył, że się uczę do egzaminów i że czytam książkę o wojnie. Zaczęło się. „Wiesz, że to Polacy wybudowali obóz koncentracyjny Auschwitz dla Żydów, prawda?" „Wiadomo, że pracowali przy budowie obozu, ale przymusowo, nie z własnej inicjatywy. Nie mieli wyjścia, bo Polska była pod okupacją hitlerowską". „Niestety widzę, że nie znasz prawdy, bo Polacy sami się zgłaszali do pracy i bardzo chętnie budowali". „Nie wiem, czy Polacy tak naprawdę wiedzieli, co budują". „Byli w zmowie z nazistami. Polacy się zmówili z nazistami, bo chcieli się pozbyć Żydów". „Nie sądzę". „Nic nie wiesz, a ja tam byłem w czasie wojny jako żołnierz". „Jak to, nazistą pan byłeś?" „Ja wyzwalałem obóz". „Sowieci wyzwolili przecież".

Ta wymiana zdań była żenująca, więc mówię: „To nie jest miejsce na dyskusję, proszę pana. Jestem w pracy. Pan mnie do siebie zaprosi, porozmawiamy o historii". Oczywiście nie zaprosił do siebie polskiego odźwiernego-studenta. Ale nadal szukał zaczepki. Przed Bożym Narodzeniem, z okazji święta Chanuka, w głównym hallu na stoliku stała menora, a po przeciwnej stronie gospodarz budynku postawił tradycyjnie, jak co roku, choinkę. Pan Nadler wychodził na swój wieczorny shopping, spojrzał na drzewko, podszedł do mnie i powiedział, że idzie na zakupy, a jak wróci, to choinki ma nie być, ponieważ nie życzy sobie, żeby w żydowskim budynku stała choinka. Odpowiedziałem, że on akurat nie może mi nic kazać i że to nie jest żydowski budynek, bo mieszkają tu także irlandzcy katolicy, protestanci, baptyści, metodyści. On, że są żydowskie święta, nie chce tu widzieć żadnej choinki. Ja, że katolickie też się zaczynają i nic z choinką nie mam zamiaru robić. Rzucił tylko, że długo tu nie popracuję. Ja: „We will see about that".

Kiedy po raz pierwszy pracowałem „na drzwiach" w święta, zrozumiałem, dlaczego chłopaki odsprzedawały sobie tę pracę nawet za dziesięć tysięcy dolarów. Mój budynek miał czternaście pięter i średnio po dziesięć mieszkań na każdym piętrze. Jedno wyjście z budynku, w którym stałem ja. Tradycją w USA jest, że lokatorzy dziękują obsłudze za pracę, dając koperty ze świątecznym bonusem. W Wigilię i święta przez cały mój dyżur odbierałem koperty. W każdej z nich było od dwudziestu do pięćdziesięciu dolarów. Od kilku osób dostałem po stówie. W dwa dni uzbierałem ponad dwa i pół tysiąca dolarów. Przez kolejne trzy lata nie spędzałem świąt w domu. Mój ojciec jako handyman dostawał od pięćdziesięciu do stu dolarów, a Alfredo, który był superem, czyli zarządcą budynku, od stu do dwustu pięćdziesięciu dolarów. W wielkim apartamentowcu, gdzie pracowała moja mama, było ponad trzysta mieszkań. Tam super potrafił zarobić w bonusach nawet trzydzieści tysięcy dolarów w jedne święta.

Tyle że święta wypadały niezbyt często, a weekendowe dyżury zaczęły mnie frustrować. Były monotonne, a ja nie czułem się zbyt pewnie, wiedząc, że moja dziewczyna spędza każdy weekend beze mnie. Miałem dość tej pracy. Zacząłem tworzyć sobie w głowie scenariusze, jak uniknąć spotkania mieszkańców, za którymi nie przepadałem, gdzie się schować, albo jak udawać, że jestem zbyt zajęty, by otworzyć komuś drzwi. Dzięki nocnym dyżurom miałem dużo czasu na naukę. Studia skończyłem z wyróżnieniem, ale wciąż nie miałem papierów. Jeszcze nie było dramatu, bo pojawiła się szansa, że rodzice dostaną zieloną kartę przez sponsorowanie. To znaczy: pracodawca mamy zgłosi do urzędu imigracyjnego, że mama jest niezbędna na swoim stanowisku i nie można znaleźć na jej miejsce żadnego Amerykanina. Mama pracowała wtedy w polskiej szkole, więc było to prawdopodobne.

Dzięki mamie cała rodzina mogła zalegalizować pobyt. Na pewnym etapie procedury zatwierdzania tak zwanej wizy imigracyjnej mogliśmy dostać pozwolenie na pracę. Ja znalazłem ją w redakcji „Nowego Dziennika". Straciła kilka osób na rzecz konkurencyjnego „Super Expressu", który otworzył filię w Nowym Jorku. Mama mojej ówczesnej dziewczyny znała redaktorkę z „Nowego Dziennika". Potrzebowali kogoś do prowadzenia działu miejskiego. Nadawałem się, bo znałem angielski i publikowałem teksty w wydawanym na Greenpoincie tygodniku „Kurier Plus". Znajomość angielskiego nie była rzeczą oczywistą wśród dziennikarzy tej gazety.

„Nowy Dziennik" to było intelektualne centrum polskiego Nowego Jorku, byłem zachwycony. Zacząłem organizować spotkania dla młodych Polaków, którzy chcą studiować w USA. Tłumaczyłem, co muszą zrobić, żeby się dostać na studia. Chciałem pomóc tym, którzy przerwali studia w Polsce, i tym, których, tak jak mnie, wywieźli do USA rodzice. Przychodziło po kilkaset osób.

Redagowałem newsy o życiu miasta. Moją ambicją było, by przybliżyć Amerykę niezasymilowanym, izolującym się we własnej społeczności polonijnym czytelnikom z Greenpointu, Maspeth, Ridgewood, Brooklynu, z Passaic, Garfield, Wallington i innych polskich skupisk w New Jersey. „Nowy Dziennik" rozchodził się codziennie w nakładzie trzydziestu tysięcy egzemplarzy. Polacy kupowali gazetę nie tylko, by czytać newsy z Polski, ale ze względu na ogłoszenia drobne o pracy i mieszkaniach do wynajęcia.

Z płynnym angielskim mogłem uczestniczyć w konferencjach burmistrza Giulianiego, który pamiętał, że zdobył to stanowisko dzięki głosom Polaków i poparciu „Nowego Dziennika". Szefowa biura prasowego w miejskim ratuszu ceniła sobie współpracę ze mną. Polacy byli jedną z najliczniejszych grup etnicznych w metropolii. Zaproponowała mi, by gazeta publikowała na łamach cotygodniowy felieton burmistrza. W końcu zostałem członkiem korpusu prasowego. Łączyło się to z wydaniem mi przez departament nowojorskiej policji legitymacji prasowej, a co najważniejsze, jako fotoreporter otrzymałem wydane też przez NYPD pozwolenie na darmowe parkowanie samochodu. Jak się domyślasz, było to bezcenne, zwłaszcza że jeździłem dawną limuzyną taty, którą dostałem w prezencie na dwudzieste pierwsze urodziny.

Centrum Polsko-Słowiańskie, pierwsza siedziba

Dostawałem od różnych instytucji informacje, w tym na przykład z Immigration and Naturalisation Service: „Właśnie zamknęliśmy trzy agencje na Greenpoincie, które wydawały podrobione dokumenty, napisz o tym, żeby Polacy nie padali ofiarą oszustów". Razem z dziennikarzem z „New York Timesa" byłem zaproszony na otwarcie więzienia dla nielegalnych imigrantów. Wcześniej szef tego więzienia żartował z nami: „Wy, chłopaki, macie obywatelstwo, right? Żebym nie musiał was tu zamykać, he, he". Śmiałem się gorzko.

O Greenpoincie w „Nowym Dzienniku" mówiło się z dwóch powodów. Była to sypialnia, punkt startowy emigranta. Nie była to prestiżowa dzielnica. Polacy mieszkali na kupie w małych mieszkaniach, często wynajmując tylko miejsce do spania. Ale Greenpoint był miejscem raczej bezpiecznym, a nawet przyjaznym: z polskimi delikatesami, jadłodajniami, agencjami. Drugim powodem była obecność najważniejszych polonijnych instytucji: Polsko-Słowiańskiej Federalnej Unii Kredytowej, czyli polskiego banku, i związanego z nią Centrum Polsko-Słowiańskiego, które organizowało stołówkę i zajęcia dzienne dla seniorów, opiekę nad chorymi seniorami, przedszkole.

Kiedy wybuchła afera w Centrum, zostałem wysłany na Greenpoint. Byłem nowy i spoza układów. Nikt inny nie chciał się mieszać: każdy znał kogoś, chciał być w radzie dyrektorów banku albo liczył na stanowisko w Centrum. Ja wysłuchałem wszystkich stron, sprawdziłem informacje i napisałem o tym, że z powodu niechęci i przepychanek personalnych zamknięto stołówkę i zredukowano zajęcia niemal do zera, a podobny los czekał przedszkole. W Centrum poleciały głowy, a ja narobiłem sobie pierwszych wrogów. Ale w redakcji zostałem okrzyknięty rewolwerowcem.

Czytelnicy dzwonili do mnie, opowiadając ciekawe, czasami dramatyczne historie, które mogłem opisać na łamach gazety. Pewnego dnia dostałem informację z policji, że pali się polski klub Europa. Pojechałem na Greenpoint, pokazałem legitymację prasową, która uprawniała mnie do wejścia na teren ogrodzony policyjnymi barierkami. Podszedł do mnie od razu szef straży pożarnej. „Chodź do środka, pokażę ci, jak to wygląda, bo właśnie zgasili. Wanna see?" No pewnie, że chcę zobaczyć. „Patrz – mówi strażak – cała sala klubowa spalona, ale dziwnym trafem ogień nie zniszczył ani sprzętu nagłaśniającego, ani baru. A to przecież dwie podstawowe rzeczy dla funkcjonowania klubu, prawda? Zobacz, jaki niesamowity zbieg okoliczności. Jakbyś coś słyszał, to daj znać". Potem chodziły plotki, że może było to podpalenie, by zgarnąć pieniądze z ubezpieczenia.

Europa odbudowała się szybko. Była pierwszym klubem dla młodszych Polaków, dla nowszej emigracji, która oprócz szalonego ciułania do skarpety chciała się trochę zabawić. Jej szef miał charyzmę i przyciągał ludzi: Mariusza Czerkawskiego, Andrzeja Gołotę. Wymyślił cykl „Śpiewać każdy może". Polacy przychodzili i śpiewali covery znanych przebojów. Przygrywali im prawdziwi muzycy, że wymienię weterana Jarocina Maćka Miernika czy Pawła Mąciwodę, który kilka lat później został basistą Scorpionsów. Ja lubiłem być konferansjerem. „Nowy Dziennik" dawał pieniądze dla zwycięzcy.

Po Europie otworzył się klub Exit. Był większy, ładniej zaprojektowany, wzorowany na klubach z Manhattanu. W Europie, w Exicie i w Polskim Domu Narodowym zacząłem organizować koncerty zespołów z Polski. Sprowadziłem Hey, Kult, Kazika na Żywo, Kaliber 44. W latach osiemdziesiątych i na początku lat dziewięćdziesiątych polskie kapele grały w polskich klubach w New Jersey. Lady Pank, Perfect, Budka Suflera i inni występowali tam w przerwie dyskoteki, potem lecieli do Chicago i dawali koncerty w podobnych polonijnych lokalach. A w Polsce gazety pisały, że mają tournée po USA.

Miałem fajną pracę i fajne życie. Zamieszkałem z dziewczyną w pobliżu Greenpointu, w dwupiętrowym domu, który należał do jej ojca. Tak, to ten dom z piosenki Kazika *Natalia w Bruklinie*. Tyle że mniej więcej wtedy zdarzyła się przykra sprawa. Podczas procesu legalizacji pobytu naszej rodziny urzędnicy wykryli, że tata kiedyś posłużył się lewym numerem Social Security. Dostaliśmy pismo, że w związku z tym unieważniamy całe postępowanie, a wy dostajecie nakaz deportacji. Macie opuścić Stany Zjednoczone w ciągu dwóch miesięcy. Zrobiło się nieprzyjemnie. Ja miałem dobrą pracę, czułem, że znalazłem swoje miejsce na ziemi, mama robiła karierę business woman w firmie Western Union, a brat nie pamiętał prawie w ogóle, że mieszkał w Polsce. Rodzice zgłosili się do adwokata, zaczęli opóźniać procedurę deportacji. Mieli dużo szczęścia i po kilku miesiącach przyznano im prawo do pobytu i pracy. Ojcu, mamie, bratu, ale nie mnie, bo ja akurat niecały miesiąc przed wydaniem decyzji skończyłem dwadzieścia jeden lat i wyleciałem z postępowania. Zostałem na cholernym lodzie.

Nie panikowałem, bo szefowie „Nowego Dziennika" zachowali się bardzo ładnie i obiecali, że mi pomogą. Jeszcze z czasów szkolnych miałem legalny numer Social Security. Rozliczałem się z podatków, zacząłem pracować na emeryturę. Ale nie miałem pieprzonej zielonej karty, tylko od pięciu lat nieważną wizę turystyczną. „Nowy Dziennik" zaoferował sponsorowanie mnie, ale taka procedura zajmuje kilka lat, więc adwokat gazety doradził, by złożyć podanie o wydanie mi wizy pracowniczej, którą jednak musiałbym odebrać w Polsce, licząc, że może konsul nie przyczepi się do tego, że zostałem w Stanach po wygaśnięciu ważności mojej wizy turystycznej.

Podanie o przyznanie mi wizy H1B na trzy lata zostało rozpatrzone pozytywnie i mogłem się zgłosić po nią w konsulacie w Krakowie. Miałem nowy, ważny polski paszport wyrobiony w nowojorskim konsulacie, więc mogłem opuścić Stany. W lecie 1997 roku, po pięciu latach, wsiadłem do samolotu i poleciałem do Polski. Za dwa tygodnie miałem wrócić do Nowego Jorku. Z nową, pracowniczą wizą.

W Krakowie poszedłem na pewniaka do konsulatu na Stolarskiej. Najpierw do pani urzędniczki, która sprawdzała moje dane. „Czy był pan w USA?" „Byłem". „W którym roku wjechał pan ostatnio do Stanów?" Uznałem, że kłamać nie będę, więc powiedziałem, że ostatni raz w 1992 roku. „Na jakiej wizie?" „Turystycznej". „Aha, a kiedy pan opuścił USA?" „Przedwczoraj". „Przedwczoraj? Aha". Wzięła czerwony pisak i wielkimi literami na górze podania wypisała: „five years illegal". „Teraz może pan iść do konsula".

No to dupa – pomyślałem. Całe życie miałem ustawione w Nowym Jorku, a teraz ta wymyślona przez prawnika konstrukcja padła i długo jeszcze nie wrócę za ocean. Amerykanie utworzyli już wtedy komputerową bazę danych osób wjeżdżających do i wyjeżdżających ze Stanów. Jeśli przebywałaś nielegalnie dłużej niż sto osiemdziesiąt dni, ale mniej niż rok, to nie mogłaś wjechać do Stanów przez trzy lata. Jeśli jeszcze dłużej, to czekałaś dziesięć lat.

Poszedłem do okienka, po drugiej stronie stała dość młoda pani konsul. Od razu zacząłem mówić po angielsku, informując ją, że przychodzę odebrać wizę pracowniczą. Uśmiechnęła się, po czym spojrzała na papier z czerwoną adnotacją. Nie wytrzymałem. Powiedziałem, że no tak, pięć lat nielegalnie, ale co miałem zrobić, jak rodzice mnie wywieźli? Sam wracać? I żeby konsul zobaczyła, że płacę podatki, skończyłem studia, pracuję, rozwijam się, zapisałem się na drugie studia w NYU, a mój pracodawca chce mnie sponsorować. Jeśli ktoś powinien dostać tę wizę, to, do cholery, ja. „No, ale byłeś nielegalnie". „Chcę to właśnie zmienić, bo nie chcę być nielegalny". I ta pani konsul powiedziała, że OK.

Przyleciałem do Nowego Jorku i przy odprawie imigracyjnej na JFK znów się zaczęło. „Skąd wyjechałeś?" „Z Warszawy". „Gdzie wcześniej byłeś?" „W Krakowie". „A pokaż mi swój bilet". I zrozumiałem, że to koniec, bo na bilecie, wtedy były jeszcze te książeczki, jest napisane, że tydzień wcześniej wyjechałem z Nowego Jorku. Schyliłem się, udając, że muszę wyjąć bilet z torby, i wyrwałem resztę kartek z biletem do Krakowa. Wręczyłem mu świstek z jedną tylko kartką. Facet spojrzał: „To nie jest cały bilet". „Nie wiem, jak się przesiadałem, to wyrywali coś z tej książeczki". „Gdzie reszta biletu? Chciałbym zobaczyć cały twój bilet". „Chyba w Warszawie mi wyrwali". Urzędnik pomyślał chwilę, zapytał, gdzie będę pracował na tej wizie, jaki mam zawód, i po dłuższej chwili wbił pieczątkę i powiedział: „OK, you can go". Na lotnisku czekał na mnie tata. Gdy wsiedliśmy do auta, puściły mi nerwy. Rozryczałem się: ileż można!

Skończyłem studia magisterskie na NYU. Zostałem dyrektorem reklamy i marketingu „Nowego Dziennika". Po czterech latach odnowiłem wizę na kolejne trzy. Szefowie gazety złożyli podanie o zieloną kartę dla mnie w ramach sponsorowania przez pracodawcę. Dostałem propozycję, żeby stworzyć serwis reklamowy dla gazet etnicznych w Nowym Jorku. Zgodziłem się. Niestety, po 11 września administracja Busha zamroziła rozpatrywanie wszystkich spraw o legalizację pobytu. Minął rok, drugi, w czerwcu 2003 roku moja wiza traciła ważność. Miałem dwadzieścia siedem lat i nie chciałem znowu być na nielegalu. Zapakowałem swój dobytek do jedenastu paczek i wylądowałem na Okęciu.

# Rozdział VI. Rebeliantki

## 1908. Mary Crawford

W 1908 roku nad East River na Brooklynie działa co najmniej pięć rafinerii cukru. Największa to założona w połowie XIX wieku rafineria rodziny Havemeyer. Na początku XX jest ona również najpotężniejszą rafinerią na świecie i największym pracodawcą w okolicy. Havemeyerowie bardzo chętnie zatrudniają emigrantów, zwłaszcza tych, którzy nie potrafią poskarżyć się w języku angielskim na warunki pracy.

O tym, jak żyją, dowiaduje się doktor Mary Crawford, pierwsza kobieta chirurg w pogotowiu na Brooklynie.

Crawford urodziła się na Manhattanie, wykształciła medycznie na Cornell University i pragnie pomagać mniej uprzywilejowanym obywatelom. Szpitale nie zatrudniają kobiet w pogotowiu. Trafia do Williamsburga, ponieważ w ogłoszeniu o pracę nie doprecyzowano, że chodzi o mężczyznę.

Pierwsze wezwanie dotyczy mieszkańca Manhattan Avenue, który wypadł z okna, poranił się szkłem i krwawi.

Crawford zgłasza się do najcięższych przypadków. Opatruje rannych alkoholików, uczestników bójek, podjeżdża konnym ambulansem na miejsca zbrodni. Wyczyny pani doktor regularnie trafiają na pierwszą stronę miejskiej gazety. Wkrótce jest sławna w całym kraju. Kiedy w grudniu 1909 roku dziennikarz „Brooklyn Daily Eagle" prosi Crawford, by opowiedziała o swej pracy, spodziewa się historii o damskim kitlu, który musiała sobie uszyć, kiedy się okazało, że nie przewidziano stroju dla lekarza kobiety. Ale Crawford chce mówić tylko o tym, jak żyją jej pacjenci.

Pracują w nadrzecznych cukrowniach, głównie u Havemeyera, w odlewniach i browarach. Mieszkają w zbudowanych przez pracodawcę tanim kosztem szeregowych domach z przechodnimi pokojami, w większości bez okien. W każdym pokoju żyje dwóch robotników, każdy płaci dziewięć dolarów, niemal całą tygodniówkę. Nie ma w tych domach kanalizacji ani centralnego ogrzewania, na korytarzach stoją cuchnące nocniki.

Czasem robotników umieszcza się w lepszych budynkach, ale tylko wtedy, gdy są niewyremontowane i nikt inny nie chce w nich mieszkać. Crawford widzi, że nie stać ich na lampy gazowe. Wszędzie czuć stęchliznę.

Kiedy zakłady mają przestój, całe rodziny głodują.

Mężczyźni w cukrowni pracują w wysokich temperaturach i niemal stuprocentowej wilgotności. Mówią, że ratuje ich piwo. Sprzedają je okoliczni karczmarze i zbijają fortuny. Cierpią żony i dzieci, ponieważ pijani robotnicy zwracają się przeciwko swym rodzinom. Crawford wciąż jest wzywana, by opatrywać rany ofiar przemocy domowej.

Ale to nie wszystko.

Doktor widzi na własne oczy, jak od środka wygląda rafineria, ponieważ jest wzywana, gdy do życia trzeba przywrócić robotnika, na którego spadł wór cukru. Ludzie umęczeni upałem rozbierają się niemal do naga, podłogi są śliskie i niezabezpieczone, a w powietrzu wszechobecny jest pył cukrowy. Kiedy oddycha się nim siedemdziesiąt godzin tygodniowo, cierpi się na przewlekły kaszel, czasem wysypkę.

Upał, wilgoć i brak wentylacji doprowadzają do gorszych konsekwencji. Na przykład szaleństwa. Zdarza się, że desperat skacze z dachu do East River. W lecie zdarzają się zgony z powodu gorąca. Pewnego dnia umiera osiem osób.

W 1906 roku zyski cukrowni wynoszą 50 milionów, ale średnia tygodniowa płaca pracowników to tylko 13 dolarów. Pracownicy niewykwalifikowani zarabiają 10,60, wykwalifikowani – 21, a nastoletni pakowacze – 6 dolarów.

Crawford nie jest zdziwiona, że co roku robotnicy próbują się buntować. W cukrowni, w odlewniach, browarach i w fabryce lin.

Najbardziej gwałtowna fala strajków przetacza się przez Greenpoint w 1909 i 1910 roku.

Jeśli wcześniej dziennikarze „Brooklyn Daily Eagle" byli zaskoczeni, że elegancka kobieta angażuje się w męską pracę w pogotowiu, teraz patrzą z przerażeniem na zahukane dotąd emigrantki z Polski, które wychodzą na ulice, żeby bić się z policją.

## Walki uliczne

Aleksander Rucka kręci sznury z juty w American Manufacturing Company na rogu Noble i West. Razem z setką innych zatrudnionych Polaków poprosił właśnie o podwyżkę, ale zarząd fabryki nie podjął negocjacji. Buntownicy odmówili pracy; do zakładu przyszło tysiąc dziewięciuset łamistrajków.

Kiedy nielojalni wychodzą na przerwę obiadową, spada na nich grad kamieni. Ktoś wzywa policję. Strajkujący i niestrajkujący wspólnie walczą ze stróżami prawa. Nadjeżdża policja konna i wygląda na to, że bunt się wypala. Ale wtedy do akcji dołącza sto pięćdziesiąt wściekłych kobiet z Polski zatrudnionych w fabryce. Rzucają się na policjantów.

Do dzielnicy ściągają funkcjonariusze z Williamsburga. Przewidują, że wieczorem zacznie się rozróba. Reporter „New York Timesa" komentuje: te kobiety to demony w stanie furii. Jest kwiecień 1909 roku, to drugi raz, kiedy jakakolwiek przyjezdna kobieta z Polski trafia na łamy tej gazety. Poprzednią była Helena Modrzejewska.

Miesiąc później grupa niezadowolonych młodych imigrantek zatrudnionych na próbę w American Manufacturing Company rzuca cegłami w swoje miejscowe koleżanki, które kierują się do bramy fabryki. Dziewczyny zostają zatrzymane i przesłuchane, z udziałem tłumacza, przez sędziego Geismara z Greenpointu. Sędzia jest zaskoczony, że buntowniczki, które przebywają w Stanach Zjednoczonych od miesiąca – niewykwalifikowane, ledwo mówiące po angielsku i dopiero przyuczające się do pracy w fabryce – uważają się za poszkodowane, choć zarabiają dwanaście dolarów tygodniowo. Podejrzewa, że padły ofiarą polskojęzycznych agitatorów, którzy podburzają pracowników, wmawiając im, że za mało zarabiają, i wzywają do czynnego oporu.

Buntowniczki też są zaskoczone. Najpierw kiedy się dowiadują, że zaatakowane przez nie kobiety szły odebrać zaległe uposażenie, ponieważ już wcześniej zostały zwolnione z pracy. I potem, kiedy pracodawca również wyrzuca je z fabryki.

Podobne zajścia mają miejsce pod siedzibą cukrowni Havemeyera. On też nie słucha robotników. Ma po swojej stronie policję i logistykę. Nawet jeśli pracownicy wychodzą na ulice i wstrzymują produkcję, do klientów płynie cukier z magazynów ładowany przez oddziały łamistrajków. Ściąga je na Greenpoint były związkowiec James A. Farley, specjalista w przełamywaniu pracowniczego oporu. Używa pałek, dezinformacji i szantażu; skłóca ludzi. Likwidacja strajku w dużej fabryce kosztuje do trzystu tysięcy dolarów.

Zadanie w cukrowni nie wydaje się skomplikowane: strajkujący robotnicy głodują, nie mogą sobie pozwolić na długą przerwę w pracy. Problemem są ładowacze z portu przy 6 Północnej, którzy w maju chcą dołączyć do protestu. Gdyby zablokowali port, cukier z rafinerii utknąłby w fabryce.

Kiedy buntownicy wznoszą barykady wokół budynku, przybiegają policjanci i uzbrojone oddziały Farleya. Na osiedlu robotniczym przy rafinerii zaczyna się szarpanina. Padają strzały; w odpowiedzi z okien przy 7 Północnej lecą kamienie. Bombardują nimi żony polskich robotników. Następnego dnia dołączają do swoich mężów, niektóre z niemowlętami na rękach. Stają na pierwszej linii i wytrzymują aż do sierpnia.

Część sfrustrowanych robotników zaczyna słuchać bardziej radykalnych głosów na temat szkodliwości ustroju kapitalistycznego*.

* W 1905 roku w Stanach powstaje związek Industrial Workers of the World (IWW, Robotnicy Przemysłowi Świata). Zgodnie ze swoimi założeniami szczególną uwagę poświęca organizowaniu imigrantów. Już w 1907 roku drukuje literaturę i broszury agitacyjne po polsku. Powstają pierwsze polskie oddziały, najwięcej podczas fali strajków w latach 1909–1912. 1 maja 1910 roku ukazuje się pierwszy numer pisma „Solidarność. Oficjalny organ polskich członków IWW". Do grudnia pismo wychodzi jako miesięcznik, rok później upada.

Krawcowa, 1910:

Proszę mnie surowo nie sądzić, jeśli będą duże braki w ortografii, skończyłam tylko ludową szkołę w małym miasteczku. Jeszcze będąc dzieckiem w domu rodziców nasłuchałam się opowiadań ojca mojego o różnych miastach, o morzu, jak to dobrze pływać na stojąco, że zawsze marzyłam, żeby być przy morzu, a nie byliśmy bogaci.

Później życie popłynęło swoją drogą, nauczyłam się krawiecczyzny i najpierw z drugą panienką założyłam pracownię w Krakowie, później moja wspólniczka mnie opuściła, a ja zachorowałam na anemię i interes zwinęłam. W niedługim czasie poszłam za mąż. Nie wiem czy mąż nie umiał interesu prowadzić czy czas był nieodpowiedni, dość że zaraz traciło się na nim. Wtedy mówiłam mężowi co jest jeszcze pieniędzy zabierz i jedź do Ameryki, a później mnie zabierzesz, dorobiemy się i długi spłacimy, a tak zostaniemy bankrutami. Wybrał to drugie.

Sklep założyłam wiktualny. Naturalnie musiałam się zapożyczyć i mama za mnie ręczyła w kółku rolniczem w Krakowie. Mąż wcale do interesu nie był, pieniądz umiał wydawać, czasem pracował, ale nie stale, i tak to się ciągło 6 lat, dzieci mi przybywało, trochę umarło. Otwarłam interes w innem miejscu, jak tylko wzięłam więcej towarów, to przyszła sekwestracyja za męża długi, które ja ręczyłam. Chciał mi sprzedać sklep, alem go zastraszyła, że pójdę do rabina na niego na skargę, ponieważ poprzednio męża oszukał, a teraz chce mnie zniszczyć, a mąż już starszy a ja mam dzieci. Tak się Żydzisko przelękło bo to był szachraj i przystał na spłaty i spłaciłam go.

Za jakieś dwa miesiące złamałam rękę, a nie mogłam pójść do szpitala, bo dzieci i interes. Na dobitek za jakieś dwa tygodnie mąż się oberwał w pracy dostał ryptury [przepukliny], wzięli go do szpitala, ale dostał gangreny do kiszek i leżał siedem tygodni i umarł. Jak moi klienci zobaczyli, że się wszystko chwieje na pierwszego mi nie popłacili i poszli do innego sklepu.

Moja dobra znajoma przyjechała i mówi, że jedzie do Ameryki, więc postanowiłam wybrać się z nią. Tylko żal mi było dzieci, jedno było stare półtora, drugie trzy lata, trzecia starsza. Ale moja mama decydowała się te dzieci wziąść do siebie i jeszcze mi doradzała, żeby jechać. Sądziłam, że za parę lat, najwyżej pięć, zarobię trochę pieniędzy wrócę i założę lepszy interes. Gdybym mogła przejrzeć co się stanie, to żeby mi po żebrach przyszło chodzić z dziećmi, wolałabym zostać.

Cała podróż do Ameryki trwała trzy tygodnie. Jak wysiadłam z okrętu, zaraz mi się nie podobało, tak ordynarnie się obchodzą z emigrantami, jakby to było bydło, a dźwięki mowy angielskiej wprost straszne. Do okrętu wyszedł po mnie kuzyn mój, który wpierw wyjechał, na adres ludzi nieznajomych, tzn. ten pan był bratem mojej kumy w kraju.

Kuzyn mieszkał w Brooklynie, jak mi przyszło szukać pracy to musiałam prosić żony tego pana, żeby poszła ze mną. Mówiłam jej że ja jestem krawcowa dobra ale ona powiedziała, że kto nie umie mówić po angielsku to najlepiej niech idzie do służby.

Ja miałam jeszcze rękę chorą, bo mi krzywo zrosła.

Zaprowadziła mnie do Irlandki krawcowej. Jeszcze ona nie wróciła do domu, to mnie wydalili bo nic nie rozumiałam co do mnie mówili. Poszła więc ze mną w drugie miejsce, matka tej krawcowej mówiła parę słów po słowiańsku. Inne robotnice dostały osiem dolarów na tydzień to ja cztery dolary choć tę samą robotę wykonywałam. Nie mogłam z tego wyżyć i coś posłać choćby jeden dolar na tydzień dla dzieci to zrobiłam dług.

Zdecydowałam się iść do służby, do polskiej Żydówki, ale siły mi nie dopisały. Dostałam romatyzm rąk, nie byłam przyzwyczajona tak ciężko pracować. Po siedmiu tygodniach odeszłam. Płacili mi nie tak dobrze trzynaście dolarów na miesiąc, robić musiałam jak koń.

Poszłam na powrót do szycia. Przyszły do mnie inne zmartwienia, matka moja umarła. Kochałam mamę bardzo, zrozpaczona byłam i nie wiedziałam co się stało z mymi dziećmi. Dopiero za miesiąc dostałam list od brata mojego, który był wdowcem, miał swoich dzieci troje, że zabrał i moje dzieci do siebie, gospodarzyła mu młodsza siostra. Nie był bogaty, ale napisał nie martw się będę ci dzieci chował. W takich warunkach nie mogłam chodzić do szkoły wieczornej nie mogłam myśli zebrać. Tutaj co mi kto dał robotę to niestała i pięć dolarów, a czułam się w obowiązku posłać na miesiąc choć pięć dolarów do brata a i to było ciężko.

Kupiłam gazetę i pomyślałam, że sobie sama poszukam pracy, już trochę znałam New York że nie zginę i prosiłam żeby mi powiedzieli jak jest krawcowa. Wiedziałam, że na 5 avenue są najlepsze pracownie, parę słów rozumiałam po niemiecku i poszłam. Ale gdzie tylko powiedziałam, że jestem Polka, zaraz mi powiedzieli, że nie potrzebują. Tak przeszłam 45 ulic, aż w jednej pracowni ta pani mi powiada tu nie ma Polek, żeby ci co wytłumaczyły, a mnie się tak bardzo podobało, sam offis był elegancki i mówię jej, że nie język będzie robił tylko ręce i przyjęła mnie. Na moje biede na foreladу dostałam Irlandkę, która nie rozumiała po niemiecku. I tak, tych Polaków co poznałam nie nauczyli mnie jak się mówi naparstek lub igła, ale mnie powiedzieli, jak się przeklina. Moja przełożona coś mówi do mnie ja jej pokazuję robotę czy dobrze, a ona się złości, druga daje jej igłę, za chwilę coś znów mówi do mnie, ja jej podaję igłę znów ona wymyśla na mnie i tak ciągle. Co się wieczorami napłakałam to tylko Bóg wie.

W ogóle Polaki nieżyczliwie się odnosili, czasem wrogo. Nie tak jak inne narodowości np. Włosi i Żydzi. Jak przyjedzie nowa z kraju to od razu pracę jej znajdą i cały dzień się uczą jak się co nazywa i wymawia. Ja jak tu przyjechałam to żadnej biblioteki nie było, a księgarnie polskie powstały dopiero za parę lat. Ja prosiłam mojego gospodarza żeby mi powiedział dziesięć słów co dzień, ja sobie napiszę je i nauczę się, za rok będzie ich pięć tysięcy. Usłyszałam jak jego żona mówiła, a coś ty teacher żebyś ją uczył. Więc proszę ją, jak się nazywa naparstek po angielsku, a ona powiedziała, że nie wie, a była tu już parę lat.

Żyłam bardzo skromnie prawie dolarem na tydzień i trzy mieszkanie, trochę posłałam bratu dla dzieci. Strapienia nie pozwoliły mi myśli zebrać. Mój brat najukochańszy, który mi dzieci chował, napisał mi, że jest chory na żołądek, musi się poddać operacji. I po operacji umarł. I tak miałam w rodzinie do roku cztery śmierci. W marcu bratowa, w sierpniu mój mąż, w grudniu mama, a brat w maju. Na dobitkę, pracownię zamykali na trzy miesiące, bo nasza pani wyjeżdżała na trzy miesiące do Szwajcarii. Przyszedł mnie odwiedzić mój kuzyn a moja gospodyni mówi mu, jak się pan nie zajmie swoją krewną, to ona dostanie obłąkania. Tak to on mówi weź mieszkanie, ja ci pożyczę trochę i dam na mieszkanie swojego znajomego i sam zamieszkam i tak trzymałam trzech mężczyzn to mi mieszkanie zapłacili a zarobiłam na życie szyciem w domu.

Ale siostra pisała mi co zrobić z dziećmi. Moje dwoje (jedno było u drugiego brata w innem mieście), a troje zostało po bracie, który dopiero co umarł. Siostra była młodą panienką. Tutaj dzieci nie wpuściliby bo byłam wdową i biedną. Kuzyn mi mówi, że może mi w ten sposób pomóc, że się ze mną ożeni. Nie miałam wyboru, chociaż kuzyn był pracowity, ale ode mnie znacznie młodszy i krewny, wiedziałam, że będę miała z tego powodu dużo nieprzyjemności. Jak się zgodziłam wyjść za niego za mąż znalazł się Żydek i dał mi szyfkartę, którą wysłałam dla dzieci. Siostra miała z nimi przyjechać. Miałam jeszcze jednego brata kawalerem i prosiłam żeby jakoś po bracie przetrzymał tamte dzieci, a za pół roku szyfkartę wypłacę wezmę znów od brata i tamtych troje dzieci.

Ślub wzięliśmy w urzędzie, bo mi wszyscy mówili, że jak krewni się żenią, to ksiądz żąda 100 dolarów, a my ich nie mieli. Nie wiem co wpłynęło na moją rodzinę, czy to że wyszłam za mąż, czy co innego, ale dzieci mi nie wysłali. Po roku wrócili mi karty okrętowe, za które nic nie dostałam, ponieważ ten Żyd wziął ich od innego agenta, a ten nabrał więcej kart na kredyt i powiedzieli mi, że jak tamten wypłaci, to mi zwrócą pieniądze. Gdybym mówiła po angielsku, mogłabym szukać sprawiedliwości, ale tak to przepadło.

Zaczęło się bezrobocie, pozamykali fabryki i mój mąż został bez pracy cały jeden rok, a ja byłam już w poważnym stanie, nie mogłam robić, albo bardzo mało. Dziecko przyszło na świat. Nie mogłam szyć na nożnej maszynie, a na elektrykę nie było mnie stać. Nauczyłam męża na maszynie trochę szyć, ale i tak to było głodowe życie. Mąż nieraz poszedł po 200 ulicach i na powrót za pracą, bo nie miał 10 centów na tramwaj i pracy nie znalazł i głodny, bośmy byli na czczo, a nie było kawałka chleba.

Nieraz czytając powieści o nędzy wielkich miast sądziłam, że to fantazja pisarza. My przeszliśmy nędzę, która przeszła wszelkie wyobrażenie, nikomu się nie pożaliłam, bo mnie wstyd było. W takich warunkach dziecko mi umarło mając cztery i pół miesiąca*.

## Do wojska

W listopadzie 1915 roku Józef Kolano spod Jasła, robotnik, mieszkaniec ulicy Manhattan Avenue, róg Eagle, dostaje kopertę z zadrukowaną karteczką i znajomym stemplem. Na kartce jest napisane, że cesarz austriacki, którego Kolano wciąż jest oficjalnie poddanym, zarządza obowiązkowy pobór do armii. Przerażony udaje się na zbiórkę, gdzie czekają już inni chłopi z Galicji i trzech porządnie ubranych urzędników. Najważniejszy z nich mówi, że będzie rozdawał bilety okrętowe, i wymienia egzotycznie brzmiące nazwy krain, w których poborowy może spodziewać się służby. Dwóch pozostałych podchodzi z propozycją wykupu. Kolano może odroczyć niebezpieczeństwo, jeśli wpłaci dwieście dolarów. Poborowy nie waha się ani minuty, obiecuje jak najszybciej zebrać pieniądze, i przynosi je w umówione miejsce. Nikt go więcej nie niepokoi, głównie dlatego, że osoby, które wpadły na pomysł z rekrutacją, przenoszą się z biznesem do stanu New Jersey.

O tym, że nowi mieszkańcy Ameryki są łatwym celem dla emigrantów z dłuższym stażem, donosi oficjalnie Mieczysław Szawleski, konsul odrodzonej Polski w Nowym Jorku. Nieuczciwi biznesmeni bezwzględnie grają na emocjach, w tym tęsknocie za krajem i poczuciu odpowiedzialności za krewnych.

Zimą 1919 roku do mieszkańców Brooklynu docierają niepokojące informacje, że ludność w rodzinnym kraju marznie z powodu wczesnych mrozów. Polski rząd miał wydać dekret rekwirujący prywatne lasy i zezwalający na hurtowy wyrąb drzewa opałowego, a emigranci rzekomo mogą kupować koncesje na lasy państwowe. Zaniepokojeni o losy rodzin nabywają odpowiednie papiery

* *Pamiętniki emigrantów. Stany Zjednoczone*, t. 1, red. J. Dziembowska, Warszawa 1977, s. 426–431.

i wysyłają krewnym do Polski. Otrzymują wiadomość, że kwity nie przedstawiają żadnej wartości.

W 1920 roku pokój w mieście wynajmują bracia lekarze, oferujący swe usługi nowo przybyłym. Leczą nawet poważne choroby za pół ceny. Albo za cenę dopasowaną do pacjenta. Kiedy pacjent zjawia się w przedpokoju, jest proszony o zdjęcie ubrania i przejście do gabinetu. Goły leży na kozetce, a w tym czasie jeden z braci przeszukuje mu kieszenie, badając stan zamożności. Od grubości portfela zależy, czy zaprasza się pacjenta na kolejne wizyty, czy kończy jedną konsultacją za najwyższe możliwe honorarium. Kiedy pierwsi niewyleczeni chcą zgłosić reklamację, gabinetu już nie ma. Niby-doktorzy leczą w innym stanie.

Mieczysław Szawleski:

> Nadużycia zaczęły przybierać tak alarmujące rozmiary, że władze amerykańskie podczas wojny widziały się zmuszone wdrożyć dochodzenia. Urzędnicy, przebrani za emigrantów, we dwójkę (dla zebrania dowodów) odwiedzali każdego z tych pseudolekarzy, przy czem jeden symulował chorobę, a drugi towarzyszył jemu w roli przyjaciela. Pomimo że krew urzędnika biorącego udział w tych wyprawach była poprzednio badana przez urząd zdrowia, lekarze tego pokroju w każdym wypadku robili diagnozę, że pacjent ma tylko kilka tygodni życia. Leki przez nich ordynowane badane w laboratorium chemicznym okazywały się bez leczniczej wartości. Były wypadki, że lekarze przez przewlekłe symulowane kuracje nawet celowo nabawili pacjentów nowych, często poważnych chorób. Władze amerykańskie jednego dnia aresztowały stu czterdziestu sześciu operatorów takich biur lekarskich, posyłając niektórych na długie lata do więzienia.
>
> Kadry tego [procederu] stanowi najczęściej wykolejona półinteligencja, której za ciasno czy gorąco było w Polsce, a która po przybyciu do Ameryki nie chciała się chwytać uczciwej pracy w fabryce. Upośledzenie to nie było udziałem tylko Polaków, lecz dotykało również Rusinów i Litwinów, dalej Żydów, Włochów i w ogóle narodowości poważnie zaniedbane w oświacie. Lecz

Żydzi mieli za sobą potężne organizacje społeczne, znakomicie się w sferze dolara aklimatyzowali i znajomość języków słowiańskich w swych operacjach korzystnie potrafili wyzyskać. Podczas gdy na usługach Włochów stoi znakomita organizacja konsularna, Polacy byli najliczniejszą grupą pariasów bez opieki konsularnej i o słabej organizacji społecznej. Padają ofiarą „łapichłopstwa"*.

## Cyryl i Metody

Kościół Świętego Stanisława Kostki na ulicy Humboldta nie jest w stanie pomieścić polskich wiernych, szczególnie w niedzielę. W 1917 roku zbiera się polska grupa, by założyć kolejne stowarzyszenie. Nazywają się Towarzystwo Świętych Piotra i Pawła; proszą księdza Emila Streńskiego, by umówił się z biskupem McDonnellem i wyprosił zgodę na kolejną polską parafię.

Parafianie z nową energią wpłacają dolary i jeszcze w tym samym roku możliwy jest zakup działek między ulicami Dupont i Eagle wraz z opustoszałą świątynią protestancką. W październiku odprawiona zostaje pierwsza msza w tymczasowym kościele Świętych Cyryla i Metodego, podczas której proboszcz ogłasza plany budowy szkoły parafialnej. Kilka lat potem trzeba rozbudować i ten kościół. Kiedy i kościół, i szkoła są gotowe, wierni zbierają fundusze na mieszkanie dla sióstr nauczycielek, a w 1925 roku na budowę pięknej plebanii, która ma kosztować czterdzieści tysięcy dolarów. Dotąd księża, „którzy więcej dbali o parafian niż o siebie, mieszkali w bardzo niewygodnem miejscu, wprost narażając swoje zdrowie†".

Ignacy Paderewski w 1918 roku chwali wysiłek polskiej społeczności: „Polacy w Ameryce stanowią bardzo ciężko pracującą ludność, przyczyniają się swoją sumienną i wydatną pracą do rozwoju naturalnych bogactw, postępu przemysłu i wzrostu pomyślności

* M. Szawleski, *Wychodźstwo polskie w Stanach Zjednoczonych Ameryki*, Lwów 1924, s. 76–77. Cytaty z tego źródła zostały podane ze skrótami, bez oznaczania ich w tekście.

† *Pamiętnik dwudziestej rocznicy założenia parafii Świętych Cyryla i Metodego w Greenpoint*, Brooklyn 1937, s. 4.

amerykańskiej. Nie są bogaci, zarabiają jedynie na uczciwe życie. Z ich czteru milionów ani jeden nie jest milionerem, a jednak spełniają oni swe obowiązki, nałożone na nich przez okoliczności, z lojalnością, stanowczością i entuzjazmem"*.

Robotnik, 1911:

> Jak brat przyrzekł mnie tak tego dotrzymał słowa jak wyjeżdżał, i w parę miesięcy przysłał mnie tyket. W New Yorku z wioski zapadłej, gdzie oprócz Kolna innego miasta nie widziałem, to wywarło na mnie wielkie wrażenie; tu sobwaje pod ziemią, tramwaje na wierchu, kolej u góry, ludzi pełno gdzie się obrócić, okręty ryczą, woda naokoło, ulice zastawione autami, fabryk pełno. Zaczyna się Ameryka.
>
> Znajomy pan Rutkowski zaprowadził mnie po pracę do jednej oberży, ale że tylko jeden dzień. Nie chciał mnie bo nie mogę mówić po angielsku. Poszlim do fabryki fortepianów. W tem czasie to prawie każdy kupował fortepian, to było dużo tych fabryk, tu zaraz dostałem małą płacę 6 dol za tydzień. A kontraktor był Polak pan Adam Jackowski. Był to dobrego charakteru ten wspaniały człowiek, więc pracowałem 9 godzin na dzień od 8 do 5 i dalej mieszkałem zaraz niedaleko tego Times Scyre [Times Square] i 42 ulica, którą tak dużo ludzi zna, te czarodziejskie miejsce gdzie miliony świateł się przedstawia w nocy i wspaniałe teatry jeden przy drugim, toteż chętnie sobie chodziłem na ten to spacer i polubiłem to miejsce.
>
> Co niedziela chodziłem do polskiego kościoła, latem zwiedzałem rozmaite parki i muzeum, chodziłem do kina i teatru i tak myślałem że mam pociąg uczyć się za aktora na filmy, tylko nie mogłem jeszcze całkiem zawładnąć tą angielszczyzną. Ciągle nowe emigranty przyjeżdżali, jakem wyjeżdżał z kraju myślałem, że jak pojadę daleko to mnie nikt nie będzie znał, lecz tak nie było, bo tu zaczęli przyjeżdżać, to ja myślałem cała okolica tu się zjedzie, bo i chrzestnego ojca syn przyjechał, a i pan Władysław Zarański się tu zjawił i ze wsi Pachucin i ze wsi Gromadzin się nazjeżdżali.

* *Ameryka w pamiętnikach Polaków*, dz. cyt., s. 11, 12.

Wieczoramy popijali sobie i muzyka, dużo się żeniło to tak było wesoło, że za krajem się nie tęskniło. On był cały tu na miejscu a czas szybko leciał.

Tak było w 1911 do 1914, gdzie ja robił w fabryce fortepianów. Jako, że ja tu byłem najdłużej, to moje zajęcie było grać na tym fortepianie jak było skończone, czyli je wypróbować czy dobrze gra.

A ja tera przystąpiłem do interesu; namówił mnie znajomy Polak i roztworzylim ten interes, a to za moje pieniądze, bo on nie miał. A że interes nam nie szedł dobrze, to on ode mnie pożyczał pieniądze i swoją rodzinę żywił. Przeprowadzilim interes w inne miejsce, ale też nie szedł. Ja wtedy zostawiłem ten cały interes, poszedłem do pracy, a on sprzedał za bezcen.

Niezadowolniony poszedłem do innej pracy w New Amsterdam w teatrze, był to słynny Zygfeld Fallys [Ziegfeld Follies], bardzo to dobra była robota, od 8 wieczór do północy, to mogłem się wyspać do rana. Lecz i ten później nie spodobał mnie się też zostawiłem. A razu jednego tak mnie wyszło, że nie miałem centa przy sobie i nie jadłem przez dwa dni – to w parku spałem. Tyle kiedyś miałem pieniędzy, takie wspaniałe roboty, tyle trudu a tera co. To tylko spoglądałem z rozpaczy i nie zadowolniony na tą piątą aleję.

Miałem przy sobie dwa centy na gazetę, żeby ją rano kupić i patrzeć za robotą, to o 5 rano kupiłem gazetę i zara szukać tej pracy i zaraz przychodzę po paru odmówieniach na 65 ul i Broadway do restauracji za kucharza. Przyjął ale na noc. Ale jak tu gotować – nigdy nie byłem kucharzem, a to tylko pamiętam jakem w kraju, w Obiedzinie gotował dla świni albo dla bydła, i to już bardzo dawno. Ale co robić, jeść się chce, trzeba i tego sprobować. Sam ten właściciel robił na noc, zacząłem – trochę pokazał i tak to szło, a dzienne kucharze poprawiali później. Ale znów to kucharzenie zostawiłem, bo w głowie mi te filmy, aby się na aktora nauczyć i znów pieniądze się rozchodzą.

Ale nagle mój nomer jest wyciągnięty do wojska, to ja się jadę pożegnać z kim mogę. Wyjechałem do Agsta Gargia [Augusta Georgia] na Florydę, tam się ćwiczyłem przy karabinach mastin Gun [machine gun], tu już od tego czasu nie słyszę polskiej mowy albo może i byli ale ja ich nie znałem. Jest dobrze, a tylko za gorąco. Jak w New Yorku było jeszcze zimno, to tutaj z pola zbierali. Jako się zapisałem, że jestem stolarzem to mało co na ćwiczenia chodziłem i zostałem zastępcą sargenta naszej kompanii, któren był z New Yorku.

Ja lubiłem w tem wojsku być a każdy żołnierz mógł się zapisać na 10 000 dol asekuracji w razie śmierci, to ten którego wymienił to dostał później te dolary i ja się zapisałem na braci swoich, jako miałem już pierwsze obywatelskie papiery, ale to nic, bo wszystkich na raz kilka tysięcy zawołali do budynku i kazali przysięgać i nic się nie pytali, a zapisali nazwisko i już był obywatelem US Ameryki. I tak żeśmy z powrotem do New Yorku pojechali i na morze eroplany, balony, statki pływające. Później eroplany i balony się wrócili, a tu nas płynęło tak jak jakie miasto pływające to aż 15 okrętów naraz szło tu szli z nami submariny, torpiedowce i nasze okręta miały armaty i było całą drogę wesoło. Wylądowalim w Liwerpol, to bylim 5 dni i przez kanał angielski do Francji*.

## 1918. Manhattan Avenue, róg Meserole Avenue

Pete McGuinness jest ambitnym robotnikiem portowym, który w każdą sobotę prowadzi kampanię polityczną na rogu Manhattan i Meserole Avenue. Nie wszyscy rozumieją Pete'a, ponieważ nie mówią po angielsku, ale wszyscy go zauważają. Waży sto trzydzieści kilo, ma płonące oczy, charyzmę i potrafi opowiadać dowcipy.

Pete chce zostać politykiem, ponieważ uważa, że Greenpoint gnije. Stał się śmietnikiem na odpady przemysłowe i gniazdowiskiem dla ludzi trzeciej klasy.

Kiedy Pete dorastał, większość mieszkańców stanowili urodzeni w Ameryce. Byli protestantami lub katolikami o korzeniach niemieckich bądź irlandzkich. Różnice między nimi – etniczne i klasowe – były wyraźne, ale nie bolesne. Rezydencje właścicieli stoczni i fabryk mieściły się na ulicy Milton czy Noble, niedaleko robotniczych domów z przechodnimi pokojami. Tworzyli społeczność:

* *Pamiętniki emigrantów. Stany Zjednoczone*, t. 1, dz. cyt., s. 441–447.

dumną, białą, chrześcijańską. To był rajski ogród, wspomina Pete, a słuchacze wzdychają z nostalgią.

Porządni obywatele się wynoszą, ogród znika. Depczą go nowi z Europy Środkowej i Wschodniej. Spada wartość nieruchomości, brakuje inwestorów. Obcojęzyczna masa imigrantów i dzielnica, którą zamieszkują, są serdecznie obojętne władzom miejskim oraz politykom. Nie ma placów zabaw, są drogi z kocimi łbami, szkoły na niskim poziomie, a także śmiercionośne powietrze, nie mówiąc o skażeniu Newtown Creek czy East River. Brakuje publicznych łaźni, a niewielu mieszkańców ma kanalizację.

Greenpointczycy byli wierni demokratom, teraz Pete oskarża o zaniedbania właśnie ich, szczególnie dzielnicowego lidera, Jamesa A. McQuade'a, i Tammany Hall*. Pisze dziesiątki listów do lokalnych gazet z zarzutami. Jest trybunem ludowym: nie musi trzymać się faktów, musi być skuteczny.

W 1918 roku oficjalnie kandyduje do rady miejskiej. Kiedy zaczyna kampanię, Ameryka przystępuje do wojny i Pete wykorzystuje patriotyczne wzmożenie mieszkańców. Ilekroć greenpointczyk dostaje powołanie, Pete urządza uroczystą odprawę: gra orkiestra, wznoszone są transparenty, wzdłuż Manhattan Avenue poborowemu towarzyszy konna asysta i tłumy odprowadzających. Dostaje paczkę z mydłem, żywnością, papierosami i ostrzami do golenia. Potem, kiedy wraca z wojny, staje się honorowym członkiem Stowarzyszenia Weteranów, którego Pete jest honorowym prezesem. W 1918 roku zostaje radnym, a potem zasiada we władzach stanowych.

McGuinness jest zdania, że w rajskim ogrodzie nie ma miejsca dla dziwnych przybyszów ze Wschodu, a dokładniej: z Polski. Jeszcze przed pierwszą wojną światową zakłada tajne stowarzyszenie The Native Borns (Urodzeni w Ameryce). Jego członkowie przysięgają nie robić zakupów w sklepach należących do imigrantów,

* Założona w Nowym Jorku w 1786 roku organizacja, która przez kolejne sto pięćdziesiąt lat wspomagała Partię Demokratyczną. Członkowie Tammany Hall wspierali nowych emigrantów, przede wszystkim z Irlandii, kupując tym samym ich głosy. W połowie XIX wieku Tammany kontrolowała politykę demokratów, nierzadko posługując się korupcją.

nie wspierać ich interesów ani kandydatur podczas lokalnych wyborów, nie sprzedawać im nieruchomości. Można zostać pobitym za mówienie po polsku w obecności osoby urodzonej w Ameryce.

Pete McGuinness to najbardziej znany polityk w historii dzielnicy, ale dziesięć lat później musi się tłumaczyć ze swojej ksenofobii podczas kolejnej kampanii wyborczej. James McQuade, jego odwieczny rywal z Greenpointu, sięga po historyczne brudy. Ujawnia, że McGuinness założył organizację wzorowaną na Ku Klux Klanie, a jego ofiarami stali się Polacy. McGuinness tłumaczy, że Urodzeni byli jedynie klubem towarzyskim w hotelu na Manhattan Avenue, w którym grało się w pokera. „McQuade błagał, żebyśmy go przyjęli", mówi Pete i wygrywa wybory.

Porażkę ponosi dopiero w 1938 roku. Znajduje się wtedy u szczytu popularności, nazywany jest szeryfem, ale niechętnych mu Polaków w dzielnicy przybywa. Przegrywa walkę o miejsce w zgromadzeniu stanowym. Przez kolejne piętnaście lat, aż do swojej śmierci, Greenpoint reprezentuje urodzony w Polsce John Smolenski, przedsiębiorca pogrzebowy.

## 1044 Manhattan Avenue. Smolenski Funeral Home

Jan Smoleński przypływa na Greenpoint w 1898 roku w wieku siedmiu lat. Rodzice zapisują trójkę dzieci do szkoły przy parafii Świętego Stanisława Kostki.

Młody John Smolenski pamięta wizyty Ignacego Paderewskiego, kiedy ten odwiedza Greenpoint jako pianista, a potem rzecznik polskiej niepodległości. Dziesięć lat później może mówić o maestro: mój przyjaciel.

Rodzinny zakład pogrzebowy na rogu Manhattan Avenue i Freeman otwiera się w 1917 roku. Na parterze przyjmuje się klientów, na górze mieszka John z żoną, Charlotte Garstkiewicz. „Społeczność polska domagała się naszej placówki"* – czytamy

* O historii firmy rodzinnej Smolenskich można przeczytać na stronie Renaissance Funeral Home and Crematory: rfhr.com, bit.ly/3f1HlCo (dostęp: 21.03.2021).

w historii o początkach tego biznesu. Reklamowy neon z zegarem jest do 2018 roku znakiem firmowym polskiego Greenpointu.

Rok po otwarciu zakładu John zaciąga się do amerykańskiego wojska i wyjeżdża na wojnę do Francji. Po powrocie zakłada kluby weteranów, zapisuje się też do Partii Demokratycznej. Wzorując się na Irlandczykach, organizuje Polsko-Amerykański Klub Demokratyczny, którego misją jest przekonanie polskich Amerykanów do aktywnego uczestnictwa w życiu politycznym. Ale w 1929 roku nie ma jeszcze wystarczającego zaplecza, by walczyć z hegemonią McGuinnessa.

Jest prezesem Zjednoczenia Polsko-Narodowego i zwolennikiem przewodniej roli Kościoła katolickiego w życiu Polaków na Greenpoincie. Trzy lata po wygranych wyborach do zgromadzenia stanowego składa propozycję ustawy: chce, by młodzi ludzie nie mogli zawrzeć związku małżeńskiego bez zgody miejscowego proboszcza lub urzędnika z odpowiednią licencją. Tłumaczy dziennikarzowi „Brooklyn Daily Eagle", że projekt powstał po wnikliwej dyskusji z kapłanami, którzy muszą walczyć z falą rozwodów. „Młodzi muszą rozumieć powagę swojego działania. Małżeństwo to nie jest żart"*. To jedyna jego inicjatywa, jaką można odnaleźć w dziennikach ustaw.

Smoleńscy mają dwoje dzieci, Johna juniora i Irenę. W 1941 roku junior dostaje powołanie do wojska. Nie wraca z wojny.

John senior umiera na serce w 1953 roku. Wspominając kolegę, nowojorski senator Louis B. Heller opisuje uroczystość piętnastolecia sprawowania przez Smolenskiego funkcji w zgromadzeniu stanowym w Albany. „Chodził od stołu do stołu, witał się z nami, był wzruszony, jak wielu ma amerykańskich przyjaciół. Mimo że urodził się w Polsce, całym swoim życiem dawał wyraz wdzięczności za możliwość służenia swojej nowej ojczyźnie"†.

Smolenski Funeral Home przetrwał, ponieważ usługami pogrzebowymi zajął się również Józef, brat Johna. Nieprzerwany rozwój

* „The Brooklyn Daily Eagle", 15 lutego 1941.

† Congressional Records. Proceedings and debates of the 83rd Congress, First Session, May 18, 1953 to July 2, 1953.

firmy obrazują kolejne zdjęcia na ulotce reklamowej. O ile pierwszy dom pogrzebowy na Manhattan Avenue jest skromnym sklepem w trzypiętrowej kamienicy, a następny, założony przez Józefa na Brooklynie, to wolno stojący, lekki drewniany budynek, o tyle obecny, prowadzony przez Josepha III w North Raleigh, przypomina rozległy pałac zdobiony detalami zaczerpniętymi ze wszystkich znanych stylów architektonicznych.

## Boarding system

Wspomniany wcześniej Mieczysław Szawleski, konsul Polski w Nowym Jorku, miłośnik Józefa Piłsudskiego, a potem też sanacji i Ignacego Mościckiego oraz prekursor badań nad wychodźstwem, w 1924 roku dedykuje prezydentowi Polski dzieło, w którym opisuje bieżącą sytuację emigracji polskiej, ze szczególnym uwzględnieniem Chicago („bogatsza, mająca dorobek, duchowa stolica wychodźstwa") i Nowego Jorku (wciąż na dorobku, ze względu na ferment intelektualny płynący z Manhattanu rozwija się innym trybem).

Na początek Szawleski opisuje warunki, w jakich mieszkają emigranci w dużych miastach. Niepokojąco przypomina to obserwacje Mary Crawford sprzed dekady:

> W większych miastach są dzielnice zaniedbane, biedne, brudne, zwane przez Amerykanów *slums*, a zamieszkałe przez przybyszów. Zmieniały one swoich lokatorów: najpierw gościły Irlandczyków, potem Niemców, a obecnie mają nową klientelę: Włochów, Żydów i Polaków. Pobyt w tych dzielnicach to często pierwszy etap kariery każdego przybysza. W tych *slums* ludność grupuje się według narodowości i jak piasek w morzu – ciągle się przenosi, osiedlając według sympatii i antypatii europejskiej. Jeśli na ulicy pojawi się większa grupa Polaków, a zwłaszcza powstanie projekt budowy kościoła, emigranci innej narodowości przenoszą się do innych dzielnic. *Slums* składają się ze starych, poniszczonych budynków, których się nie burzy tylko dlatego, że wybudowanie nowych nie przedstawia dla właścicieli żadnego pożytku, ponieważ cała część

miasta zamieszkana jest przez biedniejszą ludność. Ulice w tych dzielnicach są brudne i zanieczyszczone odpadkami, raz dlatego, że mieszkańcy mało dbają o porządek, dzieci cały czas bawią się i żyją na ulicy, a po wtóre zarząd miasta nie bardzo troszczy się o usuwanie odpadków, o czystość, kanalizację czy oświetlenie.

Tak samo mieszkania są nędzne, ciasne i ciemne i niewiele się różnią od warszawskich Nalewek czy zaułków miast włoskich. Badania Komisji Imigracyjnej, która stosunki mieszkaniowe *slums* w siedmiu miastach, skupiających największą ilość przybyszów, poddała szczegółowej rewizji, wykazały, że wśród Polaków przeciętnie dwie osoby wypadały na jedną izbę, włączając kuchnię. Na to przepełnienie mieszkań wpływa – poza względami oszczędności i liczną rodziną – szeroko przyjęty zwyczaj trzymania sublokatorów, względnie stołowników, tak zwanych boardników. Komisja Imigracyjna ustaliła, że 48,4 procent polskich rodzin trzyma boardników w ilości przeciętnie po 3,53 procent tych sublokatorów na jedną familię.

W tych warunkach dusi się w trzech lub czterech ciasnych izbach kilkanaście obcych sobie osób: mężczyzn, kobiet i dzieci. Nieco lepiej sytuowane rodziny mieszczą się na piętrach, biedniejsze w oficynach, raczej piwnicach z małem okienkiem na ulicę. Nie są odosobnione wypadki, że w ciasnej izbie mieszczą się rodziny z dziećmi i z drobiem lub kilka rodzin zajmuje jeden pokój i parę ciemnych nyży do spania. Nie brak też przykładów skrajnej wielkomiejskiej nędzy, spowodowanej chorobą lub pijaństwem. Czynsz jest stosunkowo wysoki, a na podstawie obliczeń Komisji Imigracyjnej przybysze płacą komorne o kilkanaście procent wyższe od czynszów normalnych. Właściciele są bezwzględni w ściąganiu komornego, a natomiast mało dbają o adaptacje mieszkaniowe.

Nie w każdem mieście *slums* są tak zapuszczonymi dzielnicami, są zarządy miast, które starają się o utrzymanie względnego porządku i czystości i wydają surowe przepisy sanitarne, na ogół dość niechętnie przez mieszkańców przestrzegane. Z reguły jednak ludność polska mieszka w większych miastach, najgorzej tam, gdzie zmuszona jest lokować się grupami w domach czynszowych.

Nadto duże przedsiębiorstwa fabryczne często budują dla swych robotników domy mieszkalne, a następnie odsprzedają je robotnikom po dogodnej cenie, uiszczanej ratami. Wiąże to robotnika z przedsiębiorstwem, usuwa ryzyko niszczenia mieszkań przez lokatorów, lecz utrudnia grupowanie się według narodowej przynależności.

Są więc kolonie brudne i zaniedbane, o ulicach licho wybrukowanych, pełnych śmieci i błota, które wśród Amerykanów zdobyły sobie niepochlebną nazwę *polish sections*, są również dzielnice polskie szeroko zabudowane i schludnie utrzymane, którymi mogłyby się szczycić stołeczne miasta w Polsce.

Przeciętnie trzecia część robotników polskich zamieszkałych w większych miastach posiada już domki własne. Przeciętny dochód robotnika polskiego wynosi około stu dwudziestu dolarów miesięcznie. Artykuły żywności są stosunkowo tanie, więc nie spotyka Polaków ze strony Komisji Imigracyjnej zarzut nędznego odżywiania się, dotyczący na przykład Włochów.

Rano w niedzielę parafianie, odświętnie ubrani, udają się do kościoła, po południu jedni spieszą na nieszpory, inni wizytują się nawzajem. Zachował się, a nawet przy wzroście dobrobytu podniósł się duch gościnności. Zebrani zabawiają się gawędą, omawiając sprawy osobiste, wiadomości z Polski, sprawy parafialne. Wśród uroczystości familijnych najbardziej popularne są wesela, tak huczne, że często trwają od soboty do poniedziałku, i zdobyły sobie wśród Amerykanów niezbyt pochlebną opinię, że *polish weddings* zazwyczaj kończą się poturbowaniem między gośćmi weselnymi lub bijatyką z sąsiadami.

Temperament ten osłabiła obecnie prohibicja, lecz niezupełnie, gdyż potajemne pędzenie wódki, dość powszechne w Ameryce, trwa nadal, z dużem jednak niebezpieczeństwem dla raczących się, bo liczba wypadków śmierci i gwałtownych zasłabnięć wskutek nieudolnej destylacji w miedzianych przyrządach jest zastraszająca. Obok pijaństwa drugą plagą wychodźstwa jest rozwielmożniona gra w karty i kości, i przygodna loteria w domach prywatnych, szulerniach czy na piknikach.

Wyodrębnić należy sporą garść Polaków żyjących poza obrębem kolonii. Jedni nie mogą mieszkać ze względu na warunki pracy, drudzy, dorobiwszy się majątku, mają aspiracje do mieszkania w lepszych dzielnicach, inni mieszkają w innej stronie miasta, lecz biura swoje zawodowe utrzymują wśród kolonii*.

Początek lat dwudziestych XX wieku jest okresem przełomowym w historii Ameryki. W życie wchodzi ustawa antyimigracyjna. Polacy mogą liczyć na pięć tysięcy wiz wjazdowych rocznie. To jest koniec wielkiej transatlantyckiej wędrówki.

Frank:

Urodziłem się na Greenpoincie w roku 1932 w polskiej rodzinie, nie w szpitalu, tylko w domu przy Oakland, podobnie moja siostra i brat. Tata urodził się w Łomży i do Ameryki przyjechał w roku 1913. Mama w Dzikowicach pod Kolbuszową. Tata wstąpił do amerykańskiej armii, przeżył, dlatego szybko uzyskał obywatelstwo. W domu musiałem mówić po polsku, inaczej jedzenia bym nie dostał. Posłano mnie do szkoły podstawowej przy kościele Świętego Stanisława Kostki. Szkoła była dwujęzyczna. Matematyki, historii, geografii uczyliśmy się w języku angielskim. Religię, historię Kościoła i gramatykę wykładano w języku polskim. Najważniejsza była religia i wychowanie obywatelskie w duchu patriotycznym. Uczyliśmy się pieśni patriotycznych: *Roty*, *Jak to na wojence ładnie*, oraz pacierza. Raz w tygodniu dyrektor szkoły osobiście odwiedzał klasy i prowadził lekcje historii. To był father Józef Studziński, którego imię nosi obecnie skwer u zbiegu McGuinness i Driggs. Moi synowie też kończyli szkołę przy kościele Świętego Stanisława Kostki, jeden z nich uczył się z tego samego podręcznika, z którego ja wcześniej korzystałem. Kiedyś książki przechodziły z rąk starszych uczniów do młodszych, były w nich adnotacje, kto z nich się uczył.

* M. Szawleski, *Wychodźstwo polskie…*, dz. cyt., s. 41–45.

Po ośmiu latach wstąpiłem do gimnazjum amerykańskiego, na szczęście też katolickiego. Jakże trudno było mówić po angielsku „Zdrowaś, Maryjo", a zwłaszcza przetłumaczyć tę modlitwę z języka staropolskiego...

Greenpoint wyglądał jak stara katolicka wieś, w której dominowali Irlandczycy, drugie miejsce mieli Polacy, a trzecie Włosi. Kiedy mieszkańcy Greenpointu bogacili się, od razu kupowali domy lub wyprowadzali się na Maspeth. Mój ojciec kupił dom na Greenpoincie od Niemców.

Rodzice bawili się w Polskim Domu Narodowym, pierwszym sklepem był Bielawski Meat Market, należący do mojego kuzyna. Życie polonijne koncentrowało się wokół kościoła. Po sumie, która była dla wszystkich obowiązkowa, panowie niby zbierali się na „papieroska" w parku McCarren, ale w zasadzie kwitło tam życie polityczne. Dyskutowano o Romanie Dmowskim, Ignacym Paderewskim. Tata zabrał mnie na pierwszą polską paradę, która odbyła się w Nowym Jorku w 1937 roku. Kierownikiem był pan Franciszek Wazeter, prawnik polskiego pochodzenia. Był on także pierwszym prezesem Kongresu Polonii Amerykańskiej w Nowym Jorku. Dawne parady były piękniejsze i liczniejsze. Na trotuarach stały po trzy rzędy widzów, parada trwała dłużej i miała dłuższą trasę niż obecnie. Najważniejsze odbywały się w czasie wojny. Politycy amerykańscy, między innymi burmistrz miasta Fiorello La Guardia, siedzieli na trybunach. Polacy zaś nie tańczyli polek, nie było hasania. Śpiewano *Pierwszą Brygadę, Boże, coś Polskę.*

Nasi rodacy szczycili się swoim pochodzeniem. Byli też dumni z amerykańskiego obywatelstwa, uważali, że branie udziału w lokalnych, stanowych czy prezydenckich wyborach to ich święty obowiązek. Dzięki temu mieliśmy długie lata Johna Smolenskiego w zgromadzeniu stanowym, a w latach sześćdziesiątych Edwarda Kurmela (założyciela firmy ubezpieczeniowej Kurmel Insurance) w niższej izbie stanowego Kongresu. Pan Thomas Bartosiewicz, który zajmował się dostarczaniem oleju do domów, był senatorem stanowym w latach siedemdziesiątych i ostatnim przedstawicielem Greenpointu w gronie wyżej postawionych polityków.

Kiedy obudziłem się 1 września 1939 roku, zobaczyłem płaczących rodziców. Miałem siedem lat, gdy wybuchła wojna. Dwa lata później, kiedy Hitler napadł na Rosję stalinowską, odebrano ten fakt jako cud. W niedzielę rano dzieci brały udział w mszy świętej, podczas której śpiewaliśmy wiele patriotycznych pieśni, w tym „Ojczyznę wolną racz nam zwrócić, Panie". Później śpiewaliśmy te pieśni w klasach podczas lekcji. Patriotyzm wśród Polonii okresu wojennego był bardzo gorliwy. Wielu Polaków przychodziło w niedziele na akademie patriotyczne do Washington Irving High School na Manhattanie. Mój ojciec zabierał mnie, jeszcze kajtka, na takie wiece, w których uczestniczyły tłumy Polaków.

Pamiętam pogrzeb Ignacego Paderewskiego w katedrze Świętego Patryka. Był opisany na pierwszych stronach amerykańskich gazet.

Uczono nas, że Polska przetrwała trzy zabory dzięki religii katolickiej. Jaka szkoda, że dzisiejsi politycy i współcześni historycy często o tym zapominają... *

## Serce w urnie

W 1941 roku najważniejszym klientem Smolenski Funeral Home jest Ignacy Jan Paderewski. Pozostaje w zakładzie kolejne cztery lata. Częściowo.

Paderewski przypływa do Nowego Jorku w roku 1940 i spotyka się z prezydentem Rooseveltem. Prosi o interwencję w sprawie Polaków, którzy pozostali we Francji po inwazji Niemiec. Polonijne gazety publikują jego wezwanie do finansowej pomocy dla Polski. Osiemdziesięcioletni mistrz przyjmuje zaproszenie Zjednoczenia Polsko-Narodowego na spotkanie z polskimi weteranami w letnim ośrodku organizacji. „Spiekota i emocje towarzyszące spotkaniu na polance w Oak Ridge, zimny napój wypity dla ochłodzenia się spowodowały katastrofalne następstwa. Rozwinęło się

* Wypowiedź Franka Milewskiego, szefa nowojorskiego oddziału Kongresu Polonii Amerykańskiej, opracowano na podstawie wywiadu zamieszczonego w „Nowym Dzienniku" 25 października 2013.

zapalenie płuc. Tydzień trwała nierówna walka. Ignacy Jan Paderewski zmarł w kraju, który pokochał odwzajemnioną miłością, w swoim pokoju hotelowym o godzinie jedenastej rano w niedzielę 29 czerwca 1941 roku*".

Ma być pochowany z honorami wojskowymi, za zgodą prezydenta Franklina D. Roosevelta, na amerykańskim Cmentarzu Narodowym w Arlington. Pogrzebem i przygotowaniem ciała artysty zajmuje się John Smolenski. Zostaje on również wykonawcą ostatniej woli mistrza, który pragnie spocząć w wolnej Polsce, ale prosi

* D. Piątkowska, *Serce Paderewskiego*, pilsudski.org.pl, bit.ly/3anftUV (dostęp: 07.04.2021).

Widok na Greenpoint

o wycięcie serca, ponieważ chce, by pozostało w Ameryce. „Kochałem Amerykę i Ameryka mnie pokochała*" – cytuje mistrza Smolenski. Kiedy Paderewski jest chowany w Arlington, jego serce czeka w chłodni na Manhattan Avenue na dalsze instrukcje. Ma je przekazać siostra Paderewskiego, Antonina Wilkońska. Niestety umiera cztery miesiące po pogrzebie brata.

O sercu wiedzą brooklińscy weterani oraz ostatni osobisty sekretarz Paderewskiego Ignacy Kołłupajło. Nie ma jednak zgody, gdzie je ostatecznie złożyć. Kiedy Kołłupajło wspomina, że serce mogłoby trafić do Polski, dostaje list z groźbami. Śmierć Smolenskiego

* „Brooklyn Daily Eagle", 9 grudnia 1945.

w 1953 roku to początek emigracyjnej legendy o zaginionym sercu w urnie – i wykonawcy testamentu, który informację o tym sercu zabrał do urny własnej.

W 1959 roku, podczas spaceru po cmentarzu Cypress Hill w Nowym Jorku, Henryk Archacki, artysta grafik i emigracyjny dziennikarz, odkrywa tablicę z nazwiskiem Paderewskiego. Nowojorscy Polacy uważają to za cudowne zrządzenie losu i ingerencję Opatrzności. Opiekun cmentarza potwierdza, że w kwaterze znajduje się urna z sercem Ignacego Paderewskiego, złożona przez Johna Smolenskiego w 1945 roku. Jest zaskoczony emocjami Polaków i wątpi w ingerencję pozaziemską, ponieważ największy lokalny dziennik, „Brooklyn Daily Eagle", zamieszczał artykuły o Paderewskim i jego sercu złożonym w niszy numer dwadzieścia pięć na Cypress Hill. Irene Imperatore, córka i spadkobierczyni Smolenskiego, oraz jej mąż, prawnik, zapewniają Amerykanów, że serce pozostanie w amerykańskiej ziemi i nie wróci do komunistycznej Polski.

Entuzjazm odkrywców wkrótce opada. Do 1986 roku Polacy nie mogą dojść do porozumienia, jakie miejsce byłoby godne serca mistrza*.

* Znalezieniem dla niego miejsca spoczynku zajmowały się przez ponad dwadzieścia lat między innymi Fundacja Kościuszkowska i Kongres Polonii Amerykańskiej. Dopiero w 1983 roku udało się powołać specjalny Komitet Serca Paderewskiego. Po kolejnych trzech latach zdecydowano, że zostanie złożone w Doylestown w Pensylwanii, w tak zwanej amerykańskiej Częstochowie. Serce, w nowej urnie autorstwa Andrzeja Pityńskiego, odsłonięto 29 czerwca 1986 roku.

## Beata Delicatessen, 984 Manhattan Avenue (4)

BEATA: Znajomi, którzy skorzystali z amnestii Reagana, przygotowywali się do egzaminów na obywatelstwo. Pojawiło się sporo studentów z Polski i szczęściarzy, którzy wylosowali zielone karty.

MIESZKO: Kolega Wojtek Orłowski po egzaminie nazywał się już Wojtek Eagle. Ale to wciąż była mała wioska. Do sklepu wchodziła pani Irena. „Widzieliście mojego męża?" „Tak, tak, pięć minut temu szedł w kierunku Java". „A OK, dziękuję". Byliśmy punktem informacyjno-usługowo-terapeutycznym.

BEATA: Mieliśmy klienta Józka, który przychodził na zakupy na zmianę z żoną, Alą. Dwa lata ich widywaliśmy, przyjacielscy byli i skracali dystans: „Moja żonka dziś piecze ciasto, przyniosę kawałek, bo robi najlepszy sernik". Jednego dnia wszedł z zupełnie inną babką. Któraś z naszych pracownic rzuciła: „Ala już dziś była!". Wtedy druga pracownica zbladła i zaczęła ją odciągać na zaplecze.

MIESZKO: To była żona z Polski. Przyleciała na dwa miesiące, na czas których Ala się wyprowadziła. Potem sytuacja wróciła do normy. Józek i Ala znów chodzili za rękę.

BEATA: Nasza sprzedawczyni przyszła ze śladami duszenia. Przysięgała, że wszystko w porządku, ale byliśmy nieustępliwi. Wreszcie się rozryczała i dowiedzieliśmy się, że mąż ją bije od dnia ślubu, że już próbowała odejść, ale uderzył jej głową o ścianę i ciągnął za włosy po podłodze. Powiedzieliśmy: masz nasze wsparcie, weźmiemy cię do domu, ale musimy zgłosić to na policję. Aresztowali go, wystarczyło popatrzeć na jej szyję.

Sklep Mieszka i Beaty przy Manhattan Avenue

MIESZKO: Ale wcześniej zapytali, czy ona lubi, jak ją mąż bije. Zaniemówiliśmy. Policjant powiedział, że wiele partnerek jest uzależnionych od przemocy. Tak wyglądały relacje w ich rodzinnych domach i innych sobie nie wyobrażały. Zrozumieliśmy, że mało wiemy o ludziach.

BEATA: Jola wróciła do męża. On nie poszedł na terapię. Pierwsze, co zrobił, to ją odciął od nas.

MIESZKO: Nasłuchaliśmy się o tym, co wódka robi z ludzi.

BEATA: Mam koleżankę, byłą pracownicę. Ma męża superzdolnego, spawacz z jubilerskimi zdolnościami.

MIESZKO: Jak ktoś widzi, jak on spawa, to mu oczy wychodzą. Bojlery na przykład. Zarabiał sto pięćdziesiąt dolarów na godzinę. Kiedy nie pił.

BEATA: Koleżanka mówi, że teraz już koniec i odchodzi. Dwadzieścia lat jej to zajęło.

BEATA: Sklep był rozkręcony, kupiliśmy dom z basenem i było wiadomo, że żyjemy na pewnym poziomie. Zaczęły przychodzić zaproszenia na imprezy polonijne. Przede wszystkim tam, gdzie ktoś zbierał pieniądze na pożyteczny cel. Albo chciał zrobić biznes.

MIESZKO: Oczekiwano, że będziemy gdzieś bywać. W konsulacie, na balach.

BEATA: Ktoś robił zakupy i mówił: „Wiesław Ochman prowadzi w konsulacie aukcję obrazów. Musicie tam być". W latach dziewięćdziesiątych wszyscy, którzy mieli jakieś pieniądze, zaczęli kupować obrazy. W każdym razie właściciele biznesów z Manhattan Avenue zaczęli biegać kupować obrazy, jakby im kto ogon podpalił. Chcieli inwestować i być światowcami. Żaden się oczywiście na obrazach nie znał.

MIESZKO: Znalazł się na Greenpoincie doradca, Zbyszek Legutko, właściciel galerii urządzonej w jego domu jednorodzinnym. Dawał do zrozumienia, że się cieszy światową sławą. Wymieniał nazwisko Barbary Piaseckiej Johnson, Wojciecha Fibaka. Nasz kolega, który sprzedawał słodycze na Manhattan Avenue, został zupełnie omamiony. Jak się wchodziło do niego do mieszkania, to wszędzie wisiały obrazy, światła nie można było zapalić, bo włącznik zastawiony.

BEATA: Inni przyjaciele, właściciele sklepu i klubu, Krystyna z Darkiem, też się wkręcili, ale zaraz wycofali. Zrozumieli, że polskie obrazy są ważne dla Polaków, ale Amerykanie są zainteresowani w stopniu ograniczonym. Zaczęli obracać nieruchomościami, tam były pieniądze. Miliony.

MIESZKO: Myśmy mieli malutkie dzieci, nie daliśmy się wciągnąć. Nie mieliśmy czasu.

BEATA: Nie narzekaj, mieliśmy kontakt ze sztuką, bo Legutko przyprowadził na zakupy Andrzeja Pityńskiego, rzeźbiarza, który budował patriotyczne pomniki. Pityński kupował u nas i w lakierni, i zawsze chętnie z nami rozmawiał.

MIESZKO: Nasza babcia miała przygodę ze sztuką, jak wiozła z Polski stolnicę. Kawałek deski z dwoma listwami, w szarym papierze obwiązanym sznurkiem. Wzięli ją do kontroli osobistej. Babcia nie znała angielskiego, więc jej trudno było wytłumaczyć, że to stolnica. Celnik uważał, że to zamaskowane dzieło sztuki. Babcia się bardzo denerwowała, ale pokazała, że na tej desce się wałkuje i można robić macaroni. Macaroni! Jeden z celników był Włochem z pochodzenia, więc odprowadzili babcię i przeprosili za kłopot.

### *Metro*

BEATA: Kiedy w 1992 roku zapowiadano polski musical *Metro*, bardzo czekaliśmy na polski sukces. Śledziliśmy przygotowania w polskiej prasie. Reżyser Janusz Józefowicz mówił, że pokaże Amerykanom, jak się robi musicale. Tylko że następnego dnia po premierze pokazała się recenzja, która była dla tego przedstawienia miażdżąca. Polonia nowojorska skrzyknęła się, żeby kupować bilety. Żeby nie zdjęli go zbyt szybko. Sami kupiliśmy, niektórzy patrioci kupowali dzień po dniu. Na przedstawienie chodzili tylko Polacy.

MIESZKO: Ale nie widzieliśmy go wtedy. Utknęliśmy w korku, kiedy dojechaliśmy, to już nas nie wpuścili. Niestety było nas za mało, żeby utrzymać przedstawienie na afiszu. Na wideo je zobaczyliśmy.

BEATA: Potem do nas do sklepu przychodził chłopak, który nie wrócił z zespołem do Polski. Jeden z tancerzy, ważny w tym spektaklu. Tańczył w klubach, próbował założyć szkołę tańca na Brooklynie. Ożenił się z dziewczyną z Greenpointu. Podobno poszedł na studia do jakiejś prywatnej szkoły na Manhattanie.

MIESZKO: Opowiedz, jak spotkałaś Tadeusza Drozdę.

BEATA: Czasem po pracy szłam do baru u Anki, na rogu Manhattan i Huron, bo stał tam stół do ping-ponga. Pewnego dnia wszedł ten Drozda, zawiany, i jak przechodził do lady, klepnął mnie w tyłek. Wydawało mu się, że może: znany artysta na amerykańskiej wiosce. Ale źle trafił, chłopcy go wyprowadzili na ulicę.

MIESZKO: Znajomi zaczęli sprowadzać na koncerty zespoły z Polski, więc my te gwiazdy widzieliśmy na ulicy, czasem w naszym sklepie.

BEATA: Mieliśmy takiego nietrzeźwego, który zaczepiał ludzi na ulicy. Potem się okazało, że to jest pisarz. Śpiewająca artystka przyjeżdżała z Manhattanu na Greenpoint z powodu problemu alkoholowego. Na Manhattanie może by się wstydziła, tu, na wiosce, było jej wszystko jedno.

MIESZKO: Marek Piekarczyk, nasz klient, lider zespołu TSA, który zanim przyjechał pracować na Greenpoint, zagrał Jezusa w rock operze, chciał wynająć mieszkanie nad sklepem.

BEATA: Żałuję, że się nie zgodziłam. Bałam się, że na piętrze będzie rock and roll. Zamiast państwa Piekarczyków przyszli do nas mieszkać dwaj amerykańscy chłopcy. Pół roku nie płacili czynszu. Mówili, że nie mają. Znali prawo. Wiedzieli, że nie możemy się z nimi szarpać, bo oskarżą nas o dyskryminację ze względu na orientację seksualną.

## Nadzieje

BEATA: Mama Mieszka poprosiła, żebyśmy się zaopiekowali córką znajomej. Dziewczyna poznała Polaka z Ameryki na rynku w Opolu.

MIESZKO: Wydał się jej tak atrakcyjny, że po kilku tygodniach wzięła z nim ślub, a on został jej sponsorem na zieloną kartę. Kiedy procedury zostały wszczęte, dziewczyna mogła przyjechać do Stanów. Kupiła bilet do Nowego Jorku, mieliśmy ją odebrać z lotniska, a po kilku dniach wysłać do Connecticut, gdzie mieszkał ten sponsorujący mąż. Mówiła, że pracuje przy komputerach. Wydało nam się dziwne, że postanowiła zostać chwilę w Nowym Jorku, zamiast witać się z ukochanym, ale mama prosiła, więc pojechaliśmy po dziewczynę.

BEATA: Wzięliśmy ją do siebie. Zwierzyła się nam, że za mężem nie przepada, bo go w ogóle nie zna. Chce wynająć mieszkanie, znaleźć pracę, a potem się rozwieść. I sprowadzić do Stanów dziecko, które zostało w Polsce.

MIESZKO: „A jakie studia skończyłaś, co potrafisz robić?" Odpowiedziała, że mówi trochę po angielsku, ma zieloną kartę i zaraz zacznie przeglądać oferty.

BEATA: Dziewczyno, pomyślałam, tutaj jest trzysta milionów ludzi mówiących po angielsku z obywatelstwem amerykańskim.

MIESZKO: Mieszkała u nas. My wychodziliśmy z domu o siódmej rano, wracaliśmy o dwudziestej drugiej. Beata w drugiej ciąży. Gdy zobaczyła, jak my zapierdalamy, to po tygodniu zadzwoniła do męża, że ją może zabrać. Poddała się.

BEATA: Sympatyczny chłopiec z tego męża. Rzeczywiście pracował przy komputerach – to znaczy sprzątał w komputerowej pracowni.

## Zagubiony

MIESZKO: Obsługuję, jest ósma rano. Wchodzi mężczyzna w średnim wieku. Skrępowany, wystraszony, czeka, aż inni wyjdą: „Bardzo pana przepraszam, czy mógłbym dostać bułkę?". Nie wyglądał na zmarnowanego alkoholika, więc zapytałem, czy coś się stało. Odpowiedział, że jest pierwszy raz poza swoją wioską, wczoraj przyleciał do pracy, którą załatwił mu kolega. Tylko że kolega nie odebrał go z lotniska, więc jacyś ludzie przywieźli go na Greenpoint. Przespał noc w parku, ale nie wie, co ma teraz robić. Zrobiłem mu kanapkę i kawę. Miał numer telefonu, zaczęliśmy wydzwaniać do kolegi. Pomyślałem, że trzeba być skurwysynem, żeby tak człowieka zostawić.

## Rikers Island

MIESZKO: Przyjeżdżali wciąż nowi ludzie. Znajomy na Huron miał sabłeja, którego pionowo podzielił na pół. Nielegalnie, ale w ten sposób z trzypiętrowego skrzypiącego domu z przejściowymi pokojami uzyskał szesnaście pomieszczeń, w których rozkładał materace lub piętrowe łóżka.

BEATA: Ci, którzy wreszcie zalegalizowali pobyt, ściągali rodziny.

MIESZKO: Przyszedł człowiek, budowlaniec, powiedział, że przyjechała żona z synem i czybyśmy go nie wzięli do sklepu. OK, powiedziałem, niech przyjdzie. Ruch był wtedy niesamowity. Nastolatek taki, spłoszony. Po tygodniu ojciec przybiega, że mu syna aresztowali. Jest przerażony, bo zna trzy słowa po angielsku, syn cztery, a żona zero. OK, ubrałem się i pojechałem na 94 posterunek NYPD na Meserole Avenue i zapytałem o chłopaka; Paweł miał na imię. Okazało się, że już go zabrali dalej, na Brooklyn, bo tam jest areszt. Sędzia go widział, jest do wpłacenia tysiąc dolarów kaucji. Niestety przewieźli młodego do miejskiego więzienia na Rikers Island.

Po godzinie dotarłem na nabrzeże, zostawiłem auto i poszedłem na przystanek autobusowy, bo do więzienia przez most jeżdżą tylko autobusy. Znałem numer więźnia, powiedziałem w okienku, że przychodzę z kaucją. Wsadzili mnie do żółtego autobusu z numerem C. Jak w filmie, dokładniej w horrorze. Była pierwsza w nocy, jechaliśmy do kolejnego budynku więziennego. Wszedłem do śluzy między drzwiami, znowu podałem swoje nazwisko. Zawsze są w tej Ameryce jakieś perturbacje, jak się przedstawiam Mieszko Kalita. What? Zapłaciłem kaucję, kazali mi czekać na krześle. Po czwartej rano wyprowadzili chłopaka. Był przerażony, nic nie mówił.

Po południu poszedłem do Berta Levine'a, adwokata. Okazało się, że Paweł po pracy poszedł do baru, bo byli tam jacyś Polacy. Zamówił piwo, grali w bilarda, jakiś gość zapytał, czy chce się przejechać autem. Jasne, że chciał. Wszystko było takie nowe w Ameryce. Wsiedli do auta zaparkowanego na Manhattan Avenue. Paweł powiedział, że trochę się zdziwił, bo kolega miał pęk kluczy i sprawdzał, który z nich zadziała w stacyjce. Ale nie zdążył o nic zapytać, bo zobaczył samochody policyjne z przodu i z tyłu. Rzucili ich na maskę, skuli i na posterunek. Ten człowiek z pękiem kluczy był od roku poszukiwany przez FBI, ponieważ posługiwał się bronią maszynową gdzieś w Bostonie.

Levine załagodził sprawę. Okazało się, że obecność w tym wozie to był problem, ale wejście do baru przed skończeniem dwudziestego pierwszego roku życia było jeszcze większym. Paweł miał osiemnaście lat, nie przeczytał, co mu wolno, a czego nie. Później się spotkaliśmy: „Jak ja zobaczyłem bossa w tym więzieniu, to się jeszcze bardziej wystraszyłem. Wiedziałem, że jak mnie boss jebnie, to wypadnę z auta".

BEATA: Historia Pawła to historia sukcesu. Jeździł na ciężarówce, a potem sam kupował samochody i zatrudniał polskich kierowców. Teraz ma pięćdziesiąt trucków, mieszka z rodziną w rezydencji na Florydzie, biznesem zarządza zdalnie. Wyszedł na ludzi. Uciekł z Greenpointu.

# Rozdział VII. Druga fala

Ralph Foster Weld z Uniwersytetu Columbia docenia postęp, jaki chłopsko-robotnicza fala poczyniła w kierunku obywatelskim. Szczególnie Polacy.

> Jest 1948 rok i widać, że zaczynają dotrzymywać kroku lokalnej społeczności. Mało tego, w niektórych aspektach wierzą, że mogą nadawać tempo. Gdziekolwiek osiądą, budują kościół. Nikt też nie zakłada tylu organizacji społecznych co Polacy. Jest ich mnóstwo. Parafialnych, a ostatnio świeckich. Skupione są wokół domów narodowych, których na samym Brooklynie wybudowali siedem*.

Dom Narodowy na Greenpoincie założyło w 1914 roku dwanaście polskich towarzystw†. Sięgnęły do kieszeni swoich członków, zorganizowały Komitet Budowy Domu Narodowego i po negocjacjach odkupiły budynek przy Driggs 261–267 wraz z działką od państwa Górnych. Cztery lata później założyły spółkę akcyjną i nazwały ją po prostu DOM. Zachęcały kolejne organizacje do współwłaścicielstwa. Dom stał się wielofunkcyjną świetlicą połączoną z jadłodajnią. Siedziby miały tu szkoła sobotnia, szkoła tańca,

* „Brooklyn Daily Eagle", 21 marca 1948.

† Między innymi: Arka Przymierza, Towarzystwo Rzemieślników i Przemysłowców, Towarzystwo Świętego Kazimierza Królewicza, Trzeci Maj, Towarzystwo Hetmana Czarnieckiego, Towarzystwo Bartosza Głowackiego, Towarzystwo Kazimierza Pułaskiego, Towarzystwo Jana III Sobieskiego oraz 94 Gniazdo Sokołów.

Sokoły, czyli kluby sportowe z zacięciem wojskowym, organizacje społeczne i polityczne. Korzystały przeważnie z dużej sali tanecznej, proporcjonalnie do zakupionych udziałów. Dom utrzymywał się z wynajmu pomieszczeń, w tym nawet Irlandczykom.

Po zniesieniu prohibicji (i kryzysie z nią związanym) zarząd spółki wystarał się o licencję na sprzedaż alkoholu. W 1935 roku otworzono bar i był to początek prosperity. Zabawy, przedstawienia, bale trwały całą wojnę. W 1944 roku majątek spółki szacowano na pięćdziesiąt cztery tysiące dolarów, dwa lata później na sześćdziesiąt pięć tysięcy. Dom tworzyło już trzydzieści polskich towarzystw. Inicjatywa kwitła aż do początku lat siedemdziesiątych, gdy bogatsi Polacy z Greenpointu zaczęli się wynosić na Long Island, a zaułki przy Driggs stały się niebezpieczne.

W 1948 roku Weld najbardziej chwalił organizacje sokole – wylęgarnię sportowców. Uważał, że sprawne ciało jest równie ważne jak nauka języka polskiego, świadomość polskiej tradycji czy pragnienie bycia dobrym Amerykaninem. Wspominał o wkładzie wojennym polskich Amerykanów. Aż osiemnaście tysięcy polskich żołnierzy z hrabstwa Kings, czyli Brooklynu, wstąpiło do amerykańskiej armii, ponad dwa tysiące zostało rannych, a dwustu zabitych. Służba wielu Polaków zasłużyła na wyróżnienie: na przykład pułkownika Michaela Fibicha, pułkownika Williama Anuskiewicza, poruczników Henry'ego Kucinskiego i Anthony'ego Malinkowskiego. Służyli na południowym Pacyfiku, w Afryce, w Normandii. Są dumnymi brooklińczykami.

Biedny, niewykształcony wieśniak z marginesu Starego Świata w Ameryce nie musi się już odbijać od postfeudalnych barier. Żyje wśród takich jak on plebejuszy, mierzących sukces dolarami. Osiągnął właśnie niewyobrażalne dla siebie społeczne wyżyny.

## Żołnierze kontra dzwony

Kiedy Ralph Foster Weld zachwyca się awansem społecznym mieszkańców Greenpointu, do Stanów Zjednoczonych przyjeżdżają ofiary nowego europejskiego porządku. Przede wszystkim byli żołnierze Polskich Sił Zbrojnych i ich rodziny. Trafiają tu z obozów przesiedleńczych w Europie i Wielkiej Brytanii. Rozczarowani rozdaniem jałtańskim, chłodnymi Brytyjczykami, gotowi na nowy konflikt zbrojny, dzięki któremu będzie można wyrwać Polskę spod wpływów Józefa Stalina.

Pomoc nowo przybyłym to humanitarny obowiązek, więc polscy Amerykanie wspierają ich w poszukiwaniu pracy, organizują zaproszenia dla czekających w obozach, ogłaszają zbiórki pieniędzy dla najbardziej potrzebujących, udostępniają pomieszczenia w domach narodowych.

Z drugiej strony niechętnie wpuszczają nowych przybyszów do własnych struktur organizacyjnych. Jeszcze kilka lat po wojnie Kongres Polonii Amerykańskiej przyjmuje tylko Polaków z obywatelstwem USA, a w latach pięćdziesiątych z kolei nie ma możliwości, by dopuścić „nowych" do struktur władzy, niezależnie od ich obywatelstwa. Kiedy powstaje Polski Komitet Imigracyjny, Kongres szybko wycofuje swoje wsparcie finansowe. Komitet działa latami i zazwyczaj balansuje na granicy bankructwa.

Powodem tej rezerwy są zasadnicze różnice w mentalności i życiowym doświadczeniu. Powojenni emigranci mają w pamięci realia II Rzeczypospolitej, są lepiej wykształceni i odnoszą się do starych Polonusów wręcz z pogardą, nazywając ich „dzwonami", ze względu na manifestowany przez nich powszechnie, ostentacyjny katolicyzm. Uważają ich za anachronicznych i nieskutecznych – obijających się w dolnych rejestrach amerykańskiej klasy średniej, a częściej robotniczej. Nie ma wśród nich liderów, nie wpływają na wielką politykę.

Przybywający do Nowego Jorku ekswojskowi wstępują do Stowarzyszenia Weteranów Armii Polskiej w Ameryce – samopomocowej organizacji byłych żołnierzy z pierwszej wojny światowej, ale szybko wypisują się na własną prośbę. Część nowych uważa, że „błękitni" hallerowcy są zbyt ugodowi i koncyliacyjni wobec nowego światowego porządku. Wolą założone w Londynie Stowarzyszenie Polskich Kombatantów. Londyn jest centrum politycznej emigracji polskiej po drugiej wojnie światowej. Dwa stowarzyszenia działają równolegle w nieprzyjaznej atmosferze.

W 1953 roku zarejestrowanych jest kilkanaście organizacji, których członkami są wyłącznie nowi emigranci. Powstają pensjonaty wypoczynkowe, w których nie zjawiliby się goście z szeregów starej Polonii. Podziały obowiązują nawet na zabawach towarzyskich i kulturalnych: wieczory Lechonia, Wierzyńskiego, koncerty, wystawy obrazów nie interesują Polonusów. Klaudiusz Hrabyk*, dziennikarz z misją, narzeka:

> Aby dotrzeć we wstępnym okresie do szerszej opinii publicznej [...], nie ma innej drogi, jak uzyskanie trybuny prasowej, radiowej lub telewizyjnej. [...] Godziny radiowe Polonii (jak zresztą także innych grup etnicznych) są ograniczone w czasie i w przestrzeni. Na wielkich stacjach radiowych należących do różnych amerykańskich spółek czy grup wynajmuje się określoną ilość czasu, najczęściej godzinę, opłacaną bardzo wysokimi taryfami, których pokrycie wymaga znacznej liczby ogłoszeń, również dobrze płatnych. Wśród tych ogłoszeń nieznaczna ilość czasu przypada na tekst poświęcony sprawom natury publicznej. Jeżeli zważyć, że do programu, aby go urozmaicić, musi wchodzić spora porcja muzyki (w polonijnych „godzinach" z reguły są to wyłącznie osławione „polki"), to na resztę programu pozostają zaledwie minuty, często sekundy. Mieszczą się w nich komunikaty, jakieś popularne pogadanki czy wzmianki, czasem wywiady radiowe i tym podobne fragmenty programu niemające nigdy nic wspólnego z poważną treścią, a bodaj rzetelniejszą propagandą zagadnień kulturalnych, społecznych, oświatowych i innych, nie mówiąc o politycznych. Nie ma tu na nie w ogóle miejsca choćby ze względu na słuchaczy o różnych poglądach czy sympatiach albo takich, stanowiących większość, którzy polityką się nie interesują†.

* Klaudiusz Hrabyk (1902–1989) – dziennikarz, doktor filozofii, polityk obozu narodowo-demokratycznego. W czasie wojny w Armii Krajowej, uczestnik powstania warszawskiego. Od 1949 roku w USA, wpuszczony mimo podejrzeń o współorganizowanie pogromów antyżydowskich we Lwowie w 1932 roku. Wrócił do kraju w roku 1958. Zwerbowany przez Służbę Bezpieczeństwa, w swoich późniejszych publikacjach zwracał się przeciwko środowisku emigracyjnemu.

† K. Hrabyk, *„Sprawa Polska" w Nowym Jorku (1951–1955)*, „Kwartalnik Historii Prasy Polskiej" 1985–1986, nr 2, s. 74.

Wkrótce „nowi" rozumieją, że zbudowanie wpływowych elit politycznych, ośrodków edukacji i kultury, postawienie na jednego lidera i wspieranie go, wspólne działanie to zadania niezwykle trudne, jeśli nie niemożliwe do zrealizowania.

Richard:

Rodzice przyjechali w 1950 roku ze mną mającym dwa lata. Poznali się w Europie. Mama pochodziła z Ukrainy, mieszkała blisko Kijewa, przeżyła Stalina, jej brat zmarł z głodu w roku 1933. Mama i jej koleżanki wiedziały dobrze, że powrót do kraju stalinowskiego oznacza śmierć. Zrozumiały, że muszą uciekać na zachód i poznać dobrych polskich chłopaków, z którymi przejdą jeszcze dalej, na zachodnią stronę. Nie mieszkała na granicy polsko-ukraińskiej, więc nie wiedziała, że Polaków się nie lubi.

Tata pochodził z Buska-Zdroju. Trafił do niewoli, a potem do obozu dipisów. Był spokojny, nie pił i nie palił. Mama była bardzo zadowolona, że znalazła takiego męża. Czasem tylko jej koleżanka chwaliła się, że znalazła nawet spokojniejszego.

Mama nauczyła się polski język. Do ósmego roku życia ja nie wiedziałem, że mama nie jest Polką.

Kiedy byłem mały, po kolacji musiałem czytać z polskiej gazety na głos. Dla małego mnie była to męka. Kiedy próbowałem z tatą mówić po angielsku, tata mówił, że mnie nie rozumie. Kłamał, w sklepie słyszałem, jak mówi. Ale tacie zależało, żebym kiedykolwiek ten język polski nie zapomniał.

Od 1956 roku chodziłem w soboty do polskiej szkoły imienia Marii Konopnickiej w Domu Narodowym na Driggs. Pełno nas było, coraz więcej dzieci przychodziło. Od dziewiątej do dwunastej historia, polski i geografia. Bardzo zły byłem, bo koledzy innej narodowości nie musieli chodzić na ten Driggs.

Na szczęście po szkole były tańce i śpiewy. Nie byłem najlepszym śpiewakiem, ale tancerzem wyśmienitym. Tańczyłem w zespole czterdzieści lat. Znam się na mazurze, polonezie, zawsze jestem chętny do tańca. Jeśli pani pozwoli, możemy nawet w tej restauracji zatańczyć.

Gimnazjum miałem katolickie, potem city college, potem uniwersytet. Już żadnych zajęć po polsku. Widzisz, tata wygrał: język polski u mnie siedzi.

Dla rodziców mieszkanie w Ameryce musiało być trudne nie tylko z powodów materialnych i że daleko od Polski i Ukrainy. Zanim tu przyjechali, nie widzieli żadnego Murzyna. Może jakiegoś żołnierza amerykańskiego, ale nie wiem na pewno. Musieli się przyzwyczaić i było im trudno.

W 1961 roku kupili dom na ulicy Kent. Nieduży, na trzy rodziny, z roku 1854. Nasze polskie znajome nabijali się z rodziców, że tylko na trzy. Inne Polaki kupowały na osiem rodzin, żeby wynająć i mieć dochód. Ale jak kupiłeś dom na osiem mieszkań, to był to sabłej. Nawet jak wziąłeś dla siebie dwa mieszkania, to dalej mieszkałeś w sabłeju, tylko większym. Rodzice odpowiadali: po co mamy kupować dom, żeby dalej mieszkać jak żebraki? Dom kolegi, który jego rodzice kupili na Java, kosztuje dwa miliony. A dom moich rodziców trzy miliony. Jest różnica, prawda?

Z tym kupionym domem już nie byliśmy takie greenhorny, nowo przybyli. Wcześniej tak było: o, wracajcie, skąd przyjechaliście, twoja matka ubiera się jak wieśniara. Nie tylko Amerykany tak mówiły, inne imigranty też. Imigranci zawsze myślą, że oni mają pierwszeństwo przed innymi imigrantami. Wyznaczają granice i mówią: ty nie masz wstępu.

No i czasem się biją. Za moich czasów bili się w McCarren Park. Na pięści i może kije. Ja się nie biłem, bo ja zawsze wolałem żarty niż bicie. No i ludzie mnie lubili. Zawsze ktoś się znalazł: ej, znam go ze szkoły, dajcie mu spokój. Ja z Portorykanami chodziłem do szkoły, bośmy ich mieli dużo nawet w mojej katolickiej polskiej szkole, do gimnazjum z Włochami z Northside, Ajriszy mieliśmy za sąsiadów. Bójki na serio między Polakami a Latynosami zaczęły się może w latach siedemdziesiątych i osiemdziesiątych. Portorykanie mieli łatwiej, od razu pozwolenie na pracę, obywatelstwo i zasiłki. To denerwowało Polaków.

Mój ojciec pracował z Murzynami i Portorykanami. Byli mili, ale ciągle przychodzili pożyczać. Ojciec się wkurzał: dopiero dostałem wypłatę, dlaczego już chcesz pożyczyć ode mnie? Rozdziel sobie na jedzenie i na mieszkanie. Nie przepijaj. Uważał, że ci kolorowi ludzie nie chcieli się uczyć i nie chcieli pracować.

My wypruwaliśmy sobie żyły, a za zaoszczędzone pieniądze kupowaliśmy domy. Nie dojadaliśmy, a kupowaliśmy. O Boże, jak się Ajrisze denerwowali, żeśmy na ulicy Milton wykupili najładniejsze domy. Na najpiękniejszej ulicy Greenpointu. Wiele innych ulic w latach siedemdziesiątych nie było pięknych.

Dużo później współpracowałem z hiszpańskimi organizacjami na Williamsburgu i na Greenpoincie. Zdobywaliśmy fundusze na budowę domów dla seniorów oraz świetlic, doradzaliśmy rodzinom, którym groziła eksmisja. Jak to jest, pytali, że Polacy pobudowali domy, a my nie? Nie chciałem powiedzieć: wy jesteście leniwe, a my pracowite, bo to nie byłaby grzeczna odpowiedź. Tylko mówiłem: ci, co przeżyli wojnę, i ci, którzy z komuny przyjechali, to po prostu chcieli mieć swoje. Bo w komunie nic nie mieli.

Zostałem w dzielnicy, choć w maklerskiej firmie pracowałem i mogłem mieszkać gdziekolwiek. Miałem pozycję national sales and marketing director for research, dawałem mowy i wykłady, doradzałem maklerom, co mają mówić, co mają kupić. Oczywiście masz rację, byłem dobrze opłacaną wróżką. Ja powtarzałem, co nasi badacze z doktoratami opowiadali, a potem im mówiłem, że oni gówno wiedzą. Za blisko są tych firm, co je analizują. I zawsze za późno mówią, co trzeba kupić. Zasada jest prosta: buy stocks that everybody hates [kupuj akcje, których nikt nie chce]. Whatever.

Podróżowałem po całych Stanach, ale Greenpoint był centrum kosmosu. Moją wioską z moją rodziną i zespołem tanecznym. Z najlepszym dojazdem na lotnisko: dziesięć minut do LaGuardii, dwadzieścia minut do JFK i trzydzieści minut do Newarku. W tygodniu dwadzieścia minut pociągiem na Manhattan. Ludzie wynosili się na Long Island, a potem dojeżdżali dwie godziny w jedną stronę. Płakali, ale dojeżdżali.

Ożeniłem się w 1971 roku. Następnie urodził się mój starszy syn. Najpierw zamieszkałem u wujka żony. On miał dom ośmiorodzinny, sabłejowy. Po kilku latach kupiłem dom jednorodzinny – piękny. Utrzymuję jego historyczny styl i nie mam nic na wynajem. Nie chcę, żeby mi lokatorzy dokuczali. Ja ci powiem: historyczny styl jest bardzo ważny, ale nie wszyscy go doceniali. Kładli na dach papę albo na ściany siding. Walczyłem o ten styl w Planning Department i od 1983 roku moja część Greenpointu ma status zabytku.

Na tej pięknej ulicy mieszkała koleżanka, z którą tańczyłem w zespole ludowym. Bardzo dobrze nam się tańczyło. Ona była ładna, zgrabna i mądra. Ja miałem czterdzieści lat, ona dwadzieścia jeden. No i w ten sposób w 1988 roku urodził się mój młodszy syn. Nie chciałem się rozwieść z żoną, żeby nie rozbijać dwóch rodzin. Trzeba powiedzieć, że nie obyło się bez komplikacji, może o tym powinnaś napisać książkę. No ale nic.

Moi koledzy, każdy jeden, jak dorósł, to chciał uciec z Greenpoint, bo każden jeden mieszkał w dziurach, okropnych mieszkaniach, a ja już nie. Ja mieszkałem w dobrym domu, w żywej dzielnicy. Ci, co uciekli i sprzedali swoje dziury wcześniej, teraz się duszą ze złości. Jedna koleżanka chytra sprzedała dwadzieścia lat temu dom po mamie i wyjechała do New Jersey. Sprzedała za dwieście tysięcy, teraz sprzedałaby za dwa i pół miliona. Diabli ją biorą.

Ja zostałem. W Kalifornii koledzy maklery mówili: „Richard, how can you live in Brooklyn? What's there?" [Jak możesz mieszkać na Brooklynie? Co tam jest?]. Odpowiadałem: „Well, you live in Newport Beach, California, and you have to maintain a certain lifestyle" [Cóż, jeśli mieszkasz w Newport Beach w Kalifornii, to musisz utrzymywać odpowiedni poziom życia]. Jak jeździsz poniżej BMW, to czujesz się biedny i musisz współzawodniczyć. Ja jeżdżę subwayem codziennie, wracam do mojej dzielnicy, gdzie nikogo nie obchodzi, jak ja wyglądam, i ja się mogę zrelaksować. Oni pytali: „Richard, a co robisz w weekend w tym twoim Greenpoincie?". A ja: jadę tańczyć mazura i oberka. „Are you paid for performing that Polack stuff?" „Płacą ci za to?" Ja tylko patrzałem na nich ze zdziwieniem: chodzi o moje miejsce na ziemi, wam to niepotrzebne?

## Eksplozja

6 października 1950 roku, w południe, ulicę Franklina i Greenpoint Avenue przeszył huk wybuchu. Ludzie wybiegli z domów; niektórzy przekonani, że wybuchła wojna. Ci z Franklina, Green, alei Greenpoint i Manhattan mogli zobaczyć latające włazy do studzienek. Dwadzieścia pięć z nich wzniosło się na wysokość trzeciego piętra, roztrzaskując okna i wystawy sklepów. Jedna osoba straciła rękę, dwie inne zostały lżej ranne.

Policja ustaliła, że eksplodował żelbetowy kanał ściekowy. Przychyliła się do teorii, że została tam spuszczona ropa lub nafta. Mieszkańcy narzekali wcześniej na dziwny smród unoszący się ze ścieków. Kanał załatano. Prawdziwą przyczynę wybuchu znaleziono prawie trzydzieści lat później i okazała się zatrważająca.

Na początku lat pięćdziesiątych latające włazy nie były jedynym problemem dzielnicy. Wielka arteria komunikacyjna właśnie odcięła południową część Greenpointu. Brooklyn–Queens Expressway stanowiła element wizji wielkiego urbanisty Roberta Mosesa. Koszty jej budowy to wysiedlenie części włoskich mieszkańców dzielnicy, zburzenie kościoła i rozbicie wspólnoty sąsiedzkiej. Zarośnięty chwastami kilkukilometrowy pas ziemi niczyjej pod zawieszoną na pylonach arterią stał się milczącym dowodem na braki w koncepcji Mosesa, a także miejscem ryzykownych prywatek i rozliczeń narkotykowych. Takim pozostał.

W połowie tej dekady zamknęły się dwie potężne manufaktury. W 1956 roku zniknęła fabryka ołówków Eberhard Faber, chwilę potem American Manufacturing Company, w której wyrabiano sznury na potrzeby stoczni. W 1963 roku do nabrzeży Greenpointu przestały przybijać statki handlowe. W 1965 roku zamknęła się ostatnia rafineria. Teraz na Newtown Creek stanęły potężne cysterny do przechowywania ropy.

Ken:

Urodziłem się w Physician Hospital na Queensie w roku 1948, a dwa dni później rodzice zabrali mnie do naszego mieszkania na Greenpoincie i pokazali czternaście miesięcy starszemu bratu. Staliśmy się z Bobem nierozłączni.

Greenpoint Avenue, gdzie osiedliła się rodzina Buczkowskich, jest moją mekką i początkiem wszystkiego.

Mieszkaliśmy dwie ulice od East River. Dochodziło się do pirsu i oglądało wieżowce Manhattanu. Brat mamy, wujek Teddy, spacerował z nami, kiedy jeszcze siedzieliśmy w wózku. Naprzeciwko można było zobaczyć kominy przy 15 Wschodniej i Empire State Building. Pamiętam ostry zapach, bo East River pachniała szczególną mieszanką kreozotu, drewna, glonów i niezidentyfikowanych substancji, którymi była zanieczyszczona. Uwielbialiśmy wujka Teddy'ego.

Przecznicę dalej w kierunku rzeki stała fabryka ołówków Eberhard Faber Pencil Factory, pracowali w niej ludzie z całego sąsiedztwa. Na rogu Greenpoint Avenue i Franklin był The Club. Tajemnicze miejsce, do którego żaden dzieciak z dzielnicy nie miał wstępu. Ciągnęło nas tam, wymyślaliśmy niesamowite historie o tym, co może dziać się w The Club. Znikał tam wujek Dick i większość znajomych mężczyzn. Nie chcieli nam powiedzieć, co tam robią. Po latach mogliśmy wejść do klubu i byliśmy cholernie rozczarowani. Było to pomieszczenie z barem, stolikami, neonową reklamą piwa i przesiąkniętą piwem podłogą. Siedzieli tam faceci ze szklankami i papierosami w ustach. Rozmawiali o pracy i kobietach, nic więcej.

Rodzina Buczkowskich mieszkała pod numerem 98. To była czynszówka z mieszkaniami, które nazywały się railroad apartments, z powodu sposobu rozplanowania. Pokoje w każdym mieszkaniu były ustawione jeden za drugim, jak wagony kolejowe. Pokój frontowy miał dwa duże okna i zazwyczaj był salonem. Kiedy ktoś z rodziny umarł, tak jak dziadek Casimir, kładło się go w salonie i czekało, aż każdy się pożegna. Za salonem była sypialnia lub dwie, a za sypialnią kuchnia z dwoma oknami wychodzącymi na tylne podwórze. Z kuchni wchodziło się do jedynej małej łazienki. Wcale nam to nie przeszkadzało, że była jedyna.

Na tyłach było ogrodzone podwórze szerokości domu i kawałek ogródka, w którym babcia sadziła kwiaty. Czasem bawiliśmy się w tym miniogródku; pamiętam tatę filmującego nas swoją ośmiomilimetrową kamerą. W pewnym momencie podniósł obiektyw, bo ciocia Jean wyjrzała z okna na trzecim piętrze. Kiedy zobaczyła, że tata filmuje, zarumieniła się i schowała do środka. Ale zaraz znów się wychyliła. Często oglądam ten fragment filmów taty.

Na parterze były małe delikatesy pana Sosnowskiego, który mieszkał z rodziną w niewielkim mieszkaniu za sklepem. Sklep był bardzo praktyczny. Kiedy zabrakło butelki mleka, pukaliśmy po prostu do drzwi na tyłach kamienicy.

Delikatesy Sosnowskiego brały udział w corocznym konkursie Miss Rheingold. Była to kampania reklamowa Rheingold Beer Company, naszego miejscowego browaru. Tego dnia w różnych delikatesach rozwieszano zdjęcia ładnych dziewczyn z sąsiedztwa i klienci mogli na nie głosować, wrzucając karteczki do specjalnych pudeł. My nie mogliśmy głosować, bo byliśmy za młodzi, mimo to co roku udawało nam się wcisnąć nielegalne głosy.

Idąc w kierunku Manhattan Avenue, mijało się czynszówkę państwa Belezza, gdzie moi rodzice wynajęli mieszkanie, kiedy się urodziliśmy. Potem była kamienica rodziny Fume, a potem rzeźnia kurczaków. Wstępowało się, wybierało kurczaka. Właściciel zarzynał go, spuszczał krew, patroszył, wkładał do kadzi z gorącą wodą, żeby łatwiej było oberwać pióra. Pakował i podawał klientowi. To jedno z bardziej krwawych wspomnień mojego późnego dzieciństwa. Przechodzenie obok rzeźni i oglądanie zarzynanych kurczaków było jak ból zęba. Boli, kiedy przykładasz do niego język, ale i tak to robisz. Zawsze zatrzymywaliśmy się w tym miejscu.

Zaraz za rzeźnią była nasza oaza: 106 Ladder Co, kompania nowojorskiej straży pożarnej. Pracował tam nasz wujek Eddie, czyli Bućko. Sprawdzaliśmy, czy akurat jest na dyżurze. Kiedy był, pozwalał nam włazić do wozów strażackich. Czuliśmy się jak bogowie. Szedłem zawsze na tył i wspinałem się na rumpel. Były tam koła sterujące, którymi kręciło się hakiem i drabiną. Tam zwykle siadywał Bućko, kiedy jechał na akcję.

Bućko pozwalał nam czasem zakładać swój ciężki hełm z wielką cyfrą 106 na przedzie. Kiedyś pozwolił nam założyć swoje służbowe buty. Zawsze prosiliśmy go, żeby nas podniósł i przystawił do tej srebrnej, śliskiej rury, po której strażacy ześlizgiwali się, gdy podnosił się alarm. Zjeżdżaliśmy po tej rurze jak prawdziwi strażacy. Kiedy zamknięto posterunek i przeniesiono bliżej McGuinness, czuliśmy się, jak gdyby ktoś zabrał nam część rodziny.

Za posterunkiem była piekarnia i sala bankietowa Ampol, którą później przemianowano na Polonaise Terrace. Urządzało się tam komunie i wesela. Na rogu Greenpoint i Manhattan Avenue była apteka Harrico. Wydawała nam się dziwna. Wchodziło się z Greenpoint, po kilku krokach korytarz skręcał o dziewięćdziesiąt stopni i wychodziło się na Manhattan Avenue, główną ulicę, na której mieściły się biura firm i sklepy.

Chodziliśmy Manhattan Avenue, nasze głowy kręciły się dookoła. Czasem ktoś z rodziny zabrał nas do Meserole Theater i RKO. Były to stare teatry wodewilowe, które teraz spełniały funkcje kinoteatrów. Raz wujek Eddie zabrał nas na premierę *Have Rocket, Will Travel*, komedii, w której grali aktorzy z grupy Three Stooges. Film zapowiadać mieli Stoogesi we własnej osobie, możesz sobie to wyobrazić? Co to był za wieczór! Tłum kłębił się przy drzwiach frontowych, ale wujek Eddie zaprowadził nas do bocznych, pokazał odznakę i znaleźliśmy się w innym świecie. Po seansie wujek wcisnął nas na tyły sceny. Pamiętam ściskanie dłoni i do dziś mam autografy. Sześć autografów, bo w zespole Three Stooges było ich sześciu: Moe Howard, Larry Fine, Shemp Howard, Curly Howard, Joe Besser i Curly Joe DeRita.

Na rogu Milton i Manhattan Avenue była cukiernia, w której kupowaliśmy rosyjską szarlotkę. Było to babeczkowate ciastko waniliowe z górą bitej śmietany i wisienką na czubku. Wspaniałe. Wielkim świętem była makaronowa zapiekanka we włoskiej knajpie Johnny'ego, tam gdzie zbiegają się Manhattan, Nassau i Bedford Avenues. Danie nie z tego świata, podawane w małych owalnych miskach. Ser miał brązowozłotą, chrupiącą skórkę, ale w środku był miękki, wystawały przypieczone kawałki makaronu, wszystko zanurzone w cudownym sosie. Nie pamiętam, żebym później jadł lepszą zapiekankę. Nigdy.

Czasem w drodze do drugiej babci braliśmy trolejbus, który jeździł w górę i dół Manhattan Avenue. Nazywaliśmy go patykobus, bo był podłączony dwoma grubymi przewodami do linii elektrycznej. Lubiliśmy siadać z tyłu: kiedy motorniczy załączał silnik, z tyłu brzmiało to jak strzał albo piorun. Rodzice pokazywali nam na ulicy tory tramwajowe. Oni pamiętali prawdziwe tramwaje na Manhattan Avenue. My nie.

Dziadkowie Ruszkowscy mieszkali na Eckford Street numer 118, w połowie drogi między Driggs a Nassau. Czynszówka była też drewniana, ale tylko dwupiętrowa, z wysokim parterem, na który wchodziło się po schodach. Mieszkali tam lokatorzy, którzy nie należeli do rodziny. Na pierwszym piętrze w mieszkaniu po lewej mieszkał dziadek Roman i babcia Stella z córką, ciocią Harriet. Wujek John z kuzynami Ronaldem i Geraldem mieszkali po prawej. Na ostatnim piętrze – ciocia Adeline z wujkiem Johnem Loughlinowie.

Rodzina Buczkowskich na Greenpoint Avenue i Ruszkowskich na Eckford to były dla nas dwa osobne światy. Oba z Disneya. Buczkowscy byli dla nas Zaczarowanym Królestwem, Ruszkowscy to było Centrum Epcot*.

Babcia Stella rządziła żelazną ręką i wszyscy się jej baliśmy. Dziadek Roman całe życie pracował w Domino Sugar nad East River. Prawie się nie odzywał, a jak coś mówił, to był to bardzo łamany angielski. Siedział w kuchni i skręcał papierosy z tytoniu Bull Durham. Od czasu do czasu podnosił opuszkami palców nitki tytoniu ze stołu i wąchał je z zadowoleniem. Ożywiał się, tylko gdy grał w bezika z tatą i wujkiem Johnem. Nie był czułym dziadkiem z obrazka. Był za to naszym jedynym dziadkiem.

Ciocia Dudi była ekscentryczną starą panną, tak o niej wtedy myśleliśmy. Paliła po kryjomu, mieszkała z rodzicami i nigdy się nie wyprowadziła. Pracowała w fabryce kosmetyków Heleny Rubinstein i zawsze miała próbki kremów dla pań w naszej rodzinie.

* Magic Kingdom Park i Epcot to dwa parki tematyczne Walta Disneya w Orlando na Florydzie. Magic Kingdom to rozrywka dla młodszych dzieci, Epcot dla starszych, a nawet dorosłych.

Gdy wybuchały awantury, próbowała nas godzić. Była fajna, żałowaliśmy, że nie ma męża.

Wujek John pracował w piekarni Tastee Bread, woził pieczywo. Pił litrami piwo Schaefer, po czym wdawał się w bójki. Zmarł tragicznie w wieku sześćdziesięciu lat. Szczerze mówiąc: baliśmy się go jak diabli.

Ciocia Adeline Loughlin była najbardziej ekstrawertyczna ze wszystkich. Mówiła głośno, głośno się śmiała, nosiła wysoko upięte jasne włosy i mocno malowała usta. Lubiła ładne rzeczy i zazwyczaj dostawała je od wujka Johna Loughlina, który pracował na Wall Street. Plotkowaliśmy, że jest bogaty. Był towarzyski i wyrafinowany, jak nikt w rodzinie. Nigdy nie zadałem im pytania, dlaczego nie mieli dzieci.

Mój tata Leo walczył w marynarce, był porucznikiem. Był jedynym dzieckiem babci Stelli i dziadka Romana, które poszło do college'u. Pracował jako przedstawiciel handlowy w Johnson and Johnson, w dziale produktów osobistych. Chociaż miał sukcesy zawodowe, nie czuł się szczęśliwy. Myślę, że całe swoje dorosłe życie cierpiał na depresję. Może przez przeżycia wojenne? Całe życie walczył ze swoimi demonami.

Na Eckford było zawsze więcej napięć i obrażania się na siebie niż na Greenpoint Avenue. W każdym razie na Eckford tata brał w tym udział, na Greenpoint nie.

Na moją mamę, Eleanor, najmłodszą córkę babci Buczkowski, wszyscy mówili Nunu. I wszyscy ją lubili: była ciepła, kochała ludzi i uwielbiała się bawić. Tak jak jej brat Teddy była znakomitą tancerką, nauczyła mnie polki, walca i oberka. Była mądra, mimo że skończyła tylko osiem klas szkoły podstawowej.

Wszyscy byliśmy wychowani w wierze katolickiej i głosowaliśmy na demokratów. Mama też, ale kiedy była starsza, zaczęła strasznie na nich narzekać. Myślę, że rozczarował ją Jimmy Carter. Wtedy powiedziałem: „Mamo, przestań w końcu narzekać, zarejestruj się jako republikanka". I mama tak zrobiła. Uwielbiała gotować, siedzieć na kanapie i oglądać Fox News.

Moja rodzina przeżywała wzloty i upadki. Kiedy babcia zmarła, kłopoty z testamentem podzieliły rodzinę. Wujkowie i ciocie wyprowadzili się na Long Island, do Pensylwanii, na Queens. My do Connecticut. Połączyło nas święto 4 lipca, kiedy to ciocia Sue, siostra mamy, zaprosiła wszystkich do swojego ogrodu.

Rozmawiamy czasem z Bobem, że nasze dorosłe dzieci czują się zażenowane, gdy zaczynamy opowiadać o polskich korzeniach. Albo, co gorsza, kiedy puszczamy polkę. My z kolei żałujemy, że rodzice nie nauczyli nas polskiego jako drugiego języka. Włosi, Chińczycy czy Żydzi uczą. Myślę, że moi rodzice bardzo chcieli, żebyśmy byli tak amerykańscy, jak to tylko możliwe. Porzucenie języka polskiego wydawało im się jak najbardziej słuszne.

Moje dzieci, Chris i Al, akceptują te korzenie, ale powtarzają: to nie jesteśmy my. Mam nadzieję, że kiedy będą wspominać swoje dzieciństwo, to będą miały poczucie szczęścia, tak jak ja, kiedy myślami wracam na Greenpoint.

## Irena

W 1958 roku zakład pogrzebowy Smolenskiego kupili Irena i Leon Klementowiczowie. Słyszeli, że dzielnica jest bardziej przyjazna niż Bronx, skąd się wyprowadzili, i znajdują się w niej miejskie parki.

Okazało się, że nie tylko.

Wkrótce Irena zauważyła, że pranie, które wywiesza na sznurku, pokrywa się czarnymi cukropodobnymi drobinami. Kiedy zobaczyła przemierzające dzielnicę ciężarówki wypełnione odpadami i poczuła zapach zgniłych jaj, zrozumiała, że to efekt uboczny pomysłów, jakie na Greenpoint miały władze miasta. Pierwszym była nowa spalarnia śmieci. Drugim – największa w Nowym Jorku oczyszczalnia ścieków, przyjmująca je zarówno z Greenpointu, jak i z Manhattanu i Queensu. Zaraz po jej otwarciu okazało się, że przetwarza ona jedynie sześćdziesiąt pięć procent ścieków, a resztę wpuszcza do rzeki. Ustawa nakazywała przetworzenie osiemdziesięciu pięciu procent. Nad oczyszczalnią unosił się smród nie do zniesienia. W mieście nazywano go „smrodem Greenpointu". A potem zbudowano krematorium.

W ten sposób władze miejskie pozbywały się problemów, obciążając nimi niewielkie peryferyjne dzielnice, których mieszkańcy nie byli się w stanie bronić.

Irena Klementowicz zaczęła składać pisemne skargi na smród z oczyszczalni, spalarni i krematorium. Dziesiątki listów pozostawały bez odpowiedzi. Wtedy zaczęła pukać do sąsiadów. Razem z Barbarą Mihelic założyły Stowarzyszenie Zaniepokojonych Obywateli Greenpointu. Tak powstała pierwsza obywatelska organizacja, która zwróciła uwagę nowojorskich urzędników na najbardziej zanieczyszczony skrawek Ameryki. Marsz Zaniepokojonych trwał ponad trzydzieści lat.

## Skazani na zagładę

Na początku lat siedemdziesiątych Nowy Jork stanął na skraju bankructwa. Cięcia budżetowe w policji i straży pożarnej zepchnęły miasto w przepaść, która inspirowała szefów gangów i rodzin mafijnych oraz reżyserów filmów sensacyjnych, natomiast mieszkańców skłaniała do ucieczki*. Wyrok potwierdził prezydent Gerald Ford, odmawiając Nowemu Jorkowi pomocy finansowej. „Ford do miasta: »Niech zdycha!«", grzmiał nagłówek „Daily News" w październiku 1975 roku.

Milion gospodarstw domowych znalazło się na zasiłku. Zniknęło pół miliona miejsc pracy. Kto mógł, wyprowadzał się za miasto. W przeciwnym kierunku ruszyła kolejna fala migrantów na dorobku: z Portoryko, Meksyku, południowych stanów. W mieście zostali najbogatsi, których było stać na warowne posesje, oraz ci, których nie było stać na wyprowadzkę, przede wszystkim miejscy wieśniacy z robotniczych dzielnic. Jeśli nie mogli utrzymać swoich domów, podpalali je dla ubezpieczenia. Greenpoint znów stał się areną pożarów.

* „Tylko w pierwszych dwóch miesiącach 1979 roku w nowojorskim metrze doszło do sześciu morderstw, w porównaniu z dziewięcioma, które miały miejsce w całym 1970. W roku 1980 w Nowym Jorku zanotowano 1814 morderstw, a pod koniec lat osiemdziesiątych już ponad dwa tysiące": *Nowy Jork w latach 70. i 80.*, littletownshoes.com, bit.ly/3pIDwnO (dostęp: 22.03.2021).

Siedem największych banków na Brooklynie, w tym Greenpoint Savings Bank, ustaliło wspólnie granice terenów „skazanych na zagładę", gdzie udzielanie pożyczek nie daje większych nadziei na spłatę. Dzielnica znalazła się w centrum bankowej beznadziei.

## Śmietnik Nowego Jorku

We wrześniu 1978 roku podczas rutynowego lotu helikopter straży przybrzeżnej Stanów Zjednoczonych odkrył na wodach Newtown Creek połyskującą plamę ropy. Zawiadomiono władze, ale nie podniesiono alarmu. W następnych dniach ustalono, że wyciekło ponad siedemnaście milionów galonów ropy naftowej (sześćdziesiąt cztery tysiące metrów sześciennych) i że część z tego znajduje się już w ziemi. Ropa spływała do Newtown Creek co najmniej od 1948 roku, podeszła pod domy i fabryki. We wrześniu nie było wątpliwości, że na Greenpoincie doszło do jednego z największych zatruć środowiska w historii Ameryki*. Wybuch z 1950 roku to był sygnał, ale nie odczytano jego prawdziwego znaczenia.

Kompanie ExxonMobil, Chevron/Texaco i BP nie wykluczyły swojego udziału w tej tragedii. W 1979 roku ExxonMobil zaczął oczyszczać ziemię na Greenpoincie, lecz działania naprawcze ślimaczyły się przez całe lata osiemdziesiąte i były zupełnie niewystarczające. W roku 1990 Exxon wypuścił za to do Newtown Creek dodatkowe pięćdziesiąt tysięcy galonów ropy, dając ekologom do zrozumienia, co myśli o ich histerii. Do 2005 roku wydobyto jedną trzecią zanieczyszczeń.

Dom Ireny znajdował się w pobliżu podziemnego rozlewiska, wdychała „smród Greenpointu", więc przez kolejne dwadzieścia lat nie złożyła broni.

W 1994 roku spalarnia zostaje zamknięta, ale cztery lata później Klementowicz, Christine Holowacz i Marie Chambers, miejscowe

* W raporcie Agencji Ochrony Środowiska Stanów Zjednoczonych z 2007 roku doprecyzowano, że wyciekło nie siedemnaście, a trzydzieści milionów galonów ropy, zanieczyszczając obszar o wielkości pół kilometra kwadratowego.

aktywistki, skarżą się dziennikarzowi „New York Timesa", że starania o czysty Greenpoint wciąż nie robią na władzach miasta większego wrażenia. Klementowicz jest też rozżalona na obojętność polskich greenpointczyków, którzy znów zaludnili dzielnicę: „Kiedy zwracałam uwagę sąsiadom, że trzeba zabierać głos na otwartych zebraniach i zacząć patrzeć na ręce ludziom, którzy powinni monitorować dopływ ścieków do naszej oczyszczalni, mówili: »Po co? To nic nie da!«. Albo wzruszali z pogardą ramionami, jakby aktywizm miał coś wspólnego z komunizmem. Nie angażowali się. W naszej społeczności nie było woli walki, dlatego byliśmy łatwym celem. Oddychamy najgorszym powietrzem w Nowym Jorku". Holowacz, która wyemigrowała z Polski w 1972 roku, jest z kolei skłonna tłumaczyć apatycznych rodaków: „Zrozumcie, wielu ludzi przyjechało tu tylko po to, żeby zarabiać na życie rodziny w Polsce. Przyjechali z kraju, w którym jednostka nie ma na nic wpływu. Trzeba czasu i dobrej woli, żeby nauczyli się walczyć o swoje prawa". Chambers dodaje, że dopóki greenpointczycy nie zaczną chodzić na wybory, politycy będą ich lekceważyć. „Problem w tym, że wielu nowych mieszka w Stanach Zjednoczonych nielegalnie, nie ma do głosowania najmniejszych uprawnień*".

Holowacz, Klementowicz, Chambers i jeszcze kilka innych aktywistek przejdą do historii miasta jako „wściekłe baby", które zbudowały i rozpędziły machinę ekologicznych oddolnych ruchów miejskich. Upór, odwaga i nieustanne monitowanie władz miejskich staną się wzorem i pożywką dla przyszłych wielkomiejskich działaczy na zgentryfikowanym Greenpoincie. Lecz w 1998 roku w miejskim ratuszu wciąż krystalizują się plany, by na Greenpoint przenieść dodatkowo największe w mieście wysypisko śmieci, odpadów medycznych i być może elektrownię†.

* „New York Times", 18 kwietnia 1998.

† T. Hamilton, W. Curran, *From "Five Angry Women" to "Kick-ass Community". Gentrification and Environmental Activism in Brooklyn and Beyond*, „Urban Studies" 2013, no. 8, s. 1557–1574.

Ryszard:

Tata miał być księdzem, ale kiedy jechał do klasztoru, Niemcy zbombardowali pociąg. Wrócił do domu i mu przeszło. Nie chciał mieszkać w czerwonej Polsce, dlatego po tej całej wojnie wyjechał do Ameryki.

Urodziłem się na Greenpoincie na ulicy Huron w roku 1961.

Od kiedy pamiętam, w dzielnicy śmierdziało z kanalizacji i z oczyszczalni ścieków. Gównem. Jak wiater zawiał, to szczególnie. Mama sprzątała, ojciec pracował w porcie, gdzie rządziły związki i włoska mafia. Uważał, że Polacy są gorzej traktowani, gorzej od Niemców, a informacje o tym, jak Polacy walczyli w czasie wojny, są kontrolowane przez Rosjan.

Dzielnica Greenpoint miała swoje strefy. Jak się jeden naród zgromadził, to się robiła strefa tego narodu: wędliny, restauracje, piekarnie. Akurat ulica Huron była na granicy tych stref i każdy naród chciał, żeby była ich. Od strony ulic Java i India mieszkali Portorykańczycy. Byli pierwszymi niebiałymi. Wcześniej mierzyliśmy się z Irlandczykami, których jednak ubywało i przegrywali zawody w piciu. Portoryki sprowadzili się w latach sześćdziesiątych i siedemdziesiątych i mieli wszystko za darmo: mieszkania od miasta, jedzenie od miasta, bo ich kraj jest terytorium USA i przysługiwały im zasiłki. Nasi musieli ciężko zapierdykać, żeby coś dostać. Nie lubiliśmy ich; wtedy nie było możliwe, żeby Portoryk miał dziewczynę z Polski. Później może mógł, ale w latach sześćdziesiątych czy siedemdziesiątych jeszcze nie. Za moich czasów wszyscy mieli w domach karaluchy i niektórzy mówili, że te karaluchy się zjawiły razem z Portorykami. Takie były legendy.

Dużo czasu spędzałem na podwórku i od starszych uczyłem się, jak na granicy dzielnic przeżyć. Zawsze kiedy szedłem ulicą, to patrzyłem, kto jest na ulicy, my czy oni. Czy jest jakiś pojemnik na śmieci, którym mógłbym rzucić w konkurencję. Czy stoi samochód, za którym mógłbym się ukryć. Kiedy zacząłem chodzić do szkoły, babcia mnie odprowadzała. Potem chodziłem sam. To znaczy biegłem, pięć ulic bez przystawania. Koledzy starsi od nas siedzieli na schodach ze strzykawkami. Latynosi, bo Polacy nie wstrzykiwali sobie w tym czasie niczego.

Niektórzy wrócili z Wietnamu i byli nienormalni. Mieli taką zabawę, że ścigali się samochodami po Huron w kierunku rzeki. Nie było tam żadnego płotu, ulica kończyła się East River. Dalej były skały i woda. Kto się zatrzymał pierwszy, to przegrywał. Ale jak się zatrzymał za późno, to wpadał do rzeki. Kilku moich sąsiadów utonęło.

Od czasu do czasu młodzież się biła. Blisko browaru, obok miejsca, gdzie rozładowywano drewno ze statków. Nie chodziło się tam wieczorem, taka była zasada. Powody były takie, że ktoś coś powiedział, drugi mówił, że to nieprawda, chwilę potem umawiali się na walki. Nikt nie strzelał, walczyli rękami, kijami, skórzanymi paskami z metalową sprzączką. Przywiązywali do ręki i walili w łeb lub w twarz. Potem pamiętam noże i kije baseballowe. Na sam koniec były ustawki, gdzie biło się pięćset osób. Zwoływało się swoich. Miałem jedenaście lat, kiedy dostałem kijem bejsbolowym w głowę. Bawiliśmy się po szkole, może trzysta pięćdziesiąt metrów od domu. Jeden mnie stuknął, ale ja też stuknąłem. To była szybka akcja, bo zawsze na schodach siedziała jakaś babcia i rozganiała towarzystwo. Na policję moja matka zadzwoniła tylko raz, kiedy na naszej ulicy jeden z naszych rozbił głowę portorykańskiemu chłopcu. Krew się lała. Matka wyszła na ulicę, wyniosła białe prześcieradło, żeby mu owinąć głowę, prześcieradło zrobiło się czerwone. Mama powiedziała ojcu: rób, co chcesz, ale moje dzieci nie będą tu mieszkać. Nie wiem, czy ten chłopiec przeżył. Wiem, że ojciec chciał wtedy kupić dwa domy, bo były bardzo tanie, ale mama powiedziała, że się wyprowadzamy. Szkoda. Po moich czternastych urodzinach wynieśliśmy się w głąb Brooklynu, gdzie wcale nie było bezpieczniej. Nigdy nie wróciliśmy na Greenpoint.

## Atrybut niedodatni

W lutym 1971 roku grupa „nowych" emigrantów politycznych zakłada gazetę codzienną z siedzibą na Manhattanie. Jest to przedsięwzięcie ryzykowne. Właśnie upadł polonijny dziennik „Nowy

Świat", ponieważ Polonia nowojorska z emigracyjnej zamienia się w społeczność etniczną. Używanie języka polskiego przestaje być dla Polonusów oczywistością. Tymczasem „Nowy Dziennik" adresowany jest do tych, którzy za wszelką cenę chcą podtrzymać swoją odrębność. Jego naczelny, przybyły z Londynu Bolesław Wierzbiański, filar emigracyjnych organizacji dziennikarskich, pragnie, by nowa gazeta ożywiła intelektualnie uśpioną Polonię.

Ambicje i maniery „paniczy z Manhattanu" sprawiają, że robotnicy Greenpointu witają dziennik z dozą nieufności. Wydaje go protekcjonalna burżuazja, z niewiadomymi intencjami, „kultura poloneza", brzydząca się „kulturą polki". Jednak w pierwszym numerze gazeta porusza palący dla Polonii problem. Mianowicie: czy Polacy w Ameryce są dyskryminowani?

> Dochodzą nas głosy trzeciego pokolenia polonijnego twierdzące, że nazwisko o brzmieniu polskim nie jest atrybutem dodatnim. Niektórzy z najnowszych przybyszów z Polski zaskoczeni są istnieniem dyskryminacji, takiej jak gadzinowe, „humorystyczne" publikacje ośmieszające „Polacksów". Wydaje się, że wybiła godzina, by przewentylować tę sprawę. Być może za dwa lata syn polskiego krawca kandydować będzie na urząd prezydenta Stanów Zjednoczonych. [...] Zapewne będzie śledzić wyniki naszej ankiety*.

Listy od czytelników zaczynają przychodzić w tym samym tygodniu. Skarżono się, że

> polscy studenci nie są przyjmowani na studia medyczne. [...] Przykład mojego syna. Był celującym uczniem w „grammar" i „high school". W college'u był dwukrotnie na liście dziekańskiej, Dean's List. Zdarzyło się jednak, że na drugim roku studiów przeżywał dotkliwie pierwszą zawiedzioną młodzieńczą miłość. To wpłynęło na obniżenie stopni w nauce. Kiedy przyszedł do równowagi, na ostatnim roku ponownie został umieszczony na

* „Nowy Dziennik", 27 lutego 1971.

dziekańskiej liście. Wnosił podanie do uniwersytetów o przyjęcie na medycynę – wszystkie podania załatwiono odmownie*.

Kolejny czytelnik uznał, że

jest to pytanie retoryczne. Naturalnie, że [dyskryminacja] istnieje. Wystarczy powiedzieć, że w kinie i w teatrze Polacy przedstawiani są w złym świetle. Przykłady: *Our Town* Thorntona Wildera czy *Tramwaj zwany pożądaniem* T. Williamsa. W pierwszym polska dzielnica to dzielnica biedy i zacofania. W drugiej sztuce Polak to brutal.

W szkołach i na uniwersytetach nazwisko na -ski utrudnia uzyskanie pracy i osiągnięcie kariery w takich dziedzinach jak nauki polityczne. Polaków uważa się za nieobiektywnych i stara się ich zepchnąć w cień. W bankowości Polaków prawie nie ma. Tam zasiedziały anglo-amerykański establishment broni swych pozycji przed ludźmi pochodzenia słowiańskiego. W wielkich firmach amerykańskich Polaków można policzyć na palcach. Dopiero ostatnio pojawia się ich więcej, ale na stanowiskach podrzędnych.

A Kościół katolicki? W hierarchii kościelnej powinno być kilku polskich kardynałów, a jest jeden, kilkunastu biskupów, a jest kilku. W administracji diecezjalnej sami Irlandczycy, Włosi, Niemcy.

Jakie szanse ma pisarz polski? Żadne. Wiesław Kuniczak jest wyjątkiem. Udało mu się przez przypadek, bo pisał o temacie dotychczas w literaturze amerykańskiej nieporuszonym.

Najmniej jest dyskryminacji ludzi polskiego pochodzenia w klasie pracującej. Wspólna praca do pewnego stopnia eliminuje dyskryminację. Ale na wyższych szczeblach życia amerykańskiego Polak ma małe szanse†.

Jeszcze inny potwierdzał, że ankieta jest bardzo na czasie:

Polacy z jednej strony widzą wzrastającą siłę grup murzyńskiej i portorykańskiej, a z drugiej strony pewną dekompozycję grupy

* „Nowy Dziennik", 12 marca 1971.
† Tamże.

anglosaskiej, której rządy wymykają się z rąk. Polska grupa stoi jak gdyby w miejscu. Jej pozycja nie posuwa się naprzód. Nie spada, bo w tym bogatym kraju trudno jest spadać. Ale taki stan rzeczy nie jest spowodowany żadną dyskryminacją. Nikt grupie polskiej nie odmawia prawa posuwania się naprzód. [...] Uważam, że Polacy i Amerykanie polskiego pochodzenia sami stwarzają sytuację niekorzystną. Dlaczego?

Polacy mają kompleks niższości. Nie domagają się miejsca należnego w społeczności. Są bierni, pozwalają się popychać. Wystarczy im opinia, że dobrze pracują. Nie mają ambicji jako grupa. Ani politycznych, ani społecznych. Zadowoleni są, jak ich się chwali, ale za swoje głosy, za poparcie, niczego nie żądają. Wreszcie nie są solidarni. Niech się uczą od Włochów, Żydów, Murzynów, jak należy działać jako jedna grupa. Moim zdaniem jeśli istnieje dyskryminacja, to jest to dyskryminacja Polaków przeciwko sobie samym*.

* „Nowy Dziennik", 21 marca 1971.

# Little Poland (4)

## Joanna, 1990

Zapisaliśmy się do uniwersyteckiego klubu turystycznego i wyjechaliśmy na wycieczkę rowerową. Oficjalnie na trzy tygodnie, w zamierzeniu na rok. Studiowałam slawistykę. Przelicznik złotówki do dolara był taki, że byliśmy pewni, że w ten rok będziemy się dobrze bawić oraz zarobimy na mieszkanie. A potem na luzie skończę tę slawistykę. Nie pamiętam nawet, czy w ogóle wzięliśmy rowery.

Był czerwiec, koszmarny upał, na lotnisko przyjechał po nas kolega, który nie wrócił z wycieczki organizowanej rok wcześniej. Zawiózł nas, dziesięcioosobową grupę, do dwóch mieszkań na Greenpoincie. Na Bedford i Manhattan Avenue. Mieliśmy spać na podłodze, bo w tych sabłejach był już komplet. Dwie, trzy osoby w pokoju, tylko w dwóch pokojach okno. Jeszcze nie wiedziałam, że to norma. Kiedy zobaczyłam, jak wygląda Bedford, to się rozpłakałam. W dodatku upał i wilgoć, w nocy brałam kilka pryszniców, żeby się ochłodzić.

Zaczęliśmy się zastanawiać, co dalej. Ktoś poradził, żeby zajrzeć do „Greenpoint Gazette". Na naszą kieszeń było dwupoziomowe mieszkanie na Eckford. Kuchnia w basemencie, z oknami na zewnątrz, więc jasno. Salon z grubą wykładziną, a u góry trzy sypialnie i łazienka. Mieszkało nas dziesięć osób. W salonie dwóch chłopaków, ja z narzeczonym u góry, reszta w pokoju obok. Meble przytargaliśmy z ulicy i ze śmietnika.

Pierwszej nocy zrozumieliśmy, dlaczego z tym mieszkaniem poszło tak łatwo. Obudziłam się cała w bąblach, pogryziona od stóp do głów. Moja koleżanka podobnie. Nie widzieliśmy żadnych komarów. Zaczęliśmy szukać i znaleźliśmy gigantyczne gniazda pluskiew. Wiły się w kontaktach elektrycznych, pod wykładziną, pod listwami. Wrzucaliśmy bomby z trucizną i wychodziliśmy na cały dzień, ale nic to nie dawało. Ktoś powiedział, że to mieszkanie trzeba podpalić. Wyniosłam się do koleżanki z drugiej grupy.

Zaczęłam się kręcić po Manhattan Avenue, żeby znaleźć pracę. Weszłam do polskiej agencji na Greenpoint Avenue. Siedziała tam Polka, zapytałam ją, co powinnam ze sobą zrobić. Była miła, w każdym razie zaczęła mi o sobie opowiadać. Jej wujek miał mieszkanie na 8 Ulicy na Northside w Williamsburgu, ale nie radziła od wujka wynajmować, bo to sknera, a mieszkanie – syf, tragedia. Obiecała, że mi czegoś poszuka, żebym zaglądała.

Zaglądałam. Poznałam nawet menedżera, który nazywał się Włodek. Specjalizował się w rejestrowaniu samochodów i ubezpieczeniach. Po pięćdziesiątce, schorowany, nawalał mu żołądek. „Może ja ci dam pracę?" – powiedział pewnego dnia. Potrzebował osoby, która by jeździła na Manhattan z rejestracjami oraz gotowała mu obiady.

Włodek wytłumaczył mi, jak jeździć metrem. Nie tylko gdzie zejść, gdzie kupić bilet i gdzie go włożyć, ale przede wszystkim co można, a czego nie można robić w metrze. Okazało się, że nie można stać w pierwszej linii przy krawędzi peronu, nie można pierwszej wchodzić do wagonu ani pierwszej wychodzić. Nie można podnosić wzroku i nie można patrzeć nikomu w oczy, zwłaszcza jak osoba ma inny kolor skóry. Powiedział, w jaki sposób powinnam trzymać torbę. I że muszę obserwować otoczenie. Jeśli założę łańcuszek, to zostanę uduszona. Jeśli kolczyki, to mi wyrwą uszy. Jeśli zegarek, to mi odetną rękę. Jak on sobie wyobrażał, że ja wejdę do metra z tymi wszystkimi rejestracjami?

Nikt mnie nie zaczepił, ale zrozumiałam, dlaczego wiele osób z Greenpointu nigdy nie było na Manhattanie. Uważały, że zginą.

Rano jechałam z tablicami, a w południe szłam do mieszkania pana Włodka, które mieściło się w kamienicy należącej do wujka dziewczyny z agencji. Upał był nie do wytrzymania, bo pan Włodek twierdził, że klimatyzacja jest szkodliwa. Gotowałam na golasa kaszki, ryż, warzywa. Potem szłam na Greenpoint i to był koniec pracy. Dostawałam sto dolarów tygodniowo.

Mój chłopak dostał pracę w farbiarni na Williamsburgu. Kiedy musieliśmy zacząć wspólnie gospodarować, okazało się, jaki jest naprawdę. Zapisywał w lodówce na produktach, ile plasterków sera należy się każdemu z nas: jemu trzy plasterki, mnie jeden. Dawał mi kartkę, gdzie na Greenpoincie powinnam robić zakupy: że mleko o dwadzieścia pięć centów tańsze na Franklin, masło na Eckford. Nie wierzyłam własnym oczom. Zaczęłam się zastanawiać, czy nie powinnam poszukać osobnego mieszkania.

Któregoś dnia do agencji przyszedł wujek. Niski, łysy, nieciekawy, „dzień dobry" nie powiedział, zaczął rozmawiać z Włodkiem. Pomyślałam: co za cham! Dowiedziałam się, że ma jeszcze jedną agencję na Noble i prócz domu na 8. dom na Long Island. Któregoś dnia zapytał, czy wciąż szukam pracy. Poprosił, żebym przyszła na rozmowę do Multi-Purpose Community Service. Tak się nazywała druga agencja wujka. Wszyscy się do niego zwracali „panie mecenasie", choć akurat z prawem nie miał nic wspólnego. Ale nie prostował. „Język?" „Nie najlepszy". „Pisanie na maszynie?" „Nie, nigdy nie pisałam". „Pisma biznesowe?" „Nigdy tego nie robiłam". „OK, jest pani przyjęta". Zupełnie nie wiedziałam, po co on mnie zatrudnia. Dowiedziałam się po jakimś czasie.

Na razie nie protestowałam, bo zaczęłam zarabiać trzysta dolarów tygodniowo. Potem wynajęłam mieszkanie u babki, którą mecenas znał. Narzeczony dostał szału, ale zamieszkałam sama.

Mecenas Kucharski narzekał, że w pracy jestem zbyt empatyczna. Siedział w pierwszym, przechodnim pokoju przy wielkim biurku i zajmował się pobieraniem opłat za usługi, których dostarczałam w pokoju drugim. Przychodziły panie z problemami, a ja nie mogłam przejść obojętnie obok ich krzywdy i głupio mi było brać pieniądze za ludzki odruch. Starałam się tym paniom pomóc, a szefowi mówić, że nic nie zrobiłam. Ale drzwi były otwarte, więc on widział i słyszał, co robię, i za każdy telefon do zakładu energetycznego czy za napisanie pisma na pół strony kasował czterdzieści dolarów.

Mecenas załatwiał zieloną kartę polskim imigrantom. Najpierw był program LULAC*, dzięki któremu można było uzyskać stały pobyt, jeśli się przekroczyło granicę w Meksyku w określonym czasie. Program był dla Latynosów, ale jeśli Polak przekroczył granicę w Meksyku, to też miał szansę. Tylko że trzeba było w urzędzie imigracyjnym na Manhattanie opowiedzieć wiarygodnie o swojej nielegalnej podróży przez Meksyk. Jeśli się było sześćdziesięcioletnią kobietą spod Łomży bez znajomości angielskiego, było to zadanie karkołomne. Mecenas pobierał zaliczki w wysokości dwóch tysięcy dolarów i namawiał panie, żeby udawały. I one próbowały zapamiętać historię napisaną przez mecenasa. Że najpierw na statku w tym i tym miesiącu, potem przez góry, aż wreszcie do Juarez czy Tijuany i tam w bagażniku do Ameryki albo z przewodnikiem przez zieloną granicę do miasta tego i tego. Panie myliły miejscowości i mecenas rozumiał, że w urzędzie musi być ktoś, kto pomoże tłumaczyć, ale i przypominać paniom, jak szły, gdzie i kiedy. I to miałam być ja.

Jeździłam z klientkami z Greenpointu do urzędu imigracyjnego, sama nie mając żadnych papierów. Jeździłam do paszczy lwa i wciskałam kit. Codziennie. Serce mi się krajało, kiedy słuchałam w metrze ich opowieści. Panie były zaniedbane, zniszczone, z rękami powykręcanymi reumatyzmem od pracy bez rękawiczek w lodzie w fabryce ryb, od środków chemicznych na plejsach. Opowiadały, na co zbierają, komu wysyłają, co chcą osiągnąć. Celem było pomóc dzieciom i przed śmiercią zobaczyć te dzieci, może wnuki.

W pewnym momencie zorientowałam się, że urzędnicy mnie obserwują. Zrozumiałam, że mają złe intencje. Do urzędu nie można było przychodzić z prawnikiem. Za każdym razem mówiłam, że jestem kuzynką, przyjaciółką, siostrzenicą, bratanicą. Byłam pewna, że się zorientowali, że to niemożliwe, że mam taką rodzinę i tyle koleżanek, które chodzą o lasce. Któregoś dnia jeden zaczął za mną iść do windy. Byłam przerażona. Zastanawiałam się, czy mogę uciec do toalety i wyjść przez okno, żeby uniknąć deportacji. Szukałam schodów awaryjnych, ale nie zdążyłam. Pomyślałam,

* League of United Latin American Citizens.

że to koniec, bo ten człowiek powiedział: „Proszę pani!". Zaczęłam mdleć. „Widzimy, że pani często tu przychodzi. A my, wie pani, nie mamy tłumacza, a tylu Polaków przychodzi. Może zgodziłaby się pani podjąć pracę? Federalną, z emeryturą i ubezpieczeniem". Nie wiedziałam, co powiedzieć: „Przepraszam pana, ale cóż, przebywam w tym kraju nielegalnie i bardzo mi przykro?". Odpowiedziałam, że mam inne plany, ale że znajdę kogoś na moje miejsce. I pan mecenas wysłał tam kolegę, informatyka ze szkoły językowej na Manhattan Avenue.

Niestety program na amnestię dla przekraczających granicę meksykańską szybko się skończył, ale szef znalazł sposób, żeby legalizować przez sponsorowanie. O pobyt człowieka miał wystąpić pracodawca. To było bardziej skomplikowane i wymagało dużo więcej dokumentów. Przede wszystkim musiał być sponsor, czyli pracodawca szukający pracownika, którego nie mógł znaleźć wśród osób przebywających legalnie. Wachlarz możliwości był coraz węższy. Kucharz, krawiec, tancerz ludowy, nauczyciel polskiego. Wciskaliśmy urzędowi, że nasi klienci są wyspecjalizowanymi w lepieniu pierogów kucharzami z Polski, mają bogate doświadczenie na całym świecie i są niezastąpieni. Żeby udowodnić, że nie ma w USA takiego specjalisty, trzeba było dać ogłoszenie w „New York Timesie" czy „Daily News" i w odpowiedni sposób przeprowadzić rekrutację. Dawaliśmy malutkie ogłoszenie w imieniu sponsora, wysyłaliśmy CV naszego kandydata i przesłuchiwaliśmy wszystkich innych, którzy się zgłosili. To znaczy ja przesłuchiwałam. Tak sprytnie, żeby się nie zorientowali, że to ściema.

Prócz pisania pism i biegania do urzędów zajmowałam się rozliczaniem podatków. W taki sposób, żeby wszyscy dostali zwroty. Wszyscy. Może to nie było zbyt uczciwe w stosunku do rządu Stanów Zjednoczonych, ale dla moich klientów bardzo na plus.

Ameryka bazuje na zaufaniu do obywatela. Jeśli jest rubryka: ile wydałeś na przejazdy, na materiały biurowe – to oczekuje się, że wpiszesz prawdę. Albo że nie wypełnisz, jeśli nie wydałeś. A u mnie wszyscy wydawali na maksa, także na dziecko, które było w Polsce. Kiedyś moja kuzynka, która dojechała, przyszła do mnie przerażona. „Jezu, muszę tysiąc dolarów dopłacić". Powiedziałam:

nie ma mowy. Rozliczyłam i dostała pięćset dolców zwrotu. Byłam w Stanach dziesięć lat i żaden urząd się nie przyczepił.

Prócz pobytów, pism i podatków zajmowałam się zwykłymi rozmowami z ludźmi. Mnóstwo osób przychodziło do agencji porozmawiać.

Widywałam się z miłą starszą panią. Była po sześćdziesiątce, pracowała na plejsach u Żydówki na Williamsburgu. Opowiadała, że szczoteczką do zębów czyściła kafle. Że jest bardzo zmęczona. Że mieszka z paniami w mieszkaniu, po trzy panie w pokoju, na materacach. Że nigdy nie była na Manhattanie, bo się boi wejść do metra. Potrafi wejść do autobusu pod domem i przejechać na Williamsburg, bo się boi iść na piechotę. Nie potrzebowała porady, tylko chciała mieć kontakt ze światem, którego nigdy nie poznała. Pytała mnie o moje życie, opowiadałam jej o Manhattanie.

Przyjechała spod Łomży, miała w Polsce syna, synową i wnuki w drodze. Mówiła, że nie może wracać, bo musi wysyłać synowi pieniądze. Zresztą, jakby wróciła, toby nie było dla niej miejsca. Żeby syn mógł kupić mieszkanie, mąż sprzedał ich rodzinne i teraz mieszka w kawalerce. Z mężem są pokłóceni, a u syna dzieci się rodzą. Pokazywała mi ze wzruszeniem listy od syna: „Kochana mamo, kupiliśmy telewizor, ale na samochód brakuje, gdybyś mogła... Wtedy szybciej będziesz mogła zamieszkać z nami". Czytała mi te listy, rok po roku. Wyglądała coraz gorzej, potem już jak wrak człowieka.

Kiedyś przejeżdżałam autem przez Manhattan Avenue. Zauważyłam ją. Szła od śmietnika do śmietnika, coś wygrzebywała. Zapytałam szefa, czy zna sytuację pani Ireny. Powiedział, że mieszka z paniami, ale nie pracuje. One jej dają pieniądze na bułki. Wciąż jest w Stanach nielegalnie, ale nie może wrócić, bo mąż zmarł, kawalerka została sprzedana, syn wziął pieniądze. Do syna nie może wrócić, bo się pokłócili i nie utrzymują kontaktu. Pani Irena nie miałaby co ze sobą zrobić.

Próbowałam ją znaleźć, ale mnie nie poznawała. Mówiła do siebie, była chora, nie reagowała na próby pomocy. Umarła na ulicy.

Nasza agencja mieściła się na parterze dwupiętrowego sabłeja. Na pierwszym piętrze mieszkała landlordka, a na drugim jej matka, pani Bronia. Z córką miałam kontakt, tylko kiedy przychodziła po pieniądze albo pocztę. Rozmawiałam z panią Bronią. Była po osiemdziesiątce i miała problemy z poruszaniem się, prawdopodobnie z powodu dużej nadwagi. Mecenas jej nie lubił, przeszkadzało mu, że pani Bronia niеładnie pachnie i odstrasza klientów. Ale ona potrzebowała towarzystwa, bo jej własna córka traktowała ją jak niechcianego psa. Wydawała polecenia, warczała.

Bronia przychodziła do mnie rano, jak nie było klientów. Skarżyła się na córkę, która od kilkudziesięciu lat źle ją traktuje. Jest pazerna na pieniądze. Jak się dorobiła i nie musi liczyć na wsparcie matki, to zerwała kontakt. Bronia płakała, potem się uspokajała i uśmiechała, bo miała pogodny charakter. Słabo mówiła po angielsku, ale do listonosza zawsze machała „hi, Johnny" i do pań w banku też. Chorowała i było z nią coraz gorzej. Córka wrzeszczała, że Bronia śmierdzi; słyszałam te wrzaski w naszej agencji. Wreszcie nie wytrzymałam: „Czemu się pani tak do matki odnosi?". „Bo ona łazi i ludzi zaczepia, niech w domu siedzi, niech nie łazi i się nie żali". Bronia przychodziła spłakana, a ja ją pocieszałam.

I w końcu któregoś dnia córka przybiegła do naszego biura. „Pani Asiu, pani poleci na górę, bo mamusia chyba nie żyje. Karetka jedzie, ale niech pani sprawdzi". Wlazłam na górę, matka leżała na podłodze. Wiedziałam, że strasznie się poprzedniego dnia pokłóciły i prawdopodobnie Bronia dostała zawału. To był jedyny moment, kiedy widziałam córkę, która płacze.

Nic z tego nie rozumiałam. Te emigracyjne relacje rodzinne były dla mnie za trudne. Wkrótce okazało się, że moje własne też.

Któregoś dnia ściągałam z półki jakiś segregator, kiedy poczułam na tyłku łapę mecenasa. Drugą na piersi. Wrzasnęłam: „Co pan robi?!". Nic nie odpowiedział. Ponieważ za kilka dni sytuacja się powtórzyła, spakowałam wszystkie swoje rzeczy i powiedziałam, że odchodzę. Dzwonił do domu i przepraszał. Obiecał, że da mi spokój. Tłumaczył, że mu się bardzo podobam. Powiedziałam, że to nie jest wytłumaczenie, ale no cóż, wróciłam. Dla mnie był miły, dla klientów agencji okropny.

Chodził do opery, opowiadał, że był dyplomatą, znał jakieś profesorstwo, ale tych ludzi z Greenpointu po prostu łupił. Mówił, że bogactwo bierze się z bezwzględności.

Mniej więcej wtedy zakochałam się w Wojtku, synu Janusza Sporka, nauczyciela muzyki z Greenpointu. Był przystojny, długowłosy, miał siedemnaście lat i był o osiem lat ode mnie młodszy. Pracował w sklepie z elektroniką na Manhattan Avenue, chodził do liceum i grał w zespole. Zaczęłam chodzić na koncerty, poznawać amerykańskie kluby muzyczne. Byłam w siódmym niebie. Trzymaliśmy się za ręce, on przynosił kwiaty, a ja mówiłam o nim „mój chłopak". Zwariowałam na jego punkcie.

Pewnego dnia Wojtek wyjechał na koncert ze swoim zespołem. Uprzedził, że nie będzie go kilka dni. Następnego dnia zadzwonił kolega Wojtka, którego ledwie znałam. Powiedział, że Wojtek poprosił go, żeby się mną zaopiekował, i zaprosił mnie na pizzę. Podjechał pod agencję samochodem, zjedliśmy pizzę w hiszpańskiej dzielnicy i zaczęliśmy wracać dziwną drogą. Nagle ten człowiek zatrzymał auto na jakimś wygwizdowie i zaczął się do mnie dobierać. Kopałam, wrzeszczałam i gryzłam. Wyrzucił mnie bez płaszcza z samochodu i odjechał. Była dwudziesta trzecia, listopad, nie wiedziałam, gdzie jestem. Wracałam piechotą zziębnięta. Myślałam, że jak opowiem o wszystkim Wojtkowi, to go szlag trafi.

Ale Wojtek już do mnie nie zadzwonił.

Zaczęłam chodzić po ścianach. Sama w końcu zadzwoniłam na Driggs, do domu Janusza. Wojtek nie chciał ze mną rozmawiać. Znów minęło kilka dni, nie wiedziałam, co się stało, więc pobiegłam do sklepu, gdzie pracował. Z daleka zobaczyłam, że stoi z kolegą Danielem, chyba palą papierosy. Zobaczył mnie i schował się do sklepu. Poprosiłam Daniela, żeby go wywabił na ulicę, ale nie zdołał. Nie mogłam normalnie funkcjonować, wydzwaniałam do Daniela i do Wojtka. Czy ja się wcześniej tak zachowywałam? Nigdy.

W sylwestra płakałam, w Dzień Kobiet płakałam. Pocieszały mnie koleżanki z mojej wyjazdowej grupy. A potem, po wielu miesiącach, ktoś przyprowadził na domówkę Rafała. Bardzo miły młody człowiek, dość szybko skonsumowaliśmy znajomość. Prawie tego Rafała nie znałam, o głębszym uczuciu nie było mowy, kiedy okazało się, że jestem w ciąży. Nadal byłam w Stanach nielegalnie, więc ogarnęło mnie prawdziwe przerażenie. Tylko Rafał był zachwycony, że weźmiemy ślub i założymy rodzinę.

Zadzwoniłam do rodziców z informacją, że zostaną dziadkami, a ich nowego zięcia prawie nie znam. Uznali, że najlepiej zrobię, jeśli przyjadę do Polski. Wróciłam, żeby urodzić córkę, i skończyła się moja studencka wycieczka.

Chcesz wiedzieć, co było z Wojtkiem? Ten gnój od pizzy powiedział mu, że się z nim z radością przespałam. Wojtek nie mógł tego przeboleć.

## Anna, 1992

Zostawiłam w Polsce piękne mieszkanie. Myślałam, że przyjechałam na pół roku, tylko dorobić na plejsach i wrócić. Byłam po trzydziestce, z tytułem magistra, singielka. Zamieszkałam u mamy, która wyjechała do Nowego Jorku w wieku pięćdziesięciu pięciu lat, będąc wdową. Nie była tu szczęśliwa. Ale kiedy wróciła do Polski, to też już nie była. Starszy człowiek w Polsce odstawiany jest na boczny tor, w Ameryce jeszcze żyje.

Nie poszłam na plejsy. Jeden ze współlokatorów mamy powiedział mi: „Z twoim wykształceniem mowy nie ma o plejsach. Daj ogłoszenie, że jesteś fryzjerką". Pół roku po przyjeździe otworzyłam biznes. W sierpniu przyjechałam, w październiku miałam własne auto.

Nie lubiłam Ameryki i nie lubię do dziś.

Pierwsze wrażenie to mieszkanie mamy, które bardzo mnie rozczarowało, ponieważ różniło się od mojego jasnego mieszkania w Ostrołęce i od wyobrażenia, jakie o amerykańskich mieszkaniach miałam na podstawie seriali. Mama wynajmowała pokój w sabłeju, prócz mamy mieszkał tam wujek znajomego mamy z Poznania oraz pan Janek, który zdejmował azbesty. Czwarty pokój miał być dla mnie. Sabłej należał do bardzo złego człowieka, Polki, której baliśmy się, bo strasznie nas goniła. Wszystkiego nam zabraniała. Jak sąsiadka chciała sprzątnąć i zawiesiła koc, to zaraz wisiała kartka, że zabrania się wieszania kocy, zabrania się biegania po schodach i zabrania się prania. Wyprowadziłam się, jak tylko mogłam, a polska właścicielka zmarła na zawał serca.

Teraz, kiedy mam własny dom i wynajmuję, moim lokatorom mówię: możecie mieć pralkę. Pani powie: który landlord na to pozwala?

Strzygąc klientki, poznawałam ich historie. Jedna pani uczyła matematyki w szkole na Driggs. Na początku wiele osób dawało jej odczuć, że jest gorsza, bo jest Polką. Pisali donosy, że się nie nadaje. Polacy i miejscowi pisali. To była polska szkoła. Kiedyś, żeby zostać uczniem tej szkoły, trzeba było mieć polskie pochodzenie i wyznanie katolickie, później trzeba było być tylko katolikiem, a teraz już chodzą tam żydzi i muzułmanie. Hipstersi nie są zainteresowani edukacją katolicką. Są niereligijni, albo mają złe wyobrażenia. Moja córka chodziła do tej szkoły. Na Greenpoincie są trzy, w tym dwie uważane za dobre. Z tego, co mówią, Public School 34 i Public School 31 są dobre. Nie mam zdania, ale słyszałam, że nawet te czwórkowe dzieci z PS 31 odpadały po roku z państwowego gimnazjum po pierwszych stanowych testach. Szkołą zainteresowało się kuratorium. Kilkoro rodziców z PS 34 chciało przenieść dzieci do państwowej podstawówki na Manhattan. Lepszej, z egzaminami. Nikt się nie dostał.

Pół roku po przyjeździe poznałam dzielnicowego muzyka, który chciał założyć zespół. Miał własny sprzęt, potrafił namówić. Nie był profesjonalistą i ciągle zawalał terminy, więc muzycy odchodzili, ale zgodziłam się dołączyć. W składzie był jeszcze znany w Polsce skrzypek country. Zatrudniono mnie na weekendy na dansingi do Continentalu, do klubu Wellington Exchange w New Jersey, czasem do Domu Polskiego na Driggs. Hucznie obchodzono imieniny, urodziny, rocznice czy po prostu bawiono się, żeby odreagować stresy z całego tygodnia. Towarzystwo, które przychodziło na te imprezy, było w różnym wieku, jednak z przewagą ludzi, powiedzmy, w starszym wieku. Panie, które na co dzień ciężko pracowały przy sprzątaniu czy opiece nad osobami starszymi lub dziećmi, w weekendy bawiły się ochoczo w nowojorskich lokalach.

Zaczęłam poznawać innych ludzi i zrozumiałam, że moja historia nie jest trudna ani dramatyczna. Jedna pani prosto z lotniska pojechała na Long Island. Miała tydzień pilnować psa czy kota w rezydencji. Pracodawcy zakazali jej wychodzić, zamknęli w domu i tydzień żyła bez jedzenia. Ona i tak by nie wyszła, boby nie wiedziała dokąd. Potem już się nauczyła, żeby brać ze sobą kanapki. Inna pani przyjechała nielegalnie z Kanady ukryta w lodówce.

Większość opowiadała, że pochodzi z Warszawy, tylko po kilku głębszych kieliszkach zamawiano polki od Rzeszowa. Raz mieliśmy zamkniętą imprezę dla pewnego towarzystwa. Już na wstępie organizatorzy zapowiedzieli, że to jest bardzo eleganckie towarzystwo i absolutnie nie wolno nam grać żadnego disco polo. Chętnie się zgodziliśmy, bo grupa, z którą wtedy grałam, nie lubiła discopolowej muzyki. Ale gdy rozpoczął się koncert życzeń, eleganckie towarzystwo zamówiło siedemnaście razy „Niech żyje wolność".

Przychodził pan Józef, architekt z Polski, w Ameryce budowlaniec, który z racji, że zawsze nosił biały garnitur, zwany był Łabędziem. Bardzo interesująca postać. Za dedykację piosenki dla niego i jego partnerki (co tydzień innej) kelnerka zawsze przynosiła szampana dla zespołu. Pamiętam także dentystkę z Polski, której tak się podobała praca na plejsach i weekendowe tańce z panem Adamem, że omal nie straciła licencji lekarskiej, bo minęło pięć lat, a ona nie przestawała sprzątać.

Do szału doprowadzał mnie pewien amator tańca, stały bywalec, zupełnie bez wyczucia rytmu. Osobnik ten zawsze tańczył półtora raza szybciej. Mój kolega basista nie mógł na niego patrzeć, bo to wytrącało go z rytmu i rozwalał imprezę.

Była pani Mirka vel Kasia, która przychodziła i wołała mnie do łazienki. Wciskała mi dwadzieścia dolarów i prosiła, żeby za jakąś godzinkę przesłać dla niej dedykację od pana Andrzeja. Przesyłałam, a koleżanki pani Mirki pękały z zazdrości. Raz podsłuchałam, jak te panie kłóciły się o to, na którą z nich częściej patrzy jeden ze starszych panów. Przychodziły do Continentalu czy do Domu Polskiego na Driggs, wybierały partnera, nawet młodego. Jak się sprawdzał, to skłonne były go utrzymywać. Jedną panią widywałam na polowaniu co trzy miesiące. Partner się nudził, przychodziła po nowego.

Grał ze mną kolega, bardzo bogobojny, który prosił, żeby mu zasłonić oczy. Nie chciał oglądać tańczących grzeszników.

Oddzielną grupę towarzystwa stanowiły starsze panie, które systematycznie, w każdy weekend, przychodziły potańczyć. Grając w klubach, zrozumiałam, jak zmienia człowieka emigracja. Przede wszystkim panie w średnim wieku, które przestają zwracać uwagę na upływ czasu. Pojawiały się z kokardami we włosach, z odkrytymi plecami, w minispódniczkach, mając w nosie ukończone siedemdziesiąt lat. Panie chyba czuły, że się im przyglądam, bo raz do mnie podeszły i powiedziały: „Pani Anno, pewnie pani się z nas śmieje, mogłybyśmy być pani mamami. Ale my nie chcemy wracać do Polski. Tam nas czeka tylko różaniec i siedzenie przed telewizorem. Tu jeździmy na wycieczki, na tańce; nasza starość ma być wesoła, nie smutna". Tak mi powiedziały, a ja zrozumiałam.

Jedna z dziewczyn napisała taką piosenkę:

Greenpoincka zabawa
W sobotę wieczorem
To tutaj sprzątaczka
Baluje z kontraktorem

To tu przegląd mody
I przegląd kochanek
Tu przyjdzie młody Jarek
I siwiejący Janek.

Co roku jeżdżę do Polski, rozmawiam z koleżankami ze szkoły. Ważę, co by było, gdybym została. Na podstawie doświadczenia znajomych mogę powiedzieć, że gnuśniałabym za trzy tysiące złotych miesięcznie. Na Greenpoincie widzę, że wyszłam do przodu. Na pewno.

## Jola, 2005*

Kończę dwadzieścia pięć lat, z czego dwa ostatnie to biała plama w życiorysie. Jestem jak człowiek widmo. Nie ma mnie w ojczyźnie, na obczyźnie także próżno mnie szukać, bo nie zostawiam śladów egzystencji z uwagi na specjalistyczne organy ścigania działające na zlecenie urzędu imigracyjnego.

W pokoju obok śpi moje dziewięćdziesięcioletnie źródło dochodu, podopieczna i powiernica. Potrafi dotrzymać tajemnicy jak mało kto, szczególnie że na drugi dzień sama jej nie pamięta. To ona uprawdopodabnia moje istnienie. Jutro zapyta mnie, jak mam na imię.

Wylądowałam dwa lata temu w sercu stolicy świata. Dla sfrustrowanego prowincjała takiego jak ja, który całym swoim niepoukładaniem, niespełnieniem i brakiem perspektyw odbijał się jak w lustrze w oczach sąsiadów, powinowatych, ekspedientki i członków parafii, nieopisana ulga i zalążek nadziei.

Wylądowałam, oniemiałam.

Początkowe wrażenie kosmopolityczności typowe jest dla nowo przybyłych, a to za sprawą ich kuzynów i znajomych, którzy, gładko przedzierzgnąwszy się na tę okazję w amerykańskich gospodarzy („u nas w Ameryce"), zawożą takiego delikwenta prosto na Manhattan, wyczekując efektu rozdziawionej buzi. I bez względu na to, czy delikwent jeszcze wczoraj doił krowy pod Łomżą, czy zgłębiał tajemnicę procesorów – porwany na Times Square, będzie poruszony.

Do czasu, jak go przywiozą na Greenpoint.

Tu bowiem wszystko się odwróci. Tu bowiem delikwent nasz odnajdzie się w roli bohatera surrealistycznego filmu, bo oto ośmiogodzinny lot, zaciągnięta u szwagra pożyczka na bilet, podejrzewający najgorsze z możliwych zamiary urzędnik imigracyjny z lotniska JFK – wszystko to wyda się sennym złudzeniem. „Serwujemy pyszny chłodnik" – uderzy go po oczach napis na drzwiach sklepu spożywczego na Manhattan Avenue, głównej ulicy Polakowa,

* Jest to fragment pamiętnika nadesłanego na apel nowojorskiego „Nowego Dziennika" i „Polityki" w 2006 roku. Skróty od autorki.

i poczuje, że nigdy nie opuścił ojczyzny. A kiedy przejdzie obok sklepu muzycznego i dosięgną go melancholijne dźwięki ballady o czerwonej jarzębinie, kiedy wejdzie do restauracji U Krystyny, całkiem się w surrealizmie zatraci.

Jeśli o mnie chodzi, najsilniejsze wrażenia miały dopiero nastąpić – w likier storze, gdy z czekiem w jednym ręku i butlą pierwszego lepszego wina za trzy pięćdziesiąt w drugim ustawiłam się w kolejce do kasy. Pokazałam dokument tożsamości i czekałam na resztę. Tymczasem pan sprzedawca spojrzał na mnie, na zdjęcie, po czym zapytał: „Czy pani jest córką Henia?". Zastygłam w milczeniu; magia miejsca. Po to się otrząsałam, zaczynałam wszystko od nowa, po to zostawiłam demony przeszłości za oceanem, w tym obcym kraju nieznana nikomu, odważniejsza, otwarta na los, by tu, na Greenpoincie, sympatyczny pan Kazimierz, jak się okazało – kolega z podwórka mojego ojca, zdemaskował mnie jednym zdaniem i zburzył misterną konstrukcję. Nawet gdyby prześwietlić moje rodzinne, siedmiotysięczne miasteczko na Podlasiu (gdzie pochodzenie, stopa życiowa, aspiracje zawodowe, preferencje kulinarne i ulubiony kolor przypadkowo wybranego mieszkańca są oczywiste dla reszty społeczności), znalazłyby się jednostki, którym do głowy by nie przyszło ustalanie mojego rodowodu.

Nie urodziłam się, by produkować serniki. Jestem o tym przekonana. Dlaczego zatem los tak pokierował moimi ścieżkami, by niemal prosto z JFK poprowadziły mnie do fabryki serników?

Zakładając, że nic nie dzieje się bez przyczyny i każda sytuacja może nas czegoś nauczyć – czego mnie nauczyła półroczna praca robotnicy niewykwalifikowanej w tchnącej życiem, gwarem i tysiącem woni fabryce-piekarni na Maspeth?

Po pierwsze – obniżyła osobisty próg tolerancji. Po pewnym czasie mój żołądek nie odmawiał przyjmowania pokarmów w scenerii innej niż stołówka. W fabryce obowiązywało genialne rozwiązanie organizacyjne – maksymalne zagospodarowanie przestrzeni: szatnia, jadalnia i ubikacja w jednym. Żołądek posłusznie trawił. Włochata łapa cukiernika zanurzona po łokieć w budyniu nie budziła najmniejszego sprzeciwu. Podobnie oblizywanie łyżki przy nakładaniu wiśni.

Po drugie – poczyniłam postępy w drodze do samopoznania. Gdyby nie fabryka, pewnie do tej pory byłabym cherlawą istotą, nieznającą granic wytrzymałości własnego ciała. Nie poznałabym, co to wydajność (wskaźnik wydajności: liczba prawidłowo odebranych z taśmy ciast na jednostkę czasu przy podkręcającym obroty taśmy kierowniku). Nigdy bym też nie podejrzewała, że potrafię zachować spokój ducha i jasność umysłu, dokładając przez osiem godzin odpowiednią cząstkę ciasta do cząstek położonych uprzednio przez współpracownice na wcześniejszych odcinkach taśmy.

Po trzecie – wprowadzono mnie w arkana sztuki cukrowniczej. Zdolności manualne eksplodowały w postaci przecudnej urody kwiatków z czekolady, które stały się środkiem artystycznego wyrazu i zastępczą formą rozładowania emocji.

Po czwarte – nauczyłam się zachować zimną krew w warunkach zagrożenia. Permanentna inwigilacja (wielkie okno w biurze bossa – z racji owłosienia pieszczotliwie nazwanego Królem Lwem – z widokiem na halę), królewskie zstąpienia z tronu, by osobiście poinstruować partaczy i sprawdzić, czy nikt się nie obija. Wszystko to powodowało kumulację stresu i wymusiło mechanizm radzenia sobie ze stresem.

Na jednym obszarze poległam: na starciu z menedżerem Zenkiem. Choć mam w domu opinię pyskatej, w konfrontacji z nim cała moja elokwencja nikła bezpowrotnie, słowa grzęzły i język sztywniał. Jeden raz się do niego zwróciłam – „Gdzie mam to ciasto zawieźć?" – i był to błąd taktyczny. „To nie wiesz, kurwa, głupia pizdo, gdzie masz to zawieźć?" Mój menedżer nauczył mnie pokory. To jedno zdanie miało większy ładunek emocjonalny, większą moc sprawczą, wywoływało większy posłuch niż błyskotliwa prelekcja wygłaszana z wyżyn akademickiej katedry.

„Zdejmij mi skarpety – mówi moja gospodyni i współlokatorka. – Myślisz, że ten palec wygląda już lepiej?" Palec u nogi z zaropiałym, popękanym paznokciem przesądza sprawę, tak jak wczoraj zrobiły to usilne próby wydobycia zalegającej gdzieś w płucach flegmy. Omawianie w detalach bieżących problemów zdrowotnych, połączone z eksponowaniem, to rutyna między posiłkami.

„Jestem taka przerażona, o Boże, taka przerażona" – oznajmia zachrypniętym głosem. Jaka straszna choroba – pomyślałam pierwszej nocy, gdy urojone strachy nie pozwoliły jej spać i obudziła mnie rozdygotana.

Depresja nie ma nic wspólnego z racjonalizmem. Gdy przerażenie nie ustępowało i w kolejne poranki jeszcze w piżamie siedziałam na brzegu jej łóżka, trzymając jej rozdygotaną rękę, zastanawiałam się, jak rozmaite oblicza może przyjąć wyimaginowany strach. Wyimaginowany z mojego punktu widzenia. Rose zapadała się w czarną dziurę.

Częstotliwość wołania o pomoc rosła i była odwrotnie proporcjonalna do możliwości mojego współodczuwania. Cała empatia wyczerpała się do cna pewnego dnia, gdy obudzona zwykłym: „Jestem taka przerażona", zauważyłam, że mimowolnie drga i pulsuje górna powieka mojego lewego oka.

„Utrzymuj ze mną kontakt wzrokowy, gdy jemy" – prosi Rose. Chciałabym się skurczyć i być niezauważalna, ale twardo patrzę w oczy osobie w skrajnym stadium depresji starczej, w oczy przekrwione, załzawione, domagające się bezwzględnego współczucia, które wyczerpało się po pierwszym miesiącu. „Pomóż mi" – ton błagalny i wyciągnięta ręka, którą chwytam w geście pocieszenia. Jak mogę pomóc osobie, której nie pomogły trzy hospitalizacje, tony leków antydepresyjnych, psychoterapia oraz widocznie nienależące jeszcze do lamusa elektrowstrząsy?

Czy mogę rywalizować z psychiatrami?

Companion do w miarę sprawnej babci – poinformowano mnie w agencji pośrednictwa pracy, więc przyjechałam pierwszym autobusem. No i zostałam „companionem". Nie szlifuję angielskiego i nie sączę herbatek, na co miałam nadzieję. Zamiast tego walczę, żeby nie uciec. Jako czystej krwi emigrant zarobkowy, tracąc dochód, tracę rację bytu. Widmo bezrobocia wisi nade mną jeszcze z czasów mojej polskiej wegetacji ekonomicznej.

„No i co mam teraz zrobić? Czy powinnam się położyć?"

Mam chwilę czasu dla siebie tylko podczas porannej toalety.

„Lola!"

Przyzwyczaiłam się już do odmian mojego imienia.

„Ola! Czy ja brzydko pachnę?"
Odpowiedź przerasta moje możliwości dyplomatyczne.
„Nie mam co na siebie włożyć!"
Ma walk-in closet wypchany po brzegi.

Właśnie zaczął się dzień, próbujemy zjadacza czasu – telewizji. Wszystkie czynniki interpretuje na jedno kopyto, dopasowując je do swojego wewnętrznego poczucia nieszczęścia. W reakcji na film, którego bohaterka akurat nabyła dom: „Nie mogę tego oglądać, moja córka właśnie nabyła dom i boję się, że go nie spłaci". W reakcji na odcinek serialu *Ostry dyżur*, w którym mowa o chorym psychicznie: „Sama jestem chora, nie powinnam tego oglądać. Zmień kanał, trzy razy byłam w szpitalu". Jako odpowiedź na mój ulubiony program, prześmiewczą *Mad* TV, gdzie drwina, dosadność i ironia leją się strumieniami: „Jak możesz oglądać taki nonsens". Wreszcie, w reakcji na moją kapitulację, przeniesienie się na drugą kanapę i pogrążenie w jakiejś lekturze: „To co, nie chcesz już oglądać ze mną telewizji?". Pozostawiona bez odpowiedzi mówi: „Chcę umrzeć. O Boże, niech mnie ktoś zabije".

O godzinie drugiej rozkwita życie towarzyskie w naszym budynku dla osób powyżej sześćdziesiątego piątego roku życia. To urbanistyczny wynalazek powstały z myślą o seniorach, którzy po sprzedaniu własnych domów lądują tu w przytulnych, malutkich mieszkankach. W świetlicy w poniedziałek króluje bingo, a w środę poker. Lądują tu dożywotnio lub jest to przystanek na drodze do domu starców.

Stanowiące tu większość owdowiałe panie udają się na pogaduszki, kolektywne dzierganie serwetek, niekończące się opowieści o życiu wnuków i prawnuków oraz żarliwe dyskusje o przecenach i kuponach. Gdyby to spisać, powstałaby książka. Byłby to kompletny indeks cen produktów w supermarkecie za rogiem, z uwzględnieniem podwyżek za ostatni kwartał.

„Lola robi mi zakupy. Wydaje za dużo pieniędzy. Moich pieniędzy. I wcale nie martwi się o ceny" – oznajmiła raz sąsiadkom nie bez oburzenia.

Od tamtego czasu w trakcie pogaduszek ewakuuję się na ustawowo wolną godzinę. W ciągu tych sześćdziesięciu minut muszę naładować akumulatory, odetchnąć świeżym powietrzem, odnaleźć na nowo wiarę w sens wykonywanego zajęcia i zaopatrzyć gospodarstwo domowe w niezbędne produkty. Zakupy robię z duszą na ramieniu i kalkulatorem w mózgu.

„No nie mogę uwierzyć! Dolar dwadzieścia za groszek w puszce! Po co kupiłaś dwa, mogłaś kupić jeden! Nie jestem milionerką! A to co? Pół funta sera żółtego? Kto to zje? Nie uda ci się nigdy wydać mniej niż dwadzieścia dolarów. Przecież ja zbankrutuję!"

Uprawiam szczególny rodzaj prostytucji: oddaję siebie komuś na dwadzieścia cztery godziny, ubezwłasnowolniam się. Nie decyduję nawet o tym, co i w jakiej ilości zjem na śniadanie.

„Dzieciaku, poszukaj sobie innej pracy, tak nie warto, znajdziesz coś lepszego" – szepczą mi konspiracyjnie sąsiadki, seniorki, mijając mnie w holu. U niektórych budzę odruchy babcine. Jestem tu kimś w rodzaju dyżurnej wnuczki. Poza tym podobno jestem sweet. Moja słodycz jest dla Rose nie do wytropienia.

Po obiedzie prosi, żebym natychmiast umyła talerze. Wstaję. „Nie wstawaj od stołu, proszę, zanim skończę obiad. – Łapie mnie za rękę, wyczekując współczucia, a ja nie wiem, gdzie go szukać. – Miej litość nade mną, czy ci mnie nie szkoda?"

Ba, i to jak. Siebie mi szkoda, jej mi szkoda i szkoda mi moich poprzedniczek, które uciekły, przywalone depresją, pretensjami, odsączone z miłosierdzia i współczucia.

„Jestem taka przerażona" – informuje kogoś po drugiej stronie drutu telefonicznego. „Rujnuję mojej córce małżeństwo, cały czas ma mnie na głowie, jej mąż rozwiedzie się z nią przeze mnie" – biadoli po skończonej rozmowie telefonicznej. Jest tym przerażona, ale nie na tyle, żeby przestać, jak uważa psychiatra, manipulować swoimi dziećmi.

Drugi, wieczorny maraton telewizyjny. Rose przerzuca kanały, ja po dwudziestym dostaję oczopląsu, próbuję wrócić do lektury. „Ciągle tylko czytasz, zwracaj na mnie uwagę, pomóż mi. O Boże, pomóż mi". W jej głowie rozgrywają się teraz niestworzone historie. Siedzi na brzegu kanapy, kiwa się jak osierocone dziecko, pocieszam ją nieudolnie. „Wiem, że chcesz dla mnie jak najlepiej – szepcze przygaszona. – Jesteś taką miłą osobą". Prawie w to wierzę, ale wiem, że jedna z przyszywanych babć z hallu dostała gorzką reprymendę za okazywanie mi ludzkich uczuć, czyli za chwilę rozmowy.

Wieczór ciągnie się w nieskończoność. Odliczam minuty do ostatniej, końskiej dawki leków i momentu, w którym obydwie opuścimy posterunek – kanapę przed telewizorem. Ona pójdzie na spoczynek do sypialni, ja przeniosę się na „swoje" łóżko w kącie salonu.

Teraz tych kilka godzin snu należy wyłącznie do mnie. Nocną ciszę zakłóca tylko miarowy odgłos pompy tlenowej.

## Marek, 2005*

Wyjechaliśmy do Stanów trzy miesiące po ślubie. Fascynujące doświadczenie, ale nie na długo. Po przylocie poznałem moich teściów (późniejszych mącicieli) i z lotniska Kennedy'ego pojechaliśmy na Greenpoint. Przyjechaliśmy w nocy, więc widziałem tylko fragmenty czegoś, co przypominało złomowisko lub śmietnisko. Padało. Po kolacji poszliśmy spać.

Rano, po przebudzeniu i wyjściu na zewnątrz, moje wieczorne wrażenie zostało wzbogacone o zapach ze stojących pod domami śmietników i nieprzerwany szum klimatyzacji. Powietrze bardzo wilgotne, nigdy nie jest świeże, nawet po burzy. Zamieszkaliśmy na ulicy Eagle, przecznicy Manhattan Avenue, blisko rzeki.

Był weekend, czyli dla mnie czas na zapoznanie się z okolicą. Beatka oprowadzała. Przeszliśmy przez dziurę w płocie, żeby usiąść na połamanych betonowych płytach, wśród powyginanych metalowych profili. Mieliśmy piękny widok na Manhattan. Beata mówiła: „To jest Empire State Building, tu stało WTC, tu (wskazując na czarny wieżowiec) mieszka Bill Gates, kiedy ma na to ochotę. Pod nogami Wschodnia Rzeka, lub jakiś jej dopływ". Wszystko zapowiadało się dobrze, bo miała być praca dla nas obojga. Najbliższe tygodnie pokazały, że nie bardzo.

* Jest to fragment pamiętnika przysłanego na apel „Nowego Dziennika" i „Polityki" w 2006 roku.

Przez tydzień nic się nie działo. W niedzielę Beata dostała telefon, że będzie pakowała ryby. Ja nadal nic. W Polsce przecież też nie znajduje się pracy w tak krótkim czasie – tak się pocieszałem. No ale tydzień bez pracy, drugi też. W domu napięcie. Znaczy „w domu"... Mieszkaliśmy w kuchnio-pokoju z łazienką za sześćset dolarów miesięcznie. Tak zwany sabłej, albo jego połowa. Moi kochani teściowie piętro wyżej.

Po trzech tygodniach znalazłem pracę. Na trzy dni, bo ktoś nie mógł przyjść. Oczywiście budowa. Zagadałem z gościem, ile płaci. „Dogadamy się". Jak się dogadamy, to OK. Taka umowa jest najgłupsza z możliwych. Beata powiedziała, że dostanę co najmniej piętnaście dolarów za godzinę. Niestety wszystko zaczęliśmy przeliczać na pieniądze.

Rano pojechałem na budowę z kartką z adresem. Nie pamiętam nawet gdzie, tak zapatrzony byłem w Manhattan. Nieważne. Zaczęliśmy ustawiać rusztowanie. Moja rola? Ojciec mówił mi kiedyś, że pomocnik murarza to najgorsza fucha z możliwych. No więc tak: tu stoją dwie palety cegły licówki, mam przenieść je na rusztowanie, a resztę poukładać pod nim. Dwa nosidła i jechałem. Najpierw po dwadzieścia cegieł. Tam i z powrotem. Później zszedłem do osiemnastu. Czułem się trochę jak na treningu, tyle że tam taki wycisk trwał dwie godziny w ciągu dnia. Tutaj osiem i pół albo dziewięć godzin, z półgodzinną przerwą na wypicie piwa i drugie śniadanie. Skacząc po rusztowaniu, przypominałem sobie praktykę w technikum oraz to, dlaczego postanowiłem wtedy iść na studia.

O piątej PM nie miałem już siły. Niby mieliśmy pracować do tej godziny, ale murarze jeszcze stali. Jacek, kierownik, wspomniał o jakimś pomocniku, który był lepszy ode mnie. W każdym razie nie poczułem się za bardzo doceniony. Tak wiele własnych iluzji, stereotypów trzeba zweryfikować.

Wróciłem do domu, znaczy tam obok teściów. Pomyślałem, że jak będziemy w lepszej sytuacji, to przeprowadzimy się w lepsze miejsce. To mnie motywowało. W drzwiach kochana żona powitała mnie wiadomością, że teść załatwił mi pracę w monopolowym. Tam gdzie pracował jej były chłopak. Mam iść natychmiast. Wszedłem pod szybki prysznic, przebrałem się i odświeżony poszedłem zapytać co i jak. Monopolowy też na zastępstwo, na kilka tygodni, dobre i to. Tym razem na wstępie uzgodniłem wypłatę. Tamto „dogadamy się” oznaczało sześć dolarów za godzinę. Jacek wypłacił mi je już po trzech tygodniach. Gdyby nie znajomy, nie dostałbym tych pieniędzy.

W monopolowym podobna płaca, ale już bez zaskoczenia. W porządku ludzie, inny klimat. Na początek ostrzeżenie, niby straszenie, że jak będę się opierniczał, to to i tamto. Wiecie, o co chodzi.

Lubię pracować fizycznie, można w tym czasie przemyśleć wiele spraw. Pisał o tym Wharton w *Ptaśku*, pasuje mi to. Robię, co trzeba.

Pierwszy dzień mojej pracy na tym kontynencie skończył się o dwudziestej drugiej. Później to samo przez jeszcze dwa dni. Potem został tylko sklep. Gdzieś tam mykając z wózkiem i skrzynkami wódki, słyszałem, jak boss mówi do kogoś, że co mam robić, to robię, i nie trzeba mi tego powtarzać. Bardzo mnie to ucieszyło. Pod koniec każdego tygodnia dostawałem kilka dolarów więcej.

Mijaliśmy się z Beatą, ona pracowała rano, po pracy odwiedzała tutejszych starych znajomych. Ja od piętnastej do dwudziestej drugiej. Mało się widywaliśmy. Dłużej na imieninach teściowej. Wtedy poznałem sąsiadów. Pan Staszek, niewiele młodszy od mojego ojca, zaczął tulić się do mojej żony. Nie reagowała, mówiła potem, że on już taki jest. Kiedy dawał mi rękę, oświadczył, że poznaje się człowieka po tym, jak mocno podaje dłoń. Chyba traktował to zbyt ambicjonalnie. Jak złapał, to nie chciał puścić. Siłował się jak dziecko. Gdyby mi ktoś wtedy powiedział, że kilka miesięcy później ten człowiek będzie mnie częstował piwem i jedzeniem i będę mu za to wdzięczny, nie uwierzyłbym.

Niestety dla mnie od tego czasu non stop zaczął pojawiać się alkohol. Prawdę mówiąc, alkohol źle na mnie działa, więc go unikam. Trzymała mnie perspektywa innego miejsca zamieszkania. Gdybyśmy tu zostali, musiałbym pić, w innym razie tutejsza, blokowa społeczność by mnie odrzuciła. Zawsze myślałem, że jak będę miał trzydziestkę, osiągnę coś wielkiego. Mam dwadzieścia dziewięć.

Praca w monopolowym się skończyła. Zacząłem kłócić się z Beatą z powodu braku pracy. Twierdziła, a właściwie diagnozowała, że jestem „idiotą, jebanym schizofrenikiem, psychopatą i nie mam jaj". Kiedyś, to znaczy w Polsce, moja żona, pani psycholog, była zazdrosna o kobiety, z którymi pracowałem. Teraz, kiedy zacząłem pracę na budowie, myślałem, że ten problem się skończy. Wydawało mi się to logiczne. Ale to było tylko wydawanie się moje.

W międzyczasie przeniosła się do innej pracy. Zaczęła pracować tam, gdzie matka.

Dwa tygodnie siedziałem w domu. Żeby podszkolić angielski, oglądałem amerykańską telewizję. Z napięciem i przerażeniem myślałem o weekendach, kiedy jest więcej czasu na kłótnie.

Zacząłem pracę u Bronxa. Bronx pochodził z Katowic i zaciągał śląską gwarą. Jeździliśmy na Queens na remont domku. Ja jako pomocnik, jeszcze płytkarz, murarz i drugi pomocnik. A w domku dwa psy, służąca z Polski, kilku chłopaków w różnym wieku oraz ich rodzice. Jane, czterdziestodwulatka, była dla nas nieprzyjemna, ale po jakimś czasie okazała się jedną z sensowniejszych osób, które tu poznam.

Praca wyglądała inaczej niż na tamtej budowie, bez takiego pośpiechu. Najpierw zrywałem kafelki młotem elektrycznym, potem docinałem Zenkowi nowe, nakładałem fugi. Tak minęło kilka kolejnych tygodni. W przerwach gadałem z Jane. Dowiedziałem się, że są rodziną żydowską. Ona z Hiszpanii, jego matka mieszkała w Polsce. Przeszła obóz. Zaskoczyła mnie, że podjęła ten temat z budowlańcem. Ja nie mówię pierwszemu napotkanemu człowiekowi, gdzie walczyli moi dziadkowie i kto ich męczył.

Dziwna historia z tymi Żydami. Tutaj, w Nowym Jorku, Żydzi stanowią wysoką warstwę tego społeczeństwa. Kończą podobno najlepsze uczelnie, a jeśli nie, to mają największe firmy, w każdym razie te, w których pracujemy my. Zrozumiałem te rozmowy przy wódce, tę nienawiść tutejszych Polaków do Żydów. W Polsce to antysemityzm na bardzo abstrakcyjnym poziomie, gdyż Żyda mało kto widział, a przynajmniej mało kto, wiedząc o tym. Tutaj można by to nazwać antysemityzmem realnym. Moim skromnym zdaniem to zwykła zazdrość. Zazdroszczą im Polacy, którzy w ciągu kilku, kilkunastu lat bycia tutaj nauczyli się kilkunastu słów po angielsku. Zresztą tam „po angielsku", dużo powiedziane.

Na przykład słowo „garbage" jest wymawiane i pisane jako „gabedź". Ten klucz dotyczy też pozostałych słów.

Wydaje mi się, że siła przebicia Żydów polega na tym, że mają spójną tradycję, której się trzymają. Może jest ona uciążliwa i frustrująca ich samych, ale nadaje im tożsamość i system odniesienia. Tutaj, gdzie wymieszane są wszelkie kultury, języki, tradycje, narodowości, systemy myślenia, jest to szczególnie ważne. Co my, jako Polacy, mamy tu sobie nawzajem do zaoferowania? Pseudointegrujące imprezy alkoholowe. To, że żona sąsiada śpi z innym sąsiadem i po jakimś czasie tracę orientację, kto z kim mieszka i sypia? Brazylijski serial to przedszkole.

Kolejna sobota. Żeby uniknąć wiadomo czego, zacząłem chodzić do czytelni. Siedziałem kilka godzin i wracałem, bo co miałem robić. Miałem pracę, niby wszystko powinno być z Beatą OK, ale nie było. Naprawdę nie rozumiałem, o co chodzi. Myślałem, że o pieniądze, ale nie. Teraz po niedzielnych kłótniach teściowie zabierali Beatę na wizyty do znajomych. Znajomi mieli dwudziestoczteroletniego syna Darka. A syn Darek miał prawdziwe amerykańskie obywatelstwo.

W drodze do pracy rozmawiałem z Bronxem i Władkiem na temat tego, co działo się w moim życiu. Dla Bronxa sprawa była jasna jak słońce. Powiedział: tamten ma „papiery", moi teściowie nie mają, więc moja żona jest środkiem do celu, do spełnienia marzeń. Nie chciało mi się w to wierzyć. Brzmiało to zbyt – nie wiem jak: nieprawdziwie? Fantasmagorycznie?

Gdzieś w złym miejscu fantazja zaczynała się jednak stykać z realnością. Z niedzielnych wizyt Beata przychodziła spokojna. Mimo że nie pozwalała się przytulić, znów robiła mi kanapki na następny dzień i mogło się wydawać, że wszystko jest, jak było. Do następnego weekendu.

Któregoś dnia wróciłem do domu może o szóstej trzydzieści PM. Beata powiedziała, że jej ojciec się źle czuje i trzeba jechać do szpitala. Zamówiłem taksówkę i pojechaliśmy. Po co byłem nagle potrzebny? Piąte koło u wozu? Aha, no tak, potrafiłem się dogadać. Jasne. Poszedłem z teściem na izbę przyjęć. Natychmiast położyli go na łóżko i podłączyli do EKG. Wiele pytań, leki, podpisy, że zapłacę za jego leczenie. Ależ oczywiście, podpisać mogę. Przerażony wzrok teścia. Może to brzmi kiczowato, bo nie jestem pisarzem. Ale tak po prostu było. Przyszedł lekarz. Wyglądał na Żyda, tego „pieprzonego", znienawidzonego przez teścia. Spytał, jaki tryb życia prowadzi, czy pije itd. Powiedział teściowi, że w jego stanie alkohol będzie oznaczał śmierć. Dał mu jakieś lekarstwo i wysłał na zabieg. Zapytałem pielęgniarza, kiedy coś będzie wiadomo. Powiedział tylko, że jeśli kocham teścia, powinienem zostać. Taki mały szantażyk. Teściowa i Beata siedziały w poczekalni. Powiedziałem, jaka jest sytuacja, że ktoś powinien zostać i że ja mogę. Obie poszły do domu.

Ze względu na teścia następnego dnia nie idę do pracy. Zwalniam się u Bronxa. Mówi, że nie ma sprawy, ale potem okazuje się, że nie mam do niego powrotu. Praca się skończyła. Zresztą Bronx wybiera się do Polski, z żoną też mu się nie układa.

Wróciłem do szpitala. Serce teścia pracuje w zaledwie dziesięciu procentach. Nie trzeba być lekarzem, żeby wiedzieć, że jest źle. Lekarz opowiedział przebieg planowanego zabiegu. Jeśli się uda – będzie dobrze, jeśli nie – spróbują czegoś innego, poważniejszego. Widziałem potem, jak próbuje nauczyć się kilku zwrotów po polsku.

Parę dni później znalazłem pracę u Piotra z Litwy. Język za cholerę niepodobny do rosyjskiego. W porządku załoga, ale praca na krótko. Pracowałem tam pięć dni, biegałem cztery piętra w górę, nosząc beczki z lepikiem na dach. Dach gdzieś na Manhattanie, około 74 Ulicy, skrzyżowanie nie pamiętam z czym. Nade mną kilka wieżowców, wokół ciągły szum klimatyzacji, od którego nie potrafię się odciąć. Ciepło, słońce odbija się od srebrnej izolacji dachu. Najpierw lepik, potem przybijanie płatów papy. Po ośmiu godzinach słyszę tylko własne myśli i ciągły szum. Myślałem wciąż o Beacie, starałem się zrozumieć, o co chodzi, co się ostatnio dzieje między nami. Każda kolejna myśl generowana przez mój mózg stawała się nie do wytrzymania. Pomyślę jeszcze jedno zdanie, słowo i nie wytrzymam. I co zrobię? To jest właśnie najgorsze.

W piątek Piotr wysadził mnie w środku miasta i pokazał palcem stację metra. Mógł mi powiedzieć po prostu, że nie ma pracy. Mafijny nawyk.

Nie, on jest po dobrej stronie mocy, mafia żyje z niego. Niestety. Jest tu wiele rzeczy, o których się albo nie mówi, albo nazywa je inaczej. Ja swoje widzę.

Wieczorem poszedłem do Bronxa, już wrócił. Zapytałem, czy mnie znowu przyjmie. A jak znowu sobie odejdę? Obiecałem, że to się nie powtórzy. Uff. Następnego dnia pojechałem z nimi na Queens kończyć remont domu Jane.

Czekało mnie odzyskiwanie wypłaty. Na Manhattan Avenue spotkałem pracownika Piotra. Poprosiłem go o przekazanie mu, że czekam na swoje pieniądze. Powiedział, że sam nie dostał pieniędzy za ostatnie dwa tygodnie. Nie za bardzo mu uwierzyłem.

Jeszcze miałem mieć pieniądze od Zenka. Zacząłem chodzić za nimi dwa razy dziennie. Najpierw on mnie odsyłał do Bronxa, a Bronx do niego. Teraz zacząłem chodzić do Zenka do domu. Upierdliwość się opłaciła, bo mimo że Zenka nie było (wcześniej bywał, ale mówił, że nie ma pieniędzy), jego żona powiedziała, że ma mnie dość, i wręczyła mi moją należność. Pełnia szczęścia, na chwilę, nawet Beata się cieszyła.

Od dłuższego czasu jedynym wsparciem był dla mnie Władek. Było komu podczas budowania muru wokół domu na Queensie poopowiadać o tym koszmarze, posłuchać jego opowieści o kobietach. Zamyślenie i jednoczesne cięcie piłą sześć tysięcy obrotów na minutę nie było dobrym sposobem na psychoterapię. Pewnego dnia w ciągu ułamka sekundy zacięła mi się cegła w tarczy. Maszyna porwała tę cegłę razem z ręką, cudem nic się nie stało. Wieczorem zacząłem się bać: co by było, gdyby się stało? Nie mam pieniędzy na ubezpieczenie.

A potem zdarza się kulminacja.

Następnego dnia wróciłem do domu. Była godzina dziesiąta PM, piątek. Czas na odpoczynek przed ostatnim w tym tygodniu dniem pracy. Beata przyszła nie wiadomo skąd, bo przecież jej mottem było: „Nie muszę ci się z niczego tłumaczyć". Wykąpałem się, położyłem, postawiłem sok na stole. Klęknęła między mną a telewizorem i mówi mi, że ją biję. Bijesz... bijesz... bijesz. Takie pranie mózgu. Boże, jestem zmęczony, pomyślałem, mam już dosyć. Nie dałem się sprowokować, poczułem na sobie zimny sok, wstałem i poczułem dwa uderzenia jakimś przedmiotem. Po czym wybiegła, krzycząc, że ją biję. Przyszedł teściu. Powiedział, że jeśli się nie wyprowadzę, dzwoni po policję. I wyszedł.

Byłem wstrząśnięty.

Wziąłem plecak, moje rzeczy i poszedłem. Pobiegłem do Bronxa zapytać, czy mogę u niego przenocować. Zgodził się bez problemu. Zostawiłem rzeczy, poszedłem po resztę, po drodze zabrałem kołdrę. U Bronxa mieszkali Tomek i Józek. Józka też żona wyrzuciła, ale on gada do siebie. Ja pierdolę, co się dzieje.

Następnego dnia poszedłem do teściów pogadać z Beatą. Nie było jej. Gdzie jest? W Exicie. Poszedłem tam, trafiłem na jakąś dyskotekę. Nie musiałem długo szukać. Wolny kawałek, uściski, ciepłe pocałunki z Darkiem. W sumie fajny widok. Koszmarny.

Wróciłem do chłopaków. Bronx gdzieś polazł. Tomek zapytał, co się stało, że tak zbladłem. Odpowiedź wywołała u niego zdziwienie. On zamilkł, a ja wymościłem sobie miejsce na podłodze. Następnego dnia przy lunchu Bronx zapytał, co dalej zamierzam robić ze swoim życiem. „No właśnie – powiedziałem – wieczorem zadzwonię na lotnisko, zrobię rezerwację".

Miałem wylot za trzy dni. Magiczne, wieczne „trzy". Poszedłem do pralni na Manhattan Avenue. Z Manhattanem ma tyle wspólnego, co… Wiecie. Czułem się spokojny, bo już nie miałem o co walczyć. Już wiedziałem, jak wygląda klęska. Nie spodziewałem się po sobie takiego spokoju. Ludzie mówią, że jestem inteligentny. To nieprawda. Gdyby tak było, nie kochałbym takiej osoby jak Beata. Nie dałbym się nabrać. Jestem totalnie głupi. Głupi, głupi zjeb.

Dostrzegłem ją zza szyby, zauważyła mnie, weszła. Poprosiła, żebym wrócił. Powiedziałem, że mam samolot. „Zostań jeszcze". „Nie ma szans, wracam do Polski". Poszliśmy nad tę brudną rzekę. Płakałem nad sobą, ona też nad czymś płakała.

# Rozdział VIII. Instytucjonaliści

## 940 Manhattan Avenue. Krucjata

Longin Tołczyk wyjeżdża z Podlasia w 1957 roku, jego rodzina od dawna układa sobie życie w Chicago i Nowym Jorku. Kończy seminarium i pięć lat później zaczyna służyć w polskich i amerykańskich parafiach diecezji brooklińskiej.

Ta amerykańska robi na nim wrażenie. Tamtejsi księża nie czekają na parafian z założonymi rękami, tylko zgodnie z zaleceniami posoborowymi biorą czynny udział w życiu społecznym wiernych. Wspierają materialnie najbardziej potrzebujących w szalejącym kryzysie: osoby starsze i chore, niemówiące po angielsku oraz nieumiejące uregulować swojego statusu pobytowego. Działania dofinansowuje miasto.

Greenpoint połowy lat siedemdziesiątych rozlatuje się w oczach.

Księdzu, podobnie jak kilku wizjonerom w przeszłości, marzy się łącząca całą Polonię, wspierana przez miasto, chrześcijańska organizacja pomocowa. Na razie Polacy mimo sporej liczebności nie dostają nic. Greenpoint wydaje się Tołczykowi idealny, ponieważ ma tu rodzinne wsparcie. Na Manhattan Avenue jego siostra prowadzi agencję, przez którą Polacy wysyłają do kraju paczki i dolary.

Wyboistą drogę społecznika-straceńca Longin Tołczyk opisuje w najeżonych żalem i pretensjami wspomnieniach *W obronie Polonii*. Wśród starszego pokolenia Polaków na Greenpoincie postać Tołczyka wciąż wywołuje emocje. Ci, którzy są sceptyczni wobec sposobu funkcjonowania organizacji polonijnych, uważają jego książkę za Biblię.

Na początek ksiądz kupuje i remontuje dom na Manhattan Avenue. Z pomocą adwokata przygotowuje dokumenty konieczne do założenia Centrum Polsko-Słowiańskiego.

Kogokolwiek prosiłem o podpisanie wniosku, odpowiadał, że w Stanach i tak jest za dużo polskich organizacji, które nic nie robią. Po co jeszcze jedna? Wszyscy mieli dość zbiórek, bankietów, obiecanek, z których Polacy nie mają pożytku. Inni uważali wszystko za mrzonki. [...] Tak więc w końcu poprosiłem siostrę moją Apolonię Nieciecką oraz młodego studenta Krzysztofa Żołnierowicza, którego matka prowadziła z Apolonią agencję"*.

Centrum zostaje zarejestrowane w sierpniu 1972 roku.

Niektórzy, widząc na szyldzie nazwę „Polsko-Słowiańskie", obawiali się wejść. Myśleli, że to siedziba polityczna jakiejś zbieraniny Białorusinów, Czechów, Słowaków, Ukraińców czy innych Słowian. Centrum było polskie, [...] ale ja wierzyłem, że wspólnymi siłami uda się wreszcie przełamać mur dyskryminacji w stosunku do Słowian, że [...] uda się zbudować wspólną siłę, Slavic power, zdolną do wywierania presji w walce o sprawiedliwość. Nadaremnie†.

Na razie powstaje statut. Składkę członkowską wyznacza się na dziesięć dolarów rocznie. Następnie Centrum ogłasza nabór pierwszych uczniów na naukę języka angielskiego. Od razu zgłasza się trzysta osób. Ksiądz Tołczyk prowadzi też kursy dla zdających egzaminy na obywatela USA, wspiera ubiegających się o stały pobyt, przygotowuje wnioski o tańsze przejazdy komunikacją miejską dla osób starszych. Uzyskuje również prawo do reprezentowania Polaków i innych Słowian przed władzami imigracyjnymi. Krzysztof Żołnierowicz: „Polonia była pewna, że ksiądz się wywróci i że go zadepczą‡.

* L. Tołczyk, *W obronie Polonii*, t. 1, Chicago 1988, s. 94. † Tamże, s. 95.

‡ Wypowiedź pochodzi z filmu *Wszystko zaczęło się na Greenpoincie*, nakręconego w 2016 roku z okazji czterdziestolecia założenia Polsko-Słowiańskiej Federalnej Unii Kredytowej.

Tołczyk:

> W przypływie szczerości jeden z wyższych urzędników imigracyjnych powiedział mi: „Niech ksiądz powie swoim rodakom, aby tak strasznie siebie nawzajem nie oskarżali... Gdy byłem młody, wiele czytałem o waszej historii, o wielkich uczonych i wodzach narodu, o Pułaskim i Kościuszce. [...] Myślałem wtedy, że Polacy to zacni i honorowi ludzie. Teraz zmieniłem zdanie. Bo nasz wydział dostaje najwięcej donosów i wzajemnych oskarżeń od Polaków. Wczoraj miałem sprawę. Brat oskarżył swojego brata, że przyjechał do niego na wizytę, a pracuje bezprawnie na cudzy numer Social Security. Podał miejsce i adres. Zagroził nam, że jeśli go nie deportujemy, to będzie pisał do wyższych władz, do Waszyngtonu. A teraz, kiedy aresztowaliśmy jego brata, przyszedł go bronić. Przedstawiłem mu jego własny list. Zaparł się, że to nawet nie jego charakter pisma. Wyjąłem jego akta i porównałem. Byłem stuprocentowo pewny, że to on pisał. Powiedziałem mu więc, że na podstawie jego własnych dokumentów przez eksperta mu udowodnię, że to on pisał donos, ale za kłamstwo deportuję również i jego. Wtedy przyznał się, błagał, by mu darować, przepraszał, że pisał w zdenerwowaniu i że tego teraz żałuje bardzo". Amerykanie chętnie zbierają wszelkiego rodzaju donosy, gdyż w ten sposób władze nie potrzebują bać się mniejszości narodowych. Nie poskramiają zwykle donosicieli i oszczerców, nawet jeśli donosy są całkowicie bezpodstawne, gdyż dzięki temu nie muszą nikogo pilnować. Mają w ten sposób masę informacji o tym, co dzieje się wewnątrz różnych grup, i nic ich ta polityka nie kosztuje*.

## Demonstracja

W styczniu 1974 roku w „Nowym Dzienniku" ukazuje się dramatyczna odezwa autorstwa księdza:

* L. Tołczyk, *W obronie Polonii*, t. 1, dz. cyt., s. 124.

> Sto lat temu nasi pradziadowie i dziadowie [...] w ciężkim trudzie i znoju budowali nowoczesną Amerykę, a jednocześnie zdołali tworzyć własne parafie, szkoły i organizacje. [...] Dziś Polacy muszą walczyć na nowo o równouprawnienie z innymi grupami rasowymi i narodowościowymi, dali się bowiem w ostatnich latach usunąć z powierzchni życia społecznego i politycznego.

Tołczyk tłumaczy, że Polaków nie ma ani w radzie miejskiej ani wśród wpływowych członków zarządu miasta. Są całkowicie pomijani przy rozdziale funduszów na pomoc społeczną, podczas gdy inne grupy otrzymują miliony. A przecież w większości płacą podatki, co więcej, w polskich dzielnicach jest najmniejszy procent przestępstw. Ksiądz grzmi, że już najwyższy czas, aby Polacy się przebudzili. W imieniu Centrum Polsko-Słowiańskiego zwołuje na 5 maja demonstrację, na której będą przemawiać ważne osobistości. Obiecuje zainstalować głośniki.

Pomysł, by wyjść na ulicę, podoba się studentom ze Zrzeszenia Studentów Słowiańskiego Pochodzenia Uniwersytetu Miejskiego w Nowym Jorku. Młodzi podkreślają, że wśród dziewięćdziesięciu pięciu wyższych urzędników mianowanych przez burmistrza nie ma ani jednego Polaka. W zarządzie miasta jest natomiast „22 Żydów, 7 Murzynów, 2 Portorykańczyków"*. Sprawdzili, że w przeciwieństwie do Żydów, Włochów, Greków i Chińczyków Słowianie nie dostali ani dolara na programy społeczne. Do uczestnictwa w akcji zachęcają też polonijne programy radiowe: *Dwóch Edwardów* i Natalii Kęckiej. Niekonsultowana z polonijnymi organizacjami demonstracja nie podoba się natomiast Kongresowi Polonii Amerykańskiej oraz weteranom z obu konkurencyjnych organizacji.

W przeddzień ksiądz Tołczyk prosi Pana Boga o opiekę nad Polakami i zostaje wysłuchany. Na Manhattan Avenue przychodzi trzy tysiące demonstrantów, dziennikarze, poseł stanowy (Joe Lentol), senator stanowy (Chester Straub) oraz radny miejski (Fred Richmond), co czyni wydarzenie najbardziej spektakularnym w powojennej historii emigracji. Są transparenty z hasłami w języku angiel-

* Tamże, s. 106.

skim i polskim: „Polacy i Słowianie – walczmy ramię w ramię", oraz pytaniem: „Dlaczego Polacy są dyskryminowani?". Pojawia się trumna jako symbol skazywania Polaków na śmierć poprzez pomijanie ich potrzeb przez władze miasta. Śpiewane są hymny, wygłaszane przemówienia, zostaje uchwalona dziesięciopunktowa rezolucja.

W punkcie drugim demonstranci domagają się funduszy na dofinansowanie przedszkoli, pomocy prawnej, lekarskiej, zajęć dla młodzieży i kulturalno-artystycznych. W punkcie trzecim – dwujęzycznego szkolnictwa dla nowych imigrantów. Punkt dziewiąty wzywa natomiast do zaprzestania wzmagającej się antypolskiej kampanii prowadzonej przez środki masowego przekazu: „Ostatnim [...] wyczynem było wyświetlenie kosztem wielu milionów dolarów przez telewizję ABC paszkwilu antypolskiego *QB VII**".

O ile polityka programowa stacji telewizyjnych nie ulega znaczącym korektom, o tyle miejska agencja Council Against Poverty przyznaje natychmiast dwadzieścia pięć tysięcy dolarów na wsparcie najbiedniejszych mieszkańców, a ratusz kolejne osiemdziesiąt siedem tysięcy na potrzeby nowojorskich Słowian.

Jeszcze w 1974 roku szefowie Centrum Polsko-Słowiańskiego uruchamiają Klub Seniorów Krakus, do którego na darmowy obiad mogą przyjść wszystkie osoby powyżej sześćdziesiątego roku życia. Niechodzący dostają posiłek z dowozem do domu. W Centrum zaczyna przyjmować lekarz, urządza się akademie z okazji wszystkich ważniejszych rocznic historycznych i świąt religijnych. Seniorom organizuje się przyjęcia urodzinowe, a w lecie wycieczki autokarowe. Centrum wraz z Klubem urządza także polskie festiwale na Manhattanie, w tym w prestiżowym Bryant Park, blisko Biblioteki Publicznej.

Zwiedzający Centrum mogą obejrzeć zdjęcia i rysunki informujące o dyskryminacji Polaków i Słowian, a jednocześnie o ich ogromnym wkładzie w budowę Stanów Zjednoczonych Ameryki.

* Miniserial z 1974 roku, z udziałem Anthony'ego Hopkinsa i Bena Gazzary. Głównym bohaterem jest polski lekarz podejrzewany o kolaborację z nazistami i udział w eksperymentach medycznych na żydowskich więźniach obozu koncentracyjnego.

Kiedy chętni przechadzają się między planszami, pracownicy Centrum serwują pierogi z patelni, bigos, polską kiełbasę na gorąco i pączki. Przygrywa zespół mandolinistów.

Tołczyk:

> Po otrzymaniu pierwszych subsydiów na programy społeczne, o czym jakoś wcześniej polonijne organizacje nawet nie marzyły, choć prezesi i kierownicy tych organizacji mieli dużo czasu i nie mniejsze ode mnie możliwości, nagle powstało istne piekło zazdrości. Niektórzy mówili mi wprost w oczy: ksiądz dopiero przyjechał z Polski i już chce swoje rządy zakładać? Od programów społecznych to my jesteśmy. My tu mamy kościoły, sale parafialne, domy narodowe. A ksiądz nie ma nic i chce reprezentować Polonię, a nawet Słowian? Miałem dla nich jeden argument: a na co panowie czekali przez tyle lat. Na mój przyjazd? [...] Uznano to za skandal, że jakiś tam ksiądz Tołczyk zdołał otrzymać fundusze od władz miejskich, stanowych czy federalnych, a ich organizacje, choć stare i zasłużone, okazję przespały.
>
> Na publicznym zebraniu nowojorskiego oddziału Kongresu Polonii Amerykańskiej William Krusz miał odwagę oświadczyć, że wtedy zapanuje w organizacjach polskich ład i porządek, jeżeli uzyskane z miasta przeze mnie fundusze będą rozdzielone proporcjonalnie dla wszystkich organizacji polonijnych. Wtedy nie będzie zazdrości. Tłumaczyłem, że to jest błędne rozumowanie, gdyż władze nie dają pieniędzy różnym organizacjom etnicznym „do podziału", lecz zawierają umowę z uznawaną przez siebie organizacją na wykonanie określonych prac społecznych dla biednych i potrzebujących. A fundusze na ten cel określane są w budżecie. Władze [...] w ratach wypłacają je organizacjom prowadzącym dany program. Tłumaczyłem, że przy poparciu polonijnych organizacji możemy uzyskać jeszcze więcej programów. Tyle, ile dostają inne grupy etniczne. Polonia straci, jeśli będzie zazdrosna i nie będzie rozumiała systemu subsydiów. Moje argumenty nie trafiły do przekonania*.

* L. Tołczyk, dz. cyt., s. 147.

Wrogów swojego przedsięwzięcia ksiądz upatruje też w „Nowym Dzienniku", polskich księżach w diecezji (Tołczyk jest przyjezdny, działa na terenie nie swojej parafii) oraz w lokalnych biznesmenach, którzy do tej pory mieli monopol na doradztwo imigracyjne – uważa, że są oni powiązani z reżimem w Polsce, czego dowodem ma być fakt, że jeden z nich sprzedał swoją agencję państwowemu Orbisowi.

## Polski bank

Największy bank polonijny powstaje bez kapitału zakładowego. Założyciele nie mają zielonego pojęcia o bankowości. Są grupą szaleńców, tak przynajmniej mówi o nich Marek Łuniewski, pierwszy prezes rady dyrektorów Polsko-Słowiańskiej Federalnej Unii Kredytowej, przy okazji kolejnego jubileuszu.

Istnieje kilka teorii, kto wpadł na pomysł, by wzorem Ukraińców, a także innych grup etnicznych, założyć na Greenpoincie unię kredytową, czyli niewielką instytucję pożyczkową. W każdym razie to ksiądz Tołczyk znów zakasuje rękawy. Potrzeba społeczna jest paląca. Polacy, w tym wakacjusze przyjeżdżający do ciężkiej pracy, latami mieszkają w trudnych warunkach, po kilka lub kilkanaście osób w mieszkaniu, i nie mają gdzie przechowywać piątkowych wypłat. Skarżą się księdzu, że ich sienniki są regularnie okradane przez współlokatorów. Przebywający nielegalnie krępują się zgłaszać kradzież na policję. Przychodzą za to do Haliny Podstawki, pracownicy agencji Polonia Universal, oraz do Centrum i proszą o przechowanie oszczędności.

Podstawka: „Brałam pieniądze, dawałam pokwitowanie, stemplowałam. Szłam z tym do domu. Czasem to był duży czarny worek, który owijałam brudnymi ręcznikami, żeby mnie nie przyłapali. Z czasem zebrałam pewnie ze sto pięćdziesiąt tysięcy dolarów. Za trzydzieści tysięcy można było dom kupić. Skarżyłam się księdzu: „Co ja mam z tą gotówką zrobić?"*.

* Wypowiedź zaczerpnięta z filmu *Wszystko zaczęło się na Greenpoincie*.

Na zebranie założycielskie 6 września 1976 roku do siedziby Centrum przy 940 Manhattan Avenue na Greenpoincie przychodzi sześć osób: Tołczyk, Łuniewski, inżynier Jan Raczkowski, Halina Żołnierowicz, Apolonia Nieciecka i ksiądz Emil Altmajer. Do kworum brakuje jednej osoby. Zaproszony zostaje więc Józef Waltoś, który akurat sprząta. Obecny jest również znajomy Tołczyka Marian Kots z Ukrainy, mający pojęcie o prowadzeniu unii, dzięki czemu sygnatariusze dowiadują się, jak przeprowadzić procedurę rejestracyjną.

Historyczka Danuta Piątkowska tłumaczy, że choć Ukraińcy żyli w Ameryce blisko Polaków i mieli podobną historię emigracyjną, to znacznie wyprzedzali ich pod względem aktywności ubezpieczeniowej, finansowej i samopomocowej. Nowoczesny spółdzielczy ruch oszczędnościowo-kredytowy opanowali dużo wcześniej. Szybciej się zorientowali, jakie korzyści oferuje etnicznej społeczności wprowadzony 26 czerwca 1934 roku przez administrację Franklina D. Roosevelta Federal Credit Union Act, który zachęcał do organizowania unii kredytowych. Były to organizacje non profit; każdy mający w nich oszczędności mógł zaciągać pożyczki na korzystniejszych warunkach niż te, które oferują banki*.

W końcu podpisany zostaje akt założycielski. Longin Tołczyk: „Jeżeli Chrystus, mając tylko dwunastu apostołów, założył Kościół dla całego świata, to my, mając siedem osób, możemy spokojnie założyć banki†".

Marek:

> Z zawodu jestem inżynierem, w Ameryce od 1968 roku. Otrzymałem pracę w wodociągach miejskich, gdzie nadzorowałem prace wiertnicze, a następnie budowałem tunel wodny od Bronksu do Wall Street i bardzo to mnie angażowało.

* D. Piątkowska, *Polsko-Słowiańska Federalna Unia Kredytowa sukcesem amerykańskiej Polonii*, „Polonia Journal" 2016, nr 3–4.

† Wypowiedź zaczerpnięta z filmu *Wszystko zaczęło się na Greenpoincie*.

W 1971 roku kolega zaprowadził mnie na zebranie wyborcze Stowarzyszenia Inżynierów i Techników Polskich w Stanach Zjednoczonych – Polonia Technica. Było to jedno ze stowarzyszeń założonych w czasie II wojny światowej. Posłuchałem tych inżynierów i ręce mi opadły. Tak gnoili poprzedni zarząd, że coś okropnego. Wstałem i powiedziałem: „Panowie, nie przyszliśmy tu w poszukiwaniu zysku, ale po to, by w atmosferze rodzinnego kraju spędzić czas i pchać ten wózek do przodu". Mówiłem, że poprzedni zarząd może nie wykazywał się wielką aktywnością, ale pracował za darmo. I po tym przemówieniu zostałem prezesem Polonii Technica. Poznałem podejście Polaków do wszystkich organizacji. Była ogromna zazdrość i podstawianie nóg, straszna atmosfera.

W Unii też wybrali mnie prezesem: organizowałem jej pracę, dobierałem ludzi, prowadziłem zebrania. To była znów syzyfowa praca: zawiść, zazdrość, wszyscy myśleli, że to nie wyjdzie. Od razu na pierwszym zebraniu Rady Dyrektorów powiedziałem zebranym, że nie mam czasu do stracenia: mam odpowiedzialną i płatną pracę, nie zależy mi na robieniu kariery w finansach, ale widzę w tej organizacji wielką przyszłość. W związku z tym poprosiłem, aby krytyka miała charakter konstruktywny, aby każdy krytyczny wniosek był kończony propozycją usprawnienia sytuacji. Inaczej nie udzielałem głosu ludziom, którzy chcieli krytykować bez sensu. Na takie dictum atmosfera się uspokoiła. Udowodniłem na początku, że zgoda buduje, niezgoda rujnuje. Dawałem przykłady z innych organizacji. Przecież nawet weterani się dzielili na różne frakcje. I jakoś poszło. Jak w 1979 roku odchodziłem z funkcji prezesa, Unia miała dużo więcej niż milion na koncie. Podczas mojej kadencji nie wzywano policji na zebrania zarządu*.

* Wypowiedź Marka Łuniewskiego opracowano na podstawie wywiadu zamieszczonego w „Nowym Dzienniku" 7 marca 2012 roku.

## Lawina

Pierwszą siedzibą Unii jest stolik na stołówce dla emerytów.

Żołnierowicz: „Obudowaliśmy go przepierzeniem. Posadziliśmy kasjerkę. Nie mieliśmy niczego – ani maszyny do pisania, ani do liczenia"*.

Andrzej Pityński, rzeźbiarz, przyjaciel księdza Tołczyka: „Wyciąłem coś w rodzaju okna kasowego w starej szybie".

W piątek po wypłacie w stołówce zaczynają się gromadzić pierwsi klienci. Dostają książeczkę i pokwitowanie. Ich nielegalne pensje procentują. Halina Podstawka zostaje na noc i pilnuje sejfu.

Pityński: „Trzeba było zrobić logo. Ksiądz był ze wsi, typ upartego proboszcza wiejskiego. Powiedział, że ma być snopek otoczony dolarami i nic innego. Zaprojektowałem, co chciał".

Żołnierowicz: „Uczyliśmy się, jak wypisywać czeki, jak reagować na oficjalną korespondencję, nie znając języka angielskiego, doradzaliśmy, jaką wziąć pożyczkę".

Łuniewski: „To wszystko by się nie udało, gdyby nie wydarzenie, jakim było wprowadzenie stanu wojennego w Polsce i masowa emigracja do Ameryki. Przyjechało mnóstwo ludzi, często bez znajomości języka i numeru Social Security. Wiele osób trafiało na Greenpoint, co spowodowało wielki dopływ siły roboczej. Ci ludzie chowali pieniądze do sienników. Pracowali w azbestach, co było pracą niebezpieczną, ale dobrze płatną, więc zarabiali duże sumy. Jak otworzyliśmy Unię, to wszyscy się garnęli, żeby te pieniądze nam zostawić, bo w amerykańskich bankach nie potrafili się dogadać. Polacy często byli traktowani jak piąte koło u wozu. W tej atmosferze Unia zaczęła się rozwijać. To poszło jak lawina. Na jednym ze zdjęć z tamtych czasów widać kilometrową kolejkę do naszego oddziału. Jak zobaczyły to lokalne instytucje, które nie tylko nie miały polskojęzycznego personelu, ale wymagały numeru Social Security dla założenia książeczki, szczęki im opadły i zaczęły przyjmować pracowników mówiących po polsku. Na początku udzielaliśmy kredytów hipotecznych na małą

* Wypowiedzi Krzysztofa Żołnierowicza i Andrzeja Pityńskiego w tym rozdziale pochodzą z filmu *Wszystko zaczęło się na Greenpoincie*.

skalę, bo nie było przecież kapitału zakładowego. Przez pierwszy rok nie było nawet możliwości zaangażowania kierownika z odpowiednim wykształceniem i ze znajomością przepisów, który mógłby poprowadzić ten bank"*.

Romuald Dymski, współzałożyciel i przewodniczący komisji pożyczkowej, długoletni członek rady dyrektorów Unii: „W bankach obowiązywało zalecenie, aby nie przyznawać pożyczki na dom, jeżeli ktoś nie ma prawa stałego pobytu. Ten przepis też ominęliśmy. Wyszliśmy z założenia, że jeżeli ktoś pracuje i zarabia – to dlaczego nie dać mu kredytu? Przecież ktoś taki nie weźmie domu na plecy i nie przewiezie go do Polski! [...] Aby uratować polską dzielnicę przed zalewem Portorykańczyków, stosowaliśmy zasadę, że jeśli ktoś brał pożyczkę na dom na Greenpoincie, mógł liczyć na jakąś ulgę, na przykład na rozłożenie rat na dłuższy okres czy trochę obniżone oprocentowanie. Takie decyzje podejmowano indywidualnie. A Polacy chętnie korzystali z możliwości kupna nieruchomości. Za każdym posiedzeniem komisji przyznawaliśmy dwa–trzy kredyty na dom"†.

W pierwszych miesiącach działania Unii do władz miejskich wpływa anonim, że ksiądz Tołczyk jako kasjerkę zatrudnia panią, która otrzymuje pensję w Centrum. Autor listu prosi władze o natychmiastową kontrolę.

Po pół roku ze współpracy z Unią rezygnuje Marian Kots, ukraiński doradca. Zostawia list wyjaśniający, że jest po zawale serca i źle znosi powtarzające się ataki na siebie.

Mniej więcej dwa lata po zebraniu założycielskim wizytę w Unii zapowiada burmistrz Brooklynu Howard Golden. Chce podziękować i złożyć gratulacje w związku ze zmartwychwstaniem dzielnicy. Tołczyk prowadzi burmistrza na stołówkę, gdzie za przepierzeniem stoi biurko i maszyna do księgowania. Golden nie może uwierzyć, że z tego kąta wypłacono już milion dolarów pożyczek.

* *Unia spadła Polakom z nieba*, „Nowy Dziennik", 7 marca 2012.

† Tamże.

Pieniądze na Greenpoincie giną nie tylko z materaca. W marcu 1980 roku z kasy pancernej Unii znika w nocy czterdzieści osiem tysięcy dolarów, choć obowiązuje zasada, że w nocy w kasie może zostać najwyżej pięć. Winny nie zostaje znaleziony, pracownicy, którzy nie przestrzegali przepisów, nie zostają ukarani.

Następnie zasady przyznawania kredytów zaczynają się zmieniać w zależności od nastroju komisji pożyczkowej. Jeśli ktoś cieszy się jej sympatią, może otrzymać drugi i trzeci kredyt, nawet gdy zalega z pierwszym. Jeśli się nie cieszy, nie dostaje nawet pierwszego. Ksiądz podaje przykład Andrzeja Wojnarowskiego, właściciela dużego sklepu Associated przy Manhattan Avenue, który wnioskuje o kredyt na kupno domu. Jego wniosek spotyka się z odmową, ponieważ o kredycie decydują Mieczysław Przybyłowski i Ryszard Konopka, właściciele mniejszego sklepu spożywczego przy tej samej ulicy. Uzasadniają, że Wojnarowski może zechcieć otworzyć kolejny konkurencyjny sklep.

Ksiądz Tołczyk jest uparty, kategoryczny, trudny we współpracy. Plotkuje się, że źle się prowadzi i daleko mu do czystości kapłańskiej. Wytyka się mu pensję w wysokości osiemnastu tysięcy dolarów rocznie. Ostatecznie w maju 1981 roku traci wpływ na instytucję, którą tworzył. Odchodzi skonfliktowany z Łuniewskim, Dymskim, Przybyłowskim i Konopką, z dawnymi pionierami i nowymi członkami zarządu, związanymi z „Nowym Dziennikiem".

W swoich wspomnieniach ksiądz oskarża dawnych współpracowników o nadużycia, zdradę i działanie na szkodę Unii.

Krzysztof Żołnierowicz, wierny towarzysz, uważa po latach, że księdza wykończyli agenci komuny, którzy podszywali się pod działaczy Polonii. Sugeruje, że były to osoby związane z „Nowym Dziennikiem". „Niewielu z nas zniosłoby tyle ugryzień w rękę" – podsumowuje.

Z Tołczykiem czy bez bank rozwija się w szalonym tempie. Już w 1979 roku wiadomo, że trzeba nabyć nową siedzibę. Łuniewski wypatruje budynek przy 140 Greenpoint Avenue, który wcześniej mieścił Chase Manhattan Bank. Teraz służy związkom zawodowym, ale popada w ruinę. Kupno tego wielkiego budynku to milowy krok, który zamyka partyzancki okres początkowy. Do 2005 roku mieści się tu kwatera główna banku.

Tołczyk umiera w 1997 roku na Florydzie. W 1999 do Polsko-Słowiańskiej Unii Kredytowej po raz pierwszy wchodzą negocjatorzy z federalnej agencji National Credit Union Administration nadzorującej parabanki. Sytuację opisuje branżowa gazeta „Credit Union Times", próbując ustalić, o co chodzi w sporach między członkami rady dyrektorów, którzy oskarżają się nawzajem o praktykowanie prawa bez licencji i oszukiwanie klientów. Rozważa się umieszczenie w Unii na stałe amerykańskiego kontrolera, który by rozwiązał konflikt. „Najważniejsze dla wszystkich jest to, że agencja rozumie, iż w tej unii kredytowej panuje bałagan i potrzebuje ona pomocy*".

Danuta Piątkowska uważa, że przetrwanie tej instytucji mimo „sporów między frakcjami rady, wzajemnych oskarżeń, konfliktów osobistych i »polonijnych linczów« czy wreszcie postawienia rady dyrektorów unii w obliczu *conservatorship* (wprowadzenia zarządu komisarycznego), kiedy Polakom groziło utracenie kontroli nad unią [...], wpisać należy [...] w poczet jej sukcesów"†.

Po półwieczu istnienia Polsko-Słowiańska Federalna Unia Kredytowa jest największą spośród etnicznych instytucji kredytowych w Stanach Zjednoczonych. Jej depozyty sięgają dwóch miliardów. Na szkolenia i praktyki do Nowego Jorku przyjeżdżają spółdzielcy z Polski, między innymi Grzegorz Bierecki, senator, polityk Prawa i Sprawiedliwości, współtwórca spółdzielczych kas oszczędnościowo-kredytowych (SKOK).

* D. Morrison, *Polish And Slavic FCU Embroiled In Yet More More Leadership Controversy. Will NCUA Step In?*, „Credit Union Times", 21 grudnia 2004.

† D. Piątkowska, *Polsko-Słowiańska Federalna Unia Kredytowa...*, dz. cyt., s. 46. Mimo entuzjazmu dla obecnej sytuacji unii Piątkowska wyraża pewne rozżalenie, że organizacja ta nie bierze udziału w wielkiej polityce i nie wspiera interesów Polonii w świecie amerykańskim: „W oparciu o pieniądze P-SFUK Polonia mogłaby mieć swoją mocną reprezentację polityczną, swoje lobby na różnych szczeblach administracji państwowej. Nikt w unii nie widzi takiej potrzeby ani takiej szansy" (tamże, s. 47).

Unia co roku przeznacza wysokie kwoty na pomoc organizacjom polonijnym. W 2015 roku było to ponad ćwierć miliona dolarów. Dofinansowuje szkoły i przedszkola, funduje stypendia dla zdolnych uczniów. W 2018 roku, w okrągłą rocznicę odzyskania przez Polskę niepodległości, zapłaciła za okolicznosciową reklamę na Times Square.

– Polonijne organizacje wiszą u naszych klamek – mówi anonimowo jeden z jej urzędników. – Po prostu innych nie ma.

# Beata Delicatessen, 984 Manhattan Avenue (5)

BEATA: Siedzę w sklepie, a na Manhattan Avenue wjeżdżają samochody policyjne. Oznakowane i nieoznakowane. Blokada między Meserole i Norman. Wyprowadzają skutych właścicieli sklepu mięsnego.

MIESZKO: W sklepie działało centrum dystrybucji kokainy. W workach na śmieci. Wieczorem odbiorcy przyjeżdżali je odebrać. Detaliści wychodzili z reklamówkami. Podobno trwało to kilka lat*.

BEATA: W drugiej części Greenpointu pracowała lewa drukarnia numerów Social Security. Był popyt, była podaż.

MIESZKO: Bardzo byliśmy zadowoleni, że nasze dzieci nie spędzały dużo czasu na Greenpoincie. Nie chodziły do polskiej szkoły sobotniej, mówiliśmy po polsku w domu. Pamiętam, jaki David miał problem w przedszkolu, bo nie mówił po angielsku. Dostał się potem do Stuyvesant High School na Manhattanie, Ashley do Brooklyn Technical High School. Przyjeżdżali wieczorem i mieli jeszcze lekcje do odrobienia.

BEATA: Byliśmy zgodni co do tego, że powinni mieć jak najwięcej zajęć, żeby nie mieli czasu na szwendanie się po ulicach z dzieciakami z sąsiedztwa.

* Chodzi o opisywaną szeroko w 2008 roku sprawę centrum dystrybucji kokainy, które mieściło się w delikatesach mięsnych Sikorski Meat Market na Manhattan Avenue. Z policyjnych nasłuchów wynikało, że narkotyk nazywano „hot kielbasa". Handlował nim między innymi Andrzej F., pracownik sklepu.

## Dziewczynka

BEATA: Raz przyszła klientka z córeczką w wózku, ośmiomiesięczną. Kręciła się chwilę między półkami, coś kupiła, a potem zapytała, czy może ją zostawić na chwilę, musi skoczyć obok w jakiejś sprawie. Mówiła, że do lekarza. Powiedziałam: w porządku. Była osiemnasta. Dziewczynka była spokojna i raczej uśmiechnięta. Dałam jej wodę, wypiła i siedziała w tym wózku. A kobieta nie wracała. Klienci przychodzili i wychodzili, nic. Wzięłam ją na ręce i obsługiwałam. Ósma, dziewiąta, dziewiąta trzydzieści. Dziewczynka zaczęła być głodna, zastanawiałam się, co mam robić.

MIESZKO: Zadzwoniła do mnie. „Słuchaj, mamy dziecko". Poradziłem, żeby najpierw je nakarmiła.

BEATA: Skubała bułkę i cream cheese. Gdybym była Amerykanką, tobym pewnie zadzwoniła na policję. Tylko że wtedy zabraliby tę dziewczynkę do opieki zastępczej. Nie zadzwoniłam, ale o dziesiątej musiałam zamknąć sklep. Ta kobieta wpadła po dwudziestej drugiej. Przepraszała. Przyznała się, że miała randkę, na którą nie mogła przecież iść z dzieckiem.

## Pożegnanie

BEATA: Rozluźniały się nasze relacje ze wspólnikiem.

MIESZKO: Przez wiele lat byli to dla nas najbliżsi przyjaciele. David dorastał w ich towarzystwie. Kiedy był mały, a my uwiązani w sklepie, spędzał w ich domu w górach, na północy Nowego Jorku, całe weekendy.

BEATA: Przyjeżdżałam w niedzielę wieczorem i dom im sprzątałam, żeby się odwdzięczyć.

MIESZKO: A teraz się zorientowaliśmy, że sklep to jest nasze życie, a dla Władka biznes. Wiedzieliśmy, że musimy iść swoją drogą.

MIESZKO: Darek i Krystyna, nasi przyjaciele, sprzedawali sklep na Nassau, w tak zwanym Greenpoincie eleganckim. Odkupiliśmy go i Beata zaczęła tam pracować. W 2001 roku uznaliśmy, że odkupimy od Władka dom. Mieliśmy iść do notariusza, kiedy wybuchł 11 września i miasto zamarło. Ale w końcu podaliśmy sobie ręce i rozeszliśmy się. Dużo mu zawdzięczamy, ale musieliśmy się rozstać.

## Losy

BEATA: Polacy bogacili się dzięki ciężkiej pracy. Ci, którzy odłożyli dolary i z pomocą pożyczek z Polsko-Słowiańskiej Unii Kredytowej, czyli polskiego banku, kupowali nieruchomości, są teraz milionerami.

MIESZKO: Niektórym, wrażliwym, było ciężej.

BEATA: Znaliśmy artystę, któremu z powodu picia rozpadła się rodzina. Nie miał na czynsz, ale byliśmy przekonani, że dzieli go krok od wielkiego sukcesu. W nocy sprzątał biura, więc podnajął swoje mieszkanie Polakowi, który pracował w ciągu dnia i potrzebował się przespać. Prawie wcale się nie widywali.

MIESZKO: Któregoś dnia ten sublokator przybiegł do nas blady i poprosił, żebym natychmiast poszedł za nim. Nasz znajomy leżał twarzą do poduszki. Wkoło pootwierane fiolki od lekarstw, przecięte żyły, łóżko we krwi. Zadzwoniłem po karetkę, uratowali go. Żyły przeciął nieumiejętnie, a podczas płukania żołądka okazało się, że nie zdążył strawić tabletek nasennych, całe z niego wylatywały.

BEATA: Doszedł do siebie i zaraz się wyprowadził. Słyszeliśmy, że przestał pić alkohol. Przestał się również do nas odzywać.

MIESZKO: Mąż innej znajomej restauratorki popełnił samobójstwo skutecznie. Dziewczyna została z małymi dziećmi. Mieli sukces, przyjechali legalnie, szanowano ich na ulicy.

BEATA: Mąż właścicielki sklepu z futrami strzelił sobie w głowę w sypialni. Wszystko trzeba było wymieniać. Ściany skrobać.

MIESZKO: Inżynier z Polski, sprzątał za późnej komuny w biurze na Manhattanie. We wczesnych latach dziewięćdziesiątych kupił na Nassau dom za trzysta tysięcy, więc po dekadzie było wiadomo, że jest milionerem. Rozstał się z dziewczyną i zaczął mówić kolegom, że się powiesi. Charakterystyczna postać, chodził po Manhattan Avenue z teczką i nie miał wąsów. To było nietypowe. Wstępował do klubu Pomost, który prowadzili Darek i Krystyna, i mówił:

„Wiecie co, chyba się powieszę". Koledzy mu na to: „Weź się, Jurek, nie wieszaj". Przychodził tak pół roku. Zamawiał lufę i mówił, że się powiesi. Kiedyś kolega do niego wpadł pogadać, a Jurek wisiał.

BEATA: Nie było jak leczyć i diagnozować depresji.

MIESZKO: Wizyta w przychodni kosztowała pięćdziesiąt, sześćdziesiąt dolarów. Czasem lekarze, którzy akurat przyjechali dorabiać na budowach lub przy zdejmowaniu azbestu, przyjmowali po godzinach.

BEATA: Dentysta przyjmował w swoim domu na Franklin. Miał gabinet w szafie na ubrania. Jak zobaczyłam ten sprzęt, to jakbym się przeniosła do XIX wieku.

MIESZKO: Znaliśmy chłopaka, studenta, który miał problemy z legalizacją na Greenpoincie, ale przyjęła go Kanada. Świetny chłopiec. Przed wyjazdem poszedł do poleconego dentysty i wsiadł w autobus do Toronto. Znaleźli go tydzień później w wynajętym pokoju. Wdało się zakażenie i umarł.

## Milioner

MIESZKO: Pamiętasz Włodka? Pracował na noc w piekarni. Przychodził dwa, trzy razy dziennie rozmieniać pieniądze na jednodolarówki. Nie wiedzieliśmy, po co mu tyle tych banknotów. Po kilku latach nieobecności pojechał w odwiedziny do domu, pod Rzeszów. Najpierw jednak zatrzymał się w Krakowie. Poszedł do akademika i znalazł czarnoskórego studenta, którego poprosił, żeby go przez kilka dni uczył angielskiego, ale na wsi. Zapłacił sporą stawkę. Wszedł do domu i powiedział, że jest już taki bogaty, że czarny nosi za nim walizkę. Tę walizkę położył na stół i pokazał swój zbiór jednodolarówek. Rodzinie oko zbielało. W sobotę lokalna straż pożarna budowała podest, bo we wsi miał się odbyć festyn ze zbiórką na nowy wóz strażacki. Włodek kupił wszystkie bilety i powiedział, że on będzie wskazywać, kto ma tańczyć, a kto nie. I kto pije za jego pieniądze. W niedzielę proboszcz powiedział, że szatan przyjechał z Ameryki.

BEATA: Włodek wrócił i niestety zmarł. Był ciężkim alkoholikiem.

MIESZKO: Naszym klientem był również aktor z filmu *Kochaj albo rzuć*. Kupował, ale zwykle się zataczał. Zmarł.

BEATA: Na Manhattan Avenue mieszkała wokalistka znanego w latach sześćdziesiątych duetu Framerowie. Byli małżeństwem. Zofia rozstała się z mężem, przyjechała do córki i została. Nikt nie zdołał jej pomóc.

# Rozdział IX. Trzecia fala

Po wprowadzeniu stanu wojennego w Polsce Greenpoint podnosi się z upadku. A przynajmniej zaludnia. Według oficjalnych danych mieszka tu pięćdziesiąt tysięcy osób polskiego pochodzenia. Według mniej oficjalnych – co najmniej siedemdziesiąt*.

Nowi imigranci ożywiają kościoły oraz zapełniają bary. Na ulicach znów słychać język polski. Proboszczowie parafii Świętego Stanisława Kostki i Świętych Cyryla i Metodego muszą dołożyć kolejne niedzielne msze po polsku. Jest ich teraz na Greenpoincie sześć.

Powstaje jedyny w dzielnicy klub szachowy, w którym ćwiczy dwudziestu zagorzałych młodych szachistów. „Nowy Jork to największe, najbrudniejsze miasto, jakie widziałem, ale czuję się tu jak w domu", mówi Marvine Howe, dziennikarce „New York Timesa", szczęśliwy Tomasz Kosiński, współzałożyciel klubu. W Polsce student czwartego roku studiów inżynieryjnych, tu sprząta biura na Manhattanie.

* Socjolożka Anna Sosnowska przeanalizowała nekrologi ukazujące się w „Greenpoint Gazette" w 1984 roku, dziesięć i dwadzieścia lat później. W 1984 roku większość ogłoszeń dotyczyła zmarłych urodzonych w Ameryce, dziesięć lat później sporadycznie chowano na Greenpoincie urodzonych w Polsce. W 2005 roku byli już oni większością (ze względu na liczbę rodaków przebywających nielegalnie nekrologi są w tej sprawie dokładniejsze niż spisy ludności). W ten sposób z dzielnicy, w której w latach siedemdziesiątych Amerykanie polskiego pochodzenia byli jedną z grup etnicznych, Greenpoint stał się znowu enklawą polskich imigrantów, a ci – najważniejszą grupą w dzielnicy na początku XXI wieku.

Rusza nowa klinika założona przez lekarskie małżeństwo z Polski. Maria i Thaddeus Wilczewscy mieszkają co prawda na Manhattanie, ale zrozumieli, że ich niedoopiekowani klienci są na Greenpoincie. Szczepią dzieci za darmo i odwiedzają pacjentów w domach. Do tej pory lekarze nie świadczyli podobnych usług.

Kiedy Howe przechadza się Manhattan Avenue, stwierdza, że znajduje się w sercu tego, co nazwałaby Polską, tylko małą. „Sklepy ze sznurkami kiełbas, piekarnie z polskim chlebem i babkami, supermarkety z piklami, dżemami i kiszoną kapustą. Kino Chopin, które od czasu do czasu wyświetla polskie filmy. Za rogiem Polonaise Terrace urządza tradycyjne polskie wesela. Restauracja Continental oferuje domową kuchnię polską, wódkę, likier miodowy i muzykę do tańca".

Tygodnik „Greenpoint Gazette", mimo że anglojęzyczny, relacjonuje ważne dla Polonusów wydarzenia społeczne, takie jak coroczny konkurs Miss Polonia w Polskim Domu Narodowym. Biuro Turysta Travel co dwa tygodnie wysyła kontenery z trzynastoma tysiącami kilogramów żywności i odzieży od krewnych i grup kościelnych.

Howe zauważa, że nowi emigranci, zwłaszcza ci zaangażowani w działalność opozycyjną, niespecjalnie integrują się z zasiedziałymi mieszkańcami polskiego pochodzenia. „Walczymy z rzeczami ważniejszymi niż żarty o Polakach" – stwierdza Dariusz Szczepańczyk, działacz nowojorskiego biura chicagowskiej organizacji Pomost*.

Socjologowie, którzy przyglądają się dzielnicy, mówią: oto na starą nakłada się nowa emigracyjna warstwa. Interakcja między nimi jest słaba, ograniczona do kwestii akomodacyjnej, czyli rynku mieszkaniowego. Polscy właściciele domów na Greenpoincie wynajmują je przyjezdnym Polakom. To jest specyfika Greenpointu, który najdłużej w Nowym Jorku broni się przed napływem „kolorowych" i wciąż pozostaje dzielnicą w większości białą.

* M. Howe, *Polish Newcomers Revive Dying Greenpoint Customs*, „The New York Times", 22 czerwca 1984.

Dawne kino Chopin na Greenpoincie

Tak opisuje to Judith DeSena, wychowana na Greenpoincie badaczka relacji społecznych w dzielnicach robotniczych:

> Decyduje wewnętrzna sieć wynajmu i sprzedaży mieszkań. Właściciele budynków udostępniają je wyłącznie osobom poleconym, białym i najchętniej z Polski. W tym języku wiesza się ogłoszenia na witrynach sklepowych. Nikt spoza wąskiej grupy etnicznej nie ma wstępu do Małej Polski*.

Alex:

> Tata walczył w armii Maczka we Francji i po wojnie nie mógł wrócić do rodzinnego miasta na Kresach. Moja mama i jej siostry w ostatnich latach wojny zostały przewiezione do niemieckiego

* J. DeSena, *The Polish Community of Greenpoint, Brooklyn, Then and Now. A View from the Street*, „Polish American Studies" 2019, no. 1.

obozu pracy i były świadkami potwornych okrucieństw. Wszyscy trafili po wojnie do Londynu, próbowali przyjechać do Stanów Zjednoczonych, ale mogli dostać tylko wizy do Argentyny. Rodzice poznali się w Buenos Aires, gdzie pobrali się i założyli drukarnię i delikatesy.

W latach pięćdziesiątych siostry mojej matki przeniosły się do Chicago, a moi rodzice przyjechali do Nowego Jorku, ponieważ mój ojciec miał przyjaciela na Greenpoincie. Podejmowali każdą pracę, jaką mogli dostać. Mama była sprzątaczką w klubie Yale; mój ojciec najpierw sprzedawał pędzle, a potem pracował na torze wyścigowym Aqueduct. Oszczędzali i szybko kupili kamienicę. Odnowili ją i sprzedali z zyskiem. Kupili następną, wyremontowali, sprzedali, aż w końcu, gdy miałem dwa lata, przenieśli nas do ładnego domu w Rockaway Beach. Rodzice wysłali mnie do katolickiej szkoły świętego Franciszka Salezego. Byliśmy pierwszą polską rodziną w okolicy. Ponieważ Rockaway jest nad oceanem, dorastaliśmy na plaży, z piaskiem w butach. Często jednak wracaliśmy na Greenpoint.

Był on zawsze centrum towarzyskim moich rodziców. Mój ojciec należał do klubu weteranów, nie znosił komunistów i był bardzo konserwatywny. W jednej sprawie odpuścił. Miał bliskiego przyjaciela z wojny, który był ukrytym homoseksualistą. Przyjaciel był również bardzo konserwatywny i pomógł wielu ludziom na Greenpoincie. Tata nigdy nie pozwalał na żadną kąśliwą uwagę pod jego adresem.

Pamiętam, jak kiedyś tata został sędzią w konkursie „Miss Polonia" na Greenpoincie. Miał uśmiech na twarzy, kiedy uczestniczki mrugały do niego.

Moi rodzice robili zakupy w polskich piekarniach i sklepach mięsnych na Greenpoincie, a kiedy mama nie miała ochoty gotować, szła po pierogi do kafeterii na Greenpoint Avenue. Teraz w tym miejscu jest restauracja Karczma.

Moje wspomnienia z wczesnych lat to głównie zabawa w McCarren Park; obok stoją rodzice i ich przyjaciele weterani doświadczeni Syberią. A także stroje ludowe, w które rodzice ubierali mojego brata, siostrę i mnie na Paradę Pułaskiego i inne imprezy. Oczywiście irlandzkie dzieciaki wyśmiewały się z nas jak cholera. Pomagało, że Polki na paradzie były znacznie ładniejsze niż irlandzkie dziewczyny w Rockaway.

Ojciec czuł się udręczony żartami o Polakach, zwłaszcza z programu telewizyjnego *Wszyscy w rodzinie*. W tym programie Polacy byli wyłącznie tchórzami i głupkami. Ojciec powtarzał: „STP", był to skrót od „Stop teasing Polacks" [Przestańcie drażnić Polaków]. Kiedy dorastałem, też męczyły mnie irlandzkie dzieciaki i ich żarty. Potem przestałem się niepokoić, kiedy zrozumiałem, że Afroamerykanie, Latynosi i Żydzi spotykali się z większą dyskryminacją niż Polacy.

Podczas studiów nie chodziłem na Greenpoint zbyt często. Potem mój brat George został dyrektorem generalnym Polsko-Słowiańskiej Unii Kredytowej. Miał tytuł MBA na Uniwersytecie Nowojorskim, a imigranci prowadzący tę raczkującą instytucję finansową potrzebowali kogoś, kto rozumiałby amerykański system finansowy. George pomógł przekształcić Unię w profesjonalną organizację spełniającą wytyczne federalne.

George i moja mama byli w stanie znaleźć pracę niektórym emigrantom, którzy przyjechali na Greenpoint w stanie wojennym, albo pomóc zdobyć zieloną kartę. Moja mama szybko zdała sobie sprawę, że wielu uchodźców z „Solidarności" wyjechało z Polski w jednej koszuli na plecach. Znajdowała im nie do końca legalną pracę w domach starców w Rockaway. Irlandczycy w Rockaway nie byli zbyt otwarci na Polaków, ponieważ to była katolicka konkurencja, zwłaszcza po tym, jak Karol Wojtyła został papieżem. Katolickie organizacje charytatywne w Rockaway skupiały się na pomocy irlandzkim imigrantom. Na szczęście Żydzi w Rockaway uznawali Polaków za dobrych pracowników. Moja mama przyjaźniła się z Żydówką imieniem Lilian, która prowadziła thrift, sklep z używaną odzieżą; działał dzięki darowiznom z synagog. Kiedy mama widziała potrzebującego Polaka, kierowała go do „butiku Lilian". Jeśli mówił, że nie ma pieniędzy, uspokajała: „W porządku. Powiedz, że przysłała cię Irena". Lilian ubierała go za darmo.

Kiedy skończyłem studia, Fundacja Kościuszkowska przyznała mi stypendium, które umożliwiło mi naukę w Podyplomowej

Szkole Dziennikarstwa Uniwersytetu Columbia. Potem dwa lata studiowałem na Uniwersytecie Warszawskim. Starałem się dowiedzieć więcej o swoich korzeniach. Wróciłem i moje życie toczyło się na Rockaway, gdzie mieszkałem, i na Manhattanie, gdzie pracowałem.

W 2001 roku nastąpił ciężki okres w moim życiu. Zmarła mama, George umierał na raka, a ja przechodziłem przez trudny rozwód. Wpadłem w depresję. Wydawało mi się, że powrót do domu na Greenpoint będzie miał sens. Zostałem tam dwa lata.

Na Greenpoincie poznałem Zibby'ego Chaleckiego, właściciela klubu nocnego Europa, i szybko się zaprzyjaźniliśmy. Europa była wspaniałym miejscem, a Zibby poznawał mnie z artystami, muzykami i ciekawymi ludźmi. Grał tam mój znajomy Staszek Sojka. Nawet konsul generalna przychodziła do klubu Europa.

Zibby pocieszał mnie, przedstawiając kobietom. Przekonywał, że wszystko będzie dobrze. W biurze trzymał stołek barowy zarezerwowany dla mnie, gdybym wpadł. Kiedyś wszedłem i Mariusz Czerkawski, hokeista, siedział na tym stołku. Wyglądał na smutnego, bo też się rozwiódł. „Mariusz, to jest Alex – powiedział Zibby. – Rozwodzi się, a zobacz, jaki jest szczęśliwy".

Teraz nie jeżdżę często na Greenpoint, bo mieszkam zbyt daleko. Ale kiedy już to robię, uwielbiam chodzić do restauracji Karczma, bo mają najlepszy żurek w chlebie i prawdziwy polski pilzner. Zawsze kupuję wędliny i kiełbasę, a także prawdziwy chleb żytni.

Zawsze czuję ciepło, gdy słyszę język polski w Nowym Jorku, ponieważ przypomina mi moje dzieciństwo. A Greenpoint wypełnia tę pustkę.

## Basen

Tradycyjną, robotniczą, amerykańską, amerykańsko-polską, irlandzką i włoską aktywną społeczność reprezentuje „Greenpoint Gazette", założona w 1971 roku. Redaktorami są Adelle Haines, jej córka i Ralph Carrano, który przez pewien czas łączy redagowanie z prowadzeniem taksówki. „Greenpoint Gazette" jest niechętna kolorowym mniejszościom i traktuje je jak zagrożenie. Toleruje nowych z Polski, ponieważ są biali i równie sceptyczni wobec ludzi o innym kolorze skóry, choć jednocześnie publikuje listy do redakcji, z których wynika, że polscy imigranci piją i sikają w publicznych parkach.

W 1984 roku starzy greenpointczycy protestują przeciwko miejskim planom odbudowy wielkiego basenu w parku McCarrena. Basen był chlubą Greenpointu, otworzyli go w 1936 roku z wielką pompą Pete McGuinness z Robertem Mosesem i burmistrzem Fiorello La Guardią. Trzy razy większy niż basen olimpijski, przyciągał tysiące chętnych. W latach osiemdziesiątych nie było już w nim wody i popadał w ruinę. Zamknięto go na początku 1984 roku, a greenpointczycy nie życzyli sobie, by został ponownie otwarty. „»Greenpoint Gazette« wyjaśniała, że teren stał się siedliskiem narkomanów, chuliganów i zaniedbanych dzieci. Gazeta unikała określeń rasowych, ale można się było domyślić, że chodzi o młodzież portorykańską i czarną z sąsiednich dzielnic. Gazeta kojarzyła wizyty tych grup z przestępczością. »Mieszkańcy nie korzystają z tego basenu, uważamy, że odbudowa to kompletna strata pieniędzy, jako że trzeba będzie mu zapewnić dwudziestoczterogodzinną ochronę, a nasza lokalna policja nie jest w stanie jej zapewnić, bo ma za mało zatrudnionych. Bardzo szybko problemy, które mamy teraz, czyli handel narkotykami, przestępczość nieletnich, pojawią się znowu, tak jak to się dzieje na basenie Betsy Head w dzielnicy Bed-Stuy«”*.

Andrzej:

> Zanim trafiłem do Centrum i Polsko-Słowiańskiej Federalnej Unii Kredytowej, obalałem komunę jako członek chicagowskiej organizacji Pomost. Potem zamieszkałem u Bizona na Greenpoincie. Skierowali mnie tam moi starsi znajomi.

* A. Sosnowska, *Polski Greenpoint a Nowy Jork. Gentryfikacja, stosunki etniczne i imigrancki rynek pracy na przełomie* XX *i* XXI *wieku*, Warszawa 2016, s. 85. Spory wokół przyszłości basenu w parku McCarrena trwały dziesięć lat, a przez następną dekadę zbierano fundusze. W 2005 roku teren zaczął służyć jako miejska scena koncertowa. W 2012 otwarto odnowioną część basenową.

Bizona poznali w obozie przejściowym w Wiedniu. Powiedzieli, że mogę się u niego zatrzymać i zacząć rozkręcać Pomost w Nowym Jorku. Bizon był znanym polskim hippisem, a znajomi akurat też hippisowali. Był azylantem, dostał zasiłek i lokal na ulicy Eckford za Domem Narodowym. W porównaniu z Chicago, gdzie tętniło polskie życie, Greenpoint to było smutne zadupie.

U Bizona trwała niekończąca się prywatka. Siedziało się, piło i rozmawiało o polskiej polityce. Fajne dziewczyny przychodziły, pojawiali się coraz to nowi emigranci polityczni. Poznałem mojego późniejszego wspólnika.

Ja o Polsce niewiele wiedziałem, wyjechałem w wieku trzynastu lat. Nawet po polsku gorzej mówiłem, bo w Chicago poszedłem do amerykańskiej szkoły, a potem na studia. W tę politykę to wszedłem płytko. Pamiętam, że Bizon lubił KOR, a inni KPN.

Nie tylko gadaliśmy. W każdy weekend organizowaliśmy demonstracje pod polskim konsulatem. Przychodziło na nie pięć, sześć osób, czyli my. Kongres Polonii Amerykańskiej nie uczestniczył w naszych protestach, oni uważali, że jesteśmy rozrabiakami. My myśleliśmy z kolei, że oni są przeżarci przez komunistyczną agenturę. Jeździli do Polski, to było dla nas nie do przyjęcia.

Ale raz, w 1985 roku, zorganizowaliśmy demonstrację na Piątej Alei na Manhattanie. Odbyło się to z okazji wizyty Wojciecha Jaruzelskiego. Nasz kolega Jasiu był superem w wielkiej kamienicy, wpuścił mnie, Bizona i jeszcze jednego kolegę, żebyśmy mogli wywiesić w oknie wielką flagę „Solidarności". Przyszło kilka tysięcy osób, tym razem także z KPA. Z Chicago przyjechał Krzysiek, współzałożyciel Pomostu. Ludzie z KPA nie znosili go, bo rozkręcał konkurencyjną organizację. Ktoś z Kongresu podszedł do mnie i poprosił, żebym coś powiedział na tej demonstracji i żeby Krzysiek nie przemawiał. Wziąłem mikrofon, przywitałem się i podałem mikrofon Krzyśkowi. Był świetnym mówcą, ja żadnym. Takie były nasze relacje ze starymi emigrantami.

Byłem dla Bizona i kolegów dość atrakcyjnym towarzystwem, bo miałem samochód i znałem angielski. Mogłem załatwiać permity na te demonstracje, czyli zgody. Trzeba było zgłosić demonstrację na policji, żeby dla bezpieczeństwa przyjechał radiowóz, i jeszcze loud speaker permit [pozwolenie na użycie nagłośnienia]. Po demonstracji chodziliśmy po knajpach na Manhattanie, bo na Greenpoincie knajp dla młodych nie było.

Nie bardzo miałem gdzie pracować ze względu na recesję. Przyjąłem się do Centrum Polsko-Słowiańskiego. Wzięli mnie, bo mówiłem po angielsku. Jeśli ktoś znał w Nowym Jorku angielski, to się w ogóle nie pytali, czy ma właściwe dokumenty, czy nie ma. Kiedyś przyjechał kolega na australijskim paszporcie. Jak się szefowie Centrum dowiedzieli, że zna angielski, to też go zatrudnili.

Zostałem pracownikiem socjalnym obsługującym nowo przybyłych. Komitet Imigracyjny, który Barbara Wierzbiańska prowadziła w Domu Żołnierza przy Irving Place na Manhattanie, przysyłał ich do nas. Próbowaliśmy znajdować im mieszkania, dawaliśmy cynk o pracy. Chodziliśmy do urzędu miasta załatwiać ich sprawy i sprawy całego Centrum.

W tych urzędach pracowali wtedy sami Murzyni. Ja: młody, biały, widziałem, jak na mnie patrzyli. Ogólnie mówiąc – źle. Nic nie szło załatwić, Murzyni nie chcieli się dzielić socjalną kasą z Polakami. Jak się jest pracownikiem socjalnym, to w pierwszym roku chcesz ludziom nieba przychylić, w drugim petenci zaczynają cię irytować, a jeszcze za rok tobyś się w biurze zamknął od środka i nikogo nie wpuszczał.

Zrezygnowałem z tej pracy, bo zahaczył mnie jeden mały polski Żyd z Williamsburga. Handlował futrami i projektami futer po całym Manhattanie. Powiedział: „Ja mam dla ciebie propozycję. Jadę teraz do Europy na pół roku i potrzebuję kogoś, żeby pojechał ze mną i sprzedawał te futra". Nudno było w tej Unii, więc pojechałem podbijać Europę.

O Jezu, co to był za wyjazd, fiasko jedno wielkie. Chodziliśmy z wielkim kufrem. On wchodził do sklepu, otwierał kufer z futrem, ubierał w futro ekspedientkę i czarował. Jak się nie udało, to następnego dnia ja z tym kufrem szedłem do tego samego sklepu. Ale to nie pomagało. Zaczęliśmy w Paryżu, skończyliśmy pół roku później w Wiedniu.

Nie wiem, jak ja się mogłem nie wstydzić. Młody byłem.

Wróciłem na Greenpoint i mniej więcej wtedy poznałem Fredka, który zamykał akurat dom pogrzebowy na Manhattan Avenue. Polacy mniej umierali albo umierali na Florydzie, albo na Jackson Heights, bo każdy z Greenpointu jak tylko mógł, to się tam wyprowadzał. Kiedy potem poznałem moją żonę, też chcieliśmy się tam przeprowadzić, ale się nie udało. Teraz Jackson Heights to dzielnica hinduska, drugie hinduskie miasto po New Delhi, współczuję.

Do Fredka należał cały dom, więc się martwił, że popadnie w ruinę. Powiedziałem mu, że chcemy urządzić polonijny klub młodzieżowej organizacji Pomost. Wynajął nam dawny zakład, Manhattan Avenue, róg Java. Powiedział: lokal z przodu macie za darmo, czynsz będziecie płacić tylko za mieszkanie na tyłach.

Otworzyliśmy więc z kolegą klub organizacji Pomost w Nowym Jorku. Urządzaliśmy odczyty, koncerty i dyskusje, które miały na celu obalanie komunizmu. W weekend było ciemno od papierosów. Z tyłu był bar jak za prohibicji, bez żadnego zezwolenia na sprzedaż alkoholu. Wóda się lała strumieniami, takie było zapotrzebowanie. Jak ja stałem za barem, to zawsze było manko. Dopiero jak poznałem moją przyszłą żonę, to ona zaczęła podliczać i się zgadzało. W tygodniu ludzie przychodzili po pracy, bo byli samotni. Napić się, zapytać, co się dzieje, co w Polsce. Poobalać komunę po pracy.

Dlaczego nikt na nas nie doniósł?

Bo sąsiedzi, starzy Polonusi, byli przeszczęśliwi, że się tam zagnieździliśmy. Że to my, a nie Portorykanie. Że jest bezpiecznie. Wcześniej cuda się tam odbywały. Żeby odbić kawał ulicy od Portorykańczyków na Manhattan Avenue, przyjechała banda Polaków aż z New Jersey. Pięćdziesiąt osób z pałami. Więc teraz właściciele domów byli wdzięczni. Raz jedyny jakiś landlord podszedł do nas w poniedziałek: słuchaj, wczoraj za głośno było. A tak – to nic.

Kiedyś przyszli do mnie znajomi i mówią, żebym startował do rady dyrektorów w Unii. Żeby ludzie, których oni nie lubią, nie weszli. Rada dyrektorów to rada nadzorcza, jest w niej dziewięć osób wybieranych na zebraniu walnym. Każdy może głosować. Zabrałem sto pięćdziesiąt chłopa z klubu Pomostu, oni na mnie zagłosowali i zostałem w tej radzie.

Tak trafiłem do gniazda żmij, można powiedzieć. Choć oficjalnie do komisji pożyczkowej, która była ważniejsza niż sami dyrektorzy, bo przyjmowała wnioski na pożyczki. Teoretycznie żeby ubiegać się o kredyt, musiałeś być Słowianinem i trzy miesiące członkiem Centrum Polsko-Słowiańskiego.

Teoretycznie.

Największą pożyczkę dostał chasydzki Żyd, który do Centrum zapisał się dzień wcześniej – dwieście tysięcy dolarów. Dla porównania: zarabiałem wtedy dwanaście tysięcy dolarów rocznie. On dostał, bo pochodził z Polski, miał bardzo dobre chody w mieście i potrafił rozmawiać z urzędnikami, żeby dali pieniądze na program socjalny.

Żydzi w organizacjach na okrągło piszą programy i wszystko mają.

Czytałem to, co on napisał, i oczom nie mogłem uwierzyć. Wiesz, ja historii Polski za bardzo nie znałem. Ale jak to przeczytałem, to ją poznałem, tak ten Żyd ładnie i wzruszająco napisał. On tak to napisał, że sam dyrektor nie mógł uwierzyć, że Żyd mógł napisać o Polakach tak pięknie.

Poszliśmy do miasta, dostaliśmy program, sto tysięcy za rok.

Najdziwniejszy wniosek wpłynął od człowieka, który chciał kupić dwanaście shrimpowców, czyli statków łowiących krewetki. Nie pamiętam, czy daliśmy mu, czy nie.

Dlaczego mówię „gniazdo żmij"?

Bo się wszyscy nawzajem oskarżali o złodziejstwo. I o agenturę. A potem wytaczali sprawy sądowe przeciwko sobie. Jak się ważni członkowie Unii podają do sądu, to Unia za to płaci. Za procesy sądowe. Kilka razy rząd federalny odsunął dyrektorów i z Waszyngtonu przysłał urzędników. Polacy kłócili się dalej. Odsunęli Tołczyka, bo mówili, że kradł. OK. Ci, co go obalili, weszli na jego miejsce i od razu następni chcieli ich obalić. Mój kolega był zaraz po Tołczyku. Było mu trudniej, bo nie znał angielskiego.

Za naszych czasów mówiło się, że dyrektorzy przyznają sobie pożyczkę w wysokości miliona dolarów, żeby inwestować na giełdzie. Jeżeli giełda zwyżkuje, to oddają milion do Unii, a zyski zostają w ich kieszeni i kieszeniach giełdowych doradców. Jak giełda idzie w dół, to się mówi, że Unia zrobiła zły investment.

W tej komisji pożyczkowej pracowałem razem z jedną panią. Nie miała skończonych studiów, więc ją chcieli odsunąć, ale powiedziała, że ma takie papiery, że jak je ujawni, to cała Unia pójdzie siedzieć. Kiedyś kolega przyniósł dokumenty, z których wynikało, że jedna z ważnych osób wpłaciła na swoje konto zyski z obrotu finansami unijnymi. Któryś z brokerów pomylił się, wysyłając potwierdzenie na wpłatę sześćdziesięciu pięciu tysięcy dolarów. „Co ja mam z tym zrobić?" – zapytał kolega przerażony. „Trzymaj te papiery, mogą ci się przydać".

I taka była atmosfera. Wytrzymałem tam trzy miesiące.

Starałem się dobrze żyć ze wszystkimi. Dalej razem ze wspólnikiem zajmowaliśmy się klubem. Po kilku miesiącach Fredek powiedział, że potrzebuje gotówki i będzie sprzedawał dom. Postanowiliśmy ze wspólnikiem kupić go na spółkę. Potrzeba nam było dwadzieścia tysięcy dolarów własnego wkładu. Wtedy mielibyśmy szanse na pożyczkę z Unii. Mieliśmy ze wspólnikiem po pięćset. Wiesz, co zrobiliśmy? Poprosiliśmy naszych klientów, żeby nam pożyczyli. I każdy dał, ile miał, zebraliśmy całą sumę. Dostaliśmy sześćdziesiąt tysięcy pożyczki od Unii, kupiliśmy cały budynek, klub działał.

Wynajęliśmy to mieszkanie z tyłu budynku i mieliśmy pieniądze z rentu. Mogliśmy sprowadzać zespoły z Polski. Potem otworzyliśmy księgarnię, żeby sprzedawać książki. Przede wszystkim te o obalaniu komunizmu.

Rok później recesja się skończyła i okazało się, że nasz dom jest warty dwieście tysięcy dolarów. Szybko zrewaloryzowaliśmy nasz kredyt i wzięliśmy pożyczkę na następny dom. W dwa lata kupiliśmy cztery domy na Greenpoincie. Sześciorodzinne, zamieszkane przez Portoryków na zasiłkach. Trudni lokatorzy, nie można było ich legalnie wyrzucić, nawet jeśli ci zniszczyli mieszkanie. Miesiącami negocjowaliśmy z nimi, podpłacaliśmy, żeby się wyprowadzili.

Na Greenpoint ciągle przyjeżdżali nowi Polacy i prosili się o mieszkania. Właściwie o miejsce do spania: panie, tylko kącik.

Wspólnik jeździł po Nowym Jorku i szukał tanich materacy, także na śmietnikach. Nazywaliśmy go królem materacy.

My byliśmy detalistami, ale mieliśmy znajomego, który w piwnicy miał szesnaście piętrowych łóżek. Mieszkały w tej piwnicy trzydzieści dwie osoby. Jak pierwsza zmiana wstawała do pracy, to druga zmiana się kładła. A znajoma babka na Bedfordzie miała kilkanaście domów. Byłem kiedyś u niej, jak lokator przyszedł zapłacić za łóżko. Ona otwierała wielki zeszyt. „Adres?" Pod każdym adresem miała rozrysowane piętra i łóżka. Odhaczała, facet wychodził.

Oczywiście, że mieliśmy przypadki, że facet nie płacił, tylko najpierw kręcił, a potem znikał z materacem. Ale ogólnie lokatorom nie opłacało się oszukiwać. Wszyscy byli nielegalnie, panicznie bali się policji.

Chcesz więcej wiedzieć o artystach, którzy występowali w naszym klubie? Artyści z Polski to był koszmar. Zupełnie nawiedzeni. Najgorszy z nich to był Jacek Kaczmarski. Ja jego piosenki uwielbiałem, ale człowiek był z niego wredny. Wredny, nieodpowiedzialny pijak. Jak go nie znasz, myślisz, że do rany przyłóż. Ale myśmy z nim mieszkali i obwoziliśmy go po Stanach i Kanadzie. Załatwialiśmy mieszkania w domach, bo ludzie chcieli dotknąć sławnego człowieka. Co on wyprawiał, to gospodarze płakali, żeby im go z domu zabrać. Ilu ludziom żony przeleciał po pijaku, to tylko on wie. Jedyny artysta na poziomie to był Andrzej Zaorski.

Taką anegdotkę opowiem, jak z Andrzejem Zaorskim pojechaliśmy do klubu Scorpio's w New Jersey. Polonijny klub, nikt więcej tam nie przychodził. Wchodzimy, siadamy, a tam na scenę wychodzi Maryla Rodowicz. Jak Andrzeja zobaczyła, to zbladła. Bo w Polsce chyba mówiła, że na jakieś tournée po USA wyruszyła.

Zanim zrobiliśmy pieniądze na domach, zrobiliśmy je na polskich gazetach. Zaczęło się od Chicago, gdzie nasza organizacja wydawała gazetę „Rewia", chociaż nikt nie wiedział, że to my, bo my byliśmy od obalania komunizmu. Kolega był naczelnym, dziennikarzem i wydawcą. Sam pisał wszystkie teksty, to znaczy wszystkie plotki i porady. W *Doktor doradza* był lekarzem. Wcielał się też w seksuologa, który odpowiadał na listy. Zdjęcia specjalistów braliśmy z nagrobków na cmentarzu. Wybieraliśmy stare, żeby się rodzina nie połapała.

I kolega kiedyś zadzwonił: „Hej, wy też macie sklepy na Greenpoincie. Weźcie ode mnie tę gazetę. Kosztuje pięćdziesiąt centów, zyskiem dzielimy się po połowie". „Rewia" to był sukces. Sprzedawaliśmy po kilkanaście tysięcy. Potem był jeszcze miesięcznik „Kobieta". Też ze zdjęciami z nagrobków.

Pamiętam, że jak te gazety zaczęły się sprzedawać, to musieliśmy kupić wielki sejf, bo zbieraliśmy gotówkę, której nie mieliśmy gdzie upychać. Dwieście tysięcy dolarów tam trzymaliśmy, sejf się nie domykał. Zarobiliśmy ze dwa miliony w ciągu roku, może półtora.

Kiedy komuna zaczęła padać, sprowadzaliśmy gazety i pisma z Polski. Te chicagowskie przestały być atrakcyjne. „Tygodnik Solidarność" się dobrze sprzedawał. Pojechałem do Polski, żeby spotkać się z redaktorami: chcieli sto tysięcy dolarów za wyłączność na Stany Zjednoczone i miejsce w zarządzie dla mnie. Po cholerę mi było to miejsce?

W pewnym okresie myśmy byli klientem numer jeden całego LOT-u, tyle tych gazet i książek sprowadzaliśmy. Parę ton tygodniowo.

Wiesz, jakie pismo okazało się największym hitem? Tygodnik „Nie" Jerzego Urbana. Myśmy go nie wzięli do dystrybucji, bo to, co on pisał, było przeciwne wszystkiemu, co było dla nas ważne. Ale znalazł się gość, co wziął ten szmatławiec. Conrad Lowell. Spotkał się z Urbanem i Urban pozwolił mu tę gazetę rozprowadzać. Ten Conrad przyszedł do nas i zapytał, gdzie my dajemy nasze gazety. Potem poszedł do wszystkich stu osiemdziesięciu punktów na Wschodnim Wybrzeżu, które mieliśmy, i wstawił tam „Nie". Okazało się, że ludzie to kochają.

Lowell zaczął też sprowadzać „Playboya", wkrótce stał się naszą największą konkurencją. Potem wszedł w żywność z Polski. My nigdy nie chcieliśmy wchodzić w żywność, bo sprowadzał ją na Greenpoint Adamba, czyli Adam Bąk. Myśmy z nim dobrze żyli, lubiliśmy go. Lowell wszedł i go podkopał.

Co się jeszcze sprzedawało?

Kasety z muzyką z Polski. Kolega miał sklep Musicrama na Greenpoincie. Przegrywał płyty polskich zespołów na kasety i rozprowadzał wśród Polonii. Wcześniej nic takiego nie było. Jeździł na polonijne jarmarki i handlował: Lady Pank, Maanam, Grechuta, co tylko wymienisz, to miał. Sprzedawaliśmy setki tych kaset u nas w księgarni i w klubie, kolega zrobił na tym gigantyczne pieniądze.

Prawa autorskie? O niczym takim się nie słyszało. Kolega zaczął się potem nazywać Mick i podpisał umowę z nieznanym zespołem z Brazylii. Powiedział temu zespołowi, że go będzie reprezentował w USA. Wylansował tę grupę, zarobił, sprzedał prawa za pięćdziesiąt milionów i poszedł w długą. Takie są plotki.

Spotkałem niedawno innego kolegę, Jaśka. Garbusek na niego mówiliśmy, bo miał garba, był jubilerem na Manhattan Avenue. Garbusek powiedział, że ten chłopak od zespołów kupił shopping mall na wyspie Bonaire, przy Wenezueli. Tylko że my z żoną byliśmy na Bonaire na jakimś kruzie, szukaliśmy shopping malla i nie znaleźliśmy. Podobno – to też wiadomość od Garbuska – mają jeszcze kilkanaście domów na Greenpoincie.

Pomost rozpadł się mniej więcej w połowie lat osiemdziesiątych. Podzielił się, stracił znaczenie; ubecy nam pomogli. Ci najbardziej charyzmatyczni liderzy, okazało się, pracowali dla komunistów. Księgarnia zaczęła podupadać.

Gdzieś od roku 1990 zaczęliśmy powoli zajmować się domami, kupowaniem i sprzedawaniem. Przebicie było takie, że na jednym domu można było zarobić nawet pół miliona dolarów. Do 2008 roku obróciliśmy kilkunastoma domami, a potem kupowaliśmy ośrodki wczasowe. Dzieci poszły na studia, wynieśliśmy się na Florydę.

Chciałbym powiedzieć, że Polacy jacy są, tacy są, ale można na nich dobrze zarobić.

## Bambo

W czerwcu 1984 roku oficer wywiadu PRL w Nowym Jorku, pseudonim Hok, odwiedza hurtownię spożywczą na Greenpoincie. Prowadzi ją znajomy biznesmen Adam Bąk*. Rozmawiają, kiedy puka znany Hokowi z widzenia Amerykanin. Wita się z Bąkiem, przedstawia: Henderson, pyta o zdrowie, pogodę i zaraz wychodzi. Już w swoim nowojorskim biurze, pochylony nad codziennym raportem, Hok uświadamia sobie, że Henderson to najprawdopodobniej agent FBI i być może właśnie go rozpracowuje, podobnie jak jego kolegów z konsulatu. Bąk jest więc ogniwem dłuższego łańcucha.

Podnosi słuchawkę i próbuje się dodzwonić do Warszawy.

Chwilę potem Bąk, w Stanach od 1970 roku, otrzymuje w warszawskiej centrali pseudonim Bambo i staje się obiektem jej zainteresowania. A dokładniej starszego inspektora Tadeusza Tyszkiewicza z Departamentu I MSW w Warszawie.

Na początek zleca on Hokowi podtrzymanie przyjaźni z Bambo, a także ustalenie, jakie dokładnie więzy łączą go z Hendersonem. W skrócie: nawiązanie z Bambo współpracy wywiadowczej. Hok jeszcze częściej go odwiedza.

Okazuje się, że Amerykanin przychodzi regularnie, pyta, co u Bąka, i przyjmuje prezenty. Najczęściej wódkę, choć powtarza, że mu nie wolno. Bąk obdarowuje Hendersona, aby mieć święty spokój i nie narażać się na komplikacje.

Następny etap pozyskania Bambo do współpracy odbywa się w Warszawie. Bambo zwierza się Hokowi, że wybiera się do Polski na rozmowy biznesowe z firmą Agros. Inspektor Tyszkiewicz chciałby, by do Bambo zgłosił się oficer udający pracownika Ministerstwa Handlu Zagranicznego, nadzorującego wymianę handlową między PRL a USA. Jeśli Bambo zareaguje pozytywnie, ma zostać zaproszony do kawiarni, a następnie do pokoju w hotelu Victoria na zasadniczą rozmowę o tym, czy pracuje dla FBI i co może zrobić dla Polski. Jeśli Bambo okaże się niechętny do rozmowy, należy podsunąć argument, że dziewięćdziesiąt procent jego handlu pochodzi z Polski, tak więc zainwestowane fundusze mogą

* IPN BU 02071/68.

przepaść, a o kłopoty nietrudno. Nie mówiąc o tym, że Bambo może nie uzyskać wizy wjazdowej. Oficera ostrzeżono, że Bambo ma zadawniony uraz do SB, ponieważ jego ojciec został aresztowany za przestępstwa gospodarcze.

Bambo umawia się w kawiarni.

Podkreśla nawet, że jest zadowolony z nawiązania znajomości, gdyż może to pomóc jego interesom. Potwierdza, że jest odwiedzany przez FBI, i zgadza się na następne spotkanie, to w hotelu Victoria. Wyjawia, że jego kontakty z amerykańskimi służbami trwają od dwóch lat. Przychodzi dwóch: obaj wysocy, szczupli, elegancko ubrani, bez znaków szczególnych. Przedmiotem zainteresowania FBI są pracownicy polskich placówek w Nowym Jorku, w tym Hok. Pytają Bąka, o czym rozmawia z Hokiem i czy Hok czasami nie zachowuje się dziwnie.

Przedsiębiorca zastrzega, że nie chciałby zbyt wiele mówić, a szczególnie nie chciałby przekraczać pewnej granicy w kontaktach z SB; zgadza się na spotkania przy okazji kolejnych wizyt w Polsce.

Dwa lata później Bambo sam przejmuje inicjatywę i zwierza się inspektorowi z problemów związanych z polskimi kontrahentami. Krytykuje tasiemcową biurokrację, która utrudnia rozpoczęcie hodowli zwierząt futerkowych. Dodaje także, że kontakty z przedstawicielstwami polskimi w Nowym Jorku są frustrujące. Wskazuje na nie zawsze wystarczające merytoryczne przygotowanie do pracy na trudnym i wymagającym rynku amerykańskim. Wymienia Janusza Florczaka z Hortexu, który oprócz niedomagań natury językowej prawdopodobnie z racji wieku potrafi zasnąć w trakcie negocjacji handlowych.

Niedługo po tej rozmowie inspektor Tyszkiewicz wnioskuje o złożenie sprawy Bambo do archiwum jako niewnoszącej więcej do obrazu relacji FBI z oficerami polskiego wywiadu. Gdyby znów okazał się pomocny, będzie można po niego sięgnąć. Zwłaszcza że Bambo wyznał, że kontaktów z polskim wywiadem wcale się nie wstydzi. Jego interesy pozostają nienaruszone.

Trzydzieści lat później Adam Bąk jest jednym z najzamożniejszych Polaków w Nowym Jorku. Prowadzi fundację swojego imienia. We wrześniu 2016 roku zostaje powołany przez marszałka senatu Stanisława Karczewskiego do szesnastoosobowej Polonijnej Rady Konsultacyjnej, której zadaniem jest opiniowanie działań rządu i prezydenta dotyczących Polonii i Polaków za granicą.

Pytanie, czy Adam Bąk współpracował z tajnymi służbami (rozmawiał z oficerami wywiadu), czy też nie współpracował (odmówił podpisania zobowiązania), będzie po latach przedmiotem dyskusji wśród wrażliwych na infiltrację emigrantów.

Krótko po nominacji Bąka polonijny działacz lustracyjny Marek Ciesielczyk publikuje w sieci część dokumentów z zasobów IPN z komentarzem, że Bąk współpracował z tajnymi służbami. Fakt ten uruchamia lawinę wzajemnych oskarżeń o współpracę wśród mieszkańców Greenpointu żyjących tu przed rokiem 1989. Ponieważ skala inwigilacji Polonii wciąż pozostaje niezbadana, kontakty ze służbami są tematem zapalnym.

W obronie Adama Bąka występuje Edward Dusza, poeta, dziennikarz, działacz solidarnościowy, członek organizacji Pomost, również zapalony lustrator. Sugeruje, że Ciesielczyk nie ma kompetencji, w tym moralnych, do osądzania innych, ponieważ rezydując w Niemczech, dopuszczał się przemocy wobec byłej żony oraz uprowadził córkę. Ciesielczyk odpowiada, że Dusza broni Bąka, ponieważ korzystał z pomocy finansowej przedsiębiorcy, oraz, co ważniejsze, w 1989 roku sam spotykał się potajemnie z rezydentami komunistycznych służb w Chicago. Na to Dusza przypomina, że podczas swego pobytu w Ameryce Południowej Ciesielczyk próbował nawiązać kontakt z przebywającym tam wtedy Bąkiem. Dusza jest przekonany, że Ciesielczyk miał nadzieję na kasę fundacji Bąka. Nie zdobył jednak zaufania filantropa, nie dostał ani grosza, więc teraz się mści.

Zaufanie Adama Bąka zdobył natomiast historyk Sławomir Cenckiewicz, który od kilkunastu lat zapowiada książkę o inwigilacji środowiska emigracyjnego. Fundacja Bąka, podobnie jak Fundacja Kościuszkowska, w której radzie zasiadał Adam Bąk, przyznała Cenckiewiczowi tysiące dolarów wsparcia. Książka jeszcze nie powstała.

W 2018 roku Bąk rezygnuje z członkostwa w Polonijnej Radzie Konsultacyjnej, uzasadniając swą decyzję bezczynnością rządu.

## Na stanowiska

Longin Tołczyk, ksiądz aktywista, marzył o tym, by na emigracji powstała organizacja, która wspierałaby Polonusów startujących na stanowiska miejskie, stanowe, a nawet federalne.

> Tu, na Greenpoincie, był kiedyś polski klub Partii Republikańskiej o dużej prężności. Dziś ktokolwiek życiem politycznym w naszej dzielnicy się interesuje, słyszy tylko nazwisko znanego chirurga, doktora Leona Nadrowskiego, który kilkakrotnie bezskutecznie ubiegał się o różne urzędy z wyboru. Na ulicy Java do dziś istnieje także siedziba klubu Partii Demokratycznej, Smolenski Democratic Club. Przechodząc kiedyś wieczorem, miałem możność zaobserwowania, że klub ten nie służy już akcji politycznej, lecz stał się zwykłym barem, w którym – w kłębach cygarowego dymu – siedzą zawsze ci sami, zgnuśniali bywalcy. Na dobitkę Polonia nie ma w tym klubie żadnego głosu i znaczenia: prezesem jest Włoch*.

Problem braku reprezentacji w demokratycznych strukturach pozostaje nierozwiązany również w 1993 roku, kiedy Barbara Kulikowska z ulicy Nassau zakłada „Greenpoinckiego Orła" – „Greenpoint Eagle", nową gazetę. Credo „Orła" głosi, że będzie on przeciwwagą dla liberalnego „Nowego Dziennika" i będzie pisał prawdę, nawet niewygodną, w tym o mafijno-ubeckich powiązaniach polskiej elity, oraz stanie się zapleczem dla młodej, rodzącej się klasy polityków amerykańskich polskiego pochodzenia.

W październiku 1993 roku Rudolph Giuliani, kandydat na burmistrza, wziął udział w dorocznej Paradzie Pułaskiego na Piątej Alei, a następnie entuzjastycznie rozmawiał z panią Kulikowski. Odrzucił zarzuty kontrkandydata o otaczanie się faszyzującymi doradcami, a następnie pochwalił Polskę i paradę. „To najwspanialsza na świecie demonstracja polskiej solidarności i jedności. Wyobraźcie sobie: maszeruje sto tysięcy, a dalsze pięćset wiwatuje. To piękny hołd dla polskiej bogatej historii i pracowitości, determinacji, odpowiedzialności. I święto dla wolnej Polski".

* L. Tołczyk, *W obronie Polonii*, t. 2, Chicago 1988, s. 482.

Panorama Manhattanu z wybrzeża Greenpointu, lata 90.

Słowa Giulianiego znalazły się na pierwszej stronie „Orła", a Barbara Kulikowska zapowiadała:

> Nasze nadzieje pokładamy w nowojorskim establishmencie politycznym, a zwłaszcza w takich politykach, jakimi są Kenneth K. Fisher, kongresmen, Howard Golden, prezydent okręgu, Joseph Lentol – reprezentant dzielnicy w Albany, stolicy stanu. Nawiążemy ścisłą współpracę z Rudolphem Giulianim – burmistrzem.
>
> W oparciu o bardzo przychylnych nam wyżej wymienionych polityków wylansujemy nowych ludzi, którzy godnie będą reprezentować naszą grupę etniczną.
>
> Wyłomu już dokonał pierwszy raz w historii p. Darek Kulikowski, reprezentant dzielnicy w radzie miasta i przewodniczący Klubu Młodych Demokratów na Greenpoincie [oraz krewny wydawczyni – przyp. autor.].
>
> Będziemy szukać nowych ludzi. Damy im na łamach naszego „Orła" jak największą reklamę i poparcie. Udowodnimy, że takich pośród nas jest wielu, z odpowiednim wykształceniem, z odpowiednim charakterem, z politycznym obyciem i możliwościami, których nie zaprzepaszczą.
>
> To oni spowodują, że przestanie się o Polakach mówić w tonie lekkiej pogardy. Postaramy się zerwać z opinią o nas jako o grupie wyjątkowych nieudaczników, którym nic nie wychodzi, a którzy mają za to pretensje do połowy świata.
>
> Będziemy powoli prostować nasze grzbiety – bośmy wcale nie gorsi od innych, a przy tym pracowici jak mało kto.
>
> [...] Dotrzemy na sam waszyngtoński Kapitol, aby poruszyć sprawę tzw. loterii wizowych, ażeby przedstawić nasze sugestie co do „zasiedziałych turystów", zawieszonych w próżni bez szansy na wyregulowanie swojego statusu, bez szans na normalne życie i egzystencję w najbardziej demokratycznym kraju świata*.

„Greenpoincki Orzeł" padł po pięciu wydanych numerach.

* *Nasze credo*, „Greenpoint Eagle", 1 stycznia 1994.

Anna Pająk:

Jestem w Ameryce od kilku lat. Niestety moje doświadczenie jest bardzo przykre, kiedy tylko spotkałam Polaków, to mi tylko przeszkadzali. Zwyczajnie pierwszą moją pracę zabrała mi Polka za niższe wynagrodzenie. Sprawy pobytowe mogłam załatwić łatwiej, ale radzili mi Polacy, ba, nawet pobierali za to pieniądze, w ostateczności nie tylko nie dostałam pobytu, ale straciłam prawo do ubiegania się o to, bo w mojej sprawie nikt nie zwracał uwagi na obowiązujące przepisy.

Wpadła mi do ręki gazeta „Greenpoint Eagle", a w niej ogłoszenie Kennetha Fishera, członka City Council, aby pisać do niego we wszystkich sprawach. Napisałam.

Natychmiast wyznaczono mi spotkanie w biurze Kennetha Fishera, 16 Court Street 15th floor, zapewniono mnie, że będzie tam Polak, który pomoże mi tłumaczyć, gdyż mój angielski nie jest dobry. Ku memu zdumieniu spotkałam młodego, uśmiechniętego Polaka Darka Barcikowskiego, Community Representative (mam jego wizytówkę), który powiedział, że jest tu po to, żeby pomagać. Bardzo życzliwie zajęli się moją sprawą. Ku memu zdziwieniu moja sprawa, o którą walczyłam tyle lat, została wyjaśniona i dla mojego dobra załatwiona.

Bardzo proszę redakcję o zamieszczenie mego listu w gazecie, która pomoże żyć Polakom w Ameryce. Są w Ameryce Polacy i Amerykanie, którzy życzliwie pomagają, za co dziękuję*.

## Niekończące się męczeństwo

Pomnik Jerzego Popiełuszki zostaje uroczyście odsłonięty w parku McCarrena w 1990 roku, w szóstą rocznicę tragicznej śmierci księdza. Pomysł na upamiętnienie męczennika rodzi się pięć lat wcześniej na zebraniu oddziału Kongresu Polonii Amerykańskiej na dolny Nowy Jork†. Wykonawcą wybrany zostaje Stanisław

* List do redakcji „Greenpoint Eagle", 1 listopada 1993.

† Dzięki naczelnemu „Nowego Dziennika" Bolesławowi Wierzbiańskiemu projekt zyskał aprobatę samego burmistrza Eda Kocha. Kwestie finansowe

Lutostański, artysta polonijny. Przedstawia projekt, na którym ksiądz wyłania się z cokołu – skały, metafory biblijnej opoki, na której Jezus Chrystus budował swój Kościół. Skała obłupana jest w kontur Polski.

Pomnik od początku budzi wielkie emocje.

Przez cały czas krążą plotki, że polska Służba Bezpieczeństwa nie pozwoli na erekcję. Komitet budowy, z Mieczysławem Pająkiem na czele, postanawia więc wynająć dyskretnego ochroniarza, który ma pilnować pomnika nawet w nocy. Dyskretny ochroniarz notuje częstą obecność człowieka w kapeluszu. Człowiek ten zostaje skutecznie przegoniony.

Kiedy pomnik jest już odsłonięty, budowniczy oddychają z ulgą. Niestety przedwcześnie. W nocy z 10 na 11 listopada 1990 roku nieznany sprawca odcina i kradnie głowę księdza z pomnika, zostawiając napis: „Za Lenina i Stalina". Głowa na szczęście odnajduje się w krzakach. Stanisław Lutostański uważa, że wandal jest profesjonalistą, posłużył się bowiem dłutem rzeźbiarskim, tak zwanym szpicakiem. Uderzył w najsłabsze miejsce monumentu, znajdujące się w okolicy koloratki na szyi księdza Popiełuszki. Nowojorska policja nie ujmuje sprawców: nikt nic nie widział, noc była deszczowa i pochmurna.

Lutostański dokłada nową głowę, a stara trafia do szklanej gabloty w kościele Świętego Stanisława Kostki. Następnie kilka lat leży w siedzibie Koła Przyjaciół Fundacji Jana Pawła II, a w 2010 roku, w związku z faktem, że proboszcz kościoła Świętego Stanisława Kostki Marek Sobczak wystarał się o relikwie księdza Jerzego Popiełuszki, zostaje w ich towarzystwie wyeksponowana na specjalnym postumencie.

Odsłonięcie pomnika z nową głową jest równie uroczyste. Wkrótce odwiedza go Anna Walentynowicz i składa obok grudę

miała natomiast rozwiązać zbiórka prowadzona przy każdej możliwej okazji, przede wszystkim w polskich parafiach. Trwała niemal pięć lat, udało się zgromadzić trzydzieści pięć tysięcy dolarów, z czego pięć tysięcy dołożyła Polsko-Słowiańska Federalna Unia Kredytowa. Narzekano, że zaskoczone odważnym projektem władze miejskie potrzebowały prawie roku, by go zatwierdzić.

ziemi z warszawskiego grobu księdza. Jednak w 2017 roku pomnik ponownie zostaje zdewastowany – ktoś maluje go czerwoną farbą. Policja znów nie może ustalić sprawców.

Mieczysław Pająk jest przekonany, że postać księdza wciąż wzbudza nienawiść komunistów i postkomuny obecnej w sąsiedztwie (farba w czerwonym kolorze). Według Pająka Amerykanie wysprejowaliby raczej graffiti. Ostatecznie okazuje się, że sprawczynią może być bezdomna kobieta, Polka, która sypia w parku i ma problemy psychiczne.

Usytuowanie pomnika u zbiegu alej Nassau i Bedford, wśród drzew i krzaków, a w końcu ławek, staje się jego kolejnym przekleństwem. Od początku punkt jest miejscem odpoczynku i biesiadowania osób bezdomnych oraz z problemem alkoholowym, które często pozostawiają po sobie ślady obecności, w tym odchody. W połowie lat dziewięćdziesiątych komitet budowy stawia wokół pomnika drewniany płot, następnie Wydział Parków i Rekreacji zabezpiecza skwer księdza Jerzego Popiełuszki specjalnym ogrodzeniem.

To nie wystarcza. Zdarza się, że pomnik tonie w śmieciach*. Służby miejskie, w gestii których pozostaje skwer, są nieskuteczne. Przed uroczystościami rocznicowymi odbywającymi się przed pomnikiem pojawiają się tu więc wolontariusze: zuchy, harcerki i harcerze oraz osoby prywatne, ale ich wysiłek nie przynosi efektów. W rozmowie z „Nowym Dziennikiem" w styczniu 2021 roku Mieczysław Pająk narzeka, że wielu niegdyś chętnych do utrzymania porządku, na przykład członków Ligi Morskiej, już nie żyje, a inni żądają za pracę zapłaty. „Dobrowolne datki zbierane podczas wieców i spotkań nie były w stanie pokryć tych kosztów, w dodatku ich podział doprowadzał do różnych konfliktów"†.

W 2020 roku, podczas wrześniowych demonstracji ruchu Black Lives Matter, na pomniku księdza zawieszono tęczową flagę, co

* *Pomnik bł. ks. Jerzego Popiełuszki w Nowym Jorku tonie w śmieciach*, 30 listopada 2016, gosc.pl, bit.ly/3dvPHzr (dostęp: 04.04.2021).

† W. Maślanka, *Pomnik księdza Popiełuszki ma już 30 lat*, „Nowy Dziennik", 9 stycznia 2021.

Pająk uznał za kolejny akt zbezczeszczenia. Męczeństwo księdza – jest przekonany – nigdy się nie skończy.

## Szczuropolakojorczyk

W 1984 roku do Stanów Zjednoczonych wyjeżdża Edward Redliński, podziwiany autor powieści *Konopielka*. Krótka w zamierzeniu podróż przeciąga się do 1991 roku, pisarz mieszka między innymi na Greenpoincie. Wraca, a następnie wydaje dwie powieści, które okazują się nie do zaakceptowania dla części polskich czytelników i większości krytyków.

Akcja *Szczuropolaków* (1994) jest osadzona w czasie przełomu transformacyjnego. Bohaterowie książki to sześciu Polaków gnieżdżących się w małym mieszkanku na tyłach Manhattan Avenue. Azbest, zatrudniony przy ściąganiu azbestu, chce być biznesmenem, Pank pragnie zostać gwiazdą muzyki. Potejto, dusigrosz z Podlasia, pracuje w rzeźni po szesnaście godzin na dobę. Jest jeszcze Lojer, kombinator, oraz Profesor: kiedyś dostał w Stanach Zjednoczonych doktorat honoris causa, dziś to porzucony przez żonę alkoholik. I wreszcie Mruk, który się załamał, gdy pracodawca nie wypłacił mu siedmiu tysięcy dolarów. Leży cały czas, tępo wpatrzony w sufit.

Ameryka niestety nie jest dla nich czułą matką zastępczą, tylko macochą skazującą na upokorzenia, pogardę i pracę ponad siły. Przyjezdny nie może też liczyć na pomoc rodaków. Dlaczego więc nie wyjeżdża?

> Ameryka wciąż istnieje w marzeniach Polaków mieszkających w kraju jako Ziemia Obiecana, która daje szansę i nowe, lepsze życie. Miarą sukcesu staje się ilość dolarów, która spływa do rodzin pozostałych w Polsce. Powrót oznaczałby dla tych ludzi porażkę i wstyd wśród ziomków i rodziny. Bo Ameryka to mit. A ci, którzy wyjechali, dodatkowo ten mit podsycają, kiedy kontaktują się z pozostawionymi w domu żonami, mężami czy dziećmi. Nie odważą się powiedzieć, że jest im źle, że cierpią, że są na skraju załamania, bo udowodniliby tym samym swoją nieudolność. Nie przyznają,

że mieszkają w sześć osób na kilkunastu metrach kwadratowych, a podstawę ich wyżywienia stanowią jajka, bo są najtańsze. Boją się ocen ze strony bliskich. Wolą twierdzić, że wszystko jest w jak najlepszym porządku, wykonywać pracę, której żaden Amerykanin by się nie podjął, to jest pracę rzeźnika, pracę przy rozbiórce azbestu z dachów, sprzątania u majętnych ludzi. Mimo to nie chcą wracać, bo boją się wyśmiania i lekceważących spojrzeń sąsiadów. Wolą dalej brnąć w ten emigrancki syf. Należy dodać, że taka sytuacja nie jest wynikiem jedynie braku gościnności Nowego Jorku. Polacy w nie mniejszym stopniu sami tworzą sobie małe piekiełko. Przenoszą stare, polskie przywary na nowy ląd. Konflikty między nimi są na porządku dziennym. A najgorsze, że dotyczą spraw całkiem nieistotnych. Profesor z Lojerem kłócą się o jajko, co przewija się przez całą powieść i wraca co chwilę jak niewyleczona grypa. Oponenci nie potrafią, a może nie chcą zauważyć swojej śmieszności. W asymilacji nie pomagało także podejście polskich gastarbeiterów do życia, ich mentalność cierpiętnika*.

Po publikacji *Szczuropolaków* przez najważniejsze media w Polsce przetacza się dyskusja. Najistotniejsze są dwa pytania. Po pierwsze: dlaczego Redliński przedstawia Polaków w krzywym zwierciadle i skupia się na ekstremach zamiast na faktach? Po drugie: w jakim celu prowadzi swoją krucjatę? Krytycy przeciwstawiają wizję Redlińskiego działalności eleganckiej Fundacji Kościuszkowskiej, Instytutu Piłsudskiego, uroczystym odczytom i kulturalnym spotkaniom organizowanym przez zamożne środowisko wydawców „Nowego Dziennika" oraz Konsulat Generalny RP w Nowym Jorku. Nacisk opinii publicznej jest tak silny, że kolejne wydania książki ukazują się pod tytułem *Szczurojorczycy*, żeby podkreślić, że emigrancka bieda jest uniwersalna i nie dotyczy tylko Polaków.

W 1997 roku odbywa się premiera filmu zrealizowanego na podstawie powieści. Reżyseruje Janusz Zaorski. Film ma tytuł *Szczęśliwego Nowego Jorku*, gwiazdorską obsadę i niemal milionową

* R. Siemko, *Raj ma smak azbestu – Edward Redliński*, Szczuropolacy. Podsłuchowisko, pisanenoca.pl, bit.ly/3pR9CoN (dostęp: 04.04.2021).

widownię. Jest pokazywany również na Greenpoincie i wywołuje wściekłość młodych imigrantów. Wielu z oburzonych to nowi przyjezdni, którzy mówią po angielsku, skończyli studia i właśnie zakładają firmy.

Emocje widzów i czytelników Redliński tłumaczy niezgodą odbiorców na łamanie zbiorowej zmowy milczenia. Nie jest przeciwny wyjazdom zarobkowym: „Nie, skoro w Polsce nie da się zarobić. Ale rzecz w tym, żeby nie pozwolić się oszukiwać przez mity: mit łatwego zarobku, mit Ameryki czy mit Londynu". Twierdzi, że dopiero po otwarciu europejskich rynków pracy można głośno mówić o „polskich gastarbeiterach, o harówce, oszustwach, gwałtach, domach publicznych", które on opisał dziesięć lat wcześniej*.

Kiedy przez polskie media przetacza się dyskusja o skrzywionym obrazie Małej Polski na Greenpoincie, do sąsiedniego Williamsburga wprowadzają się lokatorzy, dla których Manhattan jest za drogi i za ciasny. Po kryzysie lat siedemdziesiątych i osiemdziesiątych miasta znów stają się atrakcyjne. Odradzają się dzięki młodym amerykańskim profesjonalistom, którzy nudzą się na prowincji i przedmieściach. Wychowani poza Nowym Jorkiem, bez rodzin, artyści. Hipsterzy zafascynowani poprzemysłowym krajobrazem, zachęceni niskimi kosztami wynajmu upadłych fabryk. Dalecy od stylu życia klasy średniej, nieprzywiązani do systematyczności, porządku i solidności.

Szok po 11 września utwierdza w przekonaniu, że Brooklyn jest bezpieczniejszy i pod ręką. Przejazd pociągiem linii L z Union Square na Manhattanie do Williamsburga trwa dziesięć minut. Zamknięte fabryki zamieniają się w lofty, pracownie malarskie i restauracje. Do języka wchodzi francuskie wyrażenie *très Brooklyn*, jako synonim artystycznej nowoczesności i szyku. Kiedy na początku XXI wieku również Williamsburg staje się za ciasny, oczy przyjezdnych zwracają się ku parkowi McCarrena. Zaraz za parkiem zaczyna się Greenpoint.

* K. Wolnik, rozmowa z Edwardem Redlińskim, wisla.naszemiasto.pl, 12 kwietnia 2006, bit.ly/3jpDYF7 (dostęp: 04.04.2021).

W kwietniu 2000 roku Bill Chambers, lokalny patriota i pisarz amator, widzi auta i ludzi krążących regularnie wokół Greenpoint Terminal Market, dwudziestohektarowego kompleksu opuszczonych budynków przemysłowych na brzegu East River. Zaczyna drążyć i odkrywa, że to wysłannicy Con Edison i KeySpan, wielkich firm energetycznych, które przymierzają się do zakupu terenu i postawienia wielkiej elektrowni.

Taka elektrownia nad East River przypieczętowałaby los dzielnicy-śmietnika i jeszcze bardziej odizolowała mieszkańców od nabrzeża.

Chambers wszczyna alarm. Jeszcze w kwietniu trzystu pięćdziesięciu zaniepokojonych obywateli skrzykuje się na naradę w Polskim Domu Narodowym. Wymyślają nazwę: Greenpoint/Williamsburg Against Power Plants (GWAPP). Po tygodniu jest już siedmiuset oburzonych. Do GWAPP dołączają inne stowarzyszenia, także religijne. Rozpoczyna się akcja ulotkowa, demonstracje i w końcu publiczne konsultacje z udziałem pracowników koncernów. Uczniowie przygotowują protestacyjne chorągiewki, obywatele na wezwanie wychodzą na ulicę. W czerwcu o planach na elektrownię w środku miasta piszą wszystkie lokalne gazety. Po dziesięciu tygodniach firmy odstępują od tego pomysłu.

Ponieważ GWAPP okazuje się nośnym akronimem, aktywiści decydują, żeby pod tym samym szyldem walczyć o nowe cele. Greenpoint/Williamsburg Against Power Plants przeradza się w Greenpoint Waterfront Association for Parks and Planning*. Jego doradczynią i członkinią jest Christine Holowacz, ideowa spadkobierczyni Ireny Klementowicz†. Obywatele chcą teraz,

* Podobnie zdecydowali członkowie innej organizacji – kiedy zamknięto wysypiska, walcząca o to Neighbors Against Garbage przemianowała się na Neighbors Allied for Good Growth, więc nadal występowała jako NAG.

† Holowacz należy do wszystkich obywatelskich stowarzyszeń w dzielnicy; jest jedną z osiemdziesięciu aktywistek i aktywistów, którzy zawsze reagują, gdy pojawia się zagrożenie, że Greenpoint mógłby zostać jeszcze bardziej zanieczyszczony. Przekonuje, że źródłem sukcesu jest wsparcie, jakiego udzielają sobie wzajemnie małe organizacje.

by przemysłowe nabrzeże przekształcić w parki, a w miejscu fabryk, które straszą i służą za dziuple, gdzie chowa się skradzione auta, zbudować mieszkania – także dla tych mieszkańców, których nie stać na ceny rynkowe. O to zadbać ma inna organizacja non profit, założona w 1979 roku North Brooklyn Development Corporation.

Kiedy dzieje się coś niepokojącego, pojawiają się setki ludzi, by poprzeć wspólną sprawę. W 2016 roku zbierają się na przykład, by zmusić miasto do ukończenia budowy parku Bushwick Inlet. Skutecznie.

W 2004 roku burmistrz Michael Bloomberg spełnia marzenia GWAPP o nowych mieszkaniach. Z nawiązką: okazuje się bowiem, że będą się mieścić w wieżowcach stawianych na nabrzeżu. Wieżowce te na zawsze zmienią charakter tej dotąd wiejsko-miejskiej dzielnicy oraz doprowadzą do exodusu mniej odpornych mieszkańców.

## Na nabrzeżu

Kiedy w Strasburgu i Brukseli dopinany jest traktat akcesyjny między Polską a Unią Europejską, w gabinecie Bloomberga dojrzewają decyzje, które są początkiem końca Małej Polski.

W 2005 roku miasto przyjmuje plan przekształcania poprzemysłowego williamsburskiego i greenpoinckiego nabrzeża East River w tereny mieszkaniowe. Lobbuje za tym głównie burmistrz, wspierany przez zaprzyjaźnionych deweloperów. Niektórzy skupują hurtowo zrujnowane tereny w celach spekulacyjnych.

W 2007 roku prokurator generalny stanu Nowy Jork Andrew Cuomo wszczyna postępowanie przeciwko ExxonMobil. Pozew złożyły lokalne greenpoinckie organizacje, Newtown Creek Alliance we współpracy z Hudson Riverkeeper. Dzielnicowi aktywiści walczą o czystą wodę od trzydziestu lat, ale troska Cuomo ma wiele wspólnego ze zmianą demograficzną na Greenponcie. Zaludniają go teraz obywatele wrażliwi ekologicznie oraz posiadający w większości prawa wyborcze. Nie można ich lekceważyć. W 2010 roku koncern zgadza się oczyścić Newtown Creek i wypłacić dziewiętnaście milionów dolarów odszkodowania na rzecz lokalnej społeczności. Pieniądze trafiają do utworzonego w tym celu Greenpoint Community Environmental Fund (Greenpoincki Fundusz Ochrony Środowiska), z którego finansuje się ekologiczne projekty. Środki te zostają przeznaczone między innymi na przebudowę Brooklyn Public Library i poprawę jej efektywności energetycznej, założenie zielonych ogrodów na fabrycznych dachach przy Kingsland Avenue, posadzenie nowych drzew czy budowę ścieżki przyrodniczej wzdłuż Newtown Creek. Szkoła świętego Stanisława Kostki zgłasza do funduszu program edukacyjny o żyjących w dzielnicy ptakach.

Tymczasem nad East River nie można już rozpalić ogniska i wpatrywać się w wieczorny Manhattan. Mimo kryzysu 2008 roku zaczynają wyrastać czterdziestopiętrowe wieżowce, w których cena wynajmu pięciokrotnie przekracza greenpoincką stawkę. Burmistrz obiecuje mieszkańcom nowe parki i atrakcyjną pulę tanich mieszkań. Po dziesięciu latach od złożenia tych obietnic wiadomo, że były one na wyrost.

W związku ze zmianą kwalifikacji gruntów rosną podatki od nieruchomości i czynsze. Dla niektórych osiadłych mieszkańców są już nie do udźwignięcia. Rodziny robotnicze, nauczyciele, policjanci, emeryci stają w obliczu wyprowadzki w mniej zamożne miejsca lub wręcz bezdomności. Właścicieli domów zaczynają odwiedzać wysłannicy firm deweloperskich z trudnymi do odrzucenia ofertami kupna nawet najmniej atrakcyjnych nieruchomości. To jest moment, kiedy lojalność wobec własnej grupy etnicznej walczy z możliwością błyskawicznego awansu materialnego i społecznego. I przegrywa.

# Little Poland (5)

## Dagmara, 2013

Kiedy byłam dzieckiem, uwielbiałam zaglądać do szuflady w biurku ojca. Był tu w latach osiemdziesiątych, pracował przez rok w żydowskiej piekarni na Boro Park i przy zdejmowaniu azbestu. Przywiózł pieniądze na zakład fotograficzny. Zrobił tu mnóstwo zdjęć, a ja mogłam je oglądać godzinami. To z tego powodu nosiłam w sobie tęsknotę za tym kolorowym światem. I zawsze chciałam wyjechać, żeby należeć do tego świata.

Rodzice mają żal, chcieli, żebym przejęła któryś z zakładów fotograficznych mojego taty. Mamy trudne rozmowy. Myślę, że oni sami nieświadomie otworzyli klatkę, z której wyleciałam.

Prowadzę dziennik, zapisuję wszystko, czego się nauczyłam, wszystkie emocje. Czy ja sama wiem, czym jest emigracja?

Na pewno trzeba złamać kręgosłup, żeby zbudować się na nowo. Wyjechałam zaraz po studiach w 2006 roku. Najpierw na sześć miesięcy. Kiedy powiedziałam tacie, że może chcę tu zamieszkać, był zaniepokojony, dobrze wiedział, o czym mówię. Krążyłam między Nowym Jorkiem a Polską przez siedem lat. Pracowałam jako fotoedytorka, mieszkałam w Warszawie, wróciłam do rodziców na Podkarpacie, potem rzuciłam pracę.

Życie w Polsce mnie męczyło. Mindset, że trzeba wyjść za mąż, że jest nagonka na gejów, że nie można mówić, co się myśli. Dlaczego jesteś singielką, dlaczego, dlaczego? Rodzicom wytłumaczyłam, co to znaczy, że ktoś jest gejem, ale sąsiedzi rodziców jeszcze zapewne nie wiedzą.

W 2013 roku spakowałam walizkę, sprzedałam wszystko i powiedziałam rodzicom, że nie wiem, kiedy wrócę. Tęsknię teraz za nimi, raz w roku przyjeżdżają, ale ja nie mogę do nich pojechać. Nie mam prawa stałego pobytu.

Czy martwi mnie mój status? Wiedziałam, że albo wyjdę za mąż, albo będę naturalizowana. Nie wylosowałam zielonej karty. Ale moje pragnienie bycia tutaj było silniejsze od wszystkiego innego. Po pół roku, kiedy były final days, czyli wiedziałam, że przekraczam dozwolony czas pobytu, zawarłam ze sobą pakt, że nie pozwolę, żeby ta sytuacja determinowała moje życie tutaj. Żyję tak, jakby to nie był problem. Nie rozmawiam o zielonej karcie. Nie rozmawiam o leczeniu ani o ubezpieczeniu. Nie będę chora, ja to wiem.

To jest moje miejsce i wierzę, że nikt mnie nie wyrzuci. Przecież zielona karta lub jej brak nie zmieni wszystkiego w życiu. Znam ludzi, którzy latami czekali, sprzątali, ale drzwi się nie otworzyły, kolega po pięciu latach ma kartę i sprząta w tym samym podłym biurze. Ja kocham każdy dzień w Nowym Jorku, chociaż to najtrudniejsze miejsce do życia.

Obserwuję Polaków na Greenpoincie i widzę dwa typy. Pierwszy to ludzie, których w ogóle nie interesuje, gdzie się znajdują. Tam, gdzie mieszkam, mam okno niemal na wysokości ulicy, więc słyszę, co mówią, kiedy idą ulicą. Przekleństwa, rozmowy o pracy, o podatkach, że jacyś chuje oszukują. Ci starsi, po pięćdziesiątce, częściej są pijani, może mają większe frustracje. Mają w dupie Nowy Jork, bo przywieźli ze sobą Polskę i nie mogą jej zostawić. Najgorsza jest Manhattan Avenue. Zaścianek. Zawsze, kiedy muszę iść tą ulicą, wzbiera we mnie złość, że zostałam wychowana w podobnym zaścianku. Że mówiono mi o A i o B, ale nie wspominano, że są jeszcze inne litery alfabetu.

I są tacy jak ja, którzy szukają innego życia. Z takimi się przyjaźnię. Mamy lepszą pracę, swoje własne biznesy, lepiej jesteśmy wykształceni.

Mieszkam na Greenpoincie, bo prócz Polaków z pierwszej grupy są tu dobre galerie. Musisz je zobaczyć. Na przykład dziś idziemy z kolegą na otwarcie nowej. Na Greenpoint Avenue w nowym wieżowcu jest całe czwarte piętro dla artystów. Potem wpadniemy na 25 Kent, bo jest targ hipsterskich rzeczy vintage.

Co to znaczy, że Nowy Jork jest trudny do życia? Posłuchaj. Przyjechałam z dyplomem, który nic nie znaczył. Musiałam schować ego do kieszeni i szukać gównopłatnej pracy w kawiarni. Wtedy ten etap był dla mnie w porządku, bo szkoliłam angielski. Zarabiałam osiem dolarów na godzinę, mniej niż minimalna stawka, ale rozmawiałam z klientami i raczej czułam, że oni myśleli o mnie z szacunkiem. Niektórzy przychodzili tylko po to, żeby ze mną porozmawiać. Nauczyłam się, że ludzie do mnie lgną, mimo mojego niedoskonałego angielskiego.

Z jednym klientem rozmawiałam częściej, odbieraliśmy na tych samych falach i nie czułam, że jestem kimś na dnie zawodowej drabiny. Myślałam, że to były żołnierz, tak się prezentował. Koleżanka zza lady mi powiedziała, że to sławny człowiek. Myślałam, że żartuje. To był Sebastian Junger, pisarz i dokumentalista, nominowany do Oscara; kolega polecił mi obejrzeć jego poprzednie filmy.

Junger zaprosił mnie na premierę. I kiedy po roku zupełnie mnie ta kawiarnia wypaliła, napisałam do niego wiadomość, że muszę zmienić życie. Gdyby znał miejsce, które potrzebowałoby dobrego pracownika, to będę wdzięczna za sygnał.

Wiesz, że on mi odpisał?

Okazało się, że jest współwłaścicielem klubu w Chelsea na Manhattanie, na rogu 23 Ulicy i Dziesiątej Alei. Baru i restauracji, ogromnej. Właściwie – napisał – to szukamy menedżera. Kiedy odchodziłam z tej kawiarni, klienci ściskali mnie jeszcze na ulicy.

W klubie musiałam przyznać się do statusu osoby nielegalnej. To było trudne. I upokarzające, bo musiałam znaleźć słupa. Koleżanka koleżanki zgodziła się, żebym pracowała na jej konto. To oznaczało, że trzydzieści procent zabierały podatki i składki emerytalne.

Zostałam kierowniczką zmiany. Zaczynałam o czwartej trzydzieści po południu i kończyłam czasem o czwartej nad ranem. Miałam dopilnować rezerwacji, rozwiązywać sytuacje z klientami, obsługiwać ogród, bar, private room i dining room, mówić kelnerom i barmanom, co mają robić. Siedemset dolarów tygodniowo.

Najtrudniejsze sytuacje były z pracownikami. Na przykład kiedy barmanka przyszła pijana i musiałam znaleźć kogoś na zmianę. Albo kiedy godzinę przed brunchem nie było jeszcze kucharza, a potem przyszedł pijany. Zapytałam go wtedy, co on sobie myśli, on się obraził i wyszedł. Latynos z gigantycznym ego. Jak załoga z kuchni zobaczyła, że on wychodzi, to też wyszła. To był chyba jedyny kryzys, kiedy zadzwoniłam do general managera, że nie mogę otworzyć restauracji. Inne rzeczy brałam na siebie. Byłam z siebie dumna, znów zwyciężyłam.

Po dwóch latach zrozumiałam, że już nie dam rady na nocne zmiany. Mieszkałam na Brighton Beach, w nocy półtorej godziny w jedną stronę. Wracałam nad ranem. Szłam spać, budziłam się o dwunastej, jadłam coś, ćwiczyłam, pisałam mój blog i szłam do pracy. Praca, blog – na nic więcej nie miałam czasu.

Przenieśli mnie do biura, mogłam pracować od dziewiątej do piątej. Biuro było w piwnicy, nie widziałam słońca. Nie wytrzymałam. Byłam tak zmęczona, że nie mogłam pisać, a pisanie jest moim krwiobiegiem.

Wiedziałam, że się muszę zatrzymać i zobaczyć, kim się stałam po tych latach. I wtedy jedna z klientek poradziła mi warsztaty Tony'ego Robbinsa, guru motywacyjnego, który pomaga ludziom dotrzeć do siebie.

Pojechałam na cztery dni i zobaczyłam, jakie mam beliefs, zrozumiałam, że muszę je rozpakować i sprawdzić, dlaczego mam takie, a nie inne podejście do pracy, do mężczyzn, do własnego ciała, do rodziców.

Dlaczego każda rozmowa z mamą kończy się tak samo?

Dlaczego chciałam się odciąć?

Czemu jestem sama?

Od czterech lat rozpakowuję ten pakiet, który dostałam od Tony'ego.

Chcesz wiedzieć, czy rozpakowywanie zadziałało? Proszę bardzo. Powiedziałam w końcu mamie, że nie jestem już małą dziewczynką, wybrałam to życie i ono jakie jest, takie jest. Jest moje. Ciebie cieszy duży dom, mnie nie.

Nie odzywałyśmy się z mamą przez dwa miesiące. Napisałam, że jestem pod telefonem. I w końcu ona zapytała, czy może zadzwonić.

Mamy teraz superkontakt. Ma smartfona, więc wysyłamy sobie jakieś zdjęcia, wiadomości, nagrania. Poprosiłam, żeby przyjechała sama, to pójdziemy na Broadway, bo ona uwielbia Broadway.

Zaczęłam znów pisać i tworzyć wideo. Na przykład o tym, jak ciało determinuje życie kobiety. A potem pomyślałam, że będę pomagać ludziom przechodzić przez ich własną transformację, tak jak Tony Robbins pomógł mnie. Napisałam ośmiostopniowy program, żeby móc przeprowadzić kogoś, kto chce otworzyć i pozamykać pudełka. Chcę prowadzić prywatne sesje, które będą trwały osiem tygodni. Moi uczniowie będą dostawać prace domowe, będą ćwiczyć i medytować. Potem pójdę do firm i będę pracować z zespołami.

Napisała do mnie osoba z Polski. Śledzi moją transformację w mediach społecznościowych, widzi efekty mojej pracy z ciałem. Kiedy miałam osiemnaście lat, przytyłam cztery rozmiary. Potem przez lata nie byłam w stanie zmienić własnego ciała. Wpadłam w kompleksy, wstydziłam się, moje relacje z mężczyznami stały się niekomfortowe. Kiedy tu przyleciałam, wyglądałam już OK, ale myślałam o sobie źle. Zaczęłam ćwiczyć z Chodakowską, widziałam te przemiany dziewczyn z małych miejscowości. Wreszcie doszłam do rozmiaru, który chciałam. Spojrzałam na siebie i zrozumiałam, że mam świetne ciało. Mam trzydzieści osiem lat i nigdy w życiu nie wyglądałam tak dobrze.

Uwielbiam swoje ciało. Kiedy patrzę na nie, widzę, jak ważna jest konsekwencja. Jeśli ćwiczysz cztery razy w tygodniu, to dostajesz to, co chciałaś. Jako intuitive coach* chcę mówić moim klientkom, że w życiu też tak to działa. To są kroki, które trzeba wykonać, żeby mieć życie, jakie chcesz.

Oczywiście, żeby odnieść sukces, muszę ostatecznie pożegnać moje stare ja, które się wstydzi podać cenę za swoje usługi. Muszę też perfekcyjnie je opisać. Subskrybuję Grammarly, inteligentny program do tłumaczenia. Płacę membership i czuję się pewniej.

Jakie są moje marzenia?

* Rodzaj terapeuty, osobistego doradcy.

Chcę napisać i wydać książkę. Chcę mieszkać blisko Central Parku.

Kiedy tu przyjechałam, odłożyłam na bok związki, bo moim priorytetem był wtedy samorozwój. To nie partner, tylko Nowy Jork był moją miłością. Wrzuciłam o tym pięćdziesiąt filmów na YouTube. Od grudnia czuję, że zaczynam mieć w sobie miejsce na rodzinę, na partnera; dzieci nigdy nie chciałam. Znalazłam tę wiedzę w jednym z pudełek od Tony'ego Robbinsa. Odpakowałam i czekam. Nie należę do Greenpointu, już nie boję się mówić na głos, jakie są moje stawki.

## Anna, 2001

Jak się żyje bez prawa pobytu? Opowiem, mam dwudziestoletnie doświadczenie.

Przyleciałam tu w 2001 roku w maju, po studiach. Chciałam się douczyć angielskiego i po pół roku wrócić do Polski. Ale przed wyjazdem z Nowego Jorku poznałam przyszłego męża i zakochałam się na zabój. On przyjechał do swoich rodziców i miał nadzieję, że pomogą mu zdobyć zieloną kartę. Wylosowali ją kilka lat wcześniej, byli obywatelami USA. Taki był plan.

Wprowadziłam się do nich i zaczęliśmy planować ślub. Moja wiza straciła ważność, ale się tym nie przejmowałam: Jacek miał dostać zieloną kartę, potem obywatelstwo, a ja miałam zostać jego żoną. Wszystko to miało się zdarzyć natychmiast, za chwilę. Tak mówił nam adwokat.

A potem się okazało, że owszem, rodzice z obywatelstwem są pomocni, ale tylko wtedy, gdy dziecko ma mniej niż dwadzieścia jeden lat. A Jacek miał dwadzieścia cztery. Adwokat rozłożył ręce. Nie wierzę, że nie wiedział o tym, kiedy brał zaliczkę. Powiedział, że musimy czekać, aż się zmienią przepisy. Przepisy zmieniają się w okolicach wyborów prezydenckich. Kandydaci obiecują, że ogłoszą amnestię. Czasem ją ogłaszają. Czekaliśmy, a w międzyczasie urodziła się nasza córka.

Jacek z zawodu jest nauczycielem, tutaj pracował na budowie. Nie był zachwycony, ale przecież to tylko na chwilę. Ja zajmowałam się córką, w wolnym czasie dawałam korepetycje. Nie wyjeżdżaliśmy na wakacje, baliśmy się mandatów. Nasza córeczka poszła do przedszkola.

Moi rodzice przyjechali zobaczyć wnuczkę i nie mogli zrozumieć, dlaczego na własne życzenie żyjemy w strachu. Odpowiedziałam, że zaraz zmienią się przepisy i pójdę do legalnej pracy. Staniemy finansowo na nogi. Tłumaczyłam mamie, że straciliśmy już znajomych w Polsce. I że przecież wie, że trudno nam będzie znaleźć w Polsce pracę. Jest kryzys. Rodzice wrócili do domu. Zaczęłam mieć poczucie, że ich zawodzę.

Córka poszła do podstawówki, do której chodziły inne polskie dzieci i Polka była dyrektorką. Zgodziła się, żebym uczyła w niej grać na instrumencie. Płaciła mi czekami, prosiła, bym nie rozpowiadała na prawo i lewo, że tam pracuję. Wieczorami siadaliśmy przy stole i dyskutowaliśmy, co robić. Wracać? Czekać? Mąż uważał, że powinniśmy czekać. Było mu łatwiej, cała jego rodzina mieszkała na Greenpoincie.

Moi rodzice zaczęli chorować. Nie miałam pewności, czy jeszcze przyjadą. Kiedy zaczęły się wakacje, wysłaliśmy córkę samolotem do Polski. Poleciała sama. Bardzo to przeżyłam.

Wciąż baliśmy się przekroczyć granice stanu Nowy Jork. Co jeśli policja zatrzyma nas na kontrolę i sprawdzi dokumenty? Pojechaliśmy raz autem do Vermont na narty. Z duszą na ramieniu. Baliśmy się polecieć na wakacje krajowymi liniami. Co jeśli sprawdzą nasze dokumenty przy odprawie?

Dawałam korepetycje na czarno. Szyłam poduszki i sprzedawałam wśród znajomych. Wyrabiałam organiczne kosmetyki. Mąż został stolarzem i bardzo to polubił. Jest, myślę, bardziej pogodzony.

O emeryturze nie ma mowy. Moi rodzice już nie mogą przyjechać. Nie mają na to siły. Przepisy się nie zmieniły, nie ogłoszono abolicji.

Siadaliśmy wieczorami przy stole i nie mówiliśmy o książkach, które moglibyśmy przeczytać, o koncertach w Carnegie Hall, na których byliśmy z córką, o dobrych filmach. Mówiliśmy o tym, że komuś się udało zdobyć zieloną kartę, a kogoś innego deportowano z całą rodziną. I czy mamy jeszcze szanse. Przekonywaliśmy się, że w Polsce nic nas nie czeka. Mieszkamy w najwspanialszym państwie na świecie. I oboje skończyliśmy czterdzieści lat. Czy będziemy mieć siłę zaczynać wszystko od nowa?

Nasza córeczka zaczęła starać się o przyjęcie do college'u. My wciąż dywagowaliśmy. Kilka lat wcześniej mój kolega wypełnił aplikację na wyjazd do Kanady. My też myśleliśmy, ale rodzice męża powiedzieli: jak to do Kanady? Poczekajcie na amerykańskie papiery. I nie wysłaliśmy aplikacji, a to było najlepsze, co mogliśmy zrobić. Legalizacja kolegi zajęła dwa lata. Został menedżerem muzycznym, może odwiedzać Polskę. A my boimy się pojechać do Pensylwanii.

Przyjaciółka poleciła nam nowego prawnika. Powiedział, że wartością jest nasza córka, która nie zna życia innego niż Stany. Im dłużej tu mieszka, tym więcej mamy assetów. Jest precedens, mówił, jego klient miał syna sportowca, dwunastolatka. Sędzia zadecydował, że powinien reprezentować Amerykę. Prawnik zapewnił, że mamy szanse, tylko musimy się ujawnić. Napisać pismo: „Przepraszamy bardzo, Ameryko, jesteśmy tu prawie piętnaście lat nielegalnie, robiliśmy cię w konia, ale nasza córka czuje się Amerykanką, więc należy nam się ta pieprzona zielona karta". Wysłanie takiego listu mogło być początkiem sprawy sądowej albo nakazu deportacji.

Był 2015 rok, byliśmy już zmęczeni. Niech sąd decyduje, co dalej. Może jeśli wrócimy do Polski, nic nam się nie stanie? Przestaliśmy się nawet kłócić. Wypełniliśmy aplikację i czekaliśmy na rozwój wypadków.

W listopadzie 2016 roku Trump wygrał wybory i atmosfera wokół nielegalnych imigrantów zrobiła się nieprzyjemna. Ale nikt nas nie deportował. Dostaliśmy pismo, że powinniśmy czekać na proces. Prawnik powiedział, że może się to ciągnąć, co oznaczało kolejne lata niepewności. W związku z aplikacją otrzymaliśmy zezwolenia na pracę na dwa lata. Mogłam się starać o legalną pracę w biurze lub nawet w moim zawodzie. Po czterdziestym piątym roku życia!

Drgnęło po dwóch latach. Dostaliśmy wezwanie na spotkania z psychologiem sądowym. Nasz prawnik zapewniał, że sąd będzie rozpatrywał sprawę z punktu widzenia naszego dziecka. Że się nie odnajdzie już w polskim systemie, że się tutaj dobrze uczy.

Że najprawdopodobniej dostanie się do elitarnej szkoły średniej. Dawał do zrozumienia, że teraz to bułka z masłem.

Pojedynczo odbyliśmy rozmowy. Ja, mąż i córka. Potwierdziłam: córka czuje się Amerykanką, świetnie się uczy, ma hobby, idzie do dobrej szkoły, jest stabilna emocjonalnie. Mąż wyszedł blady. Wiesz, co zasugerował ten psycholog? Że córka ma już jedenaście lat i może sama zostać w Ameryce, z siostrą męża. Nie ma przeszkód, żebyśmy bez niej wrócili do Polski.

Płakałam cały dzień na korytarzu. Rozmawialiśmy z prokuratorem: „Jeśli córka tak dobrze się uczy, to poradzi sobie wszędzie. Państwo są nauczycielami z zawodu, pouczycie ją języka. Świat jest otwarty, Polska to nie koniec świata". Nie wziął pod uwagę, że musiałaby się cofnąć o dwie klasy, a my od dwudziestu lat nie byliśmy w kraju. Nie będziemy potrafili jej pomóc. Prokurator nie był złośliwy. „Gdyby córka była chora i musiała być leczona w Stanach – powiedział – nie byłoby problemu. A tak brakuje mocnych dowodów".

Sędzia pytał naszego prawnika o precedens. A nasz prawnik nie mógł niczego znaleźć w swoich papierach i rozłożył ręce.

Zazdroszczę znajomym, którzy mieli lepszego prawnika. Ich młodszy syn nie mówi po polsku, co jest dużym plusem. Adwokat im poradził, żeby zasugerowali u małego skłonności homoseksualne. Sędzia powinien zrozumieć, że ten dzieciak nie może mieszkać w Polsce.

Znów czekamy, nie mówimy córce, co się dzieje. Niech będzie szczęśliwa, ile może; kocha swoje życie w Ameryce. Jeśli dostaniemy nakaz deportacji, będzie musiała zdecydować, czy chce mieszkać z ciocią, czy zacząć życie w kraju dziadków.

Mnie jest wszystko jedno. Niech się ta huśtawka skończy.

## Victoria*

Dlaczego postanowiłam zostać politykiem?

Też się zastanawiam dlaczego. Ponieważ myślę nie tylko o sobie i widzę, że moja dzielnica się zmienia na gorsze?

* Victoria jest córką Bronisławy z części *Little Poland* (1).

Pracowałam w Londynie, a kiedy wróciłam do domu, to nad wschodnią rzeką stały wielkie tory [wieżowce], a starzy mieszkańcy wynieśli się z Greenpointu. Ci, co wynajmowali, to już w ogóle mieli ciężko, bo czynsze podskoczyły. Cichymi uliczkami pędziły wielkie trucki. Nocami też, jak wracały do studiów filmowych nad rzeką. Pomiędzy truckami chowali się rowerzyści i codziennie mieli wypadki. Ulica Franklin, na której się wychowałam i bawiłam przed domem, zamieniła się w jakąś przelotówkę.

Zaczęłam sprawdzać, co mogę z tym zrobić. W Anglii się nauczyłam, że człowiek ma głos w swojej dzielnicy i władze tej dzielnicy się z nim liczą. Zaczęłam regularnie chodzić na comiesięczne zebrania community board, rady mieszkańców. Rada ma wpływ na udzielanie licencji na alkohol, warunki zabudowy, używanie terenów zielonych, szerokość balkonów, sposób działania firm. Doradczy, ale ważny. Na te zebrania może przyjść każdy mieszkaniec i przez dwie minuty mówić o tym, co mu siedzi w sercu.

Zobaczyłam, że nasze community board to raczej jest nie bardzo ruchawe. Głównie starsze ludzie, które ignorują dużo problemów. Nie są ze wszystkich grup etnicznych. Największość jest białych. Z Polaków Artur Dybanowski, właściciel domu pogrzebowego, i Bogdan Bachorowski. Największość siedzeń w radzie mają chasydzi, ponieważ im zależy. I jeszcze mamy w tym boardzie biznesmenów, którzy nie mieszkają na Greenpoincie, ale tak się składa, że są deweloperami i zależy im na różnych budowlanych zgodach. To się zrobiło bardzo niedemokratyczne. Najgorzej, że zwykli mieszkańcy słabo przychodzą. I kiedy trzeba podejmować decyzje na meetingach, to nie ma kworum.

Zabrałam głos na jednym zebraniu, to mi powiedzieli, że zawsze były wypadki. A ja się przecież tu wychowałam i ani jednego trucka nie słyszałam! Co do torów nad rzeką, to zaczęli straszyć, że jak ich nie wybudują, to będzie znowu dużo garbedzia.

Przyszłam do domu i napisałam list do wszystkich polityków związanych z Greenpointem. Od lokalnych aż po Kongres. Co było w liście? Czy mają jakieś plany na G train, bo jest za mało pociągów i się rano nie da wejść do sabłeju. Czemu całą noc jeżdżą trucki, które rozwalają ulice. Kto dał pozwolenie, żeby były takie duże tory i żeby przy tych torach dźwigi i jakieś pogłębiarki biły od rana? Słychać walenie przez cały Greenpoint. Napisałam jeszcze, że jak nie zareagują, to ktoś na tych ulicach zginie.

Nikt mi nie odpowiedział na tego maila. W Anglii by się tak nie zdarzyło. Tu, okazało się, polityka jest trochę brudna.

Jak wszyscy mnie zignorowali, to parę tygodni później młody chłopak, dwadzieścia sześć lat, zabił się przez trucka, i to był prywatny truck garbedziowy. Nazwisko Ramirez, nasz sąsiad, po pracy brał rower i jeździł. Na ulicy Milton to się stało, truck zostawił go na ulicy i chłopak umarł. Kierowca nie został aresztowany. Powiedział, że chłopak miał słuchawki na uszach i trąbienia nie słyszał. To był 2017 rok.

Na to ludzie zaczęli się burzyć, więc nasz radny Stephen Levin zwołał spotkanie, żeby ludzie wiedzieli, że on coś robi. Miało się to spotkanie odbyć w budynku Centrum Polsko-Słowiańskiego na Java. Każdy był zdenerwowany.

Nasz okręg ma numer trzydzieści trzy i obejmuje dzielnice Greenpoint, Williamsburg, Dumbo, oraz Brooklyn Heights, Downtown Brooklyn, Boro Park, ważne mosty, nabrzeże. Tak jest wydzielony, że jest mało imigrantów, mało Hiszpanów, a więcej Żydów. Granice okręgów się co dziesięć lat przesuwa, tak jak się przeprowadzają wyborcy. Więc w naszym okręgu nie ma już Southside, Broadway Triangle. Ucięło czarnych, jest za to więcej ludzi z Brooklyn Heights, bo to bogate białe ludzie. W takim okręgu łatwiej wygrać kandydatowi, którego one lubią. Od trzech kadencji wygrywa u nas Levin.

Levin wpadł na to spotkanie na jakieś pięć minut. Dla PR to zrobił i sobie poszedł. Jakieś ludzie z departamentu transportu miasta dały nam kredki i kazały narysować, gdzie jest niebezpiecznie. Ja zaczęłam się normalnie śmiać, że to lekceważenie ludzi, które przyszły, pięćdziesięciu osób. Chłopak zginął, a wy dajecie nam kredki. A konkrety?

Wtedy ja zadecydowałam, że idę kandydować na radnego.

Musiałam się spieszyć, żeby się dowiedzieć, jak to zrobić, bo na całą kampanię miałam dwa miesiące i żadnych pieniędzy. A na zebranie czterystu podpisów, żeby mnie zarejestrowali jako kandydatkę, dwa tygodnie. Ale co tam, już zdecydowałam. Powiedziałam w domu rodzicom, nawet się nie zdziwili. Zapytali tylko, czy wiem, że szanse są marne. Wiedziałam. Poradzili, żebym zadzwoniła do informacji dla kandydatów na kandydatów. Tam się dowiedziałam, że nie mogę startować jako demokrata, tylko jako independent [niezależny].

Zaczęłam chodzić do sąsiadów, od drzwi do drzwi. „Idzie nowe, musi przyjść" – tak zaczynałam, kiedy otwierali drzwi. Wzięłam mamę, tatę, brata i wysłałam ich do parków, żeby stanęli przed sabłejem, marketem z listami do podpisów. Przekonywałam, że powinniśmy przestanąć budować takie duże tory, które zniszczą nam powietrze i ziemię na wiele lat. Dzieci będą to oddychali, nie wiadomo, co jest pod tą ziemią. Nie wiadomo, co się dzieje. Wiadomo, że miliony ton oleju zostały wylane do Newtown Creek. Tory nie pomagają w utrzymaniu czystości.

Mamy niesprawny zupełnie affordable housing. Jest taka zasada, że dwadzieścia procent nowych mieszkań idzie na affordable housing. Ale nikt, kogo znam, nie dostał mieszkania z tej loterii. Imigranci nawet nie wiedzą, gdzie iść po te mieszkania, bo informacje mają tylko niektórzy, których wskażą urzędnicy.

Największość imigrantów to ludzie, którzy mówią słabo po angielsku i nie wiedzą, w jaką pójść stronę, żeby dostać mieszkanie. Te ludzie wyrzucone, uboższe ludzie, mogły mieć prawo do mieszkania, a nawet nie wiedziały, że takie prawo istnieje. Poza tym, żeby spełniać warunki na affordable housing na Greenpoincie, to trzeba mieć bardzo niskie dochody. Nie myślę, że można przy takich dochodach utrzymać się w Nowym Jorku.

Lubię te europejskie demokracje, gdzie są programy socjalne, które systemowo wspierają najsłabszych. Tu, w Ameryce, raczej nigdy tego nie mamy, tylko twardy kapitalizm. Chciałabym, żeby tu było coś jak Europa, czyli prawa dla kobiet, dla unii [związków zawodowych], dla pracowników, prawa do zniżek w edukacji, dopłata do szpitali. Należę do grupy Democratic Socialists of America. Nie jesteśmy radykalne, jak liberalne Europejczyki raczej. Ale ludzie wyzywają nas od komuchów. Nic nie rozumieją.

Jak zaczęłam zbierać te podpisy, to się dowiadywałam, że ci z urzędu, którzy mają rejestrować kandydatów na radnych, to robią wszystko, żeby cię wyrzucić z puli. Boby mieli potem za dużo roboty. Chyba że kandydat zatrudni doradcę – adwokata wskazanego przez board of election [komisję wyborczą], który sprawdzi co do literki te wszystkie kartki z podpisami. Podpisy muszą być specjalnie pogrupowane, najwięcej dziesięć podpisów na jednej kartce. Potem składasz te kartki, oni je sprawdzają, a potem ci mówią, że masz błędy, i cię odrzucają. Ale czasem nie mówią nawet, jakie to były błędy. Jak się nie zgadzasz, to idziesz do sądu na Manhattan. Jak bez adwokata, to jakbyś tam szedła na ścięcie.

Stopy zniszczyłam, buty, otarcia miałam od chodzenia, ale podpisy zebrałam, więcej jak trzeba. Zobaczymy, jak to będzie, pomyślałam. Żadnego adwokata wziąć nie mogłam. Na kampanię włożyłam dwa tysiące dolarów swoich, plus zebranych sześć. Jak na kampanię to nic. I następnego dnia dostałam list, że są błędy oczywiście. Mogę iść do sądu i się kłócić.

Wiesz, co zrobiłam źle?

Nie napisałam na każdej kartce w górnym rogu, że to okręg trzydziesty trzeci. Nikt nie mówił, w którym miejscu ma być numer okręgu, ale oni zakładają, że ja muszę takie rzeczy wiedzieć. Zadzwoniły do mnie, żebym wzięła adwokata.

Co robić?

Mama znała sędzinę z Brooklyn Heights. Ta sędzina mi doradziła: „Sorry, Victoria, sorry, ale nikt nie przechodzi tego sądu, bo on jest tak zrobiony, żeby odrzucić kandydatów. Szkoda pięć tysięcy dolary na prawnika, a ty przecież ich i tak nie masz". Potem jeszcze zadzwoniły do mnie z tego board of election, żeby się upewnić, że ja dostałam od nich ten list, że nic z tego. Powiedziałam, że dostałam. Depresja, zaczęłam gapić się w ścianę. I wiesz, co się stało? One zaraz znów zadzwoniły. Facet zadzwonił: „Nie powinienem tego robić, ale nie chcę, żebyś się czuła źle. Masz jeszcze szanse. Jak ja byłbym ty, tobym poszedł do tego sądu. Powiedz im, że masz pięćdziesiąt trzy kartki, czyli niby więcej, niż trzeba. Osiem nie ma numeru. Powiedz im, żeby odrzuciły te osiem kartek, co im nie pasują. I tak ci wystarczy podpisów. Będzie OK". Zapytałam: „A jak nie każda kartka z tych dobrych kartek ma dziesięć właściwych podpisów?". On: „Jest taki przepis, że jak twój oponent nie zgłosi, że coś jest nie tak z podpisami, to znaczy, że wszystkie kartki mają dziesięć podpisów". Ja: „A to nie szkodzi, że nie mam adwokata?". On: „Nic więcej nie powiem, nie było takiej rozmowy".

To był miły człowiek, naprawdę.

Za parę dni poszłam na tę rozprawę z mamą. Boże, jak się bałam. 38 Broadway, adres tego board of election office. Byłam pewna, że te wyborcze sprawy to się rozpatruje w małym pokoju, no bo to nie jest jakieś spektakularne na etapie kandydatów na kandydatów w okręgach. Że tam będzie sędzia, adwokat i ja. Na miękkich nogach weszłam do tego budynku. Nacisnęłam na klamkę i się okazało, że to jest wielka sala, dziesięciu sędziów, długi stół, dziesięciu adwokatów z papierami i laptopami. Kamera, osoba pisząca i kandydaci ze wszystkich, dosłownie ze wszystkich nowojorskich okręgów. I obserwatorzy. Gapiliśmy się na siebie nawzajem. Mieli wzywać po kolei tych wszystkich, co jak ja zrobili błędy.

Tak się modliłam: nie chcę być pierwsza, nie chcę być pierwsza.

Zaczęło się. Siadłyśmy z mamą, i zawołali od razu: „Victoria Cambranes, kto cię reprezentuje?". Powiedziałam że reprezentuję samą siebie. „Nie masz adwokata?" „No nie mam". „Zobaczymy, co tam się stało". Przeczytały, jakie ja mam błędy, i pytają: „Gdzie są podpisy?". Odpowiedziałam: „To wy nie macie kopii?". „Idź, siadnij, my poszukamy kopii". I wzięli następnego.

Czekałam od dziewiątej trzydzieści rano do szesnastej po południu. Obserwowałam. Co minutę sędzina brała młotek: candidate out of the ballot. Serce mi szło do gardła. Ludzie płakali, wyzywali sędzinów, byli wyprowadzani przez security. Błędy mieli głupie: poprzestawiane imiona z nazwiskiem. Niektóre ludzie dawały sobie żeradę, troszkę słuchałam, co one mówiły. I tak przyszedł czas, żebym ja ostatnia podeszła. Powiedziałam mój argument, a one: „OK, jak wyrzucisz osiem kartek, to ile zostanie?". „Równo, ile trzeba". No i przez pół godziny kłótnia. Sędzia republikan z muszką powiedział, że nie mogę przejść, bo trzeba szanować przepisy, demokrat powiedział: „Daj jej szansę, to głupi przepis". Ja stoję w środku. „To moja wina" – przeprosiłam. W końcu się zgodziły, że zignorują te osiem kartek. I potem powiedziały: „To teraz zobaczymy, czy ona ma dziesięć podpisów na kartkę". Podniosłam rękę. „Co chcesz?" „Nikt nie zgłosił, że jest problem z moją kandydaturą, a to oznacza, że każda kartka ma dziesięć podpisów". Ja już pamiętałam z tej rozmowy. „Taki jest przepis". Jeden z drugim się popatrzył i powiedział: „Yeah, she is right". „Czyli przeszła?" „Tak, przeszła". Do widzenia.

Jak wyszłyśmy z budynku, dopiero zaczęłam się cieszyć. I zrozumiałam, dlaczego ta nasza demokracja jest taka nieruchawa. Bardzo trudno być na liście kandydatów. Łatwo, żeby tylko niektóre ludzie mogły startować. Te, co się na tym wszystkim znają, albo mają wsparcie, jak Levin. On od początku był jak pączek w maśle: jest z bogatej rodziny z New Jersey, ma wujka w Kongresie, do polityki wszedł naturalnie.

Levin z naszego okręgu nie miał innych kontrkandydatów. Mógł być leniwy: późno przychodzić, wcześnie wychodzić. Zaczął być radnym, jak miał dwadzieścia osiem lat, teraz miał trzydzieści sześć i szedł na trzecią kadencję, sam. I teraz ja mogłam go trochę postraszyć. Żeby ludzie wiedzieli, że trzeba już robić porządek, że radny jest nie tylko dla jednej grupy ludzi. Trochę ja byłam taka mucha, a on walec. Ale wiedziałam, że muszę go wyciągnąć na debatę. Każdy chciał zobaczyć mnie i Levina.

Znalazłam takiego znanego reportera – Mitchell Cohen. Zgodził się moderować debatę i znalazł salę. I zaprosiliśmy Levina. Wysłałam prywatne zaproszenie, zadzwoniłam do jego biura, że ja cię zapraszam. On, że sprawdzę w kalendarzu, czy się uda. I cisza, nie odezwał się. Widział, że i tak wygra, więc nie musi ze mną rozmawiać. Czekałyśmy dwa tygodnie. No to poszłam do social mediów, że kandydat Levin nie chce się spotkać, ale debata się odbędzie. Napisałam do wszystkich dziennikarzy na Twitterze, na stronach brooklińskich, do „Brooklyn Daily Eagle", Brooklyn Downtown Star i do blogerów. Za pięć minut on zadzwonił, zaakceptował i umówiliśmy się na debatę.

Nie miałam dużo czasu, żeby się przygotować, czytałam od rana do wieczora, tyle było wszystkiego. Przyszedł dzień na debatę, 29 październik. Deszcz okropny, myślałam, że nikt nie przyjdzie do Commons Cafe, to wzięłam mamę i tatę, żeby byli tłumem. Trudno.

Weszłam do sali – pełno, ludzie siedzieli na oparciach foteli. Wszystkie lokalne ludzie, byłam w szoku. Moje ludzie też przyszły, przyjaciele i współpracownicy. Czekali na to: żeby Levin nie mógł uciekać od odpowiedzi przez trzy godziny. I żeby mogli mu zadać pytanie.

Od początku ja czułam się źle, bo on był nieprzygotowany. Każdy był przeciwko niemu; było widać, że on nie był nigdy w takiej sytuacji. Parę razy pokazałam wszystkim, że on kłamie. „Hej, to nieprawda, bo kiedyś mówiłeś inaczej". On: „Nie wiem, skąd ta informacja. Jest błędna". „O proszę" – i czytam, skąd mam tę informację. Moderator mnie popiera: racja, to w moim wywiadzie to powiedziałeś, mogę ci przesłać kopię.

Jakie były sporne rzeczy?

Najgorsze to budowy wielkich torów. Dewelopery kupują od miasta bibliotekę i w jej miejscu budują wielki tor na wiele mieszkań albo biur, a na dole, mówią, urządzą bibliotekę, jak była. Tylko jak budują ten tor, to nic nie ma, a dokoła rozkopane. Te radne, które popierają deweloperów, mówią na siebie progressives [postępowi] – że będą dokarmiać dzieci i pomagać najuboższym. Wszystko ładnie wygląda na Twitterze. Podpisują deweloperom permit [zgodę] i ci deweloperzy budują wielkie tory, które powodują, że ci najubożsi muszą się wynieść z dzielnicy. Ta dzielnica nie jest już ich. Ja ci to opowiem na przykładzie Polaków i ich domów.

Dużo starszych Polaków kupowało domy, bo były tanie. Moi rodzice kupiły dom w 1986 roku. I wynajmowały, taki był zwyczaj, brały mały rent, żeby mieć święty spokój. Żeby nie było: o, żarówka mi się przepaliła, i leci do landlorda. Tutaj było: masz małe problemy, to se napraw je sam. To zawsze była taka kultura. Po 2005 roku, jak się okazało, że można już budować domy nad rzeką, na Greenpoincie ceny poszły w górę. I dewelopery zaczęły przychodzić z torbą pieniędzy do tych polskich landlordów. I nawet im pokazywały pół miliona dolary, a oni nigdy nie widziały pół miliona dolary. I zaraz je brały, nie wiedziały, że mogą chcieć więcej. Niektóre same wyjechały, bo widziały, że tu się wprowadzają nowe, nieprzyjemne ludzie, co nie mają już respektu dla emigrantów. Te, co zostawiły sobie domy, podwyższyły renty, bo się zmienił podatek od gruntu i usłyszały, że dzielnica jest modna. Niektóre nowe powiedziały sobie: o, trzeba wygonić Polaczków. Teraz to się trochę polepszyło, ale to dlatego, że jest ich coraz mniej.

I teraz dalej: właściciele, które zostały z tymi domami, są już dużo starsze, mają problemy, bo one czasem nie mówią po angielsku, mają jeden dom i nie mają dużo kasy. A dewelopery o tym wiedzą i zaczynają już proces dręczenia. Dzwonią, zostawiają informacje, pukają na drzwi, znowu dzwonią. Jak to nic nie pomoże, to kupują szeregowy dom obok. I go wyburzają, bo przecież i tak potrzebują tylko działki. Jak wyburzą, to dom tych starych siada na fundamentach. Na ulicy Freeman widziałam, jak całe okno odchodzi od domu, są dziury. Właściciel domu jest na Florydzie. Walczy w sądzie, ale co on wywalczy? Jak udowodnisz w sądzie, jak to wcześniej wyglądało? Jak nie masz adwokata i inżyniera, który to zaraportuje, to nie udowodnisz, że to dewelopera jest wina. Jak nie mówisz po angielsku, to w ogóle klapa. Potem dom traci na wartości. I właściciel dom sprzedaje, bo co ma robić. Tylko już za nową cenę.

Nie wygrałam wyborów, wiedziałam, że tak się stanie. Ale coś się zmieniło, ludzie zaczęli mówić, że coś dużego się stało, że firanki wreszcie otworzyliśmy i zobaczyliśmy prawdziwe problemy. Dostałam ponad dwa tysiące głosów. Na Levina głosowały wszystkie te chasydy, dziesięć tysięcy głosów.

Bez chasydów nie można wygrać wyborów w trzydziestym trzecim okręgu. Każdy się pyta: czy ona może kiedykolwiek dostać żydowskie głosy? Ja nie myślę, żeby to było niemożliwe. Jak ja to zrobię w przyszłości? Zacznę od kobiet, którym rabaje nie bardzo pomagają.

Po wyborach miałam party, dużo ludzi, chociaż deszcz. Chłopak przyszedł, nie widziałam go wcześniej, nieubrany na Żyda, nie wyglądał jak chasyd, i powiedział, że jest dumny z tego i bardzo mu się podoba to, że się odważyłam. I on był ciekawy, żeby pilnować to, co będę robiła, i powiedział, że chce ze mną pracować. Zapytałam, skąd ma ten akcent, bo miał akcent. On, że urodził się w South Williamsburgu. Zostawił religię żydowską, jak miał trzynaście lat, miał traumę z rabajem. Rodzina mu pozwoliła, żeby odszedł. Wyjechał do Francji, wychował się u rodziny.

Zaczął mi mówić o problemach w dzielnicy i z rabajami. Wysyłał mi listy, co się u nich dzieje. I jedną wiadomość mi wysłał: to był taki otwarty list napisany do rabaja przez kobietę żydowską. Nie napisała, jak ma na imię, ale że bardzo dziękuje rabajowi za jego pracę, że uczy dzieci, że to ważne, ale że ona nie może patrzeć, jak jej synowie rosną, idą do szkoły, mają najlepsze wychowanie religijne, znają świętą księgę, wiedzą wszystko, co powinni wiedzieć z teologii, ale nie mogą sobie imienia po angielsku napisać, bo nie potrafią. I że jak idą do pracy, nie mogą być zatrudnione, bo nie piszą, nie mówią i nie umieją matematyki. I że oni się zgubią w tym świecie, jak nie będą się uczyli więcej rzeczy. I jeszcze, że to nie jest prawda dla kobiet, bo one nie muszą chodzić do jesziwy, mogą się uczyć, ile chcą. One są bardzo zdolne i mają wysoki poziom edukacji, i nie mają problemów takich, kontrolują wszystko w domu – ale muszą siedzieć w domu, i tyle. Ona napisała jeszcze, że każde pokolenie jest biedniejsze, bo coraz większe rodziny i trudno im się utrzymywać. Dalej, że my się topimy, a ty ręki nie podajesz. Takie to było smutne.

I ja później się dowiedziałam o basenie, że one potrzebują pomocy. Basen publiczny, gdzie chodziły przez dwadzieścia lat, na Bedford, stał się niedostępny. Kobiety żydowskie miały godziny tylko dla siebie. W 2011 roku był plan, żeby sprzedać basen dla dewelopera. I te kobiety żydowskie zaczęły walczyć przeciwko temu i wygrały. Ale potem ktoś napisał, że te godziny dla kobiet to są tylko dla żydowskich kobiet, a basen nie jest religijny, tak nie powinno być w publicznym miejscu. I zabrały im te godziny. To one zaczęły brać udział w community board. I one zaczęły przychodzić, dziesięć lub piętnaście kobiet, i zaczęły mówić, że to ważne, ale że nie mają gdzie ćwiczyć, a mają problemy z kręgosłupem, bo mają dużo dzieci. Że są coraz starsze i pływanie jest dla nich zdrowe, że nikt nie używa, tylko one używają. A jak już przychodzą, to jest sto kobiet i muszą stać w linii. Wejść pięć minut i wychodzić. Walczyły i walczyły.

I one do mnie podeszły. Zrób to dla nas, a my będziemy ci pamiętały całe życie. Ja w Europie widziałam, w Londynie na Hampstead

Heath, że są takie miejsca, gdzie pływają osobno kobiety, osobno mężczyźni. W wyznaczonych godzinach. Każdy może sobie pływać. Więc im powiedziałam, że mam pomysł: jeśli władza mówi, że czas dla kobiet to jest dyskryminacja, to zrobimy też czas dla mężczyzny. Żeby się nie czuli dyskryminowani. Sprawdziłam, że w tygodniu na tym basenie jest dziewięć całkiem pustych godzin. OK, wysłałam list, że zróbmy spotkanie. I one takie były zadowolone.

Jak przedstawiliśmy ten pomysł na community board, to wszystkie zaczęły klaskać, nawet te rabaje. Mówiłam, że to nie jest tylko dla religijnych ludzi, że są kobiety, które mają traumę, były zgwałcone, wstydzą się, nie chcą, żeby ich ktoś oglądał, są w ciąży, starsze, różne powody dla tego, że chcą być same.

Czekamy na spotkanie z burmistrzem de Blasio, mamy wsparcie od lokalnych polityków. De Blasio zabrał godziny, powinien oddać. Zobaczymy. Chcę, żeby one wiedziały, że mogą na mnie liczyć. Że ja nie obiecuję jak Levin, tylko robię.

A potem na wiosnę zaczęła się sprawa pomnika katyńskiego, po której mnie tutaj dużo Polaków nie lubi, a nie powinno, bo nie ma za co. Ja pierwsza się zorientowałam, że coś się może stać z polskim pomnikiem, który stoi w Jersey City. Zaczęło się od tego, że przeglądałam Twittera. W kwietniu władze Jersey City napisały, że na Exchange Place nad rzeką Hudson będzie park. Jeden z deweloperów dodał, że pomnik, który tam stoi, jest nieodpowiedni dla oczu matek z dziećmi i powinien być usunięty. Chodziło o ten wyrzeźbiony przez Andrzeja Pityńskiego, przedstawiający żołnierza przebitego bagnetem. Pomnik stał na tym właśnie placu.

Zaczęłam pisać, że ten pomnik jest dla Polaków bardzo ważny, upamiętnia masakrę, którą wszyscy pamiętają. Kłóciłam się z burmistrzem. W Jersey City nie mieli wiedzy o tym, co się w czasie wojny stało. Sprawdziłam – nikt z Polonii się nie zorientował. Pomyślałam, że ktoś powinien przeciwdziałać, i zadzwoniłam do kolegi, który znał adwokata Sławomira Plattę.

Platta wszędzie się reklamuje. Poznałam go podczas Parady Pułaskiego, bo był jej marszałkiem. Jak ja kandydowałam na Greenpoincie do rady dzielnicy, to on na Queensie chciał kandydować do stanowego senatu. Wiedziałam, że pan Platta chce być liderem. Zapytałam kolegi: „Hej, chcę się dodzwonić do Platty, bo chcą zniszczyć pomnik w New Jersey, pomożesz?". Platta oddzwonił: „Słuchaj, ja mam dużo roboty w Queensie, to nie jest mój okręg, nic mi to w wyborach nie pomoże". Ja: „Myślę, że to ci pomoże, bo uratujesz polską historię dla Polaków. Mieszkałeś w New Jersey i znasz ludzi. Zobacz, co się dzieje".

Jak te plany, by pomnik usunąć, stały się publiczne, Platta ogłosił, że trzeba bronić pomnika, a ja mu pomagałam z tylnego siedzenia jakby.

W maju rada miasta Jersey City uchwaliła, że pomnik ma zniknąć. Mówiłam, gdzie papiery złożyć, żeby zablokować wykonanie tej uchwały. Że taki a taki dokument do city hall, a inny do sądu. Pan Platta na pewno wie dużo o odszkodowaniach z wypadków, ale nie zna się na sprawach politycznych. Chciał mnie u siebie zatrudnić. Odpowiedziałam, że ja jestem tylko społecznym doradcą i że oni muszą to zrobić: trzeba zbierać podpisy i pieniądze. Platta dodał, że na Greenpoincie mieszka pan Janusz Sporek, działacz i nauczyciel muzyki, który chce pomóc, ale nie wie jak. Ten Janusz Sporek pisał zaraz potem o mnie: fajna polska dziewczyna. I zorganizowali komitet obrony pomnika.

Powiem ci: to mogło zostać załatwione w miesiąc, tylko że oni mnie może i słuchali, ale robili po swojemu.

O tym, że pomnik ma zniknąć, zaczęły pisać polskie gazety: „Nowy Dziennik", „Super Express", wszystkie. Gwiazdą i głównym obrońcą był Sławomir Platta, oburzeni ludzie wpłacali pieniądze, pisali o zbrodni w Katyniu i nieuctwie tych ludzi w New Jersey. Ja w tym czasie zaczęłam czytać, co się dzieje w polityce w Jersey City. Zorientowałam się, że to nie chodzi za bardzo o polską historię ani o park, tylko o dewelopera, który chce mieć parking przed swoim hotelem, a pomnik przeszkadza. Jest umówiony z burmistrzem. I że są maile, które potwierdzają możliwą korupcję. Poznałam bardzo ważną architektkę, która też uważała, że nie chodzi o żadne tereny miejskie. Zwróciłyśmy się do city hall o ujawnienie korespondencji burmistrza. Zaczęłyśmy przeglądać dokumenty.

Tymczasem burmistrz Fulop zobaczył, że ludzie zaczynają protestować, i zwrócił się do Polonii, żeby znaleźć kompromis. Wkroczył konsul z Nowego Jorku. Zaczął rozmawiać z Fulopem. Zgodzili się, że pomnik nie zniknie, tylko zostanie przesunięty. Też nad rzekę, kilkadziesiąt metrów dalej. Platta i jego komitet uznali, że ich przesunięcie nie interesuje. Będą zbierać podpisy, żeby zorganizować referendum. A dokładnie zbierać podpisy pod petycją o referendum. Wszędzie ogłaszał: podpisujemy się dla pomnika. Zebrali i zanieśli te podpisy do rady miasta New Jersey. No i okazało się, że większość jest nieważna*. Na listach z podpisami były nazwiska takie jak Dennis Rodman albo Bill Clinton. Było to nieprofesjonalne i wielu ludzi mówiło do mnie, że ten komitet się ośmieszył.

Pan Platta ogłosił, że zaraz zbierze dodatkowe podpisy. I jeszcze zgłosił sprawę do sądu, że źle policzono. Jeszcze wtedy dodatkowo Polonia zaczęła się między sobą kłócić, bo jedni się zgadzali z konsulem, a drudzy z komitetem. Oskarżali się nawzajem na Facebooku o zdradę Polski albo o „darcie mordy". Przestałam się zajmować tym komitetem. Niech sobie robią, co chcą.

We wrześniu były prawybory do senatu stanowego, które pan Platta przegrał, bo miał dwa razy mniej głosów niż ten drugi kandydat.

My z panią architekt po dwóch miesiącach znalazłyśmy maile burmistrza i poszłyśmy do sądu. Było jasne, że nie chodziło o żaden park, tylko o znajomego i deweloperkę. I dwa dni później burmistrz zmienił zdanie w sprawie pomnika i poprosił radnych, żeby też zmienili. Uchwalili, że pomnik zostaje.

Pan Sławomir Platta potraktował mnie jak wroga, bo poszłam inną drogą. Polskie gazety uznały pana Plattę za bohatera. Pan Janusz Sporek powiedział, że to znak od Boga na gwiazdkę. O mnie – że ja tylko udaję Polkę, że jestem kreaturą bez honoru.

* Według „The Jersey Journal" zebrano 9471 podpisów, a potrzebnych było 6714. Zatwierdzono jedynie 3833 nazwiska. Okazało się, że około sześćdziesięciu procent osób, których podpisy zostały złożone, nie znajdowało się w bazie wyborców lub nie zostało zarejestrowanych do głosowania w Jersey City.

To było smutne, bo przecież jego wnuki też są hiszpańskojęzyczne. Powiedziałam: „Powiedzcie chociaż dziękuję, bo beze mnie nigdy byście nie wygrały. Miałybyście puste miejsce, zero pomnika".

Często pytam mamę, co się działo w dawnych czasach. Co myślały twoje koleżanki, kiedy im przedstawiłaś chłopaka, który się urodził w Gwatemali? Czy one się śmiały z ciebie? Czy ludzie gadali? Mama mówi, że tata był tak fajny, że jej zazdrościły. Nauczył się po polsku. Religię mieli wspólną i to też było fajne. Nikt się nie śmiał: „O, nie możesz tutaj przyjść, bo nie jesteś prawdziwym Polakiem". Nie wiem, co się stało, że te ludzie, które zaakceptowały mojego tatę w latach osiemdziesiątych, dzisiaj są największe rasisty. Może się po prostu postarzały i są zdania, że ktoś chce im zabrać narodowość? Jak niby miałby to zrobić?

## Izabela, 2002

Moje pierwsze dni w bibliotece na Norman Ave były szokiem kulturowym. Stary parterowy budynek z wąskimi oknami, przez które prawie nie dochodziło światło. Ściany brudne i zapyziałe, meble pokryte tłustym kurzem, który zastygł na wieczność, ciężkie metalowe biurka sprzed pół wieku – to wszystko w porównaniu z czyściutką Kanadą stanowiło kontrast, który dokładał się do całej mojej depresyjnej sytuacji: jeszcze nie miałam mieszkania, moje rzeczy leżały w pudłach w samochodzie, a ja sama nie bardzo wiedziałam, co tu robię.

Personel niższy stanowiły cztery dziewczyny, w tym jedna Polka, pracujące jako clerks [urzędniczki], plus piąta, menedżerka, siedząca przy tym samym biurku od dwudziestu lat. Całe to towarzystwo przyjęło mnie zupełnie inaczej, niż się tego spodziewałam. W Kanadzie nikomu nie przyszłoby do głowy odnosić się do nowego pracownika z wyższością, chwalić się swoim wykształceniem i okazywać niechęć. Czułam na sobie spojrzenia, słyszałam szepty za plecami... To była dla nich dziwna, nieznana do tej pory sytuacja: na robotniczym Greenpoincie, gdzie Polacy z reguły posługują się bardziej niż łamanym angielskim, pojawia się ktoś z MLIS (Master of Library and Information Studies).

Kolekcja polska była w strasznym stanie: książki zaczytane, zniszczone, a nowości dodawane raz na rok, kompletnie bez znajomości rzeczy. Stoją obok siebie książki z „Biblioteki »Kultury«" paryskiej i kolorowe poradniki feng shui. Trochę poradników sportowych – rower, szachy, wioślarstwo, nieco rozpadających się kryminałów, ogromne ilości romansideł Danielle Steel, nazywanej tu przez czytelniczki „Sztil". Do tego bardzo nieprofesjonalne słowniki wydane tu, na miejscu, przez wydawnictwo Iwa Pogonowskiego, medyczne i prawne – te ostatnie przestarzałe i już nieaktualne. I prawie wszystkie poradniki na temat życia w USA wydawane przez Elżbietę Baumgartner, niezwykle popularne i poszukiwane.

W bibliotece atmosfera raczej nieprzyjemna. Pani od sprzątania, Margie, z pochodzenia Austriaczka, nie robiła absolutnie nic. W pomieszczeniu na bojler urządziła sobie – wbrew przepisom – miłe siedzisko i tam w cieple siadała, i zasypiała. Kiedy nie spała, smażyła w kuchni jajecznicę, której zapach rozchodził się na całą bibliotekę, i opowiadała, że jest kuzynką Schwarzeneggera. W ubikacji dla personelu znajdowałam kłęby włosów na podłodze… Kiedy zwróciłam na to uwagę menedżerce biblioteki, powiedziała Margie, kto na nią naskarżył. Następnego dnia Margie zaczęła krzyczeć, że mam za krótką spódnicę i widać mi crotch, i żebym uważała, bo ona wie o mnie wszystko.

Nikt poza mną i Elą nie obsługiwał polskich czytelników. Kiedy dochodziło do spornych sytuacji – najczęściej chodzi o karę za spóźnienie – Amerykanki podnosiły głos o kilka tonów i wołały jedną z nas na pomoc. Pracowały tam od wielu lat, żadna nie znała jednego słowa po polsku. Byłam sparaliżowana całą sytuacją, ale powoli wciągnęłam się w lokalne biblioteczne zwyczaje. Nauczyłam się, że nie warto nic mówić o sobie. Polaków na początku przychodziło niewielu, głównie były to panie pytające o „Sztil".

Odkrywałam Greenpoint na zasadzie nieustannego zdziwienia: te wszystkie sklepy mięsno-garmażeryjne, w których można zjeść za grosze, siedem księgarni, w tym cztery przy jednej ulicy, pijaczkowie gromadzący się przy schodach do subwayu, prawdziwy sklep pasmanteryjny prowadzony przez dwie siostry, sklep z napisem „Wedel"… Szybko zaczęłam nawiązywać znajomości.

Pani Stasia z Antka, pani Grażyna z Grace Spa, u której poznałam Anię, która potem robiła mi wax u siebie w domu, Izabella Kobus, ongiś śpiewaczka w łódzkiej operze, potem nowojorska działaczka kulturalna, dziewczyny z chóru, Jemeńczycy z małej trafiki na rogu ulic Norman i Manhattan Ave, pani Beata z księgarni.

Przez piętnaście lat codziennego bywania w tej dzielnicy odwiedziłam polski kościół przy Driggs może cztery razy. Powodów mojej niechęci do tego miejsca było sporo, na przykład sprzedawanie antysemickich obrzydliwości w przedsionku kościoła. Raz w tłumie stanęłam obok znajomej czytelniczki, która świetnie dekorowała pisanki i którą zapraszałam co roku na organizowane przez bibliotekę warsztaty jako instruktorkę. Pani spojrzała na mnie i powiedziała: „Co pani tu robi? Myślałam, że pani jest… no wie pani… innej wiary". Spojrzałam na nią i odpowiedziałam: „Ach, droga pani, wszyscy jesteśmy żydami".

Wkrótce rozeszła się wiadomość, że w bibliotece pracuje Polka, która pomoże, przetłumaczy, zadzwoni do urzędu, a czasem nawet da pięć dolarów bezdomnemu. Zaczęło przychodzić coraz więcej Polaków, bo biblioteka oferowała więcej usług niż kiedykolwiek przedtem. W miarę szybko dowiedziała się o mnie Maria Fung z bibliotecznego departamentu World Languages. Nasze pierwsze spotkanie musiało na niej zrobić dobre wrażenie, bo Maria już na początku nowego roku, a zatem w trzy miesiące po rozpoczęciu przeze mnie pracy, znacznie powiększyła budżet na polskie książki i wreszcie na półki trafiały prawdziwe nowości. Zaczęłam pisać „biblioteczne" felietony do lokalnego tygodnika „Kurier Plus". Ukazywały się w cyklu *107 Norman* aż do 2016 roku. Wtedy właścicielka tygodnika nagle zerwała ze mną współpracę z powodu mojego zaangażowania w budowanie nowojorskiej antypisowskiej opozycji. Szybko też zaczęłam organizować spotkania kulturalne – pierwszym był występ kameralnego chóru. To w tym chórze zaczęłam chwilę potem śpiewać.

Wkrótce zobaczyłam, jak wyraźny był podział między Polakami przychodzącymi do istniejącej jeszcze wtedy redakcji „Nowego Dziennika" na Manhattanie a tymi, którzy przychodzili do mnie. Z całą pewnością moja oferta była ciekawsza, żywsza, niosąca więcej wyzwań – ale „stara emigracja", nazywająca siebie „intelektualną", nie zaszczycała mnie swoją obecnością. Nie była ciekawa młodych pisarzy z Polski, którzy przebywając z wizytą w Nowym Jorku, przychodzili, żeby przeczytać fragment swojej nowej książki. Greenpoint był dla nich antyreklamą kultury. Jakże niesłusznie. Redakcja „Nowego Dziennika" wkrótce zniknęła z Manhattanu. Sam „Nowy Dziennik" po 2011 roku przestał być gazetą, którą chciałoby się czytać.

Na Greenpoincie stawałam się coraz bardziej znana. W końcu nie tylko wśród Polaków. W noc 20 marca, kiedy rozpoczęła się druga wojna w Zatoce Perskiej, spacerowałam po Times Square z kolegą, który właśnie odwiedzał mnie w Nowym Jorku. Na olbrzymich ekranach pojawiały się aktualne wiadomości z nalotu na Bagdad. Times Square wypełniony był samochodami ekip telewizyjnych, a dziennikarze różnych stacji podbiegali do nielicznych o tej porze przechodniów, żeby przeprowadzić uliczną sondę. Nas przepytywało NBC. Przez następne dni niemal każdy wchodzący do biblioteki czytelnik wykrzykiwał: „Widziałem cię w telewizji! Naprawdę jesteś z Polski?". Jakkolwiek zabawnie to brzmi, niewątpliwie był to jakiś moment przełamania lodów pomiędzy mną a czytelnikami nie-Polakami. Ja z kolei nie chciałam być postrzegana wyłącznie jako „this Polish librarian". Bardzo starałam się wciągać ten „amerykański neighborhood" w biblioteczne życie, proponować coś, co byłoby spotkaniem kultur; przekonać, że Polska, ta „little Poland", w której mieszkają, nie powinna być postrzegana wyłącznie przez pryzmat barszczu w Łomżyniance i zataczającego się na chodniku pijanego. To zadanie stało się trudniejsze, kiedy w pierwszej dekadzie XXI wieku dzielnica zaczęła się jeszcze szybciej gentryfikować. Stereotypowe wyobrażenia na temat Polski podsumowuje choćby taka reakcja pewnej hipsterskiej pary na widok półek z polskimi książkami: „Oh my God, books in Polish, how awesome!". Ten zdziwiony wykrzyknik, protekcjonalna życzliwość, pod którą kryło się prawdziwe niedowierzanie, brzmi mi w uszach do dziś...

Wkrótce zaczęły zamykać się polskie restauracje, liczba księgarni zmniejszyła się do trzech. Coraz częściej moi polscy czytelnicy przychodzili się pożegnać, bo ceny wynajmu mieszkań na Greenpoincie zmusiły ich do przeprowadzki. „Będę przychodzić, ale rzadziej" – zapewniali. I rzeczywiście. Przychodzili rzadziej, ale wypożyczali więcej książek.

Pamiętam swoich czytelników, niektórych nawet udawało mi się kształtować. Kiedyś przyszła pani z pytaniem, czy nie zamówiłabym książek Henryka Pająka, czołowego antysemity. Wystarczyło jedno moje spojrzenie, żeby zaczęła się tłumaczyć, że to nie ona, tylko mąż. Siedemnastoletni, urodzony w Stanach chłopiec chciał koniecznie przeczytać „wiersyki". Wybrałam mu najpiękniejsze.

Kilkakrotnie organizowałam lekcje polskiego dla początkujących. Przychodzili amerykańscy małżonkowie, ale także greenpointczycy, których pradziadkowie przyjechali tu lata temu. Wśród nich zawsze znajdowały się mocno starsze panie pochodzenia żydowskiego, które język polski poznały od swoich rodziców. Polska to była ich skrywana nieszczęśliwa miłość.

Przed Wielkanocą odbywały się warsztaty zdobienia pisanek. Przychodziły tłumy Amerykanek, nie tylko polskiego pochodzenia. Z przejęciem skrobały małymi nożykami barwione w łupinach cebuli jajka albo naśladując instruktorkę, nakładały szpilką umocowaną na końcu ołówka krople wosku. Takie właśnie zajęcia, warsztaty artystyczne, na których robiło się coś własnymi rękami, okazały się najskuteczniejszym narzędziem zachęcającym Amerykanów do przyjrzenia się polskim sąsiadom.

W 2017 roku zaczął się remont biblioteki. Wkrótce zmieniono plany, postanowiono zburzyć stary budynek i postawić nowy. Wtedy trafiłam do głównego oddziału Brooklyn Library przy Grand Army Plaza. Czułam się tam znakomicie – przychodziła wyrobiona publiczność, a ja miałam możliwość pracy przy poważnym researchu. Mogłam też pracować przy projektach, które przekraczały granicę między polską i amerykańską kulturą – pomagałam przy realizacji spotkania z Olgą Tokarczuk. A poza tym cisza i życzliwsza atmosfera wśród pracowników.

Niestety w 2020 roku wróciłam do supernowoczesnej siedziby przy Norman Ave. To już nie jest ten Greenpoint, na którym osiemnaście lat temu zaczynałam pracę. Nie ma już moich starych czytelników, kolekcja, którą budowałam przez te wszystkie lata, przestała istnieć. Ale głównym powodem jest chyba to, że wypaliłam się w swojej roli „polskiej bibliotekarki" i nie wiem, co mogłabym zaoferować pisowsko-trumpowskim, karmiącym się wiadomościami z szeroko rozprowadzanej w polskich sklepach „Gazety Warszawskiej" czytelnikom. Czas pokaże. Greenpoint to moja miłość i moje przekleństwo.

# Rozdział x. Wojna światów

W listopadzie 2006 roku w internetowym magazynie absolwentów Haverford College w Nowym Jorku ukazuje się satyryczny tekst byłego studenta Davida Langlieba, dwudziestotrzylatka, pracownika miejskiego Wydziału Parków. Langlieb, nowy greenpointczyk, podzielił się ze światem obserwacjami na temat żyjącej w dzielnicy społeczności z pozycji osoby „białej, nieetnicznej, odpowiedzialnej za świetlaną przyszłość miejsca zamieszkania". Napisał między innymi, że jest to miejsce dziwaczne, męczące jak zaraza, pełne szeregowych czynszówek brzydszych nawet niż kretyni, którzy je zamieszkują. Dokładniej: Polacy, którzy nie byli w stanie zrobić z sobą nic lepszego, więc pozostali Polakami. Langlieb chciał o tym porozmawiać z właścicielem lokalnego sklepu, ale właściciel nie odpowiedział, bo akurat zamiast na tyłek, założył gacie na głowę i guma ściskała mu uszy. Światełkiem w tunelu miał być fakt, że na ulicy Calyera w miejscu polskich delikatesów otwiera się Blimpie*. Jeśli właścicielka delikatesów umyje sobie uszy, być może będzie od czasu do czasu dopuszczana do pracy na kasie.

Tekst Langlieba przeczytali polscy studenci w Nowym Jorku, ale nie zauważyli ironii. Uznali go za frontalny atak na Polskę. Zaalarmowali polskie instytucje społeczne, pracodawcę autora – Corky'ego Siemaszkę, amerykańskiego dziennikarza o polskich korzeniach, władze uniwersytetu i Konsulat Generalny.

* Sieć kawiarni z kanapkami.

W rezultacie Frank Milewski, prezes nowojorskiego oddziału Kongresu Polonii Amerykańskiej, potępił artykuł, porównując go do pełnych nienawiści wypowiedzi nazistów. Oświadczenie Milewskiego poparło Stowarzyszenie Polskich Przedsiębiorców i Stowarzyszenie Polskich Policjantów na Greenpoincie. Tekst skrytykował David Yassky, radny miejski. Konsul Generalny RP uznał, że to czyste etniczne oszczerstwo, jak z czasów Ku Klux Klanu. Prezydent Haverford College Thomas Tritton oświadczył, że tekst jest niefortunny i może budzić słuszny gniew Polaków. Rzecznik Wydziału Parków Nowego Jorku, Warner Johnson, zapewnił, że Langlieb w żadnej mierze nie wyraża opinii ich urzędu. W rozmowie z „Daily News" autora zganiła nawet jego własna matka. Niektórzy internauci zdemaskowali go jako „młodego żydka, który chciał wywalić swoje uprzedzenia i kompleksy". David Langlieb osobiście przeprosił za to, że żartując, niechcący uraził polską społeczność.

Zanim sporny artykuł zniknął z hukiem ze strony college'u, można go było przeczytać w całości. W drugiej części narrator, stawiając się w roli cywilizującego dzielnicę odnowiciela, pisał:

> Dlaczego mieszkam na Greenpoincie? Bo gdybym tego nie zrobił, to miejsce nigdy by się nie zmieniło. Jasne, mógłbym się przenieść do SoHo lub Upper East Side, jak niektórzy egoistyczni koledzy z Haverford. Ale te miejsca nie potrzebują mojej pomocy. Jeśli Haverford nauczył mnie czegokolwiek, to właśnie tego, że zmiana społeczna nie następuje z dnia na dzień. Dlatego muszę znosić kolejne miesiące życia bez Lord & Taylor* w najbliższej okolicy. Poświęcę się. Jeśli tu zostanę: biały, domyty i z dobrą pensją, przyciągnę jeszcze więcej nowych inwestycji. Deweloperzy wybudują jeszcze więcej szklanych, nowoczesnych wieżowców na nabrzeżu. Niestety, zgodnie z przepisami kilka mieszkań w tych wieżowcach trafi do rodzin o niskich dochodach, ale nie można mieć wszystkiego. Martwię się tylko, że gentryfikacja pójdzie kiepską drogą, tak jak w Williamsburgu, gdzie chasydzi zostali wyparci przez hipsterów, a wiadomo – są oni tak samo irytujący

* Nobliwy dom towarowy.

jak Żydzi. Jeśli nawet noszą garnitury, to dla żartów. Chciałbym wychowywać moje dzieci na dobrze zgentryfikowanym Greenpoincie: wśród prawników i bankierów, rzut beretem od Manhattanu, odcięty jak się tylko da od plebsu. Marzę o Greenpoincie, gdzie Banana Republic* jest otwarty całą noc, a kościoły przekształca się w wielofunkcyjne parkingi i strzelnice. To się może ziścić, jeśli w końcu wyplenimy robactwo. Dołączcie do mnie, przyjaciele.

Gdy emocje opadły, na polskim studenckim forum pojawiła się informacja, że Langlieb od kilku lat wynajmuje mieszkanie wspólnie z oflagowanym „I'm proud to be Polish" młodym Polakiem. Są dobrymi przyjaciółmi. Pojawiła się też nieśmiała uwaga, że być może tekst Langlieba był satyrą na pogardliwych, cynicznych gentryfikatorów w garniturach, a nie na Polaków.

Ale wtedy Langlieb musiał już się wyprowadzić z Greenpointu.

## Pożar

O ile dramat wokół zderzającej dwa światy satyry Davida L. rozegrał się mimo wszystko w gronie sąsiedzkim, o tyle o podpaleniu Greenpoint Terminal Market usłyszała cała Ameryka. Kiedyś mieściła się tu największa amerykańska fabryka lin American Manufacturing Company. Gdy w połowie XX wieku upadła, hale przekształciły się w szalone squaty i półlegalne sale koncertowe, nazywane przez wtajemniczonych Forgotten City.

Greenpoint Terminal Market zapalił się w maju 2006 roku i był to największy nowojorski kataklizm od czasów 11 września. Ranni strażacy, jedenaście godzin walki z ogniem, gigantyczne straty.

Podejrzewano podpalenie. Wkrótce aresztowano Leszka Kuczerę, bezdomnego z chorobą alkoholową. Widywano go w pobliżu, gdy zbierał miedziany złom na sprzedaż. Zatrzymano go już wcześniej za palenie opon przy nabrzeżu. Bezdomnego Polaka, „który podpalił Greenpoint", pokazywały wszystkie amerykańskie telewizje.

* Jedna z droższych sieciówek odzieżowych.

Właścicielem terenu był potężny deweloper Joshua Guttman, specjalista od spekulowania działkami poprzemysłowymi. Guttman kupił Greenpoint Terminal Market w 2001 roku za dwadzieścia cztery miliony dolarów, pięć lat później, po zmianach warunków zabudowy, mógł go sprzedać za czterysta dwadzieścia milionów. Znalazł się chętny, który wpłacił czterdzieści dwa miliony zaliczki. Jednak chwilę przed transakcją do budynków przy ulicy West weszła komisja z Municipal Art Society (MAS) w Nowym Jorku i zidentyfikowała je jako dzieła zagrożonej historycznej architektury. Zaleciła, żeby nie przekształcać ich w mieszkaniówkę. Dopóki budynki stały na nabrzeżu, transakcja planowana przez Guttmana nie była możliwa.

Kiedy miesiąc po pożarze deweloper dostał zgodę na wyburzenie pozostałości po fabryce, zaczęły narastać wątpliwości co do okoliczności jej podpalenia. Przede wszystkim dlatego, że mimo nakładanych od lat mandatów Guttman nie zabezpieczył prawidłowo budynków. Plotkowano, że podobny los spotkał także inne nieruchomości na Brooklynie, którymi się interesował. Wkrótce stało się jasne, że rzekomy podpalacz Leszek Kuczera był najmniej prawdopodobnym sprawcą pożaru, zwłaszcza że wkrótce zgłosił się polski właściciel firmy budowlanej z zapewnieniem, że Kuczera pracował wtedy przy remoncie na północy stanu Nowy Jork. Kuczera spędził pół roku w areszcie, następnie zawarł ugodę z sądem i zgłosił się na terapię AA. Dwa lata potem musiał wyjechać do Polski.

Pytany przez „Dziennik Wschodni" o trudne przeżycia, narzekał, że w jego obronie nie stanął nikt z polskiej społeczności na Greenpoincie. Nie wstawiła się żadna z polskich organizacji, nie zabrał głosu ani konsul, ani radny. W więzieniu wspierał go greenpoincki pastor Krzysztof Steiner i jego żona, a także Amerykanka, która studiowała przez chwilę w jego rodzinnym Lublinie. „Dała mi dużo ubrań po synu, który wyjechał do Europy"*.

* *Zrobili ze mnie idiotę*, rozmowa z Leszkiem Kuczerą, 29 maja 2008, dziennikwschodni.pl, bit.ly/3tAuNqg (dostęp: 04.04.2021).

Fragment Greenpoint Terminal Market, 2014 r.

## Punk spotyka pierogi

Potencjał Polskiego Domu Narodowego, posępnego historycznego gmachu przy ulicy Driggs, odkrył dla show-biznesu między innymi Łukasz Bułka, młody dziennikarz „Nowego Dziennika". Wcześniej organizował koncerty polskich gwiazd w klubach Exit i Europa, w 2001 roku szukał dużej sali dla zespołu Kult, który chciał wystąpić na Brooklynie.

– Do Domu Polskiego można było pójść na zebranie, polską dyskotekę, akademię okolicznościową lub występ zespołu ludowego. Wieczorami otwarty był ponury bar.

Całością zarządzał Antoni Chróścielewski, weteran spod Monte Cassino, emerytowany biznesmen, który jednak rozumiał potrzeby rynku. Zgodził się wynająć dużą salę za utarg z baru.

– Przyszło prawie osiemset osób, nikt nie zdemolował lokalu. W jeden weekend Dom zarobił tyle, co w miesiąc. Pan Antoni był zachwycony.

Jeszcze w tym samym roku w Polskim Domu Narodowym zaczął działać klub Warsaw, organizujący koncerty polskie, a nawet amerykańskie.

Rewolucja Chróścielewskiego doprowadziła do kryzysu: w marcu 2003 roku zerwano zebranie akcjonariuszy, ponieważ nie wszystkie organizacje były skłonne zaakceptować „obcych wyjców". Miesiąc później frakcja Chróścielewskiego wygrała spór o przyszłość Domu.

Egzotyką budynku zaczęli się zachwycać amerykańscy dziennikarze: „Wysoki katedralny sufit, pozłacane ściany z obszernym barem w sąsiedniej sali, wszystko obite naturalnym drewnem – napisał w 2002 roku dziennikarz tygodnika „Village Voice". – Jedyne miejsce w Nowym Jorku, gdzie można zjeść pierogi i kiełbasę, równocześnie słuchając ulubionego zespołu rockowego".

Klub Warsaw prowadzi teraz Mark, syn Antoniego. Agentem muzycznym został Steve Weitzman, który wcześniej prowadził w Chelsea na Manhattanie klub Tramps. Weitzman ściąga tu najbardziej obiecujące artystycznie zespoły muzyczne. Chróścielewski z Weitzmanem podchwycili hasło, którym określił nowe miejsce serwis kulinarno-kulturalny Zagat: „Gdzie punk spotyka pierogi".

Mimo gigantycznej konkurencji Warsaw jest jednym z najpopularniejszych klubów na Brooklynie, ulubionym miejscem Patti Smith i The National. Występowali tu Pearl Jam czy Le Tigre. Coraz rzadziej za to pojawiają się Lady Pank, Boys czy Weekend.

Polskim muzykom trudniej się teraz przebić, ale Chróścielewski rozkłada ręce. Chciałby organizować więcej polskich koncertów, jednak czy przyciągną publiczność? Chróścielewski tłumaczy, że nie jest promotorem, udostępnia tylko salę i nagłośnienie.

Kiedy w 2016 roku rozmawia z nim reporter Jan Błaszczak, menedżer podkreśla, że Dom Polski chce się skupiać na polskiej kulturze. W soboty organizuje potańcówki dla Polaków, obchodzi tu polskie święta narodowe. To z inicjatywy Chróścielewskiego na ścianie budynku namalowano mural upamiętniający powstanie warszawskie. W kolejną niedzielę zaś w dużej sali przemówi gość specjalny: Antoni Macierewicz*.

## Wizyta

4 czerwca 2019 roku Jolanta, współwłaścicielka French Epi, miłego bistro na Greenpoint Avenue, przyjęła zamówienie na kolację dla piętnastu osób. Dzwonił Janusz Sporek, znajomy, nauczyciel muzyki i gry na instrumentach, organizator koncertów (w tym muzyki polskiej w Carnegie Hall), dziennikarz, działacz społeczny i organizator klubów „Gazety Polskiej" w Nowym Jorku. Jolanta, restauratorka i osoba muzycznie wrażliwa, nie miała powodów do podejrzeń, zwłaszcza że Janusz wyjaśnił, że przyjeżdża znajomy z Polski i że towarzyszyć mu będzie grupa jego znajomych. Dwa dni później okazało się, że była to kolacja wysokiego ryzyka.

Miesiąc wcześniej na Manhattan Avenue pojawiły się plakaty o spotkaniach z doktor Ewą Kurek, historyczką z Uniwersytetu Lubelskiego. W Nowym Jorku planowano trzy, wszystkie w budynkach parafialnych, w tym Świętego Stanisława Kostki. Na Greenpoincie doktor Kurek towarzyszyć miał Robert Winnicki, lider

* J. Błaszczak, *The Dom. Nowojorska bohema na polskim Lower East Side*, Wołowiec 2018, s. 236.

Ruchu Narodowego. Chociaż plakaty anonsujące występ wydrukowano w języku polskim, nazwiska gości nie były w Ameryce anonimowe. Sygnalistką została między innymi zanurzona w świecie polonijnym Victoria Cambranes, mieszkanka Greenpointu, kandydatka na polityczkę. Do Nicholasa DiMarzio, biskupa diecezji brooklińskiej, trafiła petycja podpisana przez stu aktywistów, w tym radnego miejskiego i senator stanową, z prośbą o interwencję. Autorzy petycji uznali, że poglądy reprezentowane przez ultraprawicowych gości szerzą dezinformację i wzywają do nienawiści. Niepokój budziły dotychczasowe wypowiedzi doktor Kurek, w których sugerowała, że niektórzy Żydzi w Polsce współpracowali z Hitlerem, z przyjemnością przenosili się do getta i są odpowiedzialni za śmierć wielu Polaków.

Dwa dni przed planowanym występem rzeczniczka biskupa poinformowała, że w parafiach brooklińskich spotkań nie będzie, ponieważ Kościół nie może angażować się w politykę. Wyjaśniła, że biskup nie był świadomy charakteru tych wydarzeń. Zaniepokojony wpływową „żydowską propagandą", Robert Winnicki ogłosił na Twitterze, że spotkanie się jednak odbędzie, w bezpiecznym miejscu – sympatycy powinni się stawić na ulicy Humboldta, przed budynkiem parafialnym, o godzinie osiemnastej. Dwie godziny później we French Epi zabrakło jedzenia i piwa dla dwustu sympatyków Winnickiego i doktor Kurek.

Odwołanie spotkania polityka i historyczki wzmogło czujność lokalnych mediów, więc pod French Epi zjawiło się kilku dziennikarzy. Dowiedzieli się, że nie będą wpuszczeni, ponieważ nie ma miejsca, a potem – że w lokalu obchodzone są prywatne urodziny. Mimo to relacja ze spotkania pojawiła się na stronach The City, w „Brooklyn Daily Eagle" oraz na popularnym portalu Greenpointers.com („Skrajny nacjonalista i autorka teorii spiskowych w naszej lokalnej restauracji"). W kilka godzin lokal Jolanty został zasypany lawiną najniższych ocen w internecie oraz komentarzy, że należy unikać miejsc, w których jadają faszyści.

Jolanta doznała szoku. Opuściła Polskę jako nastolatka przed niemal czterdziestu laty. Ze względu na ciężką pracę i wychowywanie córek nie śledziła sytuacji w Polsce. Po kolacji z Winnickim trzy dni odpisywała na jadowite listy i komentarze, tłumacząc swój punkt widzenia. Po pierwsze: dwie kobiety prowadzące restaurację znają się na gościnności, nie na polityce. Czy powinny być karane za niewiedzę? Po drugie: biegając między salą a kuchnią, Jolanta wysłuchała fragmentów wystąpienia. Trudno jej zrozumieć zamieszanie. Pan Winnicki mówił, by wychowywać dzieci w polskości. Czy to może być kontrowersyjne?

Czwartego dnia razem ze wspólniczką zadecydowały o zamknięciu restauracji*.

Agata, 2012:

> Jestem graficzką i ilustratorką. Kiedy przeprowadzałam się do Nowego Jorku, chciałam, by moja córka miała koleżanki w swoim wieku, które złagodziłyby stres przenosin. Miałam polsko-islandzkich przyjaciół na Greenpoincie, którzy mieszkali tu od dekady. Wynajęłyśmy mieszkanie obok nich.
>
> Właścicielka domu, Polka, która przyjechała tu w latach osiemdziesiątych, otwarcie i niechętnie wypowiadała się o osobach o innym kolorze skóry. Rozmawiałyśmy zdawkowo, próbowałam ją przekonać, że przestępczość nie jest związana wprost z kolorem skóry. Oraz że nie wszyscy chcą ją okraść, nie zawsze jest drugie dno. Sama myła schody, sama przekopywała ogród. Pomyślałam, że mogłaby mieć wygodne życie, bo jej dom wart był między cztery a pięć milionów dolarów.
>
> Zapisałam córkę do państwowej szkoły numer 34. Połowa dzieci mówiła po polsku. Byłam przekonana, że będzie to szkoła egalitarna, ale córka przychodziła z informacjami o szybujących zarobkach rodziców koleżanek. „A wiesz, że tata Nicole zarabia tysiąc dolarów dziennie?". Mówiło się o tym, kto ma jakie auto, jaki dom, kto jest asem w biznesie. Na Greenpoincie największe

* W miejscu French Epi Jolanta i Magda otworzyły nową restaurację. Kaskade specjalizuje się w obsłudze chrzcin, wesel, urodzin, spotkań biznesowych i odczytów. Regularnie dostaje pięć gwiazdek oraz pochwały za gościnność i dobre jedzenie.

pieniądze zarabia się przy budowie, sprzedaży nieruchomości i obrocie nimi – tym zajmowali się rodzice. I bardzo przykręcali śrubę swoim dzieciom. Była w nich ogromna potrzeba awansu społecznego, zaprzęgano dzieci do wyścigu szczurów. Pamiętam, że zwolniono nauczyciela, bo nie był wystarczająco wymagający.

Na wywiadówki i prace społeczne przychodzili wyłącznie rodzice amerykańscy. Kiedy trzeba było zorganizować fundraising [zbiórkę pieniędzy], nowe zajęcia, pchnąć życie szkoły do przodu, polscy rodzice byli nieobecni. To amerykańscy mieli know-how, sieć znajomości i pewność siebie. Dla rodziców koleżanek córki, którzy przyjechali do Nowego Jorku jako dzieci, nastolatki lub nawet urodzili się w polskiej dzielnicy, to wciąż było obce. Za to na występach i przedstawieniach siedziały wyłącznie polskie mamy i nianie amerykańskich uczniów.

W siódmej klasie okazało się, że w tej polskiej Ameryce trzeba być cool. Mieć blond włosy, pazury, ubierać się według kodu. Córka czuła się pogubiona z matką artystką.

W ciągu pięciu lat Greenpoint przestał być biały.

Polacy wciąż odtwarzali życie ze swoich polskich miejscowości, żyli jak w bańce, ale to zaczęło się kończyć. Zmieniło się tyle, że właścicielka domu uznała, że przyda jej się znajomość angielskiego. Pomagałam jej w lekcjach.

Amerykanie mają problem, bo życie Polaków jest bardzo konserwatywne. Nowy Jork jest miastem artystów i niespokojnych dusz z całego świata, jego cechą jest ruch, zmiany. Społeczność Greenpointu wciąż się broni. Ma to oczywiście swoje dobre strony.

Mój mąż jest Amerykaninem. Zaczął doceniać polskie jedzenie, a teraz jest jego superfanem. Gotuje polskie zupy, po kolei: ogórkowa, pomidorowa, krupnik, żurek.

Nie wyprowadzam się z Greenpointu, bo to jedno z tych miejsc, gdzie poznaje cię pani w piekarni, a przesiadujące na ławkach w parku matki dzieci ze szkoły córki przywołują cię na papierosa. Nie wyobrażam sobie mieszkania na Manhattanie, gdzie wychodzisz z mieszkania na ulicę, po której przewalają się tłumy turystów.

We wrześniu 2012 roku Krzysztof Olechowski, biznesmen w branży opiekuńczej, zadzwonił do „Nowego Dziennika" z pilną prośbą o patriotyczne wsparcie. Postanowił ostatecznie uchronić Greenpoint przed galopującym wynaradawianiem.

Olechowski był przewodniczącym rady dzielnicy, wcześniej pracownikiem Centrum Polsko-Słowiańskiego. Teraz, z moralnym wsparciem Pulaski Association of Business and Professional Men, zredagował dwujęzyczną petycję. Zamierzał ją przedstawić radzie miasta w czasie dyskusji o planach zabudowy nabrzeża East River.

Olechowski powoływał się na polskość Greenpointu: „Był domem dla generacji Polaków, którzy przyjechali za chlebem, wyklętych weteranów II wojny, wygnanych działaczy »Solidarności«". Dodawał, że mimo wielkiej historii Polacy są dyskryminowani i pomijani przy planowaniu zmian w dzielnicy. Zastępuje ich fala amerykańskiej ludności napływowej, co powoduje wzrost cen, eliminujący nie tylko starszych, ale i zasłużonych mieszkańców. Żądał, by Polacy otrzymali proporcjonalną liczbę tanich mieszkań w nowo budowanych ekskluzywnych wieżowcach: „Musi być miejsce na polskie dziedzictwo kulturowe".

Redakcja „Nowego Dziennika" opublikowała petycję, a mieszkańcy mogli ją podpisywać między innymi podczas niedzielnego pikniku „Klubów Gazety Polskiej" przy kościele Świętego Stanisława Kostki. W pierwszych dniach zrobiło to ponad trzysta osób, ale szybko się okazało, że jej treść nie zadowala niektórych wpływowych mieszkańców. Na przykład Janusza Sporka. Sporek wyłożył petycję Olechowskiego na pikniku, choć jej wtedy nie przeczytał. Po lekturze nie krył rozczarowania, które natychmiast upublicznił na łamach „Nowego Dziennika".

Napisał, że akcja przyszła dwadzieścia lat za późno. Polscy biznesmeni, który teraz narzekają, sami uciekli na Long Island, a na Greenpoint przyjeżdżają tylko do pracy. Niektórzy wyprowadzili stąd nawet swoje biznesy. Polacy wylewają krokodyle łzy, a przecież do roku 2001 lekceważyli dzielnicę. Kto nie zmienił adresu na lepszy, nie był uważany za człowieka sukcesu. Kiedy Amerykanie zaczęli się tu przenosić z Manhattanu, polscy właściciele domów

„poczuli mamonę" i wynajmowali je obcym za kwoty niedostępne Polakom.

> Działaczy, liderów i wodzów różnej maści Polonia ma od metra, ale, niestety, nie są oni i nigdy nie byli najmocniejszą częścią naszej populacji. My wszyscy widzimy, że na Greenpoincie nie ma kultury. Jest sala w Centrum Polsko-Słowiańskim, która powinna nam tę kulturę podsuwać pod nos, ale nie podsuwa. Jest tak zwany Dom Narodowy. Są rady dyrektorów, które powinny wymyślać i kreować rozrywkę, kulturę, ale nie wymyślają. Nawet ci etatowi, za kilkadziesiąt tysięcy zielonych rocznie. Nie robią nic. Dlaczego? Bo nie potrafią. Polonijni działacze mają wyłącznie chęć bycia prezesem, wiceprezesem i pragnienie pstryknięcia sobie zdjęcia z kimkolwiek, byle był z „wyższej półki". No i to byłoby chyba na tyle*.

Kiedy petycja Olechowskiego została upubliczniona również w języku angielskim, podniosły się głosy, że jego działania są niezgodne z prawem, ponieważ dyskryminują inne społeczności etniczne zamieszkałe na Greenpoincie. Nie wiadomo na przykład, dlaczego Polacy mają być uprzywilejowani bardziej niż Latynosi, którzy borykają się z podobnymi problemami. Petycja nie została przyjęta przez radę dzielnicy. Pula mieszkań dla Polaków nie została uchwalona.

Janusz Sporek:

> Polacy na Greenpoincie obudzą się pewnego dnia i stwierdzą, […] że zamiast sąsiada Polaka jest jakiś facet ubrany cały na czarno z białymi farfoclami sterczącymi spod marynarki albo że pranie z okna naprzeciwko przesuwa na sznurze jakaś zawoalowana po oczy tajemnicza piękność spod piramid. I co? Jajco†.

* J. Sporek, *Greenpoint dla Polaków*, „Nowy Dziennik", 21–22 września 2013.
† Tamże.

Widok z Greenpointu na Manhattan, 2004 r.

Heather:

Wprowadziłam się na Manhattan Avenue, ponieważ inne interesujące ogłoszenia okazały się nieaktualne. Moi przyjaciele, też artyści, od dekady zajmowali nielegalnie zaadaptowany loft przy Green Street, więc wiedziałam, że wprowadzam się do polsko-portorykańskiej dzielnicy robotniczej z klimatem małego miasta. Informacje roznoszą się tu pocztą pantoflową, ludzie znają się z widzenia. Ale tylko w granicach plemion: polskiego, latynoskiego i amerykańskiego.

Przyglądamy się tym plemionom. Społeczność latynoska jest bardziej przystępna. Przeciętny Amerykanin uczy się w szkole o Hiszpanii i Ameryce Południowej, wielu dorastało wśród Latynosów. O Polsce nie wie nic. Plemię polskie trzyma się osobno, jest prawicowe i łączy je coś, co przeżyło „dawno temu", prawdopodobnie komunizm lub jakieś nieszczęścia historyczne. Taką mam intuicję. Jest niedostępne, kurczy się i zaraz go nie będzie.

# Beata Delicatessen, 984 Manhattan Avenue (6)

MIESZKO: Kiedy Polska wstąpiła do Unii Europejskiej, Ameryka przestała być tak atrakcyjna. Zmienił się plan zagospodarowania dzielnicy, ceny nieruchomości poszybowały i Polacy po prostu przestali mieć pieniądze na wynajem. Mniej zamożnych właścicieli domów zaczęły mordować podatki gruntowe.

BEATA: Polskie biznesy się zamykały. Koledze, który miał sklep ze słodyczami Wedla na Manhattan Avenue, właściciel podniósł czynsz z dwóch do siedmiu tysięcy dolarów miesięcznie. Kolega tego czynszu nie uniósł i zamknął sklep. Piąty rok stoi pusty.

MIESZKO: Lakiernia zniknęła, szkoła jazdy zniknęła, szkoła języków, zamknęły się polskie kluby.

BEATA: Zniknęła apteka Chopin.

MIESZKO: FBI zamknęło ją z hukiem. Właścicielka miała ciężki rozwód. Pojechała do Polski, gdzie poznała młodszego mężczyznę, nastawionego bardzo biznesowo. Kupili większy dom, mąż chciał dobrymi autami jeździć. Apteka przynosiła zyski, ale niewystarczające. Mąż uznał, że spróbuje handlować opioidami, które w USA biły rekordy popularności. Zamawiali, fałszowali recepty i sprzedawali te najbardziej uzależniające. Poszli o krok dalej: apteka była nieczynna, a właścicielka wciąż zamawiała te lekarstwa. Podobno czterdzieści tysięcy tabletek miesięcznie. Kiedy okazało się, że są największym odbiorcą opioidów ze wszystkich aptek na Brooklynie, na zakupy poszedł agent FBI w przebraniu. Ta kobieta dzwoniła do naszego kolegi. Prosiła, żeby ją odwiedził w areszcie.

## Wypalenie

BEATA: Towary z półki przestały schodzić. Sprzedawaliśmy wyłącznie kanapki.

MIESZKO: Byliśmy już wypaleni i traciliśmy cierpliwość. Wchodził klient i pytał: „Co pan dziś poleca?". Odpowiadałem, że dzisiaj polecam dywany. Inny narzekał, że skrawki sera na pizzę są na Nassau tańsze o dwadzieścia centów. Prosiłem, żeby kupił je na Nassau, spacer dobrze mu zrobi. Pracował ze mną wtedy chłopak, kupił potem mieszkanie na Bronxie. Miał się przyuczać do pracy w sklepie, nie wiem, czy dowiedział się właściwych rzeczy. Dostawaliśmy głupawki.

BEATA: Przyszła pani i poprosiła o sodę oczyszczoną. Wymieniła następnie łacińską nazwę. Nie wiem, co mnie opętało, ale śmiałam się jak głupia. Uciekłam na zaplecze.

MIESZKO: Potem Beacie wysiadło kolano, musiała pójść na operację. Właściwie już wiedzieliśmy, że to koniec sklepu. Zapłaciliśmy naszym pracownikom wszystkie należne pensje. Mówię o tym, bo nie zdarzało się to często na Greenpoincie.

BEATA: Nasi przyjaciele zaczęli zajmować się obrotem nieruchomościami. Postanowiliśmy spróbować. Sprzedaliśmy dom na Queensie, w którym mieszkaliśmy, i to był nasz kapitał. Budynek i sklep na Manhattan Avenue wynajęliśmy.

MIESZKO: W miejscu naszego sklepu jest kawiarnia z ekologiczną kawą za sześć dolarów. Przychodzą tam amerykańscy hipsterzy. Czyli młodzi, zamożni ludzie, którzy noszą brody i włóczkowe czapki, niezależnie od pory roku.

BEATA: Na piętrze mieszka Heather, artystka, Amerykanka.

MIESZKO: Kupiliśmy mieszkania na Florydzie. Szukamy najtańszych domów w najlepszych lokalizacjach. Remontujemy i sprzedajemy z zyskiem. Beata szpachluje ściany, ja maluję; jeszcze nie potrafimy kłaść płytek, ale się nauczymy. W przerwach jeździmy po świecie.

BEATA: Najwięcej zamożnych ludzi z Greenpointu mieszka w Clearwater na Florydzie. Założyli swoje świetlice, czyli Narodowe Domy Polskie, właściciele biznesów odnaleźli się ze swoimi byłymi klientami, prowadzą rozmowy o polityce w Polsce.

MIESZKO: Uciekliśmy na wschodnią stronę półwyspu. Zrozumieliśmy wtedy, jak wygląda małomiasteczkowa Ameryka.

BEATA: W Nowym Jorku nigdy nie czuliśmy się obco. Niemal wszyscy są przyjezdni, większość mówi z akcentem. A kiedy się wprowadziliśmy do apartamentowca na Florydzie, Amerykanie traktowali nas jak powietrze. W sklepach dawali nam do zrozumienia, że nie wiedzą, co do nich mówimy. My trzydzieści lat pracowaliśmy wśród Polaków, więc nie pozbyliśmy się akcentu. Jak się ludzie pytają, skąd jesteśmy, to mówimy, że z Brooklynu. Nie pytają dalej, bo nie wiedzą o co.

MIESZKO: Zaczęliśmy rozmawiać z sąsiadem, Luigim, urodzonym w Stanach Włochem. Luigi nam wyjaśnił, że sąsiedzi boją się rosyjskich szpiegów. A my na takich wyglądaliśmy. Nie mogli zrozumieć, że nie pracujemy, tylko jeździmy na wycieczki rowerowe, spacerujemy po plaży, podróżujemy po świecie. I mieszkamy w miejscu o dość wysokim standardzie. Wiedzą, ile to kosztuje. Nasza nowoczesna lokatorka Heather przyjechała do nas w odwiedziny. Też się zdziwiła, że takie duże mamy mieszkanie.

BEATA: Luigi zrobił w końcu sąsiedzki wine tasting. Kupił dziesięć skrzynek różnych win, każdy przyszedł z własnym kieliszkiem. Mieszko zaczął opowiadać dowcipy i nas jakoś zaakceptowali. Dowiedzieliśmy się, że Luigi kocha Trumpa, bo się boi socjalizmu.

MIESZKO: Luigi się boi socjalizmu, ale skutki jadowitego kapitalizmu, które widzi w okolicy, są wstrząsające. Rodziny z dziećmi mieszkają w samochodach na wielkim parkingu przed centrum handlowym. Jest tam ujęcie wody na trawniku, przy drzewach. Rano na parking podjeżdża autobus szkolny i zabiera bezdomne dzieci. Po południu wyrzuca je znów na opustoszały parking.

BEATA: Chciałam się zatrudnić jako wolontariuszka w ośrodku dla ofiar przemocy domowej. Skala jest niewyobrażalna. Ale kiedy zaczęłam starania, w naszym powiecie zginął policjant, który pojechał interweniować po dramatycznym telefonie szarpanej kobiety. Gdy chciał aresztować sprawcę, kobieta go zastrzeliła w obronie swojego męża. Zrezygnowałam. Żeby rozmawiać z ludźmi, zatrudniłam się na pół etatu w dużym sklepie z meblami i domowymi dodatkami. Nikt mnie nigdy nie potraktował z taką pogardą jak dwóch mężczyzn, klientów. Kobiety tu niewiele znaczą. Bardzo się zdziwiłam.

## Dzieci

BEATA: Studia naszych dzieci kosztowały nas sto tysięcy dolarów. David poszedł do Princeton i był tak miły, że skończył studia rok wcześniej. Ashley jest absolwentką Florida Institute of Technology.

MIESZKO: Mówią po polsku, mają kłopot z czytaniem. Ashley długo próbowała odciąć się od Greenpointu i stereotypu Polaka. Teraz jedzie z narzeczonym pokazać mu Polskę. David przed ślubem pojechał przedstawić narzeczoną polskim babciom.

BEATA: Czujemy, że zrealizowaliśmy plan, nasze dzieci są szczęśliwe.

## Żółwie

MIESZKO: Kiedy kupowaliśmy pierwsze mieszkanie przy plaży, sprzedający ostrzegł, że obowiązują nas specjalne przepisy. Od 1 maja do 30 listopada okna wychodzące na plażę muszą być zaciemnione, nie może być żadnych widocznych stamtąd świateł. Lampy uliczne są zasłonięte od strony oceanu. Te specjalne obostrzenia obowiązują ze względu na samice żółwi, które wychodzą w nocy na brzeg, żeby złożyć jaja. Niespłoszona samica wykopuje tylnymi płetwami jamę i składa mniej więcej sto pięćdziesiąt jaj wielkości piłeczki pingpongowej. Zasypuje je piaskiem i wraca do oceanu. Po dwóch, trzech miesiącach wykluwają się młode żółwie i próbują dostać się do wody. Kiedy moja żona o tym usłyszała, od razu chciała ratować te żółwie.

BEATA: Zgłosiłam się do drużyny monitorującej plażę. Liczymy gniazda, a następnie wcześnie rano nasze patrole sprawdzają, czy wyklute żółwie dotarły do morza, zanim zżarły je ptaki. Każdy gatunek zostawia inne ślady. Wiek dorosły osiąga mniej niż jeden procent wyklutych żółwi.

MIESZKO: Pod koniec lat siedemdziesiątych prawie wyginęły, wprowadzono programy ochronne i obecnie mamy w sezonie ponad dwadzieścia pięć tysięcy gniazd tylko w naszym powiecie. Żółwie to obsesja Florydy, są w herbie miasta, w którym mieszkamy. Najbardziej popularne są green turtles, najrzadsze i chronione – leatherbacks.

BEATA: Gdybyś mi w 1988 roku powiedział, że będziemy liczyć żółwie…

MIESZKO: Odpowiedziałabyś, żebym poszedł na zaplecze nakroić sera.

# Podziękowania

Dziękuję wszystkim, którzy przez ostatnie cztery lata pomagali mi w czasie pracy nad książką. W szczególności nowojorczykom: Beacie i Mieszkowi, Magdzie i Alkowi, Mietkowi, Izie i dwóm Ewom. Także, za dobre rozmowy, Zosi Kłopotowskiej, Czesławowi Karkowskiemu, Markowi Skulimowskiemu, Krzysztofowi Kasprzykowi, Bartkowi Remisko. I mojej rodzinie.

# Bibliografia

*Ameryka w pamiętnikach Polaków. Antologia*, wybór i komentarze Bogdan Grzeloński, Warszawa 1988

Bartnik Anna, *Emigracja latynoska w USA po II wojnie światowej na przykładzie Portorykańczyków, Meksykanów i Kubańczyków*, Kraków 2012

Błaszczak Jan, *The Dom. Nowojorska bohema na polskim Lower East Side*, Wołowiec 2018

Brożek Andrzej, *Polonia amerykańska 1854–1939*, Warszawa 1977

Burrows Edwin G., Mike Wallace, *Gotham. A history of New York City to 1898*, New York 1999

*Burzliwe lata Polonii amerykańskiej. Wspomnienia i listy misjonarzy jezuickich 1864–1913*, oprac. Ludwik Grzebień SJ, Kraków 1983

Cisek Janusz, *Polski Komitet Imigracyjny w Nowym Jorku*, Nowy Jork 2003

Cobb Geoffrey, *Greenpoint Brooklyn's Forgotten Past*, New York 2015

—, *The King of Greenpoint. Peter McGuinness*, New York 2016

—, *Williamsburg Transformed. A History of Williamsburg Brooklyn 1903 to 1945*, New York 2020

Głowacki Janusz, *Antygona w Nowym Jorku*, Warszawa 2019

—, *Z głowy*, Warszawa 2004

Główczewska Lenta, *Nowy Jork. Kartki z metropolii*, Warszawa 2004

Jarmakowski Andrzej, *Pomost. W sprawie wolności 1978–1994*, Warszawa 2013

*Jews of Brooklyn*, ed. Ilana Abramovitch, Seán Galvin, Hanover 2002

Kapiszewski Andrzej, *Stereotyp Amerykanów polskiego pochodzenia*, Kraków 1978

Kazin Michael, *Amerykańscy marzyciele. Jak lewica zmieniła Amerykę*, przeł. Michał Sutowski, Warszawa 2012

Krase Jerome, Judith N. DeSena, *Race, Class, and Gentrification in Brooklyn. A View from the Street*, Lexington 2016

Krasikov Sana, *Jeszcze rok*, przeł. Michał Kłobukowski, Wołowiec 2010

Kruszka Wacław, *Historia polska w Ameryce*, t. 1–13, Milwaukee 1905–1908.
Lachowicz Teofil, *Dla ojczyzny ratowania… Szkice z dziejów wychodźstwa polskiego w Ameryce i inne*, Warszawa 2007
Lepore Jill, *My, naród. Nowa historia Stanów Zjednoczonych*, przeł. Jan Szkudliński, Poznań 2020
Leszczyński Adam, *Ludowa historia Polski. Historia wyzysku i oporu. Mitologia panowania*, Warszawa 2020
*Listy emigrantów z Brazylii i Stanów Zjednoczonych 1890–1891*, red. Witold Kula, Nina Assorodobraj-Kula, Marcin Kula, Warszawa 2012
Merlis Brian, Riccardo Gomes, *Brooklyn's Historic Greenpoint*, New York 2015
*Pamiętnik dwudziestej rocznicy założenia parafii Świętych Cyryla i Metodego w Greenpoint*, Brooklyn 1937
*Pamiętniki emigrantów*, wybór i przedmowa Kazimierz Koźniewski, Warszawa 1965
*Pamiętniki emigrantów. 1878–1958*, red. Kazimierz Koźniewski, Wacław Wagner, Warszawa 1960
*Pamiętniki emigrantów. Stany Zjednoczone*, t. 1–2, red. Janina Dziembowska, Warszawa 1977
Piątkowska Danuta, *Polskie kościoły w Nowym Jorku*, Nowy Jork–Opole 2002
Piątkowska Danuta, Wiesława Piątkowska-Stepaniak, *Na antenie polonijnego radia Rytm w Nowym Jorku*, Opole 2018
Piątkowska-Stepaniak Wiesława, *Polska w Nowym Jorku. Idee, spory, nadzieje emigracji politycznej w latach 1940–1990*, Opole 2012
Piekarczyk Marek, Leszek Gnoiński, *Zwierzenia kontestatora*, Kraków 2014
Piotrowska-Breger Krystyna, *Ameryka. To nie tak miało być*, Kraków 2004
Pistone Joseph D., Richard Woodley, *Donnie Brasco. My Undercover Life in the Mafia*, London 2006
*Polish Americans in the City of New York. An Outline of Socioeconomic and Cultural Needs*, ed. Jimmy Thomas, Lesław Jurewicz, New York 1979
Pollack Martin, *Cesarz Ameryki. Wielka ucieczka z Galicji*, przeł. Karolina Niedenthal, Wołowiec 2011
*Polonia amerykańska. Przeszłość i współczesność*, red. Hieronim Kubiak, Eugeniusz Kusielewicz, Tadeusz Gromada, Wrocław–Warszawa–Kraków–Łódź 1988
Redliński Edward, *Dolorado*, Warszawa 1994
—, *Szczuropolacy*, Warszawa 1994
Redliński Edward, Bożena Branicka-Redlińska, *Przewodnik nowojorski. New York City and New York State, Connecticut, New Jersey, Pennsylvania*, New York 1991

Rittenhouse Magdalena, *Nowy Jork. Od Mannahatty do Ground Zero*, Wołowiec 2013

Sienkiewicz Henryk, *Listy z podróży do Ameryki*, wolnelektury.pl, bit.ly/3a-3GLk9 (dostęp: 12.04.2021)

Sifakis Carl, *Mafia amerykańska. Encyklopedia*, przeł. Piotr Nowakowski, Kraków 2007

Sosnowska Anna, *Polski Greenpoint a Nowy Jork. Gentryfikacja, stosunki etniczne i imigrancki rynek pracy na przełomie XX i XXI wieku*, Warszawa 2016

Stabrowski Filip, *Housing Polish Greenpoint. Property and Power In a Gentrifying Brooklyn Neighborhood*, Berkeley 2011

Starczewski Michał, *Agenci emigracyjni na ziemiach polskich przed 1914 rokiem*, praca magisterska napisana pod kierunkiem prof. dra hab. Tomasza Kizwaltera, Wydział Historyczny Uniwersytetu Warszawskiego, Warszawa 2010

Susser Ida, *Norman Street. Poverty and Politics in an Urban Neighborhood*, New York 2012

Szawleski Mieczysław, *Wychodźstwo polskie w Stanach Zjednoczonych Ameryki*, Lwów 1924

Szejnert Małgorzata, *Wyspa klucz*, Kraków 2009

Thomas William I., Florian Znaniecki, *Chłop polski w Europie i Ameryce*, t. 1–5, Warszawa 1976

Tołczyk Longin, *W obronie Polonii*, t. 1–2, Chicago 1988

*Wspomnienia i wiersze*, cz. 1–2, Nowy Jork 2010

Wyszyński Hieronim Teodor, *Historia jednego życia*, Warszawa 2006

Zaremba Paweł, *Historia Stanów Zjednoczonych*, Warszawa 1992

Zinn Howard, *Ludowa historia Stanów Zjednoczonych. Od roku 1492 do dziś*, przeł. Andrzej Wojtasik, Warszawa 2016

## Ważniejsze artykuły:

Bukowczyk John J., *The Immigrant "Community" Re-Examined. Political and Economic Tensions in a Brooklyn Polish Settlement, 1888–1894*, „Polish American Studies" 1980, no. 2

—, *Polish Rural Culture and Immigrant Working Class Formation, 1880–1914*, „Polish American Studies" 1984, no. 2

DeSena Judith N., *The Polish Community of Greenpoint, Brooklyn, Then and Now. A View from the Street*, „Polish American Studies" 2019, no. 1

DeSena Judith N., Jerome Krase, *Brooklyn Revisited. An Illustrated View from the Street 1970 to the Present*, „Urbanities" 2015, no. 2

Hamilton Trina, Winifred Curran, *From “Five Angry Women” to “Kick-ass Community”. Gentrification and Environmental Activism in Brooklyn and Beyond*, „Urban Studies” 2013, no. 8

Howe Marvine, *Polish Newcomers Revive Dying Greenpoint Customs*, „The New York Times”, 22 czerwca 1984

Hrabyk Klaudiusz, *„Sprawa Polska” w Nowym Jorku (1951–1955)*, „Kwartalnik Historii Prasy Polskiej” 1985–1986, nr 2

Krase Jerome, *Seeing Greenpoint Virtually and Actually Change. Polish Americans and Gentrification in Brooklyn*, „Polish American Studies” 2019, no. 1

Malinowski Leopold, *Zjednoczenie Polsko-Narodowe w Brooklynie 1903–1983*, „Studia Polonijne” 1985, t. 9

Mostwin Danuta, *Rodzina przeszczepiona z perspektywy trzydziestu lat*, „Archiwum Emigracji. Studia, Szkice, Dokumenty” 1999, z. 2

Piątkowska Danuta, *Polsko-Słowiańska Federalna Unia Kredytowa sukcesem amerykańskiej Polonii*, „Polonia Journal” 2016, nr 3–4

Piech Stanisław, *Emigracja z diecezji tarnowskiej w świetle ankiet konsystorza z lat 1907 i 1910*, „Nasza Przeszłość. Studia z dziejów Kościoła i kultury katolickiej w Polsce” 1988, t. 65

Stabrowski Filip, *New Build Gentryfication and the Everyday Displacement of Polish Immigrant Tennants in Greenpoint, Brooklyn*, „Antipode” 2014, no. 3

## Gazety, serwisy, strony internetowe:

„Brooklyn Daily Eagle”
brooklynrail.org
„Czas”
„Greenpoint Eagle”
greenpointers.com
„Greenpoint Gazette”
„The Jersey Journal”
„Kurier Plus”
„The New York Times”
„Nowy Dziennik”
„Nowy Świat”

## Filmy:

*Donnie Brasco*, reż. Mike Newell, 1997
*Szczęśliwego Nowego Jorku*, reż. Janusz Zaorski, 1997
*Wszystko zaczęło się na Greenpoincie*, 2016

Źródłem informacji o zmianach w dzielnicy jest dokumentacja programu „Greenpoint. Przemiany” Fundacji Culture Shock i Archiwum Historii Mówionej Muzeum Emigracji w Gdyni. Jego inicjatorką była m.in. Marta Pawlaczek (bit.ly/3hYQRHR).

# Źródła fotografii

s. 13, 75, 78, 248 – archiwum prywatne Beaty i Mieszka Kalitów
s. 66 – fot. Jim Henderson / Wikipedia.org
s. 84 – fot. Brooklyn Public Library
s. 103, 393 – fot. Marcin Żurawicz
s. 156, 185, 216, 244–245, 325, 342–343, 385 – fot. Wojciech Kubik
s. 166 – fot. Bain News Service / Library of Congress
s. 183 – fot. Ernst Haas / Getty Images

# Spis treści

9 Beata Delicatessen, 984 Manhattan Avenue (1)
16 Rozdział I. Inni Europejczycy
22 Little Poland (1)
62 Rozdział II. Nowoczesność
72 Beata Delicatessen, 984 Manhattan Avenue (2)
83 Rozdział III. Fala
95 Little Poland (2)
127 Rozdział IV. Matka Boska rozprasza mgłę
152 Beata Delicatessen, 984 Manhattan Avenue (3)
160 Rozdział V. Stabilizacja
177 Little Poland (3)
221 Rozdział VI. Rebeliantki
247 Beata Delicatessen, 984 Manhattan Avenue (4)
255 Rozdział VII. Druga fala
278 Little Poland (4)
304 Rozdział VIII. Instytucjonaliści
318 Beata Delicatessen, 984 Manhattan Avenue (5)
323 Rozdział IX. Trzecia fala
354 Little Poland (5)
381 Rozdział X. Wojna światów
394 Beata Delicatessen, 984 Manhattan Avenue (6)

399 Podziękowania
401 Bibliografia
405 Źródła fotografii

WYDAWNICTWO CZARNE sp. z o.o.
czarne.com.pl
Wydawnictwo Czarne
@wydawnictwoczarne

Sekretariat i dział sprzedaży:
ul. Węgierska 25A, 38-300 Gorlice
tel. +48 18 353 58 93

Redakcja: Wołowiec 11, 38-307 Sękowa

Dział promocji:
ul. Marszałkowska 43/1, 00-648 Warszawa
tel. +48 22 621 10 48

Skład: d2d.pl
ul. Sienkiewicza 9/14, 30-033 Kraków
tel. +48 12 432 08 52, e-mail: info@d2d.pl

Druk i oprawa: Drukarnia POZKAL
ul. Cegielna 10/12, 88-100 Inowrocław
tel. +48 52 354 27 00

Wołowiec 2021
Wydanie I
Ark. wyd. 18,7; ark. druk. 25,5